Cinquenta tons de liberdade

Cinquenta tons de liberdade

TRADUÇÃO DE
MARIA CARMELITA DIAS

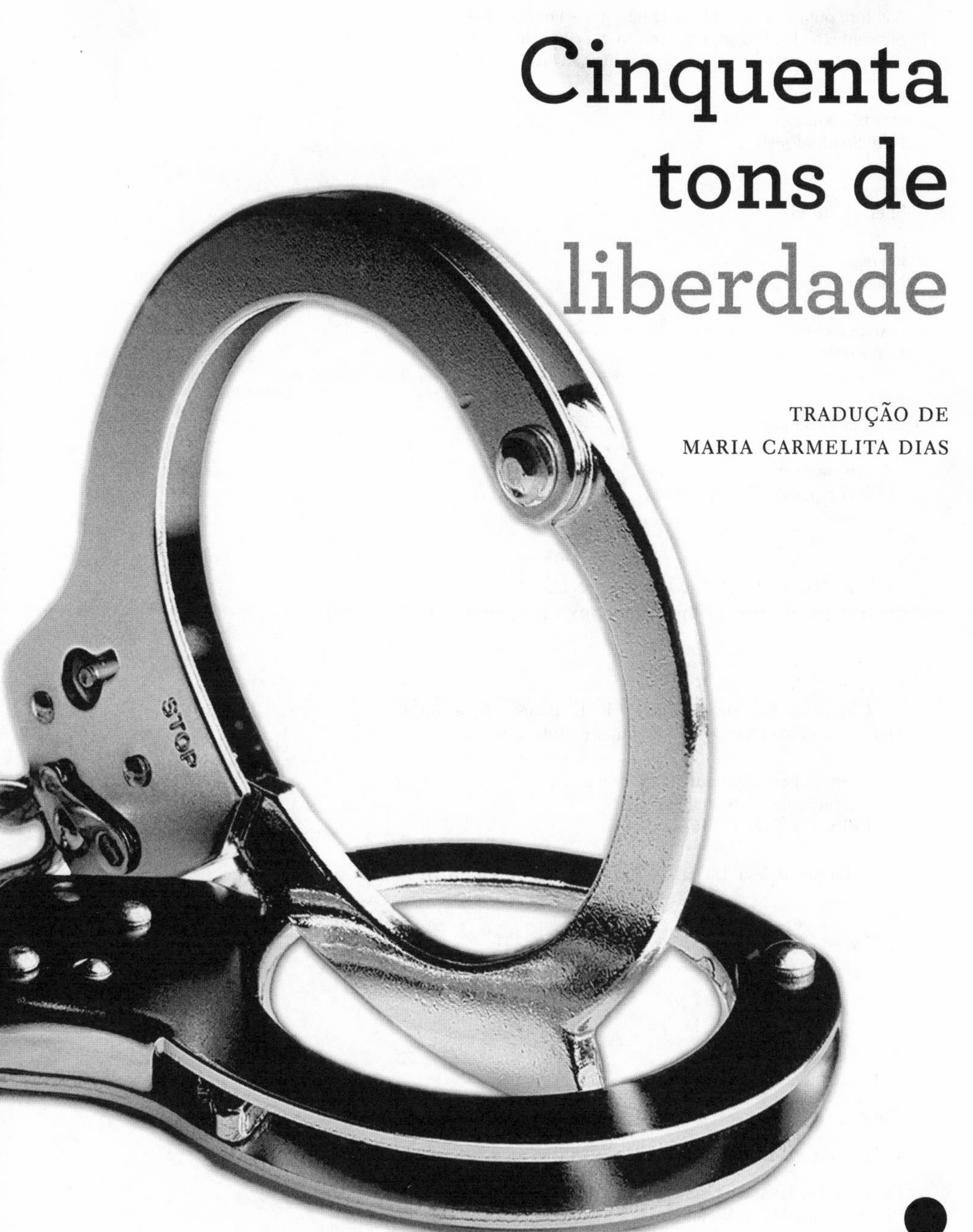

E L James

intrínseca

A autora publicou, inicialmente na internet e sob o pseudônimo Snowqueen's Icedragon, uma versão em capítulos desta história, com personagens diferentes e sob o título *Master of the Universe*.

TÍTULO ORIGINAL
Fifty Shades Freed

PREPARAÇÃO
Sheila Louzada

REVISÃO
Milena Vargas

DIAGRAMAÇÃO
Editoriarte

CAPA
Jennifer McGuire

IMAGEM DE CAPA
© Kineticimagery/Dreamstime.com

CIP-BRASIL. CATALOGAÇÃO-NA-FONTE
SINDICATO NACIONAL DOS EDITORES DE LIVROS, RJ

J81c

James, E. L.
Cinquenta tons de liberdade / E. L. James ; tradução de Maria Carmelita Dias. — Rio de Janeiro : Intrínseca, 2012.

544p. : 23 cm (Cinquenta tons de cinza ; 3)
Tradução de: Fifty shades freed
ISBN 978-85-8057-216-2

1. Ficção inglesa. I. Dias, Maria Carmelita II. Título. III. Série.

12-3785. CDD: 823
CDU: 821.111-3

[2012]

EDITORA INTRÍNSECA LTDA.
Rua Marquês de São Vicente, 99, 3º andar
22451-041 – Gávea
Rio de Janeiro – RJ
Tel./Fax: (21) 3206-7400
www.intrinseca.com.br

Para mi Mamá con todo mi amor y gratitud.
E para meu amado pai.
Papai, sinto saudades todos os dias.

AGRADECIMENTOS

Agradeço a Niall, minha rocha.

A Kathleen, por ser simplesmente uma ótima avaliadora de novas ideias, grande amiga e confidente, além de mestre em computadores.

A Bee, pelo infinito apoio moral.

A Taylor (mais um mestre em computadores), Susi, Pam e Nora, pelos bons momentos que me proporcionaram.

E, pelos conselhos e bom senso, meu muito obrigada a:

Dr. Raina Sluder, pela ajuda com todos os assuntos médicos; Anne Forlines, pela orientação quanto às questões financeiras; Elizabeth de Vos, por suas gentis dicas relacionadas ao sistema de adoção de crianças nos Estados Unidos.

Obrigada a Maddie Blandino, por sua arte única e inspiradora.

E a Pam e Gillian, pelo café das manhãs de sábado, e por me trazerem de volta à vida real.

Gostaria de agradecer também à equipe de editores que trabalhou comigo: Andrea, Shay e a incansável e eternamente gentil Janine, que tolera minha falta de concentração com paciência, firmeza e um grande senso de humor.

Obrigada a Amanda e a todos da editora The Writer's Coffee Shop, e, finalmente, um imenso obrigada a todos da Vintage Books.

PRÓLOGO

Mamãe! Mamãe! Mamãe está dormindo no chão. Ela já está dormindo há muito tempo. Penteio seu cabelo, porque ela gosta. Ela não acorda. Dou uma sacudida nela. Mamãe! Minha barriga está doendo. É fome. Ele não está aqui. Estou com sede. Na cozinha, puxo uma cadeira até a pia e tomo um pouco d'água. A água respinga no meu suéter azul. Mamãe ainda está dormindo. Mamãe, acorde! Ela continua quieta. Está fria. Apanho meu cobertor preferido, cubro a mamãe e me deito ao lado dela no tapete verde pegajoso. Mamãe ainda está dormindo. Tenho dois carrinhos de brinquedo. Faço-os apostar corrida no chão onde mamãe dorme. Acho que ela está doente. Procuro alguma coisa para comer. Encontro ervilhas no congelador. Estão geladas. Como devagar. Elas fazem minha barriga doer. Durmo perto da mamãe. As ervilhas acabaram. Encontro outra coisa na geladeira. Tem um cheiro esquisito. Dou uma lambida e minha língua fica grudada. Como devagar. O gosto é horrível. Bebo mais água. Brinco com meus carrinhos e durmo do lado da mamãe. Mamãe está muito fria e não quer acordar. A porta se abre com força. Cubro mamãe com meu cobertor. É ele. *Porra. O que foi que aconteceu aqui, cacete? Ah, essa maluca dessa puta de merda. Merda. Caralho. Sai do meu caminho, seu merdinha.* Ele me chuta e eu bato com a cabeça no chão. Minha cabeça dói. Ele liga para alguém e vai embora. Tranca a porta. Eu me deito ao lado da mamãe. Minha cabeça dói. Chega a policial. Não. Não. Não. Não toque em mim. Não toque em mim. Não toque em mim. Fico ao lado da mamãe. Não. Fique longe de mim. A policial pega meu cobertor e me agarra. Eu grito. Mamãe! Mamãe! Eu quero a minha mãe. As palavras fugiram. Não consigo falar. Mamãe não me escuta. Não consigo falar.

— Christian! Christian! — A voz dela é aflita e o arranca das profundezas de seu pesadelo, das profundezas de seu desespero. — Estou aqui. Estou aqui.

Ele acorda e a vê inclinada sobre si, segurando seus ombros e o sacudindo, o rosto marcado pela angústia, os olhos azuis arregalados e lágrimas transbordando.

— Ana. — A voz dele é um sussurro aflito, o gosto do medo enchendo sua boca. — Você está aqui.

— É claro que eu estou aqui.

— Eu tive um pesadelo…

— Eu sei. Mas eu estou aqui. Estou aqui.

— Ana. — Ele murmura o nome dela, um talismã contra o pânico negro e asfixiante que percorre seu corpo.

— Shhh, estou aqui.

Ela se enrosca nele, braços e pernas o envolvendo, seu calor aquecendo o corpo dele, afastando a escuridão, afastando o medo. Ela é um raio de sol, é iluminada… ela é dele.

— Por favor, não vamos brigar. — A voz dele soa rouca, e ele a abraça.

— Está bem.

— Os votos. Nada de obediência. Eu consigo. Vamos encontrar uma maneira. — As palavras saem apressadas de sua boca, em um misto de emoção, confusão e ansiedade.

— Vamos, sim. Vamos sempre encontrar uma maneira — diz ela, e cola os lábios nos dele, silenciando-o, trazendo-o de volta para o presente.

CAPÍTULO UM

Olho para cima, pelas brechas do guarda-sol verde, para o mais azul dos céus: um azul de verão, um azul mediterrâneo, e solto um suspiro de satisfação. Christian está ao meu lado, estirado sobre uma espreguiçadeira de praia. Meu marido — meu belo e sensual marido, sem camisa e usando uma bermuda feita de calça jeans cortada — está concentrado em um livro que prevê o colapso do sistema bancário ocidental. Pelo que todos comentam, é viciante de se ler. Eu nunca o tinha visto tão quieto assim, nunca. Mais parece um estudante do que o bem-sucedido CEO de uma das maiores empresas privadas dos Estados Unidos.

Estamos no final da nossa lua de mel, aproveitando o sol da tarde na praia do Beach Plaza Monte Carlo — um nome bem apropriado —, em Mônaco, embora na verdade não estejamos nesse hotel. Abro os olhos e fito o *Fair Lady*, ancorado no porto. Naturalmente, estamos hospedados a bordo de um luxuoso iate. Construído em 1928, o *Fair Lady* flutua majestosamente sobre as águas, soberano em relação a todos os outros iates do porto. Parece um brinquedo de dar corda. Christian o adora; suspeito até de que ele esteja tentado a comprá-lo. Francamente... homens e seus brinquedos.

Recostando-me confortavelmente, escuto a lista de Christian Grey no meu iPod novo e cochilo sob o sol de fim de tarde, relembrando o pedido de casamento. Ah, um pedido dos sonhos, no ancoradouro... Quase consigo sentir o aroma das flores do campo...

— Podemos nos casar amanhã? — murmura Christian suavemente no meu ouvido.

Estou languidamente recostada no peito dele, na cobertura florida do ancoradouro, satisfeita depois de fazermos amor apaixonadamente.

— Hmm.

— Isso é um sim? — Capto expectativa na voz dele.

— Hmm.

— Um não?

— Hmm.

Sinto seu sorriso.

— Srta. Steele, você está sendo incoerente?

Sorrio também.

— Hmm.

Ele ri e me abraça apertado, beijando o alto da minha cabeça.

— Então está combinado. Vegas amanhã.

Meio dormindo, levanto a cabeça.

— Acho que meus pais não ficariam muito felizes com isso.

Ele passa os dedos pelas minhas costas nuas, para cima e para baixo, acariciando-me ternamente.

— O que você quer, Anastasia? Vegas? Um casamento grande, com tudo a que tem direito? Vamos, diga.

— Grande não... Só os amigos e a família.

Ergo o olhar para ele, enternecida pela súplica silenciosa em seus brilhantes olhos cinzentos. *O que ele quer?*

— Tudo bem — concorda ele. — Onde?

Dou de ombros.

— Pode ser aqui? — pergunta Christian, hesitante.

— Na casa dos seus pais? Eles não vão se importar?

Ele resmunga.

— Minha mãe ficaria no sétimo céu.

— Aqui, então. Tenho certeza de que minha mãe e meu pai vão preferir.

Ele acaricia meu cabelo. Eu não poderia estar mais feliz.

— Bom, já resolvemos onde; agora vamos definir quando.

— Você tem que perguntar para a sua mãe, é claro.

— Hmm. — O sorriso dele desaparece. — Posso dar a ela um mês, no máximo. Quero muito você, não posso esperar mais que isso.

— Christian, eu já sou sua. Faz um bom tempo. Mas tudo bem: um mês está bom.

Eu beijo seu peito, um beijo suave e casto, e sorrio.

— Você vai se queimar muito — sussurra Christian em meu ouvido, tirando-me do meu cochilo.

— Você me faz incendiar por dentro. — Abro meu sorriso mais doce.

O sol do fim de tarde mudou de posição, de forma que os raios fortes incidem diretamente sobre mim. Ele sorri maliciosamente e, com um movimento rápido, puxa minha espreguiçadeira de volta para a sombra do guarda-sol.

— Agora está protegida do sol do Mediterrâneo, Sra. Grey.

— Obrigada por seu altruísmo, Sr. Grey.

— O prazer é todo meu, Sra. Grey, e não estou sendo nem um pouco altruísta. Se você se queimar demais, não vou conseguir tocá-la. — Ele ergue uma sobrancelha, seus olhos brilhando de jovialidade, e meu coração se derrete. — Mas suspeito que você já saiba disso, e está rindo de mim.

— Será? — digo, com um suspiro, fingindo inocência.

— Sim, você vive rindo de mim. É uma das muitas coisas que amo em você.

Ele se abaixa e me beija, mordendo de leve meu lábio inferior.

— Eu esperava que você me lambuzasse com mais protetor solar — digo, fazendo beicinho e colando os lábios nos dele.

— Sra. Grey, esse é um trabalho sujo... mas uma oferta que não posso recusar. Sente-se — ordena ele, a voz áspera.

Obedeço, e, com toques lentos e meticulosos de seus dedos fortes e dóceis, ele me cobre de protetor solar.

— Você é realmente linda. Sou um homem de sorte — murmura enquanto seus dedos deslizam sobre meus seios, espalhando a loção.

— Um homem de sorte, com certeza, Sr. Grey.

Fito-o recatadamente, piscando para fazer charme.

— Seu nome é modéstia, Sra. Grey. Vire-se. Vou passar nas suas costas.

Sorrindo, eu me viro, e ele desamarra o laço do meu biquíni escandalosamente caro.

— Como você se sentiria se eu fizesse topless, que nem as outras mulheres da praia? — pergunto.

— Incomodado — diz ele, sem hesitar. — Já não estou muito feliz em ver você usando tão pouca roupa agora. — Ele se inclina e sussurra em meu ouvido: — Não abuse da sorte.

— É uma ameaça, Sr. Grey?

— Não. É uma afirmação, Sra. Grey.

Solto um suspiro e balanço a cabeça. *Ah, Christian... meu Christian possessivo, ciumento e maníaco por controle.*

Quando acaba, ele dá uma palmada na minha bunda.

— Pronto, lindeza.

O BlackBerry dele, onipresente e sempre ativo, toca. Olho-o com desaprovação e ele sorri maliciosamente.

— É confidencial, Sra. Grey.

Ele ergue uma sobrancelha, brincalhão me dá mais uma palmada e se acomoda na espreguiçadeira para atender à ligação.

Minha deusa interior ronrona. Hoje à noite talvez nós duas possamos fazer algum espetáculo exclusivo para ele. Ela sorri com malícia e astúcia, levantando a sobrancelha. Eu sorrio só de pensar nisso, e mergulho novamente em minha siesta vespertina.

— *Mam'selle? Un Perrier pour moi, un* Coca-Cola Diet *pour ma femme, s'il vous plaît. Et quelque chose à manger... laissez-moi voir la carte.*

Humm... O francês fluente de Christian me acorda. Meus cílios tremem à luz ofuscante do sol e percebo que ele me observa enquanto uma jovem uniformizada se afasta, a bandeja erguida, o comprido rabo de cavalo louro balançando provocativamente.

— Com sede? — pergunta ele.

— Sim — murmuro, sonolenta.

— Eu podia ficar apreciando você o dia inteiro. Cansada?

Fico vermelha.

— Não dormi muito na noite passada.

— Nem eu.

Ele sorri, pousa o BlackBerry na espreguiçadeira e se levanta. Sua bermuda abaixa um pouco... deixando visível o calção de banho. Christian tira a bermuda e o chinelo. Perco o fio do pensamento.

— Venha nadar comigo. — Ele oferece a mão e eu o fito, entorpecida. — Nadar? — repete ele, pendendo a cabeça para o lado com uma expressão de quem está achando graça. Quando não respondo, ele balança a cabeça lentamente. — Acho que você precisa de um toque de despertar.

De súbito, ele se lança sobre mim e me ergue nos braços. Eu solto um grito agudo, mais de surpresa do que de medo.

— Christian! Me ponha no chão! — exclamo.

Ele dá uma risadinha.

— Só na água, baby.

Na praia, vários banhistas observam, com um misto de perplexidade e desinteresse que agora percebo ser típico dos franceses, Christian me carregar para o mar, rindo, e entrar na água.

Agarro o pescoço dele.

— Você não faria isso — digo, sem fôlego, tentando abafar o riso.

Ele sorri.

— Ah, Ana, meu amor, você não aprendeu nada sobre mim no curto espaço de tempo desde que nos conhecemos?

Ele me beija, e eu aproveito a oportunidade para deslizar os dedos por seu cabelo, agarrando duas mechas e retribuindo o beijo, invadindo a boca dele com minha língua. Ele inspira forte e se inclina para trás, os olhos embaçados, mas atentos.

— Conheço o seu jogo — sussurra ele, e vagarosamente avança na água límpida e gelada, levando-me junto enquanto nossos lábios se grudam de novo. O frio do mar Mediterrâneo logo foge de minha mente quando me enrosco ao redor do meu marido.

— Pensei que você quisesse nadar — murmuro contra sua boca.

— Você me distrai muito. — Ele roça os dentes no meu lábio inferior. — Mas não sei se quero que a boa gente de Monte Carlo veja minha mulher nos espasmos da paixão.

Passo os dentes pelo pescoço dele, sua barba por fazer pinicando minha língua; não dou a mínima para a boa gente de Monte Carlo.

— Ana — geme ele.

Christian enrola meu rabo de cavalo em volta de sua mão e puxa gentilmente, fazendo minha cabeça pender para trás, expondo meu pescoço. Ele salpica beijos desde a minha orelha até a base da clavícula.

— Posso trepar com você no mar? — pergunta ele, arquejando.

— Deve — sussurro.

Christian afasta o torso e me encara, os olhos ternos, desejosos e *cheios de humor.*

— Sra. Grey, você é insaciável, e tão atrevida! Que tipo de monstro eu criei?

— Um monstro sob medida para você. Você iria me querer de outra maneira?

— Eu iria querer você de qualquer maneira, você sabe. Mas não agora. Não com plateia. — Ele vira a cabeça em direção à areia.

O quê?

De fato, vários banhistas abandonaram a indiferença e agora nos olham interessados. De repente, Christian me pega pela cintura e me lança no ar, deixando-me cair na água e afundar até bater na areia macia por baixo das ondas. Volto para a superfície tossindo, engasgando e rindo.

— Christian! — repreendo-o, encarando-o com o olhar firme.

Pensei que fôssemos fazer amor no mar... mais uma primeira vez. Ele morde o lábio inferior, contendo seu divertimento. Jogo água nele, que revida jogando em mim.

— Temos a noite inteira — diz ele, rindo como um bobo. — Mais tarde, baby.

Ele então mergulha, emergindo a um metro de distância; depois, em um estilo fluido e gracioso, nada para longe da praia, para longe de mim.

Rá! Meu Cinquenta Tons provocante e brincalhão! Protejo os olhos do sol vendo-o se afastar. Ele adora me provocar... O que posso fazer para trazê-lo de volta? À medida que nado retornando para a praia, avalio minhas opções. Nas espreguiçadeiras, as bebidas que ele pediu esperam por nós, e tomo um gole rápido da Coca Diet. Christian é uma manchinha ao longe.

Hum... Eu me deito de bruços e, atrapalhando-me um pouco, tiro a parte de cima do biquíni e a jogo despreocupadamente sobre a espreguiçadeira de Christian. Prontinho... vamos ver como eu posso ser atrevida, Sr. Grey. Engula essa. Fecho os olhos e deixo o sol aquecer minha pele... aquecer meus ossos, e começo a divagar sob o calor, meus pensamentos voltando para o dia do meu casamento.

— Pode beijar a noiva — anuncia o reverendo Walsh.

Sorrio para o meu marido.

— Finalmente você é minha — sussurra ele, puxando-me para seus braços e me beijando castamente na boca.

Estou casada. Sou a Sra. Christian Grey. Estou tonta de alegria.

— Você está maravilhosa, Ana — murmura ele, e sorri, o olhar brilhando de amor... e de algo mais escuro, mais picante. — Não deixe ninguém tirar esse vestido; só eu, entendeu?

Seu sorriso aquece a quase quarenta graus quando as pontas de seus dedos percorrem meu rosto, fazendo meu sangue ferver.

Ai, meu Deus... Como ele consegue fazer isso, mesmo aqui com todas essas pessoas olhando para nós?

Concordo em silêncio. Nossa, espero que ninguém nos ouça. Por sorte, o reverendo Walsh discretamente deu um passo para trás. Dou uma olhada para o grupo reunido em elegantes trajes de casamento: minha mãe, Ray, Bob e os Grey estão aplaudindo — até Kate, minha dama de honra, que está linda em um vestido cor-de-rosa claro, ao lado de Elliot, irmão e padrinho de Christian. Quem diria que até Elliot pudesse se arrumar tão bem? Todos exibem sorrisos enormes e radiantes — menos Grace, que chora graciosamente em um delicado lenço branco.

— Pronta para festejar, Sra. Grey? — murmura Christian, abrindo um sorriso tímido para mim.

Eu derreto. Ele está divino em um smoking preto e simples com gravata e faixa prateadas. Está... *estonteante.*

— Mais do que nunca — respondo, com um sorriso bobo no rosto.

Mais tarde, a festa de casamento está a todo vapor... Carrick e Grace foram até a cidade. Eles reinstalaram o toldo e o decoraram lindamente em tons de cor-de-rosa claro, prateado e marfim, aberto dos lados e dando para a baía. Felizmente o tempo está bom, e o sol de fim de tarde brilha sobre a água. Há uma pista de dança em uma ponta da grande tenda, e um farto bufê na outra.

Ray e minha mãe estão dançando e rindo juntos. Tenho um sentimento dúbio vendo-os assim próximos. Espero que meu casamento com Christian dure mais. Não sei o que eu faria se ele me deixasse. *Quem casa a correr, toda a vida tem para se arrepender.* O provérbio é um fantasma a me assombrar.

Kate está ao meu lado, linda no seu vestido longo de seda. Ela me fita e franze o cenho.

— Ei, este deveria ser o dia mais feliz da sua vida — repreende-me ela.

— E é — sussurro.

— Ah, Ana, o que há com você? Está pensando em sua mãe com Ray?

Admito tristemente.

— Eles estão felizes.

— Só porque se separaram.

— Você está com dúvidas? — pergunta Kate, preocupada.

— Não, de jeito nenhum. É só que... eu amo tanto o Christian. — Fico travada; não consigo, ou talvez eu não deseje, articular meus temores.

— Ana, está na cara que ele adora você. Sei que foi um início pouco convencional para um relacionamento, mas eu vi como vocês passaram felizes esse último mês. — Ela pega minhas mãos e as aperta com carinho. — Além disso, agora é tarde — acrescenta, com um sorriso bem-humorado.

Dou uma risadinha. Ninguém melhor do que Kate para apontar o óbvio. Ela me puxa para um Abraço Especial de Katherine Kavanagh.

— Ana, vai dar tudo certo. E se ele tocar em um fio do seu cabelo, vai se ver comigo. — Ela me solta e sorri para alguém atrás de mim.

— Oi, baby. — Christian me abraça de surpresa e me beija na têmpora. — Kate — ele a cumprimenta. Ainda age friamente com ela mesmo depois de seis semanas.

— Olá novamente, Christian. Vou procurar o seu padrinho.

E, sorrindo para nós dois, ela se dirige até Elliot, que está bebendo com o irmão dela, Ethan, e nosso amigo José.

— Hora de irmos — murmura Christian.

— Já? Esta é a primeira festa em que eu não ligo de ser o centro das atenções. — Giro em seus braços para fitá-lo.

— Você merece. Está deslumbrante, Anastasia.

— Você também.

Ele sorri, e sua expressão torna-se mais quente.

— Este lindo vestido ficou perfeito em você.

— Este pedaço de pano velho?

Coro e puxo o delicado acabamento de renda do vestido de casamento, simples e bem-cortado, desenhado para mim pela mãe de Kate. Adoro o fato de a renda deixar apenas os ombros descobertos — recatado mas sedutor, espero.

Ele se inclina e me beija.

— Vamos. Não quero mais dividir você com essa gente toda.

— Podemos ir embora da nossa própria festa de casamento?

— A festa é nossa, baby, podemos fazer o que quisermos. Já cortamos o bolo. E agora eu quero tirar você daqui e tê-la só para mim.

Dou uma risadinha.

— Você me tem para a vida toda, Sr. Grey.

— Fico muito feliz de ouvir isso, Sra. Grey.

— Ah, aqui estão vocês! Os dois pombinhos.

Dou um gemido de desgosto por dentro... A mãe de Grace nos encontrou.

— Christian, querido: mais uma dança com a sua avó?

Ele contorce os lábios.

— É claro, vovó.

— E você, linda Anastasia, vá e faça um velho feliz: dance com o Theo.

— O Theo, Sra. Trevelyan?

— Vovô Trevelyan. E acho que você já pode me chamar de vovó. Agora, de verdade, vocês dois têm que começar a trabalhar para me darem bisnetos. Não vou durar muito mais tempo. — Ela nos lança um sorriso afetado.

Christian a olha horrorizado.

— Venha, vovó — diz, rapidamente pegando a mão dela e levando-a até a pista de dança. Ao se afastar, ele olha para mim, quase fazendo bico por ter sido contrariado, e revira os olhos. — Até mais, baby.

Ao me encaminhar na direção do Sr. Trevelyan, sou abordada por José.

— Não vou pedir outra dança. Acho que já monopolizei muito do seu tempo na pista... Estou feliz de vê-la feliz, Ana, mas é sério: eu estarei aqui... se precisar de mim.

— Obrigada, José. Você é um bom amigo.

— Pode contar comigo. — Seus olhos escuros brilham com sinceridade.

— Eu sei. Obrigada, José. Agora, se me der licença, tenho um encontro marcado com um senhor de idade.

Ele faz uma expressão confusa.

— O avô do Christian — esclareço.

Ele sorri.

— Boa sorte, Ana. Boa sorte com tudo.

— Obrigada, José.

Depois de dançar com o eternamente encantador avô de Christian, posto-me diante das portas francesas e fico apreciando o sol, que mergulha lentamente sobre Seattle, lançando sombras azul-claras e alaranjadas sobre a baía.

— Vamos embora — Christian me chama, apressado.

— Tenho que trocar de roupa.

Pego a mão dele, com a intenção de puxá-lo pelas portas francesas e levá-lo para cima comigo. Ele franze as sobrancelhas, sem compreender, e puxa minha mão de leve, para me deter.

— Pensei que você quisesse tirar o meu vestido — explico.

Seu semblante se ilumina.

— Correto — diz ele, e abre um sorriso lascivo. — Mas não vou tirar sua roupa aqui, senão só iríamos embora depois de... Sei lá... — Gesticulando a mão comprida, ele deixa a frase incompleta, mas está bastante claro o que quer dizer.

Fico vermelha e solto sua mão.

— E também não solte o cabelo — murmura ele, com ar sério.

— Mas...

— Nada de "mas", Anastasia. Você está linda. E quero que seja eu a tirar o seu vestido.

Ah. Faço um ar de desagrado.

— Guarde as roupas que você separou para sair daqui — ordena ele. — Vai precisar delas. Taylor já pegou a sua mala.

— Tudo bem.

O que foi que ele planejou? Christian não me contou para onde vamos. Na verdade, acho que ninguém sabe nosso destino. Nem Mia nem Kate conseguiram extrair a informação dele. Aproximo-me de minha mãe e de Kate, que estão circulando ali por perto.

— Não vou me trocar.

— O quê? — diz minha mãe.

— Christian não quer que eu tire o vestido.

Dou de ombros, como se isso explicasse tudo. Ela franze a testa por um breve instante.

— Você não deve obediência a ele — diz ela, com tato.

Kate resmunga ao ouvir isso, e tenta disfarçar com uma tosse fingida. Olho para ela com desaprovação. Nenhuma das duas tem ideia da briga que Christian e eu tivemos sobre isso. Não quero retomar a discussão. *Nossa, meu Cinquenta Tons pode ficar bravo... e ter pesadelos.* As lembranças me deixam tensa.

— Eu sei, mãe, mas ele gosta desse vestido e eu quero agradar meu marido.

Sua expressão fica mais leve. Kate revira os olhos e discretamente se retira para nos deixar sozinhas.

— Você está tão linda, querida. — Carla afasta gentilmente uma pequena mecha do meu cabelo e acaricia meu queixo. — Estou tão orgulhosa de você, meu amor. Christian será um homem muito feliz a seu lado. — Ela me puxa para um abraço.

Ah, mãe!

— É incrível como você parece adulta agora. Começando uma vida nova... Lembre-se apenas de que os homens são de outro planeta e tudo vai ficar bem.

Dou uma risada. Christian é de outro universo; ah, se ela soubesse...

— Obrigada, mãe.

Ray se junta a nós, sorrindo com doçura para nós duas.

— Você criou uma menina linda, Carla — diz ele, os olhos brilhando de orgulho.

Ray está muito elegante nesse smoking preto com a faixa de um tom pálido de cor-de-rosa. Sinto as lágrimas surgirem no fundo dos meus olhos. Ah, não... até agora eu consegui não chorar.

— E você cuidou dela e a ajudou a crescer, Ray. — A voz de Carla é nostálgica.

— Cada minuto foi maravilhoso para mim. Você está me saindo uma noiva fantástica, Annie. — Ele pega a mesma mecha solta de cabelo e coloca-a atrás da minha orelha.

— Ah, pai...

Sufoco um soluço, e ele me abraça daquele seu jeito apressado e desconfortável.

— E também vai se sair uma esposa fantástica — sussurra ele, a voz rouca.

Quando Ray me solta, vejo Christian novamente ao meu lado.

Eles dão um aperto de mãos caloroso.

— Cuide da minha menina, Christian.

— É o que farei, Ray. Carla. — Ele cumprimenta meu padrasto com a cabeça e dá um beijo em minha mãe.

O resto dos convidados formou um comprido arco humano que nos conduzirá até a frente da casa.

— Pronta? — pergunta Christian.

— Sim.

Ele pega minha mão e me guia por baixo dos braços esticados, enquanto nossos convidados gritam boa sorte e parabéns e jogam arroz sobre nós dois. Esperando-nos com sorrisos e abraços no final do túnel estão Grace e Carrick. Eles se revezam para nos cumprimentar. Grace se emociona novamente quando nos despedimos apressadamente.

Taylor está à nossa espera para nos levar dali no Audi SUV. Christian segura a porta do carro aberta para mim, e jogo meu buquê de rosas brancas e cor-de-rosa para a multidão de jovens que se formou atrás de mim. Mia triunfantemente o pega no alto, com um sorriso de orelha a orelha.

Entro no SUV rindo da maneira audaciosa como Mia agarrou o buquê, e Christian se abaixa para pegar a bainha do meu vestido. Logo que me vê confortavelmente instalada dentro do carro, ele acena um adeus para a multidão.

Taylor abre a porta do carro para ele.

— Parabéns, senhor.

— Obrigado, Taylor — responde Christian, sentando-se ao meu lado.

Enquanto o motorista arranca, os convidados jogam arroz sobre o automóvel. Christian pega minha mão e beija os nós dos meus dedos.

— Até aqui tudo bem, Sra. Grey?

— Até aqui tudo ótimo, Sr. Grey. Para onde vamos?

— Aeroporto — diz ele simplesmente, e sorri com uma expressão de esfinge.

Humm... o que ele está tramando?

Taylor não se dirige para o terminal de embarque, como eu esperava; em vez disso, passa por um portão de segurança e vai diretamente para a pista. O quê? E então eu vejo: o jatinho de Christian... *Grey Enterprises Holdings, Inc.* Escrito em imensas letras azuis na fuselagem.

— Não me diga que você está novamente usando um bem da empresa para uso pessoal!

— Ah, espero que sim, Anastasia. — Christian sorri.

Taylor para perto da escada que leva até o avião e salta do Audi a fim de abrir a porta para Christian. Eles discutem alguma coisa rapidamente; então Christian abre minha porta — e, em vez de dar um passo para trás e me deixar passar, ele se abaixa e me pega no colo.

Uau!

— O que você está fazendo? — Solto um gritinho.

— Carregando você para dentro.

— Ah... — *Não deveria ser quando chegássemos em casa?*

Ele me leva sem esforço escada acima, e Taylor nos segue com minha mala. Deixa-a na porta do avião antes de retornar ao Audi. Dentro da cabine, reconheço Stephan, o piloto de Christian, em seu uniforme.

— Bem-vindos a bordo, senhor. Olá, Sra. Grey. — Ele sorri.

Christian me coloca no chão e aperta a mão de Stephan. Ao lado do piloto está uma morena de uns... trinta e poucos anos, talvez? Ela também está de uniforme.

— Parabéns aos dois — continua ele.

— Obrigado, Stephan. Anastasia, você já conhece o Stephan. Ele vai ser nosso comandante hoje, e esta é a copiloto Beighley.

Ela cora quando Christian a apresenta, e pisca rápido. Tenho vontade de bufar de raiva. Mais uma mulher completamente encantada pelo meu marido lindo-até-demais-para-o-meu-gosto.

— Prazer em conhecê-la — Beighley me cumprimenta efusivamente.

Sorrio com simpatia para ela. Afinal de contas... ele é meu.

— Tudo certo para decolarmos? — pergunta Christian, dirigindo-se aos dois oficiais, enquanto dou uma olhada na cabine.

O interior é todo composto de madeira clara e couro creme. De extremo bom gosto. Do outro lado vejo mais uma jovem uniformizada — uma morena muito bonita.

— Tudo pronto. O tempo está bom daqui até Boston.

Boston?

— Turbulências?

— Só a partir de Boston. Há uma frente fria sobre Shannon que talvez cause certa instabilidade ao avião.

Shannon? Irlanda?

— Certo. Bom, espero só acordar depois de passarmos o mau tempo — diz Christian, tranquilo.

Acordar?

— Vamos nos preparar, senhor — diz Stephan. — Os senhores ficarão sob os cuidados atenciosos de Natalia, nossa comissária de bordo.

Christian desvia o olhar na direção da moça e franze o cenho, mas vira-se de volta para Stephan com um sorriso.

— Excelente — diz.

Ele pega minha mão e me leva até um dos suntuosos assentos de couro. Deve haver cerca de doze no total.

— Sente-se — diz, tirando o paletó e desabotoando o fino colete de brocado prateado.

Nós nos sentamos em duas poltronas individuais, uma de frente para a outra, com uma mesinha incrivelmente lustrada no meio.

— Bem-vindos a bordo, senhores, e meus parabéns. — Natalia surgiu ao nosso lado e nos oferece uma taça de champanhe rosé.

— Obrigado — diz Christian, e Natalia sorri polidamente ao se retirar para os fundos do avião. — Brindemos a uma feliz vida de casados, Anastasia.

Christian levanta a taça em direção à minha e tocamos de leve as duas. O champanhe é delicioso.

— Bollinger? — pergunto.

— Exato.

— A primeira vez que tomei Bollinger foi em uma xícara de chá. — Sorrio.

— Eu me lembro bem daquele dia. Sua formatura.

— Aonde estamos indo? — Não consigo conter minha curiosidade nem um minuto mais.

— Shannon — responde Christian, os olhos reluzentes de entusiasmo. Parece um menininho.

— Na Irlanda? — Vamos para a Irlanda!

— Para reabastecer — acrescenta ele.

— E depois? — pergunto logo em seguida.

Seu sorriso aumenta e ele balança a cabeça.

— Christian!

— Londres — responde ele, encarando-me com intensidade para avaliar minha reação.

Engulo em seco. *Minha Nossa!* Achei que talvez estivéssemos indo a Nova York ou Aspen ou ao Caribe. Mal posso acreditar. Durante toda a minha vida eu quis conhecer a Inglaterra. Uma chama se acende dentro de mim; sinto-me incandescente de felicidade.

— Depois, Paris.

O quê?

— Depois, sul da França.

Uau!

— Sei que você sempre sonhou em conhecer a Europa — diz ele, suavemente. — Quero fazer seus sonhos se tornarem realidade, Anastasia.

— Você é o meu sonho, Christian.

— Digo o mesmo quanto a você, Sra. Grey — sussurra ele.

Ah, nossa...

— Aperte o cinto.

Dou um sorriso e obedeço.

Enquanto o avião começa a taxiar na pista, tomamos tranquilamente nosso champanhe, rindo um para o outro sem motivo aparente. Não posso acreditar. Aos vinte e dois anos, finalmente estou partindo dos Estados Unidos em direção à Europa — indo justamente a *Londres*.

Uma vez no ar, Natalia nos serve mais champanhe e prepara nosso banquete de casamento. É realmente um banquete: salmão defumado, seguido de perdiz assado com salada de feijão-verde e batatas *dauphinoise*, tudo preparado e servido pela ultraeficiente Natalia.

— Sobremesa, Sr. Grey? — oferece ela.

Ele balança a cabeça em negativa e desliza o dedo pelo lábio inferior ao olhar para mim, a expressão séria e indecifrável.

— Não, obrigada — murmuro, incapaz de desviar o olhar do dele.

Seus lábios se fecham num sorriso pequeno e secreto, e Natalia se retira.

— Ótimo — murmura ele. — Prefiro saborear você como sobremesa.

Opa... aqui?

— Venha — diz ele, levantando-se e me oferecendo a mão.

Ele me leva até a parte posterior da cabine.

— Tem um banheiro aqui.

Ele aponta para uma porta pequena e me conduz por um curto corredor, ao final do qual entramos em outra porta.

Caramba... um quarto. A cabine é decorada em tons de creme e marfim, e a pequena cama de casal está coberta de almofadas douradas e acobreadas. Parece muito confortável.

Christian se vira e me puxa para seus braços, com o olhar fixo em mim.

— Pensei em passarmos nossa noite de núpcias a trinta e cinco mil pés de altura. É algo que nunca fiz antes.

Mais uma primeira vez. Olho para ele boquiaberta, meu coração aos pulos... o clube do sexo nas alturas. Já ouvi falar sobre isso.

— Mas primeiro eu tenho que tirar você desse vestido fabuloso.

Os olhos dele brilham, cheios de amor e de algo mais sombrio, que eu adoro... algo que convoca minha deusa interior. Ele me deixa sem fôlego.

— Vire-se.

A voz dele é baixa, autoritária e incrivelmente sensual. Como ele consegue incutir tantas promessas em apenas uma palavra? Obedeço de bom grado, e suas mãos alcançam meu cabelo. Gentilmente ele retira cada grampo, um de cada vez, seus dedos experientes concluindo a tarefa rapidamente. Meu cabelo cai sobre os ombros, uma mecha de cada vez, cobrindo minhas costas e meus seios. Tento ficar imóvel e não me contorcer, mas desejo ardentemente sentir seu toque. Depois de um dia longo e cansativo, embora emocionante, eu quero Christian — quero-o todo para mim.

— Seu cabelo é tão bonito, Ana.

Sua boca está próxima à minha orelha e eu sinto sua respiração, ainda que seus lábios não encostem em mim. Quando não há mais grampos a tirar, ele desliza os dedos pelo meu cabelo, massageando suavemente meu couro cabeludo... *meu Deus...* Fecho os olhos e aproveito a sensação. Seus dedos se movem para baixo, e ele puxa minha cabeça para trás, expondo meu pescoço.

— Você é minha — sussurra ele, e seus dentes puxam o lóbulo da minha orelha.

Solto um gemido.

— Quietinha agora — adverte ele.

Christian tira meu cabelo de sobre meus ombros e passa um dedo pelas minhas costas, de um ombro ao outro, acompanhando o contorno rendado do vestido. Eu me contorço de expectativa. Ele dá um beijo terno nas minhas costas, acima do primeiro botão do vestido.

— Tão linda — diz, abrindo habilmente o primeiro botão. — Hoje você fez de mim o homem mais feliz do mundo. — Com infinita lentidão, ele abre o vestido, botão por botão, de cima a baixo. — Eu amo tanto você. — Ele me cobre de beijos, desde a minha nuca até a extremidade do meu ombro, e murmura entre cada um deles: — Eu. Quero. Você. Demais. Eu. Quero. Estar. Dentro. De. Você. Você. É. Minha.

Cada palavra me inebria. Fecho os olhos e inclino a cabeça, oferecendo-lhe meu pescoço, e me vejo ainda mais sob o feitiço que é Christian Grey, meu marido.

— Minha — sussurra ele novamente.

Ele faz o vestido deslizar pelos meus braços, de modo que cai nos meus pés como uma nuvem de seda e renda marfim.

— Vire-se — murmura, a voz repentinamente áspera.

Obedeço, e ele engole em seco.

Estou vestindo um corpete apertado de cetim cor-de-rosa, com cinta-liga, calcinha rendada da mesma cor e meias de seda brancas. Seus olhos percorrem meu corpo avidamente, mas ele não diz uma palavra. Apenas me fita, os olhos arregalados de desejo.

— Gostou? — sussurro, já sentindo um rubor tímido subir pelas minhas bochechas.

— Gostar é pouco, meu amor. Você está sensacional. Venha.

Ele me oferece a mão, e, aceitando-a, dou um passo adiante, deixando o vestido para trás.

— Fique parada — murmura ele, e, sem tirar os olhos cada vez mais escuros dos meus, passa o dedo médio sobre meus seios, seguindo a linha do corpete.

Minha respiração fica ofegante, e ele repete o movimento, seu dedo provocante fazendo minha pele formigar por toda a espinha. Ele para e gira o dedo indicador no ar, o que quer dizer que devo me virar.

Nesse momento, eu faria qualquer coisa para ele.

— Pare — diz.

Estou de frente para a cama, afastada dele. Seu braço circunda minha cintura, puxando-me para si, e ele se aninha no meu pescoço. Suavemente, suas mãos cobrem meus seios, brincando com eles, os polegares desenhando círculos sobre meus mamilos até ficarem tesos contra o tecido do corpete.

— Minha — murmura ele.

— Sua — respondo num sussurro.

Deixando meus seios de lado, suas mãos percorrem minha barriga e minhas coxas, seus polegares passando por meu sexo. Abafo um gemido. Seus dedos deslizam sobre a cinta-liga, e, com sua habitual agilidade, ele desprende as meias dos dois lados simultaneamente. Suas mãos viajam pelo meu corpo até alcançarem minha bunda.

— Minha — murmura ele, suas mãos espalmando nas minhas nádegas, as pontas dos dedos roçando meu sexo.

— Ah.

— Shhh.

As mãos dele descem pela parte posterior das minhas coxas, e novamente Christian desprende as ligas.

Abaixando-se, ele puxa a coberta da cama.

— Sente-se.

Faço o que ele manda, em transe; ele então se ajoelha aos meus pés e delicadamente retira cada um dos meus sapatos de noiva Jimmy Choo. Agarra a parte de cima de minha meia esquerda e despe-a lentamente, deslizando os polegares pela minha perna... Repete o processo com a outra meia.

— É como abrir presentes de Natal. — Ele sorri por trás de seus longos cílios negros.

— Um presente que você já ganhou...

Ele franze o cenho, como em uma reprimenda.

— Ah, não, baby. Desta vez estou ganhando de verdade.

— Christian, eu sou sua desde que disse sim. — Avanço em um movimento rápido e seguro seu rosto em minhas mãos, o rosto que amo tanto. — Sou sua. Serei sempre sua, meu marido. Mas acho que você está usando roupas demais.

Inclino-me para beijá-lo, e ele repentinamente levanta o corpo, me beija na boca e agarra minha cabeça com as mãos, os dedos enroscados no meu cabelo.

— Ana — sussurra ele. — Minha Ana.

Seus lábios procuram os meus novamente, sua língua ao mesmo tempo invasiva e persuasiva.

— Roupas — sussurro, nossas respirações se combinando quando empurro seu colete para baixo e ele o despe, soltando-me por um momento. Ele faz uma pausa, olhando para mim; olhos ávidos, desejosos. — Deixe que eu tiro. — Minha voz é suave e firme. Quero despir meu marido, meu Cinquenta Tons.

Christian se senta sobre os tornozelos; inclinando-me para a frente, agarro sua gravata — aquela prateada, minha preferida —, desfaço vagarosamente o nó e tiro-a de seu pescoço. Ele levanta o queixo para que eu abra o primeiro botão de sua camisa branca; depois, é hora de dar um jeito nas abotoaduras. As que ele está usando hoje são de platina — gravadas com as letras A e C entrelaçadas —, o presente de casamento que lhe dei. Logo que as retiro, ele as pega de mim e as fecha dentro da mão. Em seguida beija a própria mão fechada e põe as joias no bolso da calça.

— Sr. Grey, tão romântico.

— Para você, Sra. Grey... corações e flores. Sempre.

Seguro sua mão e, olhando-o acima de mim através dos meus cílios, beijo sua aliança de platina toda lisa. Ele geme e fecha os olhos.

— Ana — murmura, como se meu nome fosse uma oração.

Começando pelo segundo botão de sua camisa, repito seu gesto de alguns instantes atrás: dou um beijo terno no seu peito a cada botão que abro, sussurrando, entre um beijo e outro:

— Você. Me. Faz. Tão. Feliz. Eu. Amo. Você.

Ele geme e, em um movimento rápido, me agarra pela cintura e me joga na cama, inclinando-se sobre mim. Seus lábios encontram os meus, suas mãos em volta da minha cabeça; ele me abraça, imobilizando-me, enquanto nossas línguas se juntam em êxtase. Subitamente ele ergue o torso e se ajoelha na cama, deixando-me ofegante, querendo mais.

— Você é tão bonita... minha esposa. — Desliza as mãos pelas minhas pernas e pega meu pé esquerdo. — Que pernas mais lindas. Quero beijar cada centímetro dessas pernas. Começando por aqui.

Ele pressiona os lábios contra meu dedão do pé e depois o toca levemente com os dentes. Tudo abaixo da minha cintura entra em convulsão. Sua língua desliza sobre meu pé e seus dentes mordiscam desde meu calcanhar até o tornozelo. Com beijos, ele percorre a parte interna da minha panturrilha; suaves beijos molhados. Por baixo dele, meu corpo se contorce.

— Quieta, Sra. Grey — adverte, e de repente me faz virar de bruços, para então continuar a lenta caminhada de sua boca pelas partes posteriores das minhas pernas, das minhas coxas, até chegar a minha bunda, quando para. Solto um gemido.

— Por favor...

— Quero você nua — murmura ele, e desprende lentamente os ganchinhos do meu corpete, sem pressa, um de cada vez. Quando o corpete já está totalmente aberto embaixo de mim, Christian passa a língua ao longo da minha espinha.

— Christian, por favor.

— O que você quer, Sra. Grey? — Suas palavras são suaves, pronunciadas próximas ao meu ouvido. Ele está quase deitado sobre mim... Consigo senti-lo duro contra minhas costas.

— Você.

— E eu quero você, meu amor, minha vida... — murmura ele, e, antes que eu me dê conta, ele me vira, deixando-me de costas.

Christian levanta-se rapidamente e, com um movimento preciso, tira a calça e a cueca — agora está gloriosamente nu à minha frente, com seu corpo largo pronto para me possuir. A pequena cabine fica ofuscada pela sua beleza estonteante, pela necessidade que ele tem de mim, por seu desejo. Ele se inclina e tira minha calcinha; depois me olha de cima a baixo.

— Minha — mexe a boca, sem emitir som.

— Por favor — suplico, e ele sorri... um sorriso típico do meu Christian: lascivo, malvado e tentador.

Ele volta para a cama e engatinha até mim. Levanta minha perna direita, deixando beijos por todo o percurso... até chegar ao alto das minhas coxas. Escancara vigorosamente minhas pernas.

— Ah... minha mulher — murmura, e desliza a boca em meu corpo.

Fecho os olhos e me rendo à sua língua tão ágil. Minhas mãos agarram seu cabelo enquanto meus quadris se movem e se contorcem, escravos do ritmo que ele imprime, e quase caio da pequena cama. Ele agarra meus quadris para que eu fique quieta... mas não interrompe a deliciosa tortura. Estou quase, quase lá.

— Christian... — Solto um gemido.

— Ainda não — diz ele, sem fôlego, e sobe pelo meu corpo, a língua afundando em meu umbigo.

— Não!

Droga! Sinto seu sorriso contra minha barriga à medida que ele continua seu percurso até em cima.

— Tão ansiosa, Sra. Grey. Ainda temos muito tempo, até chegar à Ilha Esmeralda.

Respeitosamente ele beija meus seios e belisca meu mamilo esquerdo com os lábios. Ao me fitar, seus olhos estão escuros como uma tempestade tropical enquanto ele me provoca.

Ah, meu Deus... Eu tinha esquecido. *Europa.*

— Meu marido, eu quero você. Por favor.

Ele se coloca sobre mim, cobrindo-me com seu corpo, apoiando o peso nos cotovelos. Abaixa o nariz de encontro ao meu, e eu deslizo as mãos por suas costas fortes e flexíveis até seu traseiro maravilhoso.

— Sra. Grey... minha esposa. Nosso objetivo é satisfazer. — Seus lábios roçam em mim. — Eu amo você.

— Também amo você.

— Olhos abertos. Quero ver você.

— Christian... ah... — gemo, enquanto ele me penetra lentamente.

— Ana, ah, Ana — exclama ele, ofegante, e começa a se movimentar.

— QUE DIABO VOCÊ pensa que está fazendo? — grita Christian, acordando-me de meu sonho tão agradável.

Ele está todo molhado e lindo, de pé em frente à minha espreguiçadeira, olhando-me furioso.

O que foi que eu fiz? *Ah, não... estou deitada de costas...* Droga, droga, droga, e ele está muito zangado. Merda. Realmente zangado.

CAPÍTULO DOIS

De súbito, desperto completamente, esquecendo meu sonho erótico.

— Eu estava de bruços. Devo ter me virado enquanto dormia — sussurro debilmente em minha defesa.

Os olhos de Christian ardem de fúria. Ele se abaixa, pega com violência a parte de cima do meu biquíni, abandonada sobre sua espreguiçadeira, e a joga para mim.

— Vista isso! — ordena.

— Christian, não tem ninguém olhando.

— Estão olhando sim. Pode acreditar. Tenho certeza de que Taylor e os seguranças estão adorando o espetáculo! — rosna ele.

Mas que droga! Por que eu sempre me esqueço deles? Agarro meus seios em pânico, escondendo-os. Desde o problema de sabotagem do *Charlie Tango*, vivemos constantemente sob os olhares dos malditos seguranças.

— Isso mesmo — continua Christian, sem esconder o mau humor. — E vai que alguns malditos paparazzi tiram uma foto sua? Quer aparecer na capa da *Star*? Nua, dessa vez?

Merda! Os paparazzi! Puta merda! Sinto toda a cor deixar meu rosto quando coloco, apressada e desajeitada, a parte de cima do biquíni. Sinto um arrepio. A desagradável lembrança de ser assediada pelos paparazzi do lado de fora da Seattle Independent Publishing, depois de a notícia do nosso noivado ter vazado, vem à minha mente sem ser convidada — tudo parte do pacote Christian Grey.

— *L'addition!* — diz Christian, rispidamente, para a garçonete que passa. E dirigindo-se a mim: — Estamos indo.

— Agora?

— É. Agora.

Ah, merda, não dá para discutir com ele.

Ele veste a bermuda, mesmo com a sunga ainda molhada, e a camiseta cinza. A garçonete volta em um minuto com o cartão de crédito dele e a conta.

Relutantemente, visto meu leve vestido turquesa e calço os chinelos. Assim que a garçonete se afasta, Christian apanha seu livro e o BlackBerry e esconde sua fúria atrás dos óculos espelhados estilo aviador. Ele está agitado de tensão e raiva. Meu ânimo se esvai. Quase todas as outras mulheres da praia estão fazendo topless — não é um crime assim tão sério. Na verdade, eu é que pareço estranha *com* a parte de cima do biquíni. Suspiro internamente, meu entusiasmo desaparecendo. Pensei que Christian veria o lado divertido... pelo menos em parte... disso tudo. Talvez se eu tivesse ficado de bruços... Mas não; o senso de humor dele evaporou.

— Por favor, não fique bravo comigo — sussurro, pegando o livro e o BlackBerry das mãos dele e colocando-os na minha mochila.

— Tarde demais — diz ele calmamente... muito calmamente. — Venha.

Pegando minha mão, ele faz um sinal para Taylor e os outros dois sujeitos, os oficiais de segurança franceses Philippe e Gaston. Estranhamente, são gêmeos idênticos. Os três ficaram na varanda pacientemente nos observando e a todas as outras pessoas na praia. Por que insisto em me esquecer da presença deles? Como? Taylor tem uma expressão pétrea por trás dos óculos escuros. Merda, ele também está zangado comigo. Ainda não estou acostumada a vê-lo vestido tão informalmente, de bermuda e camisa polo preta.

Christian me conduz para dentro do hotel, depois passamos pelo saguão e saímos para a rua. Ele permanece calado, emburrado e mal-humorado, e é tudo culpa minha. Taylor e os outros nos seguem como sombras.

— Para onde estamos indo? — pergunto hesitante, erguendo o olhar para ele.

— Vamos voltar para o barco. — Ele não olha para mim.

Não tenho ideia do horário. Acho que deve ser cinco ou seis da tarde. Quando chegamos à marina, Christian me guia até as docas, onde a lancha e o jet ski pertencentes ao *Fair Lady* estão atracados. Enquanto ele desamarra o jet ski, entrego minha mochila a Taylor. Dou uma olhadela nervosa para ele, mas, assim como Christian, sua expressão não revela nada. Fico ruborizada, pensando no que ele viu na praia.

— Aqui está, Sra. Grey.

Taylor me passa um colete salva-vidas, que eu obedientemente visto. Por que sou a única que tenho que usá-lo? Christian e Taylor trocam um olhar estranho. Céus, será que ele está bravo com Taylor também? Então ele confere se meu colete está bem ajustado, apertando a tira do meio.

— Muito bem — murmura, zangado, ainda sem me encarar. *Merda*.

Ele se ajeita graciosamente no jet ski e me estende a mão para que eu me instale atrás dele. Seguro-a com firmeza e consigo jogar a perna por cima do banco por trás dele sem cair na água, enquanto Taylor e os gêmeos vão para a lancha. Christian empurra o jet ski para longe do cais e flutuamos suavemente na marina.

— Segure-se — ordena, e eu aperto os braços em volta dele.

Essa é a minha parte preferida de andar de jet ski. Eu o abraço bem de perto, meu nariz colado em suas costas, maravilhada ao lembrar que houve uma época em que ele não toleraria ser tocado dessa maneira. Ele tem um cheiro tão bom... cheiro de Christian e de mar. *Perdoe-me, Christian, por favor.*

Seu corpo fica rígido.

— Fique firme — pede, e seu tom agora é mais suave.

Beijo suas costas e descanso meu rosto nele, olhando para as docas, onde alguns turistas se juntaram para observar o espetáculo.

Christian gira a chave e o motor desperta com um ronco. Com apenas um giro do acelerador, o jet ski empina para a frente e ganha velocidade na água escura e gelada, cruzando a marina em direção ao centro do porto, onde está o *Fair Lady*. Eu o seguro com mais força. Adoro isso — é tão emocionante! Sinto cada músculo da estrutura delgada de Christian ao me agarrar a ele.

Taylor emparelha a lancha com o jet ski. Christian dá uma olhada para ele e então acelera de novo. Nós disparamos à frente, chicoteando a superfície da água como uma pedra bem arremessada. Taylor balança a cabeça, irritado mas resignado, e segue direto para o iate, enquanto Christian dispara à frente do *Fair Lady* e vai em direção ao mar aberto.

A água que o jet ski levanta espirra em nós, o vento quente bate no meu rosto e faz meu rabo de cavalo balançar loucamente. É tão *divertido*! Talvez essa agitação toda acabe por dissipar o mau humor de Christian. Não consigo ver seu rosto, mas sei que ele está se divertindo — despreocupado, agindo como um homem da sua idade para variar.

Ele pilota em um amplo semicírculo, e eu observo a costa: os barcos na marina, o mosaico de escritórios e apartamentos amarelos, brancos e cor de areia, as montanhas íngremes atrás das construções. Tudo parece muito desorganizado — diferente dos quarteirões uniformes a que estou acostumada —, mas bem pitoresco. Christian me olha por cima do ombro e eu vejo um esboço de sorriso brotar em seus lábios.

— De novo? — grita ele, mais alto que o barulho do motor.

Concordo entusiasmadamente. O sorriso que ele abre em resposta é contagiante, e ele acelera em volta do *Fair Lady* rumo ao mar aberto mais uma vez... Acho que estou perdoada.

— Você se bronzeou — diz Christian com ternura ao desatar as fivelas do meu salva-vidas.

Ansiosamente, tento avaliar seu humor. Estamos no deque a bordo do iate e um dos camareiros está parado ao lado, quieto, esperando para recolher meu colete. Christian o entrega a ele.

— Mais alguma coisa, senhor? — pergunta o jovem.

Adoro seu sotaque francês. Christian me olha, tira os óculos escuros e os pendura na gola da camiseta.

— Quer um drink? — pergunta-me.

— Preciso de um?

Ele inclina a cabeça para o lado.

— Por que está dizendo isso? — Sua voz é calma.

— Você sabe por quê.

Ele franze as sobrancelhas como se ponderasse algo.

Ah, em que será que ele está pensando?

— Dois gins-tônica, por favor. E porções de castanhas e azeitonas — solicita ao camareiro, que faz um sinal positivo com a cabeça e rapidamente desaparece.

— Acha que eu vou punir você? — Sua voz soa sedosa.

— Você quer?

— Quero.

— Como?

— Vou pensar em algo. Talvez depois que você acabar a sua bebida. — E é uma ameaça sensual.

Engulo em seco, e minha deusa interior aperta os olhos em sua espreguiçadeira, onde ela está tentando captar os raios de sol com um refletor prateado acomodado no pescoço.

Christian franze o cenho mais uma vez.

— Você quer ser punida?

Como ele sabe?

— Depende — murmuro, ruborizada.

— Depende de quê? — Ele esconde um sorriso.

— Se você quer me machucar ou não.

Sua boca se aperta formando uma linha fina, o bom humor esquecido. Ele se inclina para a frente e beija minha testa.

— Anastasia, você é minha esposa, não minha submissa. Nunca vou querer machucar você. Você já deveria saber disso. Só não... não tire a roupa em público. Não quero você nua nos tabloides. Você também não quer, e tenho certeza de que sua mãe e Ray também não iriam gostar.

Ah! Ray. Merda, ele teria um ataque cardíaco. Onde eu estava com a cabeça? Fico me castigando mentalmente.

O camareiro surge com as bebidas e os aperitivos e os coloca em cima da mesa de teca.

— Sente-se — ordena Christian.

Obedeço, acomodando-me em uma cadeira de diretor. Christian senta-se em uma cadeira ao meu lado e me passa o gim-tônica.

— Saúde, Sra. Grey.

— Saúde, Sr. Grey.

Tomo um golinho. Está gelado e delicioso, e sacia a sede. Quando olho para Christian, ele está me observando atentamente, e seu humor é indecifrável. É muito frustrante... Não sei se ele ainda está zangado comigo. Armo minha técnica patenteada de distração.

— Quem é o dono deste barco? — pergunto.

— Um cavaleiro inglês. Sir Fulano ou Beltrano. O bisavô começou com uma mercearia e a filha é casada com um príncipe de algum país europeu.

Ah.

— Super-ricos?

Ele parece subitamente alerta.

— Sim.

— Como você — murmuro.

— Exatamente.

Ah.

— E você — sussurra Christian, e coloca uma azeitona na boca.

Eu pisco rapidamente... A visão dele de smoking e colete prateado vem à minha mente... Ele me encarando com seus olhos ardendo de sinceridade durante a nossa cerimônia de casamento.

— *Tudo que é meu agora passa a ser seu também* — diz ele, sua voz ressoando claramente, recitando os votos de memória.

Tudo meu?

— É estranho. Sair do nada para... — faço um gesto com as mãos para indicar a opulência ao nosso redor — para tudo.

— Você vai se acostumar.

— Acho que nunca vou me acostumar.

Taylor aparece no deque.

— Senhor, telefone.

Christian franze o cenho, mas pega o BlackBerry que lhe é oferecido.

— Grey — atende com rispidez, e se levanta, indo até a proa do iate.

Observo o mar ao longe, desligando-me da conversa dele com Ros — imagino —, seu braço direito. Eu sou rica... podre de rica. Não fiz nada para merecer esse dinheiro... apenas me casei com um homem rico. Fico arrepiada quando minha mente rememora nossa conversa sobre o acordo pré-nupcial. Era um domingo, na mesma semana do aniversário dele, e estávamos sentados à mesa da cozinha curtindo um café da manhã preguiçoso... todos nós. Elliot, Kate, Grace e eu debatíamos sobre os méritos do bacon em oposição à salsicha, enquanto Carrick e Christian liam o jornal de domingo...

— Vejam só isso — exclama Mia, colocando seu netbook sobre a mesa da cozinha à nossa frente. — Tem uma nota no site do Seattle Nooz sobre o seu noivado, Christian.

— Já? — exclama Grace, surpresa.

E então ela fecha a cara: algum pensamento obviamente desagradável cruza sua mente. Christian franze o cenho.

Mia lê alto a coluna:

— Ficamos sabendo aqui no Nooz que o solteiro mais cobiçado de Seattle, Christian Grey, finalmente foi laçado, e que os sinos de casamento estão prestes a badalar. Mas quem é essa moça sortuda? O Nooz está em seu encalço. Ela deve estar lendo um tremendo de um acordo pré-nupcial.

Mia ri, mas para abruptamente quando Christian lhe lança um olhar gelado. O silêncio se instala e a atmosfera na cozinha dos Grey cai a menos de zero.

Ah, não! Um acordo pré-nupcial? Isso nunca passou pela minha cabeça. Engulo em seco, sentindo o sangue sumir do meu rosto. *Por favor, chão, me engula agora!* Christian se mexe desconfortavelmente na cadeira quando eu olho para ele, apreensiva.

Ele balança a cabeça negativamente para mim.

— Christian... — diz Carrick, gentilmente.

— Não vou discutir isso de novo — diz ele rispidamente a Carrick, que me lança um olhar nervoso e abre a boca para dizer algo. — Nada de acordo! — Christian quase grita para ele, e, emburrado, volta a ler o jornal, ignorando todos na mesa.

Eles olham alternadamente para mim e para ele... e, em seguida, para qualquer outro ponto que não seja nós dois.

— Christian — murmuro —, eu assino qualquer coisa que você e o Sr. Grey queiram.

Ora essa, não seria a primeira vez que ele me faria assinar algo. Christian levanta a cabeça e me encara com ferocidade.

— Não! — diz rispidamente.

Fico pálida de novo.

— É para proteger você.

— Christian, Ana... acho que vocês deveriam discutir isso em particular — repreende-nos Grace.

Ela olha para Carrick e Mia. Ai, meu Deus, parece que eles também estão encrencados.

— Ana, isso não tem nada a ver com você — murmura Carrick, para me tranquilizar. — E, por favor, pode me chamar de Carrick.

Christian lança um olhar gelado para o pai, e meu coração se aperta. *Caramba... Ele está mesmo furioso.*

Todos começam uma conversa animada e Mia e Kate se levantam para arrumar a mesa.

— Eu definitivamente prefiro salsicha — exclama Elliot.

Olho para meus dedos entrelaçados. Droga. Espero que o Sr. e a Sra. Grey não pensem que estou querendo dar o golpe do baú. Christian se inclina para mais perto de mim e carinhosamente pega minhas mãos.

— Pode parar.

Como ele sabe em que eu estou pensando?

— Ignore meu pai — continua ele, sua voz tão baixa que somente eu posso ouvi-lo. — Ele ficou muito bravo por causa da Elena. Todas as repreensões são dirigidas a mim. Minha mãe deveria ter ficado de boca fechada.

Sei que Christian ainda está irritado por causa de sua "conversa" com Carrick, ontem à noite, sobre Elena.

— Ele tem certa razão, Christian. Você é muito rico, e eu não posso lhe oferecer nada além das dívidas que fiz para pagar a faculdade.

Christian me fita, os olhos tristes.

— Anastasia, se você me deixar, pode levar tudo que não vai ficar pior. Você já me deixou uma vez. Eu sei como é.

Puta merda!

— Aquilo foi diferente — sussurro, comovida com a intensidade dele. — Mas... pode ser que você queira me deixar. — Só de pensar nisso me sinto mal.

Ele bufa e balança a cabeça, fingindo desgosto de brincadeira.

— Christian, você sabe que eu posso fazer algo excepcionalmente estúpido... E você...

Olho para minhas mãos cruzadas no colo, a dor apertando minha garganta, e não consigo terminar a frase. Perder o Christian... *cacete.*

— Pare. Pare agora mesmo. Esse assunto está encerrado, Ana. Não vamos mais discutir isso. Nada de acordo pré-nupcial. Nem agora... nem nunca. — Ele me lança um olhar incisivo, que me silencia. Então se vira para Grace: — Mãe, podemos fazer o casamento aqui?

E ele nunca mais mencionou isso. Na verdade, tem aproveitado cada oportunidade para me reassegurar de sua riqueza... garantir que é minha também. Eu me arrepio toda ao recordar o insano festival de compras que Christian me mandou ir fazer com Caroline Acton — a personal shopper da Neiman Marcus — para a lua de mel. Só o biquíni custou quinhentos e quarenta dólares. Quer dizer, é bem bonito, mas sinceramente... é uma quantia ridícula para se gastar em quatro pedaços triangulares de tecido.

— Você vai se acostumar — diz Christian, interrompendo meus devaneios ao retomar seu lugar à mesa.

— Vou me acostumar?

— Ao dinheiro — explica ele, revirando os olhos.

Ah, Christian, talvez com o tempo. Empurro o pratinho na direção dele.

— Seus aperitivos, senhor — digo, com a expressão mais indiferente possível, tentando trazer um pouco de bom humor à nossa conversa depois dos meus pensamentos sombrios e do *incidente* com o biquíni.

Ele dá um sorriso maldoso.

— Eu quero você de aperitivo.

Ele pega uma amêndoa, os olhos brilhando de bom humor e malícia ao entrar na minha brincadeira. Lambe os lábios.

— Termine sua bebida. Vamos para a cama.

O quê?

— Beba — ele articula sem som, seus olhos escurecendo.

Meu Deus, o jeito como ele me olha poderia ser o único responsável pelo aquecimento global. Pego meu gim-tônica e esvazio o copo, sem tirar os olhos dele. Sua boca se abre um pouco e eu vejo a ponta da língua entre os dentes. Ele sorri lascivamente. Em um movimento fluido, fica de pé e se inclina sobre mim, repousando as mãos nos braços da minha cadeira.

— Vou fazer você ser um exemplo. Venha. Não faça xixi — sussurra ele no meu ouvido.

Levo um susto. *Não faça xixi? Que grosseiro.* Meu inconsciente levanta os olhos de seu livro — *Obras completas de Charles Dickens, vol. 1* — alarmado.

— Não é o que você está pensando. — Christian sorri maliciosamente, estendendo a mão. — Confie em mim.

Ele parece tão sexy e inteligente... Como resistir?

— Tudo bem.

Dou a mão a ele, porque eu simplesmente lhe confiaria minha vida. O que será que ele planejou? Meu coração começa a bater forte de ansiedade.

Ele me guia pelo deque, depois passamos pelas portas que dão para o lindo salão central, por um corredor estreito e pela sala de jantar, até descermos as escadas que levam à cabine principal.

A cabine já foi limpa desde a manhã, e a cama, feita. É um belo quarto. Com duas escotilhas, tanto a estibordo quanto a bombordo, é elegantemente decorado com móveis de nogueira escura, paredes em tom creme e estofados dourados e vermelhos.

Christian solta a minha mão, tira a camiseta e a joga em uma cadeira. Tira os chinelos, a bermuda e a sunga em um único movimento gracioso. *Ai, meu Deus. Será que nunca vou me cansar de vê-lo nu?* Ele é completamente lindo, e é todo meu. Sua pele brilha — ele se bronzeou também — e seu cabelo está mais comprido, caindo na testa. Sou uma garota de muita, muita sorte.

Ele pega meu queixo, puxando-o um pouco para baixo para que eu pare de morder o lábio, e passa o polegar pelo meu lábio inferior.

— Assim está melhor.

Ele se vira e vai a passos largos até o imponente armário onde suas roupas estão guardadas. Da gaveta de baixo, tira dois pares de algemas de metal e uma máscara de avião para dormir.

Algemas! Nunca usamos algemas. Olho rápida e nervosamente para a cama. Onde diabo ele vai prender aquilo? Ele se vira e me encara fixamente, os olhos escuros e luminosos.

— Isso pode ser bem doloroso. Elas podem beliscar sua pele se você puxar com muita força. — Ele segura um par. — Mas eu realmente quero usar em você agora.

Cacete. Minha boca fica seca.

— Aqui. — Ele se aproxima sensualmente e me entrega um par. — Quer experimentar antes?

São sólidas, e o metal é gelado. Espero nunca ter que usar uma dessas de verdade.

Christian está me observando atentamente.

— Cadê as chaves? — Minha voz vacila.

Ele mostra a palma da mão, revelando uma pequena chave de metal.

— Serve para as duas. Na verdade, para todas.

Quantas algemas ele tem? Não me lembro de ter visto nada disso em sua cômoda.

Ele toca minha face com o dedo indicador, descendo até minha boca, e se inclina como se fosse me beijar.

— Quer brincar? — pergunta em voz baixa, e todas as partes do meu corpo sucumbem à medida que uma onda de desejo se expande a partir do meu ventre.

— Quero — respondo, com um suspiro.

Ele sorri.

— Ótimo. — Ele me beija na testa, um beijo leve como uma pena. — Vamos precisar de uma palavra de segurança.

O quê?

— "*Pare*" não vai ser suficiente, porque você provavelmente vai falar, mas sem querer realmente dizer isso.

Ele roça o nariz no meu: o único contato entre nós.

Meu coração começa a pular no peito. *Cacete*... Como ele consegue provocar isso só com palavras?

— Não vai doer. Vai ser intenso. Muito intenso, porque eu não vou deixar você se mexer. Tudo bem?

Meu Deus. Parece tão excitante! Minha respiração está ruidosa. *Porra, já estou ofegante*. Graças aos céus eu sou casada com este homem, senão seria tudo muito constrangedor. Meus olhos descem até a excitação dele.

— Tudo bem. — Minha voz está quase inaudível.

— Escolha uma palavra, Ana.

Ah...

— Uma senha — diz ele ternamente.

— Pirulito — digo, ofegante.

— Pirulito? — repete ele, achando graça.

— É.

Ele sorri enquanto inclina o corpo para trás para me olhar melhor.

— Escolha interessante. Levante os braços.

Eu os levanto, ao que ele segura com força a barra da minha saída de praia, tira-a pela minha cabeça e a joga no chão. Ele estende a mão e eu lhe devolvo as algemas. Christian coloca os dois pares na mesa de cabeceira, junto com a máscara, e arranca a colcha da cama, deixando-a cair no chão.

— Vire-se.

Obedeço. Ele desamarra a parte de cima do meu biquíni e a deixa cair também.

— Amanhã eu vou grampear isso em você — murmura ele, e arranca o meu prendedor de cabelo, soltando meu rabo de cavalo.

Ele agarra meu cabelo com uma das mãos e o puxa gentilmente, para que eu dê um passo para trás, encostando nele. Em seu peito. Em sua ereção. Dou um suspiro quando ele inclina minha cabeça para o lado e beija meu pescoço.

— Você foi muito desobediente — murmura ao meu ouvido, provocando arrepios deliciosos pelo meu corpo.

— Fui — sussurro.

— Humm. O que vamos fazer a respeito disso?

— Aprender a superar.

Suspiro. Seus beijos suaves e lânguidos estão me deixando louca. Ele ri contra o meu pescoço.

— Ah, Sra. Grey. Sempre otimista.

Ele se endireita. Agarrando meu cabelo, reparte-o cuidadosamente em três mechas, faz uma trança devagar e então prende a ponta. Agarra a trança com suavidade e se inclina para murmurar em minha orelha:

— Vou lhe ensinar uma lição.

Movendo-se de repente, ele me agarra pela cintura, senta-se na cama, me puxa e me coloca atravessada sobre seus joelhos de tal maneira que sinto sua ereção contra a barriga. Dá uma palmada no meu bumbum uma vez, forte. Eu grito, e logo estou de costas na cama, ele me encarando, os olhos em brasa. Sinto que vou incendiar.

— Você sabe como é bonita?

Com as pontas dos dedos ele percorre minhas coxas, e eu me sinto formigar... em todos os lugares. Sem tirar os olhos de mim, ele se levanta da cama e pega os dois pares de algemas. Segura minha perna esquerda e fecha uma algema em volta do meu tornozelo.

Ah!

Levantando minha perna direita, ele repete o processo, e assim fico com um par de algemas preso em cada tornozelo. Ainda não tenho ideia de onde ele vai prendê-las.

— Sente-se — ordena ele, e eu obedeço imediatamente.

— Agora abrace os joelhos.

Por um instante fico olhando-o sem entender, mas então levanto as pernas de uma maneira que fiquem dobradas na minha frente e as envolvo com os braços. Ele se abaixa, levanta meu queixo e deposita um beijo suave e molhado na minha boca antes de cobrir meus olhos com a máscara. Não posso ver nada; só consigo escutar minha respiração acelerada e o som da água batendo nos dois lados do iate enquanto ele flutua suavemente no mar.

Meu Deus. Estou tão excitada... já.

— Qual é a senha, Anastasia?

— Pirulito.

— Ótimo.

Pegando minha mão esquerda, ele fecha uma algema em volta do meu pulso e repete o processo com o lado direito. Minha mão esquerda está atada ao meu tornozelo esquerdo, e minha mão direita, ao tornozelo direito. Não consigo esticar as pernas. *Puta merda.*

— Agora — fala Christian, num sussurro —, eu vou foder você até você gritar.

O quê? E todo o ar sai do meu corpo.

Ele agarra meus calcanhares e me joga para trás, de modo que caio de costas na cama. Não tenho escolha a não ser manter as pernas dobradas. As algemas ficam mais apertadas quanto mais as puxo. Ele tem razão... elas apertam minha pele até eu quase sentir dor... É estranho: estar atada e impotente — e em um barco. Christian afasta meus tornozelos um do outro e eu solto um gemido.

Ele beija a parte de dentro da minha coxa, e eu quero me contorcer embaixo dele, mas não consigo. Não posso mexer os quadris. Meus pés estão suspensos. Não consigo me mover.

— Você vai ter que absorver todo o prazer, Anastasia. Sem se mexer — murmura ele enquanto vai subindo pelo meu corpo, contornando a parte de baixo do biquíni com beijos. Desfaz o laço de cada lado e o pedaço de tecido cai. Agora estou nua e em seu poder. Ele beija minha barriga, mordiscando meu umbigo.

— Ah — exclamo, suspirando.

Isso vai ser difícil... Eu não tinha ideia. Ele vai deixando uma trilha de beijos suaves e mordidas leves até chegar aos meus seios.

— Shh... — ele me acalma. — Você é tão linda, Ana.

Gemo, frustrada. Normalmente eu estaria mexendo os quadris, respondendo ao toque dele com meu ritmo próprio, mas não consigo nem me mover. Arfo, tentando diminuir minhas limitações. O metal machuca minha pele.

— Argh! — grito. Mas na verdade não me importo.

— Você me deixa louco — sussurra ele. — Então vou deixar você louca também.

Ele está deitado sobre mim agora, apoiando o peso nos cotovelos, e volta sua atenção para meus seios. Mordendo, chupando, rolando meus mamilos em volta dos dedos, deixando-me maluca. Ele não para. É enlouquecedor. *Por favor, por favor.* Sinto sua ereção contra meu corpo.

— Christian — imploro, e sinto seu sorriso triunfante na minha pele.

— Devo fazer você gozar assim? — murmura ele contra meu mamilo, fazendo-o ficar ainda mais rijo. — Você sabe que eu consigo.

Ele me chupa forte e eu grito, o prazer se projetando do meu seio direto para a minha virilha. Puxo inutilmente as algemas, inundada pela sensação.

— Deve — choramingo.

— Ah, baby, seria fácil demais.

— Ah... por favor.

— Shh.

Seus dentes arranham meu queixo à medida que ele leva a boca até a minha, e eu suspiro. Ele me beija. Sua língua habilidosa invade minha boca, saboreando, explorando, dominando, mas a minha encontra a dele, aceitando o desafio, contorcendo-se. Sinto nele o frescor do gim-tônica e o gosto de Christian Grey; ele exala o aroma do mar. Aperta meu queixo, segurando minha cabeça no lugar.

— Parada, baby. Eu quero você parada — sussurra na minha boca.

— Eu quero ver você.

— Ah, não, Ana. Você vai ter mais prazer dessa maneira.

E, com uma lentidão agonizante, ele flexiona os quadris e entra apenas um pouco em mim. Eu normalmente elevaria os quadris para recebê-lo, mas não consigo me mexer. Ele tira.

— Ah! Christian, por favor!

— De novo? — ele me provoca, a voz rouca.

— Christian!

Ele mais uma vez me penetra parcialmente, e depois sai enquanto me beija, os dedos puxando meus mamilos com força. É uma sobrecarga de prazer.

— Não!

— Você me quer, Anastasia?

— Quero! — suplico.

— Diga — murmura ele, a respiração áspera, e me provoca mais uma vez: entrando... e saindo.

— Eu quero você — choramingo. — Por favor.

Ouço um suspiro suave na minha orelha.

— E você vai ter, Anastasia.

Ele se inclina e me penetra forte. Grito, jogando a cabeça para trás, repuxando as algemas enquanto ele atinge meu ponto mais sensível, e sou toda sensações, por toda parte — uma agonia doce, muito doce, e não posso me mexer. Ele se aquieta, e então descreve círculos com os quadris, o movimento irradiando bem fundo em mim.

— Por que você me desafia, Ana?

— Christian, pare...

Ele faz círculos profundos de novo, ignorando meu apelo, depois tirando devagar e empurrando com força para dentro de novo.

— Vamos, diga. Por quê? — exige, e tenho uma vaga percepção de que seus dentes estão semicerrados.

Solto um gemido incoerente... Isso é demais para mim.

— Diga.

— Christian...

— Ana, eu preciso saber.

Ele me penetra de novo, empurrando bem fundo, e eu me sinto crescendo... A sensação é muito intensa: me toma por inteiro, movendo-se em forma de espiral a partir do meu ventre para cada membro, para cada área imobilizada pelas mordidas do metal.

— Eu não sei! — grito. — Porque eu posso! Porque eu amo você! Por favor, Christian.

Ele geme alto e mete bem fundo, várias e várias vezes, repetidamente, e eu me perco nas sensações, tentando absorver o prazer. Minha mente explode... meu corpo explode... Quero esticar as pernas, controlar meu orgasmo iminente, mas não consigo... estou impotente. Sou dele, só dele, para ele fazer comigo o que quiser... Lágrimas se formam nos meus olhos. É muito intenso. Não consigo fazê-lo parar. Não quero que ele pare... quero... não quero... ah, não, ah, não... Isso é tão...

— Isso — rosna Christian. — Sinta, baby!

Eu me sinto explodir em volta dele, várias e várias vezes, mais e mais, gritando alto enquanto meu orgasmo me parte ao meio, queimando como fogo e me consumindo. Estou toda contorcida, as lágrimas escorrendo pelo rosto — meu corpo pulsando e tremendo.

E estou ciente de que Christian se coloca de joelhos, ainda dentro de mim, puxando-me para seu colo. Ele pega minha cabeça com uma das mãos e minhas costas com a outra e goza violentamente dentro de mim, enquanto continuo a tremer por dentro como se tivesse levado um choque. É extenuante, é exaustivo, é o inferno... É o paraíso. É hedonismo selvagem.

Christian tira a máscara dos meus olhos e me beija. Beija minhas pálpebras, meu nariz, minhas faces. Beija minhas lágrimas, apertando meu rosto com as mãos.

— Eu amo você, Sra. Grey — diz ele, arfante. — Mesmo você me enfurecendo tanto... eu me sinto tão vivo com você...

Não tenho energia para abrir nem os olhos nem a boca para responder. Muito ternamente, ele me deita de novo na cama e sai de dentro de mim.

Falo alguma coisa sem sentido em protesto. Ele pula da cama e abre as algemas. Quando estou livre, esfrega suavemente meus pulsos e meus tornozelos, e então se deita na cama ao meu lado, puxando-me para seus braços. Estico as pernas. Nossa, como é bom. Como eu me sinto bem. Esse foi, sem dúvidas, o clímax mais intenso que eu já atingi. Humm... um sexo punitivo de Christian Grey Cinquenta Tons.

Eu realmente preciso desobedecê-lo mais vezes.

UMA PRESSÃO URGENTE na bexiga me acorda. Quando abro os olhos, fico desorientada. Está escuro lá fora. *Onde estou?* Londres? Paris? Ah, no barco. Sinto o balanço e a ondulação, e ouço o baixo ruído dos motores. Estamos em movimento. *Que estranho.* Christian está ao meu lado, trabalhando no laptop, vestido informalmente: uma camisa de linho branca e calça de brim, os pés descalços. Seu cabelo ainda está molhado e posso sentir o odor fresco de seu corpo recém-banhado e o cheiro de Christian... *Hmm.*

— Oi — murmura ele, fitando-me, os olhos afetuosos.

— Oi. — Eu sorrio, de repente me sentindo tímida. — Por quanto tempo eu dormi?

— Mais ou menos uma hora.

— Estamos navegando?

— Achei que, como jantamos fora na noite passada e ainda fomos ao balé e ao cassino, poderíamos jantar a bordo hoje. Uma noite calma *à deux*.

Abro um sorriso largo.

— Aonde estamos indo?

— Cannes.

— Certo.

Eu me espreguiço, sentindo o corpo rígido. Nem todo o treinamento com Claude poderia me preparar para o que fizemos essa tarde.

Levanto-me cuidadosamente, precisando ir ao banheiro. Pego meu robe de seda e o visto apressadamente. Por que estou tão acanhada? Sinto os olhos de Christian em mim. Quando levanto o olhar, ele volta a se concentrar no laptop, a expressão carregada.

Lavo as mãos na pia distraidamente, lembrando-me da noite passada no cassino, e nisso meu robe se abre. Eu me encaro no espelho, chocada.

Puta merda! O que foi que ele fez comigo?

CAPÍTULO TRÊS

Olho horrorizada para as marcas vermelhas que cobrem meus seios. Chupões! Estou com chupões! Meu marido é um dos homens de negócios mais respeitados dos Estados Unidos, e ele me encheu desses malditos hematomas. Como eu não senti que ele estava fazendo isso comigo? Fico corada. A verdade é que eu sei exatamente por quê — o Sr. Orgasmo estava usando suas habilidades sexuais em mim.

Meu inconsciente me olha por cima dos óculos de leitura e estala a língua em sinal de desaprovação, enquanto minha deusa interior tira uma soneca na sua *chaise longue*, fora de combate. Fico pasma com o meu reflexo. Em cada um de meus pulsos há um círculo vermelho, por causa das algemas. Sem dúvida vão ficar roxos. Examino meus tornozelos — outros círculos. Que inferno, parece que eu sofri algum tipo de acidente. Encaro a mim mesma, tentando absorver minha aparência. Meu corpo anda muito diferente ultimamente. Desde que o conheci, meu corpo mudou de forma sutil... Fiquei mais magra e mais em forma, e meu cabelo está mais brilhante e bem-cortado. Minhas unhas estão pintadas, tanto as das mãos quanto as dos pés; minhas sobrancelhas, feitas e delineadas em um belo formato. Pela primeira vez na vida estou bem-cuidada — exceto por essas horrendas mordidas de amor.

Não quero pensar nos meus cuidados de beleza nesse momento. Estou furiosa. Como ele ousa me marcar dessa maneira, como um adolescente? No pouco tempo em que estamos juntos, ele nunca me deixou com marcas de chupões. Estou horrível. E sei por que ele fez isso. Maldito maníaco por controle. *Tudo bem!* Meu inconsciente cruza os braços — Christian foi longe demais dessa vez. Saio silenciosamente do banheiro da suíte e entro no closet, tomando o cuidado de evitar qualquer olhadela na direção dele. Tirando o robe, visto uma calça de moletom e uma camiseta de alcinha. Desfaço a trança, pego uma escova de cabelo da pequena penteadeira e desembaraço os fios.

— Anastasia — chama Christian, e noto a tensão em sua voz. — Você está bem?

Ignoro-o. *Se eu estou bem? Não, não estou bem.* Depois do que ele fez comigo, duvido que eu possa usar maiô, muito menos algum dos meus biquínis ridiculamente caros, pelo resto da nossa lua de mel. Pensar nisso me deixa subitamente com raiva. Como ele *ousa*? Nem vou responder. Estou fervendo de raiva. Também sei me comportar como uma adolescente! Voltando para o quarto, arremesso a escova nele, viro-me e saio — não sem antes ver sua expressão surpresa, assim como sua reação instintiva de levantar o braço para proteger a cabeça, de modo que a escova resvala em seu antebraço e cai na cama.

Saio desabalada da cabine e disparo escada acima até o deque, refugiando-me na proa. Preciso de espaço para me acalmar. Está escuro, e o ar rescende a perfume. A cálida brisa traz o cheiro do Mediterrâneo, assim como a essência de jasmim e bougainvíllea da costa. O *Fair Lady* desliza sem esforço pelo calmo mar azul-cobalto. Apoio os cotovelos no parapeito de madeira, fitando a costa distante, onde piscam e cintilam minúsculas luzes. Inspiro profundamente e aos poucos começo a me acalmar. Percebo a presença dele atrás de mim antes de ouvi-lo falar.

— Você está brava comigo — sussurra ele.

— Que esperto você, Sherlock!

— Quão brava?

— Em uma escala de um a dez, acho que cinquenta. Ótimo, não?

— Puxa, tudo isso. — Ele soa surpreso e impressionado ao mesmo tempo.

— Isso mesmo. Estou prestes a cometer um ato de violência — digo, rangendo os dentes.

Eu me viro e o fito muito zangada, mas ele permanece em silêncio, observando-me com os olhos arregalados e cautelosos. Pela sua expressão, e por ele não ter feito nenhum movimento para me tocar, sei que ele está completamente desnorteado.

— Christian, você tem que parar de tentar me manter sob controle. Você já tinha deixado o seu ponto de vista bem claro na praia. Com muita eficiência até, se bem me lembro.

Ele dá de ombros sutilmente.

— Bem, você não vai tirar a parte de cima do biquíni de novo — murmura ele, petulante.

E isso justifica o que ele fez comigo? Eu o encaro.

— Não gosto que você deixe marcas em mim. Quer dizer, pelo menos não tantas assim. É um limite rígido! — falo com rispidez.

— Eu não gosto que você tire a roupa em público. Esse é um limite rígido para mim — resmunga ele.

— Achei que já tivéssemos estabelecido isso — digo entre dentes. — Olhe para mim!

Abaixo a camiseta para mostrar a parte superior dos meus seios. Christian me encara fixamente, sem desviar os olhos do meu rosto, uma expressão de alerta e indecisão. Ele não está acostumado a me ver assim tão irada. Será que não consegue ver o que fez? Será que não vê como ele é ridículo? Quero gritar com ele, mas me contenho — não quero pressioná-lo demais. Só Deus sabe o que ele faria. Finalmente, Christian solta um suspiro e levanta as palmas das mãos, em um gesto conciliatório e resignado.

— Tudo bem — diz, em um tom apaziguador. — Entendi.

Aleluia!

— Ótimo!

Ele passa a mão no cabelo.

— Me desculpe. Por favor, não fique com raiva de mim.

Até que enfim ele parece arrependido — usando minhas próprias palavras comigo.

— Você às vezes parece um adolescente — repreendo-o, insistindo no assunto, mas minha voz perdeu o tom de briga e ele sabe disso.

Christian dá um passo na minha direção e levanta a mão, cauteloso, para colocar meu cabelo atrás da orelha.

— Eu sei — admite ele suavemente. — Tenho muito o que aprender.

As palavras do Dr. Flynn me voltam à memória: *Emocionalmente, Christian é um adolescente, Ana. Ele pulou totalmente essa fase da vida. Canalizou todas as suas energias para o sucesso no mundo dos negócios, o que alcançou além de todas as expectativas. E agora o seu mundo emocional tem que correr atrás do tempo perdido.*

Meu coração se enternece um pouco.

— Nós dois temos. — Suspiro e, cuidadosamente, levanto a mão, pousando-a no peito dele, na altura do coração. Ele não recua como costumava fazer, mas enrijece o corpo. Coloca a mão em cima da minha e dá um sorriso tímido.

— Acabei de aprender que você tem um bom braço e uma boa pontaria, Sra. Grey. Eu nunca teria imaginado, mas costumo subestimá-la. E sempre me surpreendo.

Levanto as sobrancelhas.

— Já pratiquei muito com o Ray. Sei lançar e atirar bem na mira, Sr. Grey, e é bom você se lembrar disso.

— Vou me esforçar para me lembrar, Sra. Grey, ou ao menos garantir que todos os objetos capazes de servir como projéteis não estejam à mão e que você não tenha acesso a um revólver. — Ele sorri maliciosamente.

Eu também sorrio, apertando os olhos para retrucar:

— Tenho meus recursos.

— Ah, se tem — murmura ele, e solta minha mão para me puxar para si.

Christian me abraça, enterrando o nariz no meu cabelo. Retribuo, apertando-o com força, e sinto a tensão deixando seu corpo enquanto ele roça o rosto no meu.

— Estou perdoado?

— Eu estou?

Sinto seu sorriso.

— Está — responde ele.

— Idem.

Continuamos abraçados, minha irritação já esquecida. O cheiro que vem do seu corpo é muito bom, seja ele um adolescente ou não. Como posso resistir a esse homem?

— Está com fome? — pergunta ele depois de um tempo.

Estou de olhos fechados, minha cabeça recostada a seu peito.

— Sim. Faminta. Toda a nossa... hã... atividade abriu meu apetite. Mas não estou vestida para um jantar.

Tenho certeza de que minha calça de moletom e minha blusa de ficar em casa receberiam olhares de desaprovação na sala de jantar.

— Para mim você está ótima, Anastasia. Além disso, o barco é nosso esta semana. Podemos nos vestir como quisermos. Imagine que hoje é uma terça-feira casual na Côte D'Azur. De qualquer maneira, pensei em comermos no deque.

— É, seria bom.

Ele me beija — um fervoroso beijo de "desculpas" —, e então seguimos de mãos dadas até a proa, onde o gaspacho nos espera.

O GARÇOM SERVE nosso *crème brulée* e discretamente se retira.

— Por que você sempre faz uma trança no meu cabelo? — pergunto a Christian, por curiosidade.

Estamos à mesa, sentados um ao lado do outro, minha perna enroscada na dele. Prestes a pegar a colher de sobremesa, ele faz uma pausa e franze o cenho.

— Não quero que seu cabelo fique preso em alguma coisa — responde baixinho, e, por um momento, perde-se em pensamentos. — Hábito, eu acho — continua ele, absorto. E de repente franze o cenho, arregala os olhos, as pupilas dilatando em sinal de alarme.

Do que ele se lembrou? Algo doloroso, alguma recordação de infância, eu acho. Não quero que ele fique pensando nisso. Inclino-me para a frente e encosto o indicador nos seus lábios.

— Não, não importa. Não preciso saber. Só estava curiosa.

Dou um sorriso afetuoso e tranquilizador. Sua expressão é tensa; depois de um momento, porém, ele visivelmente baixa a guarda, demonstrando alívio. Eu me inclino para beijá-lo no cantinho da boca.

— Eu amo você — digo em um sussurro. Como resposta, ele abre aquele seu sorriso tímido de doer o coração; eu me derreto. — Sempre vou amar você, Christian.

— E eu, você — diz ele suavemente.

— Apesar da minha desobediência? — brinco, erguendo as sobrancelhas.

— Por causa da sua desobediência, Anastasia. — Ele dá uma risada.

Quebro a camada de açúcar queimado da minha sobremesa com a colher e balanço a cabeça. Será que algum dia vou entender esse homem? Hmm — o *crème brulée* está delicioso.

Assim que o garçom retira nossos pratos, Christian pega a garrafa de vinho rosé e enche a minha taça. Verifico se estamos sozinhos e pergunto:

— Por que você me disse para não ir ao banheiro?

— Quer realmente saber? — Ele dá um meio-sorriso, os olhos iluminados por um brilho indecente.

— Será que eu quero? — Olho para ele com os olhos apertados, tomando um gole de vinho.

— Quanto mais cheia a sua bexiga, mais intenso o orgasmo, Ana.

Fico ruborizada.

— Ah, entendi.

Nossa, isso explica muita coisa.

Ele ri, com ar de sabe-tudo. Será que sempre estarei atrás do Sr. Especialista em Sexo em termos de conhecimento?

— Ah, sim. Bem...

Tento desesperadamente mudar de assunto. Ele vem em meu socorro:

— O que você quer fazer o resto da noite? — Ele inclina a cabeça para o lado e abre aquele seu sorrisinho torto.

O que você quiser, Christian. Testar sua teoria de novo? Dou de ombros.

— Eu sei o que eu quero fazer — murmura. E, pegando sua taça de vinho, ele se levanta e estende a mão para mim. — Venha.

Pego sua mão e sou conduzida ao salão principal.

Seu iPod está conectado ao alto-falante, sobre o aparador. Ele liga o aparelho e escolhe uma música.

— Dance comigo. — Ele me puxa para seus braços.

— Já que você insiste...

— Eu insisto, Sra. Grey.

Uma melodia provocante e cafona começa a tocar. É um ritmo latino? Christian sorri maliciosamente para mim e começa a se mover, fazendo meus pés deslizarem ao me guiar pelo salão.

Um homem com voz açucarada canta apaixonadamente. Eu conheço a música, mas não consigo reconhecer de onde. Christian me joga para trás, dou um gritinho de surpresa e rio. Ele sorri, os olhos transbordando bom humor. Então ele me levanta de volta e rodopia comigo nos braços.

— Você dança tão bem — digo. — Parece até que eu sei dançar também.

Ele me lança um sorriso enigmático, mas não diz uma palavra; fico me perguntando se é porque ele está pensando nela... na Mrs. Robinson, a mulher que o ensinou a dançar — e a fazer sexo. Eu não me lembrava dela havia algum tempo. Christian não a menciona desde seu aniversário e, pelo que eu saiba, a relação profissional deles já é águas passadas. Embora relutante, tenho que admitir: ela foi uma boa professora.

Ele me abaixa de novo e me dá um rápido beijo na boca.

— Eu sentiria falta do seu amor — murmuro, repetindo a letra da música.

— Eu sentiria mais do que falta do seu amor — diz ele, e me gira mais uma vez. Então canta suavemente no meu ouvido, deixando-me em êxtase.

A música acaba e Christian me fita, os olhos escuros e luminosos, sem mais traços de humor; subitamente fico sem fôlego.

— Vem para a cama comigo? — sussurra ele, em um pedido sincero que toca meu coração.

Christian, você me ouviu dizer "eu aceito" duas semanas e meia atrás: eu sou sua. Mas sei que essa é a sua maneira de pedir desculpas e ter certeza de que está tudo bem entre nós depois da briga.

QUANDO ACORDO, o brilho do sol entra pelas escotilhas e a água reflete desenhos tremeluzentes no teto da cabine. Christian não está aqui. Eu me espreguiço e sorrio. Hmm... Eu toparia mais uma sessão de sexo punitivo seguido de amor reconciliatório qualquer outro dia. Como é maravilhoso ir para a cama com dois homens diferentes — o Christian zangado e o Christian eu-quero-me-desculpar-com-você-de-qualquer-maneira. É difícil dizer de qual gosto mais.

Eu me levanto e vou ao banheiro. Quando abro a porta, encontro Christian lá dentro fazendo a barba. Nu, exceto por uma toalha enrolada na cintura. Ele se vira e sorri, sem se incomodar por eu tê-lo interrompido. Já descobri que Christian nunca vai trancar a porta se ele for a única pessoa no cômodo — ele tem um motivo razoável para agir assim, e não gosto de pensar no assunto.

— Bom dia, Sra. Grey — diz ele, irradiando bom humor.

— Bom dia.

Sorrio de volta, observando-o. Adoro vê-lo fazer a barba. Ele eleva o queixo e raspa embaixo, com movimentos longos e metódicos, e eu me pego inconscientemente imitando-o. Estico o lábio superior para baixo, assim como ele, para raspar entre o nariz e a boca. Ele se vira e sorri, metade do rosto ainda coberta de espuma de barbear.

— Aproveitando o espetáculo? — pergunta.

Ah, Christian, eu poderia passar horas olhando você.

— Um dos meus programas preferidos — murmuro, ao que ele se inclina e me dá um selinho, sujando meu rosto de espuma.

— Quer que eu faça de novo? — sussurra ele, maldosamente, segurando o barbeador.

Franzo os lábios para ele.

— Não — resmungo, fingindo estar zangada. — Vou depilar da próxima vez.

Lembro-me da alegria de Christian em Londres, quando ele descobriu que, durante a única reunião a que ele deveria comparecer, eu havia raspado completamente meus pelos pubianos, só por curiosidade. Claro que eu não tinha alcançado os altos padrões do Sr. Exigente...

— O que foi que você fez? — exclama Christian.

Ele não consegue esconder que está horrorizado, embora ache engraçado. Senta-se na cama da nossa suíte no hotel Brown's, perto de Piccadilly, acende a luz do abajur e me olha fixamente, boquiaberto. Deve ser meia-noite. Fico tão vermelha quanto o feltro que cobre as mesas do quarto de jogos, e tento puxar minha camisola de seda para baixo, para que ele não possa ver. Ele pega minha mão para me impedir.

— Ana!

— Eu... hmm... raspei.

— Isso eu posso ver. Por quê? — Ele está sorrindo de orelha a orelha.

Cubro o rosto com as mãos. Por que estou com tanta vergonha?

— Ei — diz ele suavemente, e puxa minha mão para longe. — Não esconda. — Ele está mordendo o lábio para não rir. — Diga. Por quê?

Seus olhos dançam de alegria. Por que ele está achando isso tão engraçado?

— Pare de rir de mim.

— Não estou rindo de você. Desculpe. Estou... encantado.

— Ah...

— Vamos, diga. Por quê?

Respiro fundo.

— Hoje de manhã, depois que você saiu para a reunião, eu estava tomando banho e fiquei me lembrando de todas as suas regras.

Ele não diz nada. O bom humor na sua expressão desaparece e ele me olha com cautela.

— E eu vi que já tinha cumprido quase todas, e pensei também em como eu me sentia a respeito disso; então me lembrei do salão de beleza e pensei... que você podia gostar. Não tive coragem suficiente para depilar. — Minha voz diminuiu até tornar-se um suspiro.

Ele me fita, os olhos brilhando — dessa vez não por achar graça da minha loucura, mas cheios de amor.

— Ah, Ana — suspira Christian. Ele se inclina e me dá um beijo terno. — Você me encanta — sussurra contra minha boca, e me beija de novo, segurando meu rosto com as mãos.

Depois de um momento sem fôlego, ele levanta o corpo e se apoia em um cotovelo. Seu bom humor está de volta.

— Acho que tenho que fazer uma inspeção minuciosa no seu trabalho manual, Sra. Grey.

— O quê? Não.

Ele só pode estar de brincadeira! Eu me cubro, protegendo minha área recém--desmatada.

— Ah, não faça isso, Anastasia.

Ele pega minhas mãos e as afasta, movendo-se agilmente de modo a ficar entre minhas pernas e a prender minhas mãos dos lados. Então me lança um olhar ardente, que poderia causar sérios incêndios, mas, antes que eu arda em chamas, ele desliza os lábios desde a minha barriga descoberta até meu sexo. Eu me contorço embaixo dele, relutantemente conformada com meu destino.

— Ora, o que temos aqui?

Christian dá um beijo onde, até essa manhã, havia pelos pubianos, e então passa na minha pele seu queixo áspero de barba por fazer.

— Ah! — exclamo.

Uau... isso mexe comigo.

Seus olhos buscam os meus, cheios de desejo obsceno.

— Acho que faltou um pedacinho — murmura ele, e puxa gentilmente a minha pele, expondo uma reentrância.

— Ah... droga — exclamo, torcendo para que isso dê um fim ao exame francamente intrusivo que ele está fazendo.

— Tenho uma ideia.

Ele salta nu da cama e vai até o banheiro.

O que será que ele está fazendo? Ele volta instantes depois, trazendo um copo d'água, uma caneca, meu barbeador, seu pincel de barba, um sabonete e uma toalha. Coloca a água, o pincel, o sabonete e o barbeador na mesa de cabeceira e me olha fixamente, segurando a toalha.

Ah, não! Meu inconsciente atira com força para o lado as *Obras completas de Charles Dickens*, levanta-se da poltrona e coloca as mãos na cintura.

— Não. Não. Não — protesto, minha voz em tom agudo.

— Sra. Grey, se é para fazer um trabalho, então que seja bem-feito. Levante os quadris. — Seus olhos brilham como uma tempestade de verão.

— Christian! Você não vai me raspar.

Ele inclina a cabeça para o lado.

— Por que não?

Eu fico vermelha... Não é óbvio o porquê?

— Porque... é tão...

— Íntimo? — sussurra ele. — Ana, intimidade é o que eu mais quero ter com você, e você sabe disso. Além do mais, depois de certas coisas que já fizemos, não venha dar uma de tímida comigo. Eu conheço essa parte do seu corpo melhor do que você.

Olho embasbacada para ele. Tão arrogante... É verdade, ele a conhece muito bem — mas mesmo assim...

— Isso é estranho! — Minha voz soa afetada e aguda.

— Não é estranho; é excitante.

Excitante? Jura?

— Isso excita você? — Não consigo esconder a perplexidade na minha voz.

Ele solta um suspiro irritado.

— Não está vendo que sim? — E dá uma olhadela para o próprio membro. — Eu quero raspar você — sussurra.

Ah, que se dane. Eu me deito, cobrindo o rosto com o braço para não ter que assistir à cena.

— Se isso o faz feliz, Christian, vá em frente. Você é tão excêntrico — resmungo, ao mesmo tempo que levanto os quadris, e ele coloca a toalha embaixo, depois dá um beijo na parte interna da minha coxa.

— Ah, baby, você tem toda a razão.

Ouço o barulho da água quando ele mergulha o pincel de barba no copo, e depois a suave torção do pincel na caneca. Ele pega meu tornozelo esquerdo e abre minhas pernas, e a cama afunda um pouco quando ele se senta entre elas.

— Eu queria mesmo amarrar você agora — murmura ele.

— Prometo ficar parada.

— Ótimo.

Dou um suspiro quando ele passa o pincel cheio de espuma na região que cobre meu osso púbico. Está morno. A água no copo deve estar quente. Eu me contorço um pouco. Faz cócegas... Mas é gostoso.

— Não se mexa — repreende-me Christian, e passa o pincel de novo. — Ou eu amarro *mesmo* você — acrescenta, sombriamente, e um arrepio delicioso percorre minha coluna.

— Você já fez isso antes? — pergunto hesitante quando ele pega a lâmina de barbear.

— Não.

— Ah. Que bom. — Dou um sorriso amarelo.

— Mais uma primeira vez, Sra. Grey.

— Hmm. Eu gosto de primeiras vezes.

— Eu também. Lá vai. — E, com uma delicadeza que me surpreende, ele passa a lâmina por minha pele sensível. — Fique parada — repete, distraidamente, e sei que ele está na verdade muito concentrado.

Em questão de minutos ele pega a toalha e tira o excesso de espuma.

— Pronto. Assim está melhor — conclui, e eu finalmente tiro o braço do rosto para fitá-lo: ele afasta o corpo, para admirar seu trabalho.

— Satisfeito? — pergunto, a voz rouca.

— Muito.

Ele abre um sorriso maldoso e lentamente começa a enfiar um dedo em mim.

— Mas aquilo foi divertido — diz Christian, com olhos de zombaria.

— Para você, talvez.

Tento fazer beicinho. Mas ele tem razão... foi... excitante.

— Vou ter que lembrar a você que o que fizemos depois foi bastante satisfatório.

Christian volta a se barbear. Olho rapidamente para baixo. Ah, sim, foi bastante satisfatório. Eu não tinha ideia de que a ausência de pelos pubianos pudesse fazer tanta diferença.

— Ei, estou apenas implicando com você. Não é assim que fazem os maridos desesperadamente apaixonados por suas esposas?

Christian ergue meu queixo e me fita, os olhos subitamente cheios de ansiedade, e tenta decifrar minha expressão.

Hmm... Hora da vingança.

— Sente-se — murmuro.

Ele me olha sem entender. Empurro-o suavemente para o tamborete branco do banheiro. Perplexo, ele se senta e eu tiro a lâmina de barbear da sua mão.

— Ana — adverte ele quando percebe minha intenção. Eu me inclino para baixo e lhe dou um beijo.

— Ponha a cabeça para trás — sussurro.

Ele hesita.

— Olho por olho, Sr. Grey.

Ele me encara incrédulo e um tanto temeroso, mas está se divertindo.

— Você sabe o que está fazendo? — pergunta Christian, em voz baixa.

Balanço a cabeça em negativa, devagar e deliberadamente, tentando parecer o mais séria possível. Ele fecha os olhos e faz um gesto de lamentação, mas se rende e joga a cabeça para trás.

Puta merda, ele vai deixar que eu o barbeie. Vacilante, deslizo a mão para o cabelo úmido em sua testa, agarrando-o firmemente para mantê-lo imóvel. Ele aperta os olhos já fechados e entreabre a boca para inspirar. Muito delicadamente, passo a lâmina do pescoço até o queixo, revelando um caminho de pele embaixo da espuma. Christian solta o ar.

— Estava achando que eu ia machucar você?

— Eu nunca sei o que você vai fazer, Ana, mas não; pelo menos não intencionalmente.

Passo a lâmina pelo seu pescoço de novo, abrindo um caminho ainda maior na espuma.

— Eu nunca machucaria você de propósito, Christian.

Ele abre os olhos e me abraça, enquanto eu delicadamente passo o barbeador por sua face a partir da ponta da costeleta.

— Eu sei — diz ele, virando o rosto para que eu possa terminar a bochecha. Só mais duas vezes e acabo.

— Prontinho, e sem nenhuma gota de sangue.

Abro um sorriso orgulhoso.

Ele passa a mão pela minha perna, levantando minha camisola até minha coxa, e me puxa para seu colo de forma que eu fique montada sobre ele. Eu me apoio nos seus braços, bem abaixo dos ombros — ele é realmente muito musculoso.

— Posso levar você a um lugar hoje?

— Não vamos pegar sol? — Arqueio a sobrancelha sarcasticamente.

Ele umedece os lábios, nervoso.

— Não. Não vamos pegar sol hoje. Achei que você fosse preferir outra coisa.

— Bem, já que você me cobriu de marcas e liquidou esse assunto de vez, então, claro, por que não?

Ele sabiamente opta por ignorar meu tom.

— É um pouco longe, mas merece uma visita, pelo que eu li. Foi meu pai que nos recomendou. É uma vila no alto de um morro, chamada Saint-Paul-de-Vence. Tem algumas galerias por lá. Podemos escolher algumas pinturas ou esculturas para nossa nova casa, se acharmos algo que nos agrade.

Eu me inclino para trás e o encaro. Arte... Ele quer comprar obras de arte. *Como eu posso comprar obras de arte?*

— O que foi? — pergunta ele.

— Eu não entendo nada de arte, Christian.

Ele dá de ombros e sorri de maneira indulgente.

— Só vamos comprar o que acharmos bonito. Nada de pensar em investimento.

Investimento? Céus!

— O que foi? — pergunta ele de novo.

Balanço a cabeça.

— Olha, eu sei que a gente só viu os desenhos da arquiteta outro dia, mas não custa nada olhar. Fora que a cidade é uma área bem antiga, medieval.

Ah, a arquiteta. Ele tinha que me lembrar *dela*... Gia Matteo, uma amiga de Elliot que trabalhou na casa de Christian em Aspen. Durante as reuniões, ela não saía de cima do meu marido.

— O que foi agora? — exclama Christian. Balanço a cabeça, fingindo que não é nada. — Fale — insiste ele.

Como posso dizer que não gosto de Gia? Minha aversão a ela é irracional. Não quero parecer uma esposa ciumenta.

— Você ainda está com raiva pelo que eu fiz ontem? — Ele suspira e roça o nariz entre meus seios.

— Não. Estou com fome — murmuro, sabendo muito bem que isso vai desviá-lo desse tipo de pergunta.

— Por que não disse antes?

Ele me tira do seu colo e se levanta.

SAINT-PAUL-DE-VENCE É UM vilarejo medieval que fica no alto de um morro, todo fortificado. Um dos lugares mais pitorescos que eu já vi. Andamos abraçados, lado a lado, pelas estreitas ruas de pedra, minha mão no bolso traseiro da bermuda dele. Somos seguidos de perto por Taylor e Gaston ou Philippe — não consigo distingui-los. Passamos por um quarteirão arborizado onde três velhinhos, um deles usando uma boina tradicional apesar do calor, jogam bocha. A cidade está repleta de turistas, mas me sinto confortável atracada ao braço de Christian. Há muito o que ver — estreitas vielas e passagens que levam a pátios com intrincados chafarizes de pedra, esculturas antigas e modernas, além de fascinantes butiques e lojinhas.

Na primeira galeria, Christian olha distraidamente as fotografias eróticas à nossa frente, mordiscando a armação dos seus óculos de aviador. São os trabalhos de Florence D'elle — mulheres nuas em poses variadas.

— Não é bem o que eu tinha em mente — resmungo em desaprovação.

Elas me lembram a caixa de fotografias que achei no closet dele, no nosso closet. Será que ele chegou a de fato destruí-las?

— Nem eu — diz Christian, sorrindo ironicamente para mim.

Ele pega minha mão e continuamos nosso passeio até o próximo artista. Eu me pergunto, distraidamente, se não deveria deixá-lo tirar fotos de mim.

A exposição seguinte é de uma pintora especializada em natureza-morta: frutas e vegetais em superclose e em cores ricas e gloriosas.

— Gostei dessas. — Aponto para três pinturas de pimentas. — Elas me lembram você cortando legumes lá em casa.

Dou uma risadinha. Christian retorce a boca, tentando, em vão, disfarçar que achou graça.

— Achei que tinha me saído muito bem naquela tarefa — murmura. — Só um pouco devagar, mas... — ele me puxa para um abraço — ...você estava me distraindo. Onde você colocaria?

— O quê?

Christian roça o nariz na minha orelha.

— As pinturas. Onde você colocaria?

Ele morde o lóbulo da minha orelha, e eu sinto na virilha.

— Na cozinha — murmuro.

— Hmm. Boa ideia, Sra. Grey.

Arregalo os olhos ao ver o preço. Cinco mil euros cada. *Puta merda!*

— São muito caras! — exclamo, quase engasgando.

— E daí? — Ele volta a roçar o nariz em mim. — Vá se acostumando, Ana.

Então me solta e vai até a mesa de uma jovem vestida inteiramente de branco, que está secando meu marido. Tenho vontade de revirar os olhos de raiva, mas volto minha atenção novamente para as pinturas. Cinco mil euros... Nossa.

Acabamos de almoçar e estamos relaxando no hotel Le Saint Paul, tomando um café. A vista dos campos ao redor é deslumbrante. Os vinhedos e as plantações de girassóis formam um patchwork pela planície, salpicados aqui e ali de pequenas e graciosas casas de fazenda francesas. Está um dia tão claro e bonito que a vista alcança o mar, sua superfície reluzindo debilmente no horizonte. Christian interrompe meu devaneio:

— Você me perguntou por que eu sempre faço uma trança no seu cabelo — murmura.

Seu tom de voz me alarma. Ele parece... culpado.

— Perguntei. — *Ih, lá vem.*

— A prostituta drogada me deixava mexer no cabelo dela, eu acho. Não sei se é uma lembrança ou um sonho.

Caramba! A mãe biológica dele.

Ele me fita, a expressão indecifrável. Meu coração quase sai pela boca. O que dizer quando ele me fala essas coisas?

— Eu gosto que você brinque com o meu cabelo. — Minha voz é hesitante.

Ele me olha com incerteza.

— Mesmo?

— Sim. — É verdade. Pego na mão dele. — Eu acho que você amava sua mãe biológica, Christian.

Seus olhos se arregalam e ele me encara impassivelmente, sem dizer nada.

Merda. Será que fui longe demais? *Diga algo, Christian — por favor.* Mas ele permanece resolutamente mudo, encarando-me com olhos cinza impenetráveis enquanto o silêncio se prolonga entre nós. Parece perdido.

Então Christian olha para minha mão na dele e franze o cenho.

— Diga alguma coisa — sussurro, porque não consigo mais suportar o silêncio.

Ele balança a cabeça, exalando o ar bem lá do fundo.

— Vamos.

Ele solta minha mão e se levanta. Parece na defensiva. Será que passei dos limites? Não tenho ideia. Isso corta meu coração, e não sei se digo mais alguma coisa ou se apenas espero passar. Decido pela segunda alternativa, e obedientemente o sigo para fora do restaurante.

Lá fora, na agradável ruela, ele pega minha mão.

— Aonde você quer ir?

Ele fala! E não está zangado comigo — graças aos céus. Eu solto o ar, aliviada, e dou de ombros.

— Já fico contente por você não ter deixado de falar comigo.

— Você sabe que eu não gosto de falar disso. Passou. Acabou — responde ele, bem baixinho.

Não, Christian, não acabou. Esse pensamento me entristece, e pela primeira vez me pergunto se algum dia vai acabar. Ele sempre será o Cinquenta Tons... Meu Cinquenta Tons. Se quero mudá-lo? Não, não exatamente — apenas na medida em que quero vê-lo se sentir amado. Ergo o olhar timidamente, e aproveito um momento para admirar sua beleza cativante... Ele é *meu*. E não é só o encantamento do rosto e do corpo muito atraentes que me enfeitiçam. É o que há por trás dessa perfeição que me atrai, que me chama... Sua alma frágil, machucada.

Ele me olha daquele jeito, nariz empinado, meio arrogante, meio irônico, meio alerta, todo sensual, depois passa o braço pela minha cintura e caminhamos entre os turistas até o lugar onde Philippe/Gaston estacionou a espaçosa Mercedes. Volto a deslizar a mão para dentro do bolso traseiro da sua bermuda, aliviada por ele não estar zangado. Mas, honestamente, que criança de quatro anos não ama a mãe, por pior que seja? Eu suspiro pesadamente e o aperto mais em meu abraço. Sei que atrás de nós a equipe de segurança nos espreita, e me pergunto vagamente se eles almoçaram.

Christian para em frente a uma lojinha que vende joias finas e observa a vitrine, depois olha para mim. Ele pega minha mão livre e passa o polegar pela linha vermelha esmaecida da marca da algema, avaliando o estrago.

— Não está dolorido — tranquilizo-o.

Ele se vira para tirar minha outra mão do seu bolso, e a vira delicadamente para examinar meu pulso. O relógio Omega de platina que ele me deu durante o café da manhã da nossa primeira manhã em Londres cobre a linha vermelha. A inscrição ainda me extasia.

Anastasia
Você é meu Mais
Meu Amor, Minha Vida
Christian

Apesar de tudo, de toda a sua personalidade difícil, meu marido também pode ser muito romântico. Olho para as leves marcas vermelhas nos meus pulsos. Mas também pode ser selvagem às vezes. Soltando minha mão esquerda, ele ergue meu queixo com os dedos e examina a minha expressão, os olhos preocupados.

— Não está doendo — repito.

Ele puxa minha mão para seus lábios e dá um suave beijo de desculpas na parte interna do meu pulso.

— Venha — diz ele, e me leva para dentro da loja.

— Aqui.

Christian abre a pulseira de platina que acabou de comprar. É primoroso, tão delicadamente talhado, as filigranas em formato de minúsculas flores abstratas com pequenos brilhantes no miolo. Ele fecha a pulseira. É uma faixa larga de platina que fica justa no pulso, de forma que esconde a marca vermelha. *E custou trinta mil euros*, penso, apesar de eu não ter conseguido acompanhar toda a conversa em francês com a vendedora. Nunca usei nada tão caro.

— Pronto, assim está melhor — murmura ele.

— Melhor? — sussurro, mirando fixamente seus luminosos olhos cinzentos, consciente de que a vendedora magrela está nos encarando com um olhar de inveja e desaprovação.

— Você sabe por quê — diz ele.

— Eu não preciso disso.

Balanço meu pulso e a pulseira se movimenta, captando a luz da tarde que entra pela vitrine da loja. Os brilhantes formam pequenos arco-íris reluzentes, que dançam pelas paredes.

— Mas eu preciso — retruca ele, com total sinceridade.

Por quê? Por que ele precisa disso? Será que se sente culpado? Pelo quê? Pelas marcas? Pela sua mãe biológica? Por não confiar em mim? *Ah, Christian.*

— Não, não precisa. Você já me deu tanto! Uma lua de mel mágica, Londres, Paris, a Côte D'Azur... e você. Sou uma mulher de muita sorte — sussurro, e seus olhos parecem relaxar.

— Não, Anastasia, eu é que sou um homem de muita sorte.

— Obrigada.

Esticando-me nas pontas dos pés, coloco os braços em volta do seu pescoço e o beijo... Não por me dar a pulseira, mas por ser meu.

De volta ao carro, Christian está introspectivo, olhando os campos de girassóis em cores vivas, as flores seguindo o sol da tarde e expondo-se a sua luz. Um dos gêmeos — acho que é Gaston — está dirigindo e Taylor está a seu lado, no banco da frente. Christian está remoendo alguma coisa. Aperto sua mão, tranquilizando-o. Ele me olha, e então solta minha mão para acariciar meu joelho. Estou vestindo uma saia curta rodada nas cores azul e branca e uma blusa justa azul, sem mangas. Christian hesita, e não sei se sua mão vai subir em direção à minha coxa ou descer para minha canela. O toque delicado dos seus dedos desperta expectativas em mim, e eu prendo a respiração. *O que ele vai fazer?* Ele escolhe descer, e de repente agarra meu tornozelo e puxa meu pé para seu colo. Eu giro o corpo de forma a ficar de frente para ele no banco de trás do carro.

— Quero o outro também.

Dou uma espiada rápida em Taylor e Gaston, cujos olhos se mantêm firmes na estrada, e coloco meu outro pé sobre o colo dele. Com um ar tranquilo, ele alcança a porta e aperta um botão. Na nossa frente, uma tela de privacidade levemente escurecida desliza de um painel e, dez segundos depois, estamos efetivamente sozinhos. Uau... Não é de admirar que esse carro tenha tanto espaço aqui atrás.

— Quero ver seus tornozelos.

É uma boa explicação. Ele me olha com a expressão tensa. As marcas das algemas? *Caramba...* Achei que já tivéssemos superado isso. Se há marcas, estão escondidas pelas tiras da sandália. Não me recordo de ter visto nenhuma essa manhã. Delicadamente, ele alisa com o polegar o peito do meu pé, provocando em mim um leve tremor. Um sorriso surge em seus lábios e com destreza ele abre uma tira da sandália. Seu sorriso some quando vê as marcas vermelhas mais fortes.

— Não está doendo — murmuro.

Christian me olha de relance; sua expressão é triste, sua boca, uma linha fina. Ele faz um único gesto com a cabeça, como que para mostrar que acredita na minha palavra. Agito o pé para que a sandália se solte, mas sei que o perdi. Ele está distraído e reflexivo de novo, acariciando mecanicamente meu pé enquanto se vira para olhar pela janela do automóvel.

— Ei. O que você esperava? — pergunto com carinho.

Ele me olha e dá de ombros.

— Não esperava sentir isso que estou sentindo ao olhar para essas marcas — responde ele.

Ah! Reservado em um minuto e disponível no outro? Isso é tão... Tão *Cinquenta Tons!* Como posso acompanhá-lo?

— E *como* você se sente?

Olhos desanimados me encaram.

— Desconfortável — murmura ele.

Ah, não. Solto o cinto de segurança e chego mais perto dele, sem tirar os pés do seu colo. Quero me aconchegar contra seu corpo e abraçá-lo, e eu faria isso se fosse somente Taylor quem estivesse lá na frente. Mas saber que Gaston está ali paralisa minhas ações, mesmo com a tela divisória. Se estivesse mais escuro... Aperto suas mãos.

— Só os chupões é que me incomodam — sussurro. — Todo o resto... o que você fez — abaixo a voz ainda mais — com as algemas, eu gostei. Quer dizer, gostar é pouco. Foi incrível. Você pode fazer aquilo comigo de novo a qualquer hora.

Ele muda de posição.

— Incrível?

Minha deusa interior, surpresa, ergue o olhar do livro de Jackie Collins que estava lendo.

— Sim.

Abro um sorriso. Flexiono os dedos dos pés no seu sexo, que começa a endurecer, e vejo mais do que ouço sua inspiração aguda, seus lábios se entreabrindo.

— Você realmente deveria estar usando seu cinto de segurança, Sra. Grey.

Ele fala baixo, e eu flexiono os dedos uma vez mais. Ele inspira, seus olhos escurecem, e ele aperta meu tornozelo em advertência. Ele quer que eu pare? Que eu continue? Então faz uma pausa, fecha a cara e pesca do bolso o onipresente BlackBerry, para atender a uma chamada, enquanto olha para o relógio. Sua expressão torna-se ainda mais carregada.

— Barney — fala rispidamente.

Que saco. O trabalho nos interrompendo de novo. Tento tirar os pés do seu colo, mas ele aperta ainda mais meu tornozelo.

— Na sala do servidor? — pergunta ele, incrédulo. — Ativou o sistema de supressão de incêndio?

Incêndio! Tiro os pés do seu colo, e dessa vez ele deixa. Volto para o meu lugar, coloco o cinto e fico mexendo, nervosa, na pulseira de trinta mil euros. Christian pressiona novamente o botão na porta do seu lado e a tela de privacidade desce.

— Alguém se machucou? Algum equipamento danificado? Sei... Quando? — Christian olha para o relógio de novo e passa os dedos no cabelo. — Não. Nem os bombeiros nem a polícia. Pelo menos por enquanto.

Um incêndio? No escritório de Christian? Olho pasma para ele, um turbilhão na minha cabeça. Taylor se ajeita para ouvir melhor a conversa.

— Ele já fez isso? Bom... Tudo bem. Quero um relatório detalhado dos danos provocados. E uma lista completa de todos os que tiveram acesso ao local nos últimos cinco dias, incluindo o pessoal da limpeza... Encontre a Andrea e peça para ela me ligar... Pois é, parece que o argônio realmente funciona, vale seu peso em ouro.

Relatório dos danos? Argônio? Um sino distante da aula de química soa em minha mente — um elemento químico, eu acho.

— Eu sei que está cedo... Quero que você me envie um e-mail daqui a duas horas... Não, eu precisava saber. Obrigado por ligar.

Christian desliga e imediatamente disca um número no BlackBerry.

— Welch... Ótimo... Quando? — Ele olha para o relógio mais uma vez. — Uma hora, então... Certo... Dia e noite no armazenamento remoto de dados... Ótimo. — Ele desliga. — Philippe, preciso estar a bordo em uma hora.

— *Monsieur.*

Merda, é o Philippe, e não o Gaston. O carro acelera.

Christian me olha rapidamente, a expressão indecifrável.

— Alguém se machucou? — pergunto baixinho.

Ele balança a cabeça.

— Pouquíssimos danos. — Ele pega minhas mãos e as aperta, para me tranquilizar. — Não se preocupe com isso. Minha equipe está trabalhando.

E lá está ele, o CEO, no comando, no controle, nem um pouco agitado.

— Onde foi o incêndio?

— Na sala do servidor.

— Na sede da empresa?

— Foi.

Suas respostas são curtas, então sei que ele não quer falar sobre o assunto.

— Por que tão poucos danos?

— A sala do servidor está equipada com o que há de mais moderno em termos de sistema de supressão de incêndio.

Obviamente.

— Ana, por favor... Não se preocupe.

— Não estou preocupada — minto.

— Não temos certeza de que o incêndio foi criminoso — diz ele, indo direto ao âmago da minha ansiedade.

Levo a mão ao pescoço, com medo. Primeiro o *Charlie Tango* e agora isso?

O que está por vir?

CAPÍTULO QUATRO

Estou agitada. Christian se entocou no seu escritório a bordo faz mais de uma hora. Já tentei ler, ver TV, pegar sol — inteiramente vestida —, mas não consigo relaxar nem me livrar desse sentimento inquietante. Depois de colocar um short e uma camiseta, tiro minha pulseira ridiculamente cara e saio à procura de Taylor.

— Sra. Grey — cumprimenta-me, tomando um susto e largando o romance de Anthony Burgess que está lendo. Está sentado na antessala que precede o escritório de Christian.

— Eu gostaria de sair para fazer compras.

— Sim, senhora. — Ele se levanta.

— E queria ir de jet ski.

Ele fica boquiaberto.

— Hã... — Taylor franze o cenho, sem palavras.

— Não quero incomodar Christian com isso.

Ele reprime um suspiro.

— Sra. Grey... hã... Acho que o Sr. Grey não ficaria muito confortável com isso, e eu gostaria de manter meu emprego.

Ah, pelo amor de Deus! Tenho vontade de externar meu desapontamento, mas em vez disso apenas estreito os olhos, suspirando pesadamente e expressando, eu acho, a quantidade exata de indignação e frustração por não ser senhora do meu próprio destino. Mas não quero que Christian fique zangado com Taylor — nem comigo, aliás. Passando confiantemente por ele, bato na porta do escritório e entro.

Christian está no BlackBerry, apoiado sobre a mesa de mogno. Ele ergue os olhos.

— Andrea, só um minuto — murmura ao telefone, a expressão séria.

Seu olhar é de educada expectativa. Merda. Por que eu me sinto como uma estudante que entrou na sala do diretor? Esse homem me possuiu algemada ontem mesmo. Eu me recuso a ser intimidada, ele é meu marido, droga. Endireito os ombros e abro um largo sorriso.

— Estou indo fazer compras. Vou levar o segurança comigo.

— Claro, leve um dos gêmeos, e Taylor também — diz ele, e sei que o que está acontecendo é grave, porque ele não me questiona mais do que isso. Continuo encarando-o, imaginando se posso ajudá-lo.

— Mais alguma coisa? — pergunta Christian. Ele quer que eu vá embora.

— Quer que eu traga alguma coisa para você?

Ele abre aquele seu sorriso doce e tímido.

— Não, baby, não precisa. A equipe a bordo me ajudará se for preciso.

— Tudo bem.

Quero beijá-lo. Que inferno, eu posso fazer isso: ele é meu marido. Indo até ele de forma decidida, dou um selinho em seus lábios, o que o surpreende.

— Andrea, já ligo de volta para você — balbucia ele.

Christian coloca o BlackBerry na mesa atrás de si, me abraça e me beija apaixonadamente. Estou sem fôlego quando ele me solta. Seus olhos estão escuros e desejosos.

— Você está me distraindo. Tenho que resolver isso para poder voltar para a nossa lua de mel.

Ele passa o dedo indicador pela minha face e acaricia meu queixo, levantando meu rosto.

— Tudo bem. Desculpe.

— Por favor, não peça desculpas, Sra. Grey. Adoro ser interrompido por você. — Ele beija o canto da minha boca. — Vá gastar dinheiro. — E me solta.

— Pode deixar.

Dou um sorriso amarelo para ele ao sair do escritório. Meu inconsciente faz cara de desprezo e aperta os lábios. *Você não disse que estava indo de jet ski*, ela me castiga com sua voz melódica. Eu a ignoro... *Megera*.

Taylor está me esperando com paciência.

— Tudo certo com o alto comando... Podemos ir?

Sorrio, tentando afastar o sarcasmo da minha voz. Taylor não esconde seu sorriso de admiração.

— Sra. Grey, primeiro as damas.

TAYLOR PACIENTEMENTE ME explica os controles do jet ski e como pilotá-lo. Ele tem uma autoridade calma e gentil sobre o veículo; é um bom professor. Estamos na lancha a motor, sacudindo e dando voltas nas águas calmas do porto ao lado do *Fair Lady*. Gaston nos observa, sua expressão escondida atrás dos óculos escuros, e tem alguém da tripulação do *Fair Lady* no controle da lancha. Credo — três pessoas comigo, só porque quero fazer compras. É ridículo.

Fechando meu colete salva-vidas, dou um sorriso radiante para Taylor. Ele estende a mão para me ajudar a subir no jet ski.

— Amarre o cordão da chave de ignição em volta do pulso, Sra. Grey. Se a senhora cair, o motor vai desligar automaticamente — explica ele.

— Tudo bem.

— Pronta?

Faço que sim, entusiasmada.

— Pressione a ignição quando estiver a mais de um metro do barco. Nós vamos seguindo a senhora.

— Ok.

Ele empurra o jet ski para longe da lancha, e o veículo sai flutuando suavemente em direção ao porto principal. Quando ele me dá o sinal, aperto o botão de ignição e o motor ganha vida com um rugido.

— Tudo bem, Sra. Grey, é melhor ir com calma! — grita Taylor.

Aperto o acelerador. O jet ski dá um salto para a frente e para. *Droga!* Como é que Christian consegue fazer isso parecer tão fácil? Tento de novo, e uma terceira vez, e ele para. *Droga, droga, droga!*

— É só manter uma pressão estável no acelerador, Sra. Grey — grita Taylor.

— Certo, certo, certo — balbucio.

Tento mais uma vez, pressionando a alavanca delicadamente, e o jet ski dá outro salto para a frente — mas dessa vez continua avançando. *Eba!* Avança mais um pouco. *Ha ha! Continua indo!* Quero gritar de empolgação, mas me contenho. Navego suavemente, afastando-me do iate rumo à área principal do porto. Atrás de mim ouço o motor gutural da lancha. Quando pressiono mais forte o acelerador, o jet ski dá uma guinada e sai patinando pela água. Com o vento quente no meu cabelo e um esguicho gostoso de água dos dois lados, eu me sinto livre. Isso é *o máximo*! Agora entendo por que Christian nunca me deixa dirigir.

Em vez de ir para a costa e abreviar a diversão, dou a volta para circundar o imponente *Fair Lady* — isso é tão *divertido*! Ignoro Taylor e os outros assistentes atrás de mim e acelero em volta do iate uma segunda vez. Quando estou completando o circuito, vejo Christian no deque. Acho que ele está boquiaberto, mas é difícil dizer. Corajosamente, levanto uma das mãos do guidom e aceno entusiasmadamente. Ele parece petrificado, mas finalmente levanta a mão em um aceno rígido. Não consigo decifrar sua expressão, e alguma coisa me diz que é melhor não fazê-lo; então vou até a marina cortando a água azul do Mediterrâneo, que cintila de leve à débil luz do sol da tardinha.

No cais, espero Taylor e deixo-o parar na minha frente. Sua expressão é sombria e meu coração se aperta, embora Gaston pareça vagamente divertido. Por um momento penso na possibilidade de ter acontecido algo para esfriar as relações franco-americanas, mas no fundo suspeito que o problema seja comigo. Gaston salta da lancha e a amarra ao ancoradouro, enquanto Taylor me guia para o lado. Muito delicadamente, deixo o jet ski na lateral da lancha e me alinho junto a ele. Sua expressão se ameniza um pouco.

— É só desligar a ignição, Sra. Grey — diz calmamente, pegando o guidom e estendendo a mão para me ajudar a subir na lancha.

Subo a bordo com agilidade, impressionada por não ter caído.

— Sra. Grey — diz Taylor, nervoso, as bochechas novamente rosadas —, o Sr. Grey não está totalmente à vontade em ver a senhora pilotando o jet ski.

Ele está quase se contorcendo de tanto constrangimento, e percebo que ele recebeu uma ligação irada de Christian. *Ah, meu pobre marido, meu patologicamente superprotetor marido, o que eu faço com você?*

Sorrio com serenidade para Taylor.

— Entendo. Bom, Taylor, o Sr. Grey não está aqui, e se ele não está *totalmente à vontade*, tenho certeza de que ele vai ter a cortesia de me falar isso pessoalmente quando eu voltar a bordo.

Taylor estremece.

— Muito bem, Sra. Grey — responde, baixinho, entregando-me minha bolsa.

Quando desço da lancha, vejo de relance seu sorriso relutante, o que me faz querer sorrir também. Tenho muito carinho por Taylor, mas não gosto que me repreenda — ele não é meu pai nem meu marido.

Suspiro. Christian está bravo — e ele já tem muito com que se preocupar no momento. Onde eu estava com a cabeça? Enquanto estou no cais esperando por Taylor, sinto meu BlackBerry vibrar na bolsa, e pego o aparelho para atender. "Your Love is King", da Sade, é o toque que eu coloquei para Christian — e só para Christian.

— Oi — murmuro.

— Oi — diz ele.

— Vou voltar na lancha. Não fique zangado.

Ouço-o quase engasgar de surpresa.

— Hum...

— Mas foi divertido — sussurro.

Ele suspira.

— Bem, longe de mim cortar sua diversão, Sra. Grey. Apenas tome cuidado. Por favor.

Puxa! Ganhei permissão para me divertir!

— Pode deixar. Quer alguma coisa da cidade?

— Só quero que você volte inteira.

— Vou me esforçar para atender seu pedido, Sr. Grey.

— Fico feliz de ouvir isso, Sra. Grey.

— Nosso objetivo é satisfazer — respondo com uma risadinha.

Sua voz indica que ele está sorrindo.

— Estão me ligando. Até mais, baby.

— Até mais, Christian.

Christian desliga. *Crise do jet ski abortada*, eu acho. O carro está esperando, e Taylor abre a porta para mim. Pisco para ele ao entrar, e ele balança a cabeça, divertido.

No carro, abro o e-mail no BlackBerry.

De: Anastasia Grey
Assunto: Obrigada
Data: 17 de agosto de 2011 16:55
Para: Christian Grey

Por não ficar muito irritado.

Sua esposa que te ama

Bjs

De: Christian Grey
Assunto: Tentando manter a calma
Data: 17 de agosto de 2011 16:59
Para: Anastasia Grey

De nada.

Volte inteira.

Isso não é um pedido.

Bj,

Christian Grey
CEO e Marido Superprotetor, Grey Enterprises Holdings, Inc.

Sua resposta me faz sorrir. Meu maníaco por controle.

* * *

Por que eu quis fazer compras? Odeio fazer compras. Mas no fundo sei o motivo, e passo direto pela Chanel, pela Gucci, pela Dior e por outras butiques de marcas famosas para finalmente encontrar o antídoto para o que me aflige em uma lojinha para turistas abarrotada de bugiganga. É uma tornozeleira prateada com minúsculos pingentes em formato de coração e sino, que produzem um som gostoso. Custa cinco euros. Coloco-a assim que compro. Essa sou eu — é disso que eu gosto. Imediatamente me sinto mais confortável, não quero perder em mim a mulher que gosta disso, nunca. Bem no fundo, sei que não fico intimidada apenas com Christian em si, mas também com sua riqueza. Será que algum dia vou me acostumar?

Taylor e Gaston me seguem obedientemente em meio à multidão de gente que lota as ruas no fim de tarde, e logo esqueço que eles estão lá. Quero comprar alguma coisa para Christian, algo que distraia sua mente do que está acontecendo em Seattle. Mas o que comprar para o homem que tem tudo? Paro em uma pequena praça de estilo moderno rodeada de lojas, e olho uma de cada vez. Quando dou uma espiada numa loja de eletrônicos, relembro a galeria que fomos conhecer hoje mais cedo, e também nossa visita ao Louvre. Estávamos olhando a *Vênus de Milo*... As palavras de Christian ecoam na minha cabeça: "*Todos podemos apreciar as formas femininas. Adoramos olhar, seja em mármore, óleo, cetim ou filme.*"

Isso me dá uma ideia, uma ideia ousada. Só preciso de ajuda para escolher o item certo, e apenas uma pessoa pode me ajudar. Procuro meu BlackBerry na bolsa e ligo para José.

— Quem...? — resmunga ele, sonolento.

— José, aqui é a Ana.

— Ana, oi! Onde você está? Tudo bem? — Ele parece mais alerta agora, preocupado.

— Estou em Cannes, no sul da França, está tudo bem.

— Sul da França, hein? Em um hotel chique?

— Hmm... Não. Estamos hospedados em um barco.

— Um barco?

— Um barco grande — esclareço, suspirando.

— Sei.

Seu tom esfria... Merda, eu não deveria ter ligado para ele. Não preciso disso agora.

— José, preciso de um conselho seu.

— Um conselho meu? — Ele parece surpreso. — Claro — diz, e dessa vez soa bem mais amigável.

Conto meu plano a ele.

* * *

Duas horas depois, Taylor me ajuda a sair da lancha e a subir a escada para o deque. Gaston está auxiliando um marinheiro com o jet ski. Christian não está por perto, e eu corro até nossa cabine para embrulhar o presente, animada como uma criança.

— Você saiu já faz um tempo.

É Christian, que me surpreende quando estou colando o último pedaço de fita adesiva. Viro-me e o vejo parado à porta da cabine, observando-me atentamente. *Ainda estou encrencada por causa do jet ski?* Ou é o incêndio no escritório?

— Tudo sob controle na empresa? — pergunto, hesitante.

— Mais ou menos — responde ele, uma expressão de aborrecimento passando pelo rosto.

— Fiz umas comprinhas — murmuro, na esperança de fazê-lo se sentir mais leve, e torcendo para que seu aborrecimento não seja por minha causa. Ele sorri calorosamente, e sei que estamos bem.

— O que você comprou?

— Isso.

Coloco o pé na cama e mostro minha tornozeleira.

— Muito bonita — diz ele.

Christian se aproxima e brinca com os sininhos, que tilintam de leve em volta do meu tornozelo. Mas então franze a sobrancelha de novo ao passar os dedos suavemente na marca vermelha; minha perna fica arrepiada.

— E isso.

Ofereço-lhe a caixa, esperando distraí-lo.

— Para mim? — pergunta ele, surpreso.

Eu confirmo timidamente. Ele pega a caixa e a sacode com cuidado. Então, com um sorriso de menino maravilhado, senta-se na cama ao meu lado e, inclinando-se, pega meu queixo para me beijar.

— Obrigado — diz, com um deleite tímido.

— Você ainda não abriu.

— Eu vou adorar, seja lá o que for. — Ele me fita com os olhos brilhando. — Não costumo ganhar muitos presentes.

— É difícil comprar alguma coisa para você. Você tem tudo.

— Eu tenho você.

— É verdade, você tem.

Abro um sorriso. *Ah, você tem mesmo, Christian.*

Ele desembrulha rápido a caixa.

— Uma Nikon? — E me olha intrigado.

— Sei que você tem uma câmera digital compacta, mas essa é para... Humm... retratos e coisas parecidas. Vem com duas lentes.

Ele continua me olhando sem entender.

— Hoje na galeria você gostou das fotografias de Florence D'elle. E eu me lembrei do que você comentou no Louvre. E, claro, tinha aquelas suas fotografias. — Engulo em seco, me esforçando para não me lembrar das imagens que vi em seu closet.

Ele para de respirar, os olhos se arregalando quando começa a perceber minha intenção, e continuo depressa, antes que fique muito nervosa:

— Pensei que você poderia, hmm... gostar de tirar fotos de... de mim.

— Fotos? De você? — Ele me olha embasbacado, ignorando a caixa em seu colo.

Aquiesço, tentando desesperadamente avaliar sua reação. Finalmente, ele olha de novo para a caixa, os dedos contornando a ilustração da câmera na frente da embalagem com um respeito fascinante.

O que ele está pensando? Ah, essa não era a reação que eu esperava, e meu inconsciente me fuzila com os olhos como se eu fosse um animal dócil de fazenda. Christian *nunca* reage da maneira como espero. Ele volta a erguer o olhar para mim, a expressão em seu rosto cheia de... não sei... dor?

— Por que você acha que eu quero fazer isso? — pergunta ele, confuso.

Não, não, não! Você disse que adorava...

— Você não quer? — pergunto, recusando-me a dar ouvidos ao meu inconsciente, que está questionando por que alguém iria querer fotos eróticas minhas.

Christian engole em seco e passa a mão pelo cabelo. Parece tão perdido, tão confuso... Ele respira fundo.

— Para mim, fotos assim sempre foram uma apólice de seguro, Ana. Sei que tratei as mulheres como objeto por muito tempo — diz ele, e depois faz uma pausa constrangedora.

— E você acha que tirar fotos de mim seria... me tratar como um objeto?

Eu me sinto sem ar, e o sangue some do meu rosto.

Ele aperta os olhos.

— Estou tão confuso — sussurra ele.

Quando abre os olhos de novo, estão arregalados e atentos, cheios de alguma emoção crua.

Merda. É culpa minha? Minhas perguntas mais cedo sobre sua mãe biológica? O incêndio no escritório?

— Por que está dizendo isso? — pergunto, o pânico crescendo na minha garganta.

Pensei que ele estivesse feliz. Pensei que nós estivéssemos felizes. Pensei que eu o fizesse feliz. Não quero *confundi-lo*. Ou será que quero? Minha mente vira um turbilhão. Ele não vê Flynn há quase três semanas. Será que é isso? É essa a explicação? Merda, será que devo ligar para Flynn? E em um momento possivelmente único de clareza e profundidade extraordinárias, tudo fica claro — o incêndio, *Charlie Tango*, o jet ski... Ele está com medo, está com medo por mim, e ver essas marcas na minha pele deve trazer isso à tona. Passou o dia inteiro incomodado com isso, e fica confuso porque não está acostumado a se sentir desconfortável por infligir dor a alguém. O pensamento faz meu sangue gelar.

Ele dá de ombros, e mais uma vez seu olhar pousa em meu pulso, onde estava a pulseira que ele comprou hoje mais cedo. *Bingo!*

— Christian, isso não importa. — Levanto o pulso, mostrando a marca descorada. — Você me deu uma palavra de segurança. Caramba: ontem foi *divertido*! Eu gostei. Pare de remoer isso. Eu gosto de sexo bruto, já lhe disse antes. — Fico bem vermelha à medida que tento conter meu pânico, que só aumenta.

Ele me fita absorto, e não tenho ideia do que passa pela sua mente. Talvez esteja avaliando minhas palavras. Continuo, meio atrapalhada:

— É por causa do incêndio? Você acha que tem alguma ligação com o *Charlie Tango*? É por isso que está preocupado? Fale comigo, Christian... por favor.

Ele me olha fixamente, sem dizer nada, e o silêncio se expande entre nós de novo, como aconteceu hoje à tarde. *Puta merda!* Ele não vai falar comigo, já sei.

— Não pense demais nisso, Christian — repreendo-o com carinho.

As palavras ecoam, perturbando a lembrança de um passado recente — o que ele me disse sobre seu estúpido contrato. Pego a caixa do seu colo e a abro. Ele me observa passivamente, como se eu fosse um alienígena fascinante. Sabendo que o superprestativo vendedor da loja deixou a câmera já pronta para usar, pesco-a da caixa e tiro a tampa da lente. Aponto-a para ele até enquadrar seu lindo rosto, todo tenso. Pressiono o botão e seguro, e logo dez fotos da expressão preocupada de Christian são capturadas digitalmente para a posteridade.

— Agora você é um objeto para mim — murmuro, apertando o obturador mais uma vez.

Na última foto, seus lábios se torcem quase imperceptivelmente. Tiro mais uma, e dessa vez ele sorri... um sorriso breve, mas ainda assim um sorriso. Aperto uma vez mais o botão e o vejo relaxar fisicamente na minha frente e fazer beicinho, chupando as bochechas — um beicinho exagerado, posado, ridículo —, o que me faz rir. *Ah, graças a Deus.* O Sr. Inconstante está de volta — e eu nunca fiquei tão feliz em vê-lo.

— Pensei que o presente fosse *meu* — murmura ele, amuado, mas acho que está só me provocando.

— Bem, era para ser divertido, mas aparentemente é um símbolo da opressão feminina.

Continuo tirando fotos dele, e vejo uma expressão divertida surgir no seu rosto em super close-up. Então seus olhos escurecem e sua expressão torna-se predatória.

— Você quer ser oprimida? — murmura ele, de modo sensual.

— Oprimida não. Não — respondo, batendo mais fotos.

— Eu poderia oprimir você de verdade, Sra. Grey — ameaça ele, a voz áspera.

— Eu sei, Sr. Grey. Você faz isso frequentemente.

Sua expressão é de surpresa. *Merda.* Abaixo a câmera e o encaro.

— O que houve, Christian? — Minha voz transpira frustração. *Por favor, me diga!*

Ele não fala nada. *Argh!* É tão irritante. Aproximo a câmera do meu olho de novo.

— Diga — insisto.

— Nada — responde ele, e desaparece abruptamente do visor.

Em um movimento rápido e suave, ele joga a caixa da câmera no chão, me agarra e me empurra para a cama. Monta em mim.

— Ei! — exclamo, e tiro mais fotografias dele, que sorri com más intenções.

Ele pega a câmera pela lente e a fotógrafa se torna o alvo quando ele aponta a Nikon para mim e pressiona o botão.

— Então você quer que eu tire fotos de você, Sra. Grey? — pergunta ele, achando graça. Tudo que eu consigo ver do seu rosto é o cabelo rebelde e um sorriso na boca perfeitamente esculpida. — Bem, para começar, acho que você deveria estar sorrindo.

Ele então faz cócegas impiedosas na minha barriga, fazendo-me gargalhar e me contorcer debaixo dele até que eu agarro seu pulso em uma tentativa vã de fazê-lo parar. Seu sorriso se alarga e Christian renova os ataques de cócegas, tirando mais fotos.

— Não! Pare! — grito.

— Está brincando? — rosna ele, e coloca a câmera de lado para poder me torturar com ambas as mãos.

— Christian!

Eu gaguejo e engasgo no meu protesto em meio a gargalhadas. Ele nunca fez cócegas em mim antes. *Mas que merda, pare com isso!* Agito a cabeça de um lado para o outro, tentando sair de debaixo dele, rindo e empurrando suas mãos, mas ele persiste — rindo de mim e curtindo meu tormento.

— Christian, pare! — imploro, e ele para subitamente.

Christian agarra minhas mãos e as segura uma de cada lado da minha cabeça, curvando-se sobre mim. Estou sem fôlego de tanto rir. Sua respiração entra no ritmo da minha e ele me olha com... o quê? Meus pulmões param de funcionar. Fascinação? Amor? Reverência? *Ai, meu Deus. Aquele olhar!*

— Você. É. Tão. Linda — suspira.

Meus olhos estão erguidos para seu rosto tão, tão querido, e me sinto imersa na intensidade de seu olhar. É como se ele me visse pela primeira vez. Inclinando-se, ele fecha os olhos e me beija, extasiado. É uma chamada à minha libido... vê-lo assim, desprotegido, por minha causa. *Nossa.* Ele solta minhas mãos e enterra os dedos em meu cabelo, segurando minha cabeça delicadamente. Meu corpo se ergue e se enche de excitação, em resposta ao seu beijo. Mas de repente a natureza do beijo se altera, não mais doce, respeitoso e admirador, e sim carnal, profundo e devorador — sua língua invadindo minha boca, possuindo em vez de oferecer, seu beijo transmitindo um gosto de desespero e carência. À medida que o desejo percorre meu sangue, despertando cada músculo e cada nervo, sinto uma sensação súbita de temor.

Ah, meu amor, o que há de errado?

Ele respira fundo e geme.

— Ah, o que você faz comigo — murmura ele, perdido.

Num movimento súbito, ele se deita sobre mim, pressionando-me contra o colchão — uma das mãos cobrindo meu queixo e a outra deslizando pelo meu corpo, meus seios, minha cintura, meus quadris e minha bunda. Ele me dá outro beijo, colocando a perna entre as minhas, levantando meu joelho e me apertando, sua ereção se forçando contra nossas roupas e meu sexo. Arfando, solto um gemido contra seus lábios, perdendo-me na sua paixão ardente. Deixo de lado os distantes sinos de alarme que soam no fundo da minha mente, pois sei que ele me quer, que precisa de mim e que, quando se trata de se comunicar comigo, essa é a sua forma favorita de se expressar. Beijo-o com abandono renovado, acariciando seu cabelo, apertando-o com força, segurando-o junto a mim. Seu gosto é tão bom e seu cheiro é de Christian, meu Christian.

Ele para abruptamente, levanta-se e me puxa para fora da cama, de forma que fico parada à sua frente, confusa. Ele abre o botão do meu short e se ajoelha depressa, arrancando-o junto com minha calcinha, e antes que eu possa respirar de novo já estou de volta à cama, embaixo do seu corpo, e ele está abrindo a calça. Uau! Ele não vai tirar a roupa nem minha camiseta. Apenas segura minha cabeça e, sem preliminares, enfia-se em mim, fazendo-me gritar — mais de surpresa do que por qualquer outro motivo —, mas ainda posso ouvir o ruído da sua respiração pelos seus dentes cerrados.

— Hmmm — geme ele na minha orelha. Então fica imóvel e depois gira os quadris uma vez, metendo bem fundo, fazendo-me gemer também. — Eu preciso de você — grunhe ele, sua voz baixa e rouca.

Ele passa os dentes pela linha do meu maxilar, mordiscando e chupando, e então me beija de novo, com violência. Envolvo-o com minhas pernas e braços, embalando-o e segurando-o com força contra mim, determinada a eliminar o que quer que o esteja preocupando, e ele começa a movimentar-se... como se tentasse escalar para dentro de mim. Repetidamente, frenético, primitivo, desesperado, e antes que eu me perca no ritmo e no passo insanos que ele estabelece, rapidamente me pergunto, mais uma vez, o que será que o está pressionando, preocupando--o. Mas meu corpo toma o controle, afastando esse pensamento, até que eu fico inundada pela sensação, correspondendo ao ataque de Christian com contra-ataque. Escutando sua respiração áspera, difícil e ofegante no meu ouvido. Sabendo que ele está se perdendo em mim... Dou um gemido alto, ofegante. É tão erótico — a necessidade que ele tem de mim. Estou quase lá... quase lá... E ele me impele a ir mais alto, desarmando-me, levando-me, e eu quero isso. Quero tanto... Por ele e por mim.

— Goze comigo — diz ele, arfante, e se coloca todo sobre mim, de modo que sou obrigada a soltá-lo. — Abra os olhos — ordena ele. — Preciso ver você.

Sua voz é urgente, implacável. Meus olhos se abrem momentaneamente, e a visão dele por cima de mim — seu rosto tenso de ardor, os olhos crus e brilhantes. Sua paixão e seu amor são onde me perco, e nisso eu gozo, jogando a cabeça para trás enquanto meu corpo pulsa a seu redor.

— Ah, Ana — grita ele, e atinge o clímax junto comigo, movimentando-se dentro do meu corpo, depois se aquietando e caindo por cima de mim.

Ele gira o corpo, de forma que me vejo esticada em cima dele, que ainda está dentro de mim. Enquanto me recupero do meu orgasmo e meu corpo se estabiliza e se acalma, quero fazer um gracejo sobre ser oprimida e tratada como objeto, mas seguro a língua, incerta do seu estado de espírito. Com o rosto apoiado em seu peito, ergo o olhar para observar sua expressão. Seus olhos estão fechados e seus braços me envolvem, apertando meu corpo. Beijo seu peito por sob o tecido fino da camisa de linho.

— Christian, me diga, o que está havendo? — pergunto delicadamente, e espero ansiosa para ver se agora, satisfeito pelo sexo, ele me dirá.

Sinto seus braços me apertando mais, mas é sua única resposta. Ele não vai falar. Então tenho um surto de inspiração.

— Eu lhe prometo ser fiel, na saúde e na doença, na alegria e na tristeza — murmuro.

Ele se retesa. Seu único movimento é arregalar os impenetráveis olhos e me fitar à medida que continuo com meus votos de casamento:

— Eu prometo amá-lo incondicionalmente, apoiá-lo nos seus objetivos e sonhos, honrá-lo e respeitá-lo, rir e chorar com você, dividir com você minhas esperanças e sonhos e lhe dar conforto quando necessário.

Faço uma pausa, esperando que ele fale comigo. Ele me observa, os lábios entreabertos, mas não diz nada.

— E tratá-lo com carinho por todos os dias da nossa vida.

Suspiro.

— Ah, Ana — sussurra ele, e muda de posição de novo, quebrando o precioso contato de nossos corpos para ficarmos deitados lado a lado. Ele acaricia meu rosto com as costas da mão.

— Eu prometo ser seu porto seguro e guardar no fundo do meu coração nossa união e você — sussurra ele, a voz rouca. — Prometo amá-la fielmente, renunciando a todas as outras, na alegria e na tristeza, na saúde e na doença, não importa o rumo que nossa vida tomar. Eu a protegerei e a respeitarei, e confiarei em você. Partilharei das suas alegrias e tristezas, e a confortarei quando preciso. Prometo cuidar de você, apoiar suas esperanças e seus sonhos e mantê-la segura a meu lado. Tudo o que é meu agora passa a ser também seu. Dou-lhe minha mão, meu coração e meu amor a partir deste momento, até que a morte nos separe.

As lágrimas enchem meus olhos. Vejo seu rosto se suavizar enquanto ele me olha.

— Não chore — murmura, e, com o polegar, seca uma lágrima que escorre.

— Por que você não fala comigo? Por favor, Christian.

Ele fecha os olhos como se sentisse dor.

— Eu prometi que lhe daria conforto quando preciso. Por favor, não me deixe quebrar minha promessa — rogo.

Ele suspira e abre os olhos, a expressão triste.

— Foi incêndio criminoso — diz simplesmente, e de repente parece muito jovem e vulnerável.

Ah, merda.

— E minha maior preocupação é de que estejam atrás de mim. E se estão atrás de mim... — Ele para, incapaz de continuar.

— ...podem me pegar — completo, num sussurro.

Ele fica lívido, e sei que finalmente descobri a raiz da sua tensão. Acaricio seu rosto.

— Obrigada — digo.

Ele franze a sobrancelha.

— Pelo quê?

— Por me contar.

Ele balança a cabeça, e um sorriso pálido aparece em seus lábios.

— Você pode ser muito persuasiva, Sra. Grey.

— E você fica remoendo e internalizando todos os seus sentimentos, morrendo de preocupação. Vai acabar tendo um infarto fulminante antes dos quarenta anos, e eu quero você por perto durante muito mais tempo.

— *Você* é que é fulminante. Quando vi você no jet ski... quase tive um infarto, de verdade.

Ele se deixa cair de costas na cama pesadamente e cobre os olhos com a mão; sinto-o estremecer.

— Christian, é um jet ski. Até crianças pilotam jet skis. Imagine como você vai ficar quando formos visitar a sua casa em Aspen e eu esquiar pela primeira vez?

Ele inspira o ar com força e se vira para me encarar; tenho vontade de rir do terror estampado em seu rosto.

— Nossa casa — diz, após uns instantes.

Eu o ignoro.

— Sou uma mulher adulta, Christian, e muito mais forte do que aparento. Quando você vai aprender isso?

Ele dá de ombros e aperta a boca. Decido mudar de assunto:

— Então, o incêndio. A polícia sabe que foi criminoso?

— Sabe. — Ele está sério.

— Ótimo.

— A segurança vai ser reforçada — diz ele, sem demonstrar qualquer emoção.

— Entendo.

Olho para seu corpo. Ele ainda está de bermuda e camisa, e eu de camiseta. Puxa! Isso é que é rapidinha... Pensar nisso me faz rir.

— O que foi? — pergunta Christian, sem entender.

— Você.

— Eu?

— É. Você. Ainda vestido.

— Ah.

Ele baixa o olhar para si mesmo e depois volta a me fitar, abrindo um enorme sorriso.

— Ah, você sabe como é difícil manter as mãos longe de você, Sra. Grey. Ainda mais quando eu a vejo rindo como uma garotinha.

Ah, sim... as cócegas. *Ha!* As cócegas. Com um movimento rápido, eu monto nele, mas, percebendo minhas más intenções, ele imediatamente agarra meus pulsos.

— Não — diz, e está falando sério.

Faço charminho, mas vejo que ele não está no clima para isso.

— Por favor, não — sussurra ele. — Eu não aguentaria. Nunca me fizeram cócegas quando criança.

Ele faz uma pausa; eu desisto, para que ele não precise me conter.

— Eu via Carrick brincando com Elliot e Mia, fazendo cócegas neles, e parecia tão divertido, mas eu... eu...

Encosto o indicador nos seus lábios.

— Shh, eu sei — sussurro, e deposito um beijinho em seus lábios, onde meu dedo estava um segundo atrás, depois me aninho em seu peito.

Aquela dor familiar se avoluma dentro de mim e a tristeza profunda que sinto pela infância de Christian toma conta do meu coração mais uma vez. Sei que eu faria qualquer coisa por esse homem, pois o amo tanto!

Ele coloca os braços ao redor de mim e cheira meu cabelo, respirando fundo enquanto delicadamente acaricia minhas costas. Não sei por quanto tempo ficamos deitados ali, mas finalmente quebro o confortável silêncio entre nós:

— Qual o máximo de tempo que você passou sem ver o Dr. Flynn?

— Duas semanas. Por quê? Você não está se aguentando de vontade de me fazer cócegas?

— Não. — Dou uma risada. — Acho que ele ajuda você.

Christian bufa.

— E deve; eu pago muito bem a ele.

Christian puxa meu cabelo delicadamente, virando meu rosto para si. Levanto a cabeça e encontro seus olhos.

— Está preocupada com o meu bem-estar, Sra. Grey? — pergunta suavemente.

— Toda boa esposa se preocupa com o bem-estar do marido amado, Sr. Grey — respondo, provocando-o.

— Amado? — sussurra ele, e é uma pergunta intensa pairando entre nós.

— Muito amado.

Eu ergo o corpo bem rápido para beijá-lo, e ele abre seu sorriso tímido.

— Quer ir comer em terra?

— Quero comer em qualquer lugar em que você esteja feliz.

— Ótimo. — Ele abre um sorriso. — A bordo é onde eu consigo manter você segura. Obrigado pelo presente.

Ele se inclina para pegar a câmera e, estendendo o braço, tira uma foto de nós dois no nosso abraço pós-cócegas, pós-coito e pós-confissão.

— O prazer é todo meu.

Sorrio e seus olhos se iluminam.

Passeamos pelo opulento e dourado esplendor oitocentista do Palácio de Versalhes. No início apenas um humilde alojamento para comitivas de caça, foi transformado pelo Rei Sol em uma majestosa e exagerada sede do poder; porém, antes mesmo de o século XVIII terminar, ele testemunhou a queda do último dos monarcas absolutistas.

A sala mais impressionante é sem dúvida a Galeria dos Espelhos. A luz do início da tarde penetra pelas janelas a oeste, reluzindo nos espelhos que se alinham na parede leste e iluminando a decoração de folhas douradas e os enormes lustres de cristal. É de tirar o fôlego.

— Interessante ver o que acontece com um déspota megalomaníaco que se isola em tamanho esplendor — cochicho para Christian, de pé ao meu lado.

Ele olha para mim e pende a cabeça para o lado, achando graça no meu comentário.

— O que quer dizer com isso, Sra. Grey?

— Ah, foi só uma observação, Sr. Grey. — E gesticulo com as mãos, indicando o cenário que nos cerca.

Sorrindo com afetação, ele me segue até o centro da sala, onde paro e olho estupefata para a vista: os espetaculares jardins refletidos nos espelhos e o espetacular Christian Grey, meu marido, refletido atrás de mim, seu olhar brilhante e incisivo.

— Eu construiria isso para você — sussurra ele. — Só para ver a luz incidindo no seu cabelo como agora, bem aqui. — Ele coloca uma mecha do meu cabelo atrás da minha orelha. — Você parece um anjo. — Ele me beija bem embaixo do lóbulo da orelha, pega minha mão e sussurra: — Nós, déspotas, fazemos isso pelas mulheres que amamos.

Fico ruborizada com seu elogio e sorrio com timidez, acompanhando-o pelo amplo salão.

— No que está pensando? — pergunta Christian suavemente, tomando um gole de seu habitual café após o jantar.

— Em Versalhes.

— Ostentoso, não é?

Ele sorri. Olho em volta, para o esplendor não comentado da sala de jantar do *Fair Lady*, e aperto os lábios.

— Isso aqui não é ostentoso — diz Christian, um pouco na defensiva.

— Eu sei. É lindo. A melhor lua de mel que uma mulher poderia querer.

— Verdade? — diz ele, genuinamente surpreso. E abre seu sorriso tímido.

— Claro que sim.

— Só temos mais dois dias aqui. Tem alguma coisa que você queira ver ou fazer?

— Só quero estar com você — murmuro.

Ele levanta, dá a volta na mesa e me beija na testa.

— Bom, você pode ficar sem mim por uma hora? Preciso ver meus e-mails, descobrir o que está acontecendo em Seattle.

— Claro — digo efusivamente, tentando esconder minha decepção diante da ideia de passar uma hora sem ele. É muita obsessão eu querer ficar com ele o tempo todo?

— Obrigado pela câmera — diz ele, e vai para o escritório.

De volta à nossa cabine, decido checar meus e-mails também, e abro o laptop. Há alguns da minha mãe e de Kate, contando-me as últimas fofocas e me perguntando como vai a lua de mel. Ia ótima, até alguém decidir incendiar a empresa de Christian... Assim que termino de responder a minha mãe, aparece mais um e-mail de Kate na minha caixa de entrada.

De: Katherine L. Kavanagh
Data: 17 de agosto de 2011 11:45
Para: Anastasia Grey
Assunto: Ai meu Deus!!!!

Ana, acabei de ficar sabendo do incêndio no escritório do Christian.

Vc acha que foi criminoso?

Bjocas

K.

Kate está on-line! Pulo em cima do meu mais novo brinquedo — o Skype — e vejo que ela está disponível. Rapidamente digito uma mensagem.

Ana: **Ei, está aí?**
Kate: **SIM, Ana! Tudo bem? Como vai a lua de mel? Viu meu e-mail? O Christian sabe do incêndio?**
Ana: **Tudo bem. A lua de mel está ótima. Sim, vi seu e-mail. Sim, Christian sabe.**
Kate: **Imaginei. As notícias sobre o que aconteceu não são muito completas. E o Elliot não me fala nada.**
Ana: **Você está catando uma matéria?**
Kate: **Você me conhece bem demais.**
Ana: **Christian não me disse muita coisa.**
Kate: **Elliot soube pela Grace!**

Ah, não... Tenho certeza de que Christian não vai querer que isso se espalhe por toda Seattle. Tento minha patenteada técnica de distrair a persistente Kavanagh.

Ana: **Como vão Elliot e Ethan?**
Kate: **Ethan foi aceito no mestrado de psicologia em Seattle. Elliot é um fofo.**
Ana: **Mandou bem, Ethan.**
Kate: **E o nosso ex-dominador preferido?**
Ana: **Kate!**
Kate: **O que foi?**
Ana: **VOCÊ SABE O QUÊ!**
Kate: **Ok. Desculpe.**
Ana: **Ele vai bem. Mais do que bem. :)**
Kate: **Bem, contanto que você esteja feliz, eu fico feliz.**
Ana: **Estou transbordando de felicidade.**
Kate: **:) Tenho que correr. A gente se fala depois?**
Ana: **Não sei. Veja se estou on-line. Esse negócio de fuso horário é um saco!**
Kate: **É verdade. Te amo, Ana.**
Ana: **Também te amo. Até mais. Bj.**
Kate: **Até mais. <3**

Com certeza Kate não vai largar a pista dessa história. Com ar de enfado, fecho o Skype antes que Christian veja a nossa conversa. Ele não iria gostar do comentário sobre o ex-dominador, e não tenho certeza se ele é completamente ex...

Suspiro alto. Kate sabe de tudo desde nossa noite de bebedeira três semanas antes do casamento, quando finalmente sucumbi à inquisição Kavanagh. Foi um alívio finalmente falar com alguém sobre isso.

Olho o relógio. Já se passou cerca de uma hora desde o jantar e estou com saudades do meu marido. Volto para o deque para ver se ele terminou seu trabalho.

Estou na Galeria dos Espelhos e Christian está parado ao meu lado, sorrindo para mim com amor e afeição. *Você parece um anjo.* Eu olho para ele alegremente, mas quando me viro para o espelho, percebo que estou sozinha e que o salão é cinza e sombrio. *Não!* Viro depressa a cabeça de novo para seu rosto e o vejo sorrir triste e melancolicamente. Ele coloca meu cabelo atrás da minha orelha. Então, se vira sem falar nada e se afasta devagar, o som dos seus passos ecoando no imenso salão, para longe dos espelhos, em direção às portas duplas ornamentadas no final da sala... um homem solitário, um homem sem reflexo... E é quando acordo, sem ar, o pânico tomando conta de mim.

— Ei — sussurra ele ao meu lado na escuridão, sua voz cheia de preocupação.

Ah, ele está aqui. Ele está bem. O alívio me percorre.

— Ah, Christian — murmuro, tentando controlar os batimentos do meu coração.

Ele me abraça, e só então percebo que há lágrimas escorrendo pelo meu rosto.

— Ana, o que foi?

Ele afaga minha face, enxugando as lágrimas, e percebo a angústia em sua voz.

— Nada. Um pesadelo bobo.

Ele beija minha testa e minhas faces úmidas, confortando-me.

— Foi só um sonho ruim, querida — murmura ele. — Estou aqui com você. Vou protegê-la.

Inebriada pelo seu cheiro, aninho-me em seu corpo, tentando ignorar a desorientação e a devastação que senti no sonho. Nesse momento, sei que meu medo mais profundo e mais sombrio é perdê-lo.

CAPÍTULO CINCO

Eu me mexo inquieta, instintivamente procurando por Christian, apenas para sentir sua ausência. Merda! Acordo no mesmo instante e olho ansiosa à minha volta. Christian me observa, sentado na pequena cadeira de braço estofada que fica próxima da cama. Ele se abaixa e coloca algo sobre o chão, depois se levanta e se deita na cama ao meu lado. Está vestindo a bermuda jeans que antes era calça e uma camiseta cinza.

— Ei, não entre em pânico. Está tudo bem — diz ele, a voz suave e reconfortante, como se estivesse falando com um animal selvagem acuado.

Ele afasta com carinho uma mecha de cabelo do meu rosto, e imediatamente me sinto mais tranquila. Percebo que ele tenta — sem sucesso — esconder a própria preocupação.

— Você anda tão apreensiva nos últimos dias — murmura ele, os olhos bem abertos e sérios.

— Estou bem, Christian.

Abro um sorriso largo, pois não quero que ele perceba como estou preocupada com a história do incêndio. A dolorosa recordação de como me senti quando o *Charlie Tango* foi sabotado e Christian ficou desaparecido — o vazio extremo, a dor indescritível — volta a me assombrar, a memória me importunando e atormentando meu coração. Mantenho o sorriso fixo no rosto e tento sufocá-la.

— Você estava me vendo dormir?

— Estava — responde ele, observando-me fixamente, perscrutando meu rosto. — Você estava falando.

— Ah, é?

Merda! O que será que eu falei?

— Você está preocupada — acrescenta ele, os olhos cheios de inquietação.

Será que não há nada que eu consiga esconder de Christian? Ele se inclina e me beija entre as sobrancelhas.

— Quando você franze a testa, um pequeno V se forma bem aqui. É macio de beijar. Não se preocupe, baby, vou cuidar de você.

— Não é comigo que eu estou preocupada, é com você — resmungo. — Quem vai cuidar de você?

Ele sorri sem se importar muito com meu tom de voz.

— Já sou bem crescido e bem mau para cuidar de mim mesmo. Venha. Levante-se. Quero fazer uma coisa antes de irmos para casa.

Ele sorri para mim, um sorriso travesso do tipo sim-eu-tenho-apenas-vinte-e--oito-anos, e me dá uma palmada no bumbum. Solto um ganido, surpresa, e percebo que hoje é o dia em que vamos voltar para Seattle; então minha melancolia desperta. Não quero ir embora. Foi tão delicioso ficar com ele vinte e quatro horas por dia... Não estou pronta para dividi-lo com sua empresa e sua família. Tivemos uma lua de mel gloriosa. Com alguns altos e baixos, admito, mas isso deve ser normal para os recém-casados, não é mesmo?

Christian, porém, não consegue conter seu entusiasmo de garoto, e, mesmo com meus pensamentos sombrios, acabo sendo contagiada. Quando ele se levanta animado da cama, eu vou atrás, intrigada. O que será que ele está planejando?

CHRISTIAN AMARRA a chave no meu pulso.

— Quer que eu pilote?

— Quero. — Ele sorri. — Está muito apertado?

— Está bom. É por isso que você está usando um colete salva-vidas? — Levanto a sobrancelha.

— É.

Não consigo deixar de dar uma risadinha.

— Quanta confiança nas minhas habilidades como piloto, Sr. Grey.

— Mais do que nunca, Sra. Grey.

— Bom, não me passe um sermão.

Ele levanta as mãos em um gesto defensivo, mas está sorrindo.

— Longe de mim!

— Até parece. Você sempre me passa sermões. Mas aqui não podemos parar o motor e discutir na calçada.

— Bom argumento, Sra. Grey. Vamos ficar aqui na plataforma o dia inteiro discutindo sobre a sua destreza na direção ou vamos nos divertir um pouco?

— Bom argumento, Sr. Grey.

Agarro a direção do jet ski e subo nele. Christian sobe atrás e, com o pé, nos impulsiona para longe do iate. Taylor e dois homens da tripulação se divertem observando-nos. Deslizando para a frente, Christian passa os braços ao redor de mim e encosta as coxas nas minhas. *Ah, é disso que eu gosto nesse tipo de transporte!* Insiro a chave de ignição e aperto o botão de partida, e o motor acorda rugindo.

— Pronto? — grito para Christian, para ser ouvida acima do barulho do motor.

— Prontíssimo — responde ele, a boca junto ao meu ouvido.

Suavemente eu puxo a alavanca, e o jet ski se afasta do *Fair Lady*, muito vagarosamente para o meu gosto. Christian me aperta com mais força. Acelero um pouco mais, fazendo o jet ski disparar para a frente, e fico feliz da vida quando o motor não morre.

— Caramba! — grita Christian atrás de mim, mas o contentamento em sua voz é visível.

Passo veloz pelo *Fair Lady* em direção ao mar aberto. Estamos ancorados perto de Saint-Laurent-du-Var, e é possível avistar o aeroporto de Nice Côte d'Azur a certa distância, bem no meio do Mediterrâneo — ou pelo menos é o que parece. Tenho ouvido a assustadora aterrissagem dos aviões desde a noite passada, quando chegamos. Decido dar uma olhada mais de perto.

Seguimos para o aeroporto, saltando rapidamente sobre as ondas. Adoro isso, e estou vibrando porque Christian me deixou pilotar. Todas as preocupações dos dois últimos dias se dissipam à medida que deslizamos pela água.

— Da próxima vez que fizermos isso, vamos precisar de dois jet skis — grita Christian. Sorrio, porque a ideia de apostar corrida com ele é emocionante.

Estamos indo disparados pelo mar azul e gelado em direção ao que parece ser o final da pista quando o ronco atordoante de um jato bem acima de nossas cabeças preparando-se para aterrissar me pega de surpresa. O barulho é tão ensurdecedor que entro em pânico, faço um desvio e ao mesmo tempo bato no acelerador, confundindo-o com o freio.

— Ana! — grita Christian.

Mas é tarde demais. Sou catapultada para fora do jet ski, braços e pernas pelos ares, levando Christian comigo em um tombo espetacular.

Gritando, mergulho no mar azul cristalino e engulo uma porção considerável do nada saboroso Mediterrâneo. Tão longe assim da costa, a água é gelada, mas em poucos segundos subo novamente à tona, graças ao meu solícito colete salva-vidas. Tossindo e cuspindo, esfrego os olhos para tirar a água salgada e olho ao redor procurando por Christian. Ele já está nadando na minha direção. O jet ski flutua inofensivo a alguns metros de distância, o motor em silêncio.

— Você está bem? — Quando ele me alcança, seus olhos estão em pânico.

— Estou — balbucio, mas não consigo conter meu júbilo: *Está vendo, Christian? É o pior que pode acontecer com um jet ski!*

Ele me puxa para um abraço e depois segura minha cabeça entre as mãos, examinando meu rosto mais de perto.

— Viu? Não foi tão ruim assim! — Sorrio, nós dois ainda dentro da água.

Por fim ele força um sorriso, obviamente aliviado.

— Não, não foi. Só que agora eu estou molhado — reclama, mas seu tom de voz é brincalhão.

— Também fiquei molhada.

— Eu gosto de você molhadinha. — Ele me olha com malícia.

— Christian! — repreendo-o, fingindo-me de ofendida.

Ele sorri, lindo, e se inclina para me beijar com força. Quando se afasta, estou sem fôlego.

— Venha. Vamos voltar. Precisamos tomar um banho. Eu piloto.

Estamos descansando na sala VIP da primeira classe da British Airways, no Aeroporto de Heathrow, arredores de Londres, enquanto esperamos nosso voo de conexão para Seattle. Christian está entretido com o *Financial Times*. Pego da bolsa a câmera que lhe dei; quero tirar algumas fotos do meu marido. Ele está muito sexy de camisa branca de linho e calça jeans — sua marca registrada —, os óculos escuros modelo aviador pendurados no V da gola da camisa. O flash o distrai da leitura. Ele ergue os olhos para mim, piscando, e sorri timidamente.

— Como vai, Sra. Grey? — pergunta.

— Triste em voltar para casa — digo baixinho. — Gosto de ter você só para mim.

Ele pega minha mão, leva-a até os lábios e beija docemente os nós dos meus dedos.

— Eu também.

— Mas? — pergunto, pois, apesar de não pronunciada, ouvi essa palavrinha no final da frase dele.

Ele franze o cenho.

— Mas? — repete, de forma dissimulada. Inclino a cabeça para o lado, encarando-o com aquela expressão de *Conte para mim* que venho aperfeiçoando nos últimos dias. Ele suspira, deixando o jornal de lado. — Quero esse criminoso preso e fora de nossas vidas.

— Ah.

Uma preocupação bastante justa, mas fico surpresa com sua sinceridade.

— Vou servir as bolas do Welch numa bandeja se ele deixar uma coisa dessas acontecer de novo.

Um calafrio perpassa minha espinha ao ouvir seu tom de ameaça. Ele me olha impassível, e não sei se está me desafiando a ser petulante ou algo parecido. Faço a única coisa que me passa pela cabeça para atenuar a súbita tensão entre nós dois: ergo a câmera e tiro outra foto.

— Oi, dorminhoca, chegamos — sussurra Christian.

— Hmm — resmungo, relutante em abandonar o irresistível sonho em que Christian e eu fazíamos piquenique em Kew Gardens.

Estou exausta! Viajar é cansativo, mesmo na primeira classe. Estamos voando há mais de dezoito horas, eu acho — já perdi a conta por causa do cansaço. Ouço a porta ao meu lado se abrir, e Christian está inclinado sobre mim. Ele desprende o cinto de segurança e me ergue nos braços, acordando-me.

— Ei, eu consigo andar — protesto, ainda sonolenta.

Ele bufa.

— Preciso entrar com você no colo em casa.

Coloco os braços em volta do pescoço dele.

— Vai subir os trinta andares? — Abro um sorriso de desafio.

— Sra. Grey, tenho o prazer de anunciar que você engordou um pouco.

— O quê?

Ele sorri.

— Portanto, se não se importar, vamos usar o elevador. — Ele semicerra os olhos ao me fitar, mas sei que é brincadeira.

Taylor abre as portas do vestíbulo do Escala e sorri.

— Bem-vindos, Sr. e Sra. Grey.

— Obrigado, Taylor — diz Christian.

Dirijo um breve sorriso a Taylor e vejo-o voltar para o Audi, onde Sawyer o espera na direção.

— Como assim eu engordei um pouco?

Fuzilo-o com o olhar, mas seu sorriso se amplia. Ele me aconchega mais contra o peito ao me carregar pelo hall.

— Não muito — garante ele, mas seu rosto se entristece de repente.

— O que foi? — Tento manter o temor em minha voz sob controle.

— Você ganhou os quilos que tinha perdido quando me deixou — diz ele calmamente enquanto chama o elevador. Uma expressão desolada toma seu rosto.

Sua angústia repentina e surpreendente faz meu coração se apertar.

— Ei. — Enrosco os dedos em seu cabelo, puxando-o em minha direção. — Se eu não tivesse ido embora, você estaria aqui comigo agora?

Os olhos dele se suavizam, adquirindo o matiz do céu em dia de tempestade, e ele me oferece seu sorriso tímido, o meu preferido.

— Não — responde, e entra no elevador ainda comigo no colo. Inclina-se e me beija ternamente. — Não, Sra. Grey, não estaria. Mas eu saberia que poderia mantê-la segura, porque você não ia me desafiar.

Ele parece vagamente arrependido... *Merda.*

— Gosto de desafiar você. — Estou testando o terreno.

— Eu sei. E isso me deixa muito... feliz. — Ele sorri novamente, mesmo em meio à sua tensão.

Ai, graças a Deus.

— Mesmo eu estando gorda? — sussurro.

Ele ri.

— Mesmo você estando gorda.

Ele me beija novamente, de maneira mais calorosa dessa vez, e eu cravo os dedos em seu cabelo, puxando-o contra mim, nossas línguas se enroscando uma na outra em uma dança lenta e sensual. Quando o elevador soa, avisando que chegou à cobertura, estamos ambos sem fôlego.

— Muito feliz — murmura ele.

Seu sorriso está mais misterioso agora, os olhos turvos e plenos de uma promessa libidinosa. Ele balança a cabeça como que para se recuperar do beijo e me carrega para dentro.

— Bem-vinda ao lar, Sra. Grey.

Ele me beija de novo, agora de maneira mais casta, e me brinda com o sorriso Christian-Grey-patenteado-de-muitos-gigawatts, os olhos cheios de alegria.

— Bem-vindo ao lar, Sr. Grey.

Abro um sorriso largo, radiante, meu coração correspondendo ao seu convite implícito e transbordando de felicidade.

Achei que Christian fosse me colocar no chão agora, mas não: comigo no colo, ele atravessa o vestíbulo, depois o corredor e a enorme sala, colocando-me sentada na ilha da cozinha, onde fico com as pernas penduradas. Ele então pega duas *flûtes* no armário e uma garrafa de champanhe gelado — Bollinger, nosso preferido. Habilidosamente ele abre a garrafa e, sem deixar derramar uma gota, verte a bebida cor-de-rosa nas duas taças e me oferece uma. Tomando a outra para si, afasta minhas pernas delicadamente e coloca-se no meio.

— A nós, Sra. Grey.

— A nós, Sr. Grey — sussurro, ciente de meu sorriso tímido.

Brindamos de leve com nossas taças e tomamos um gole.

— Sei que você está cansada — sussurra ele, esfregando o nariz no meu —, mas eu realmente gostaria de ir para a cama... e não dormir. — Ele me beija no cantinho da boca. — É a nossa primeira noite depois de voltarmos para casa e você é realmente minha. — Sua voz vai sumindo à medida que ele deposita ternos beijos no meu pescoço. Anoitece em Seattle e eu estou exausta, mas o desejo brota fundo no meu ventre.

Christian repousa tranquilamente ao meu lado e eu fito as listras rosadas e douradas do amanhecer pelas amplas janelas. Seu braço descansa sobre os meus seios, e eu tento adaptar minha respiração à dele, em um esforço para voltar a dormir, mas em vão. Estou completamente desperta, meu corpo ainda funcionando em outro fuso horário, minha mente em plena atividade.

Tanta coisa aconteceu nas últimas três semanas — *a quem eu quero enganar?, nos últimos três meses* — que ainda não sinto meus pés tocando o chão. E aqui estou eu, Sra. Christian Grey, casada com o mais delicioso, sensual, filantrópico e absurdamente rico figurão que qualquer mulher poderia querer. Como isso tudo aconteceu tão rápido?

Viro-me de lado a fim de contemplá-lo. Sei que ele costuma ficar me olhando enquanto durmo, mas raramente tenho a oportunidade de retribuir. Ele parece tão jovem e despreocupado dormindo... os longos cílios abertos como um leque tocando seu rosto, uma leve sombra da barba por fazer contornando seu maxilar e os lábios bem delineados ligeiramente abertos, relaxados, à medida que ele respira profundamente. Quero beijá-lo, colocar minha língua na sua boca, correr meus dedos por seu rosto macio apesar da aspereza da barba que desponta. Preciso me controlar fortemente para não tocá-lo nem perturbá-lo. Hmm... eu poderia só passar os dentes de leve no lóbulo da orelha dele e depois chupar. Meu inconsciente me encara zangado por sobre seus óculos de leitura, deixando de lado o segundo volume das *Obras completas de Charles Dickens*, e mentalmente me pune. *Deixe o pobre homem em paz, Ana.*

Vou voltar ao trabalho na segunda-feira. Temos o dia de hoje para recuperarmos nossa rotina. Vai ser estranho não ver Christian o dia inteiro, depois de passarmos juntos quase todos os minutos das três últimas semanas. Eu me recosto e fito o teto. Algumas pessoas poderiam pensar que passar tanto tempo juntos seria sufocante, mas não é o caso. Adorei cada minuto que passei com ele, mesmo enquanto brigávamos. Cada minuto... exceto a notícia sobre o incêndio na sede da empresa.

Meu sangue gela. Quem iria querer machucar Christian? Volto a me atormentar com esse mistério. Alguém ligado ao trabalho? Alguma ex? Um funcionário insatisfeito? Não faço ideia, e Christian continua evasivo sobre o caso, fornecendo-me o mínimo de informação na tentativa de me proteger. Suspiro. Meu bravo cavaleiro das luzes e das trevas, sempre tentando me proteger. Como vou fazê-lo se abrir mais comigo?

Ele se mexe e eu fico imóvel, para não acordá-lo, mas o efeito é exatamente o oposto. *Droga!* Dois olhos brilhantes me fitam.

— O que houve?

— Nada. Volte a dormir. — Tento usar meu sorriso reconfortante. Ele se espreguiça, esfrega o rosto e sorri.

— Jet lag? — pergunta.

— Será que é isso? Não consigo dormir.

— Tenho a panaceia universal bem aqui, só para você, meu amor.

Ele sorri como um menino, fazendo-me revirar os olhos e dar um sorriso falso ao mesmo tempo. E assim, num piscar de olhos, meus pensamentos sombrios ficam de lado e meus dentes agarram sua orelha.

CHRISTIAN E EU ESTAMOS cruzando a Interestadual 5 no sentido norte, em direção à ponte 520, no Audi R8. Vamos almoçar na casa dos pais dele, um almoço de domingo de boas-vindas. A família inteira estará lá, além de Kate e Ethan. Vai ser estranho termos companhia depois de passarmos esse tempo todo sozinhos. Não tive oportunidade de falar com Christian a maior parte da manhã. Ele ficou fechado no escritório enquanto eu desarrumava as malas. Ele disse que eu não precisava fazer isso, que a Sra. Jones se encarregaria da tarefa. Essa, porém, é outra coisa com a qual tenho que me acostumar: contar com ajuda doméstica. Deslizo os dedos distraidamente pelo forro de couro da porta para me desviar de minhas divagações. Sinto-me um pouco inquieta. Será o jet lag? Ou o incêndio?

— Você me deixaria dirigir esse carro? — pergunto, surpresa por dizer as palavras em voz alta.

— É claro — responde Christian, sorrindo. — O que é meu é seu. Mas se você amassá-lo, vou ter que levá-la para o Quarto Vermelho da Dor. — Ele me olha rapidamente, com um sorriso malicioso.

Merda! Fico assustada. Será que ele está falando sério?

— Só pode ser brincadeira! Você me castigaria se eu amassasse o seu carro? Você ama seu carro mais do que a mim? — digo, para provocá-lo.

— Quase na mesma medida — responde ele, e estende a mão para apertar meu joelho. — Mas o carro não me aquece à noite.

— Podemos dar um jeito, tenho certeza. É só você dormir dentro do carro.

Christian ri.

— Não faz nem um dia que estamos em casa e você já está me expulsando?

Ele parece deliciado com a nossa discussão. Eu o encaro e recebo em resposta um sorriso de orelha a orelha. Embora eu queira ficar zangada, é impossível quando ele está tão bem-humorado. Aliás, ele melhorou de humor desde que saiu do escritório hoje de manhã. Percebo agora que estou assim rabugenta por termos que voltar para a vida real e eu não saber se Christian vai retroceder à sua personalidade anterior à lua de mel, mais fechada, ou se vai se manter nessa nova versão aperfeiçoada.

— Por que você está tão contente? — pergunto.

Ele me lança outro sorriso.

— Por que esta conversa é tão... normal!

— Normal! — Faço cara feia. — Não depois de três semanas de casamento! Francamente.

Seu sorriso desaparece.

— Estou brincando, Christian — acrescento depressa, para não acabar com seu bom humor.

Fico surpresa com a insegurança que toma conta dele às vezes. Tenho a impressão de que ele sempre foi assim, mas que esconde a fragilidade por baixo de uma fachada intimidadora. É muito fácil provocá-lo, provavelmente porque ele não está acostumado. Isso é uma revelação para mim, e fico maravilhada de perceber que ainda temos tanta coisa para descobrir um sobre o outro.

— Não se preocupe, eu fico com o Saab — resmungo, e me viro para olhar pela janela, tentando melhorar meu estado de espírito.

— Ei, qual é o problema?

— Nada.

— Você é tão frustrante às vezes, Ana. Por que não me diz?

Eu me viro e forço um sorriso.

— Você também, Grey.

Ele franze o cenho.

— Estou tentando — diz suavemente.

— Eu sei. Eu também.

Sorrio, e me sinto um pouco melhor.

Carrick está ridículo na churrasqueira, com um chapéu de chef e um avental com os dizeres *Licença para Assar.* Sempre que olho para ele, tenho vontade de sorrir. De fato, meu estado de espírito melhorou consideravelmente. Estamos todos sentados em volta da mesa na varanda da casa da família Grey, aproveitando o sol do fim do verão. Grace e Mia colocam diversas saladas na mesa, enquanto Elliot e Christian trocam insultos amistosos e discutem planos para a casa nova, e Ethan e Kate me atormentam com perguntas sobre a lua de mel. Christian mantém minha mão na sua, seus dedos brincando com a minha aliança e o meu anel de noivado.

— Então, se você conseguir finalizar os planos com a Gia, estarei livre de setembro até meados de novembro e posso garantir uma equipe inteira para o projeto — diz Elliot, esticando o braço e colocando-o em volta do ombro de Kate, que sorri.

— Gia ficou de ir lá amanhã à noite para discutir as plantas — responde Christian. — Espero que a gente consiga finalizar tudo. — Ele se vira e olha para mim, com expectativa.

Opa... isso é novidade.

— Claro.

Sorrio para ele, porém mais por causa da família presente, pois meu humor sofre uma queda novamente. Por que ele toma essas decisões sem me consultar? Ou será que fico assim por imaginar Gia — com sua bela bunda, seus seios exuberantes, suas roupas caras de marca e seu perfume — rindo toda provocante para meu marido? Meu inconsciente me lança um olhar de censura. *Ele não deu nenhum motivo para ciúme.* Merda, estou com altos e baixos hoje. Qual é o meu problema?

— Ana — chama Kate, arrancando-me de meus devaneios —, ainda está no sul da França?

— Estou — respondo, com um sorriso.

— Você está tão bem — diz ela, embora franza a testa ao falar.

— Vocês dois estão — completa Grace, abrindo um sorriso radiante enquanto Elliot enche nossos copos.

— Ao feliz casal.

Carrick ri e levanta o copo, e todos ao redor da mesa ecoam o sentimento.

— E parabéns ao Ethan por passar para o mestrado em psicologia em Seattle — intromete-se Mia, orgulhosa.

Ela dá um sorriso apaixonado na direção de Ethan, que sorri também. Fico pensando distraidamente se ela fez algum progresso com ele. É difícil saber.

Ouço os gracejos em volta da mesa. Christian está desfiando todo o nosso longo itinerário das últimas três semanas, enfeitando aqui e ali. Ele parece relaxado ao falar, no controle da situação, como se tivesse esquecido a preocupação com o incêndio criminoso. Eu, ao contrário, pareço incapaz de melhorar o astral. Belisco a comida. Ontem Christian disse que eu engordei. *Ele estava brincando!* Meu inconsciente me olha com censura de novo. Elliot acidentalmente derruba o copo no chão, dando um susto em todos, e de repente há certa afobação para limpar os cacos de vidro.

— Vou levar você para o ancoradouro e finalmente lhe dar umas palmadas se você continuar com esse mau humor — sussurra Christian no meu ouvido.

Fico em choque, e me viro para olhá-lo, boquiaberta. *O quê?* Ele está me provocando?

— Você não teria coragem! — rosno, mas por dentro sinto uma excitação familiar e bem-vinda.

Ele ergue a sobrancelha. É claro que teria coragem. Olho de soslaio para Kate, do outro lado da mesa. Ela nos observa com interesse. Viro-me novamente para Christian, estreitando os olhos.

— Você teria que me alcançar primeiro; e estou de sandálias rasteiras — aviso.

— Seria uma diversão tentar — sussurra ele, com um sorriso malicioso, e eu *acho* que é uma brincadeira.

Fico vermelha. É estranho, mas me sinto melhor.

Estamos terminando de comer a sobremesa, morangos com creme, quando começa um temporal. Todos corremos para tirar os pratos e copos da mesa, levando tudo para a cozinha.

— Que bom que o tempo esperou até a gente terminar o almoço — diz Grace com prazer ao corrermos para a sala dos fundos.

Christian se senta ao negro e brilhante piano, aperta o pedal e começa a tocar uma melodia conhecida que não consigo identificar de imediato.

Grace quer saber minhas impressões de Saint-Paul-de-Vence. Ela e Carrick estiveram lá anos atrás, durante a lua de mel, e passa pela minha cabeça a ideia de que se trata de um bom presságio, já que eles são felizes até hoje. Kate e Elliot estão abraçados em um dos enormes sofás ultrafofos, enquanto Ethan, Mia e Carrick seguem em uma conversa animada sobre psicologia, acho. De súbito, todos de uma só vez, todos os Grey param de falar e olham perplexos para Christian.

O que houve?

Christian está ao piano cantando baixinho para si mesmo. O silêncio cai sobre nós, pois estamos tentando ouvir a letra de "Wherever You Will Go" em sua voz doce e melodiosa. Eu já o ouvi cantar antes; eles não? Ele então para, consciente do silêncio mortal que paira sobre o recinto. Kate me olha com ar interrogativo, e eu dou de ombros. Christian se vira na banqueta e franze a testa, sem graça ao perceber que se tornou o centro das atenções.

— Continue — encoraja-o Grace, suavemente. — Eu nunca tinha ouvido você cantar, Christian. Nunca.

Ela o fita maravilhada. Ele permanece sentado na banqueta, olhando-a distraidamente, e, após um instante, dá de ombros. Seus olhos vão nervosamente na minha direção, depois em direção às portas francesas. O restante das pessoas de repente recomeça a conversa, todos um tanto embaraçados, e eu fico observando meu querido marido.

Então Grace me distrai ao pegar minhas mãos e depois me abraçar.

— Ah, minha querida menina! Obrigada, obrigada — sussurra ela, de modo que só eu possa escutar. Sinto um nó na garganta.

— Hm...

Retribuo seu abraço, sem saber direito pelo que ela está me agradecendo. Grace sorri, os olhos brilhantes, e beija meu rosto. *O que foi que eu fiz?*

— Vou preparar um chá — diz ela, a voz rouca de quem está segurando as lágrimas.

Vou lentamente até Christian, que agora está de pé junto às portas francesas, olhando lá para fora.

— Oi — murmuro.

— Oi.

Ele passa o braço pela minha cintura, puxando-me para si, e eu enfio a mão no bolso traseiro da sua calça jeans. Ficamos olhando a chuva.

— Está se sentindo melhor?

Faço um gesto afirmativo com a cabeça.

— Que bom.

— Você sabe como atrair as atenções.

— Faço isso o tempo todo — diz ele, e sorri para mim.

— No trabalho, sim, mas não aqui.

— É verdade, aqui não.

— Ninguém nunca tinha ouvido você cantar? Nunca?

— Pelo visto, não — diz ele, secamente. — Podemos ir?

Olho para ele, tentando avaliar seu estado de espírito. Seus olhos estão doces e ternos e ligeiramente bem-humorados. Decido mudar de assunto:

— Você vai me bater? — sussurro, e de repente sinto um frio na barriga. Talvez eu precise justamente disso… é disso que estou sentindo falta.

Ele me fita, e seus olhos começam a escurecer.

— Não quero machucar você, mas ficaria muito feliz em brincar.

Dou uma olhadela nervosa ao redor, mas estamos longe dos ouvidos alheios.

— Só se você não se comportar direitinho, Sra. Grey — sussurra ele em meu ouvido.

Como é possível haver tantas promessas sensuais em tão poucas palavras?

— Vou ver o que eu posso fazer. — Sorrio.

Depois de nos despedirmos de todos, caminhamos até o carro.

— Aqui. — Christian me joga as chaves do R8. — Não amasse — acrescenta, com a cara mais séria do mundo —, ou eu vou ficar muito irritado.

Minha boca fica seca. Ele está me deixando dirigir o carro dele? Minha deusa interior vibra em suas luvas de direção de couro e seus sapatos sem salto. *Uhul!*, exclama ela.

— Tem certeza? — balbucio, perplexa.

— Tenho. Mas logo posso mudar de ideia.

Acho que nunca antes disso dei um sorriso tão descarado. Ele faz uma cara de desdém e abre a porta do motorista para eu entrar. Dou a partida antes mesmo de ele se sentar ao meu lado, e ele pula para dentro.

— Ansiosa, Sra. Grey? — pergunta-me, com um sorriso oblíquo.

— Muito.

Dou marcha a ré lentamente e manobro pela entrada para carros da casa. Consigo não deixar o carro morrer, o que me surpreende. Nossa, o pedal da embreagem é tão sensível! Percorrendo com cuidado a entrada, olho pelo retrovisor e vejo Sawyer e Ryan entrando no SUV Audi. Eu não fazia ideia de que os seguranças tinham vindo atrás de nós. Faço uma pausa antes de entrar na rua.

— Você tem certeza sobre isso?

— Tenho — diz Christian, tenso, e percebo que ele não tem certeza alguma.

Ah, meu pobre e querido Cinquenta Tons. Quero rir dele e de mim também, porque estou nervosa e empolgada. Um pedacinho de mim quer fazer Sawyer e Ryan nos perderem de vista só de brincadeira. Verifico se algum carro está vindo e entro na rua bem devagar. Christian fica todo tenso, e eu não consigo resistir. A rua está vazia. Enfio o pé no acelerador e disparamos para a frente.

— Ahhhh! Ana! — grita Christian. — Mais devagar! Assim você vai acabar matando a nós dois.

Imediatamente diminuo a pressão no acelerador. Nossa, esse carro realmente corre!

— Desculpe — resmungo, tentando parecer arrependida... mas sem sucesso algum. Christian me dá um sorriso amarelo, acho que para esconder seu alívio.

— Bom, isso conta como mau comportamento — diz ele como quem não quer nada, e eu desacelero imediatamente.

Olho pelo retrovisor. Nenhum sinal do Audi; há apenas um automóvel com vidros escuros atrás de nós. Imagino que Sawyer e Ryan estejam alvoroçados, loucos para nos alcançar, e por algum motivo esse pensamento me empolga. Contudo, sem querer contribuir para um problema coronário em meu querido marido, decido me comportar, portanto conduzo com calma e cada vez mais confiante em direção à ponte 520.

De repente Christian solta um palavrão e se contorce para pegar o BlackBerry do bolso da calça.

— O que foi? — atende ele, ríspido, para quem quer que esteja do outro lado da linha. — Não — diz ele, e olha para trás. — Sim. Ela.

Olho pelo retrovisor rapidamente, mas não percebo nada de estranho, apenas alguns carros atrás de nós. Identifico o SUV atrás de quatro automóveis, e estamos todos seguindo em um ritmo tranquilo.

— Entendi.

Christian solta um demorado e forte suspiro. Esfrega a testa com os dedos, exalando tensão. *Tem alguma coisa errada.*

— Certo... Não sei. — Ele me olha de relance e abaixa o aparelho para falar comigo, calmamente: — Está tudo bem. Continue.

Ele sorri, mas seus olhos permanecem tensos. *Merda!* Meu corpo lança uma dose de adrenalina em meu sangue. Ele ergue o telefone de novo para o ouvido.

— Certo, na 520. Assim que chegarmos lá... Isso... Pode deixar.

Ele coloca o aparelho no suporte, deixando-o em viva-voz.

— O que houve, Christian?

— Preste atenção ao caminho, querida — diz ele, suavemente.

Estou a caminho da rampa da 520, sentido Seattle. Quando olho para Christian, seu olhar está fixo à sua frente.

— Não quero que você entre em pânico — diz ele, com calma —, mas logo que entrarmos na 520, quero que você pise fundo. Estamos sendo seguidos.

Seguidos! Puta merda. Meu coração quase sai pela boca, aos pulos, meu couro cabeludo começa a pinicar e minha garganta se fecha, em pânico. Seguidos por quem? Meus olhos correm para o retrovisor: evidentemente, o carro preto que vi mais cedo ainda está atrás de nós. *Merda! Então é isso?* Tento ver, através do para-brisa escuro, quem está ao volante, mas não consigo enxergar.

— Mantenha os olhos na estrada, baby — diz Christian, com cuidado, e não com o tom truculento que ele normalmente assume em relação ao meu modo de dirigir.

Controle os nervos! Mentalmente, dou um tapa em meu rosto para espantar o terror que está ameaçando se apossar de mim. E se a pessoa que nos segue estiver armada? Armada e perseguindo Christian! *Merda!* Uma onda de náusea passa pelo meu corpo.

— Como você sabe que estamos sendo seguidos? — Minha voz sai num sussurro ofegante e esganiçado.

— A placa do Dodge atrás de nós é falsa.

Como é que ele sabe?

Estamos nos aproximando da 520 pela rampa e eu furo o sinal. É final de tarde e, embora a chuva tenha passado, a pista está molhada. Felizmente, o tráfego está razoavelmente tranquilo.

Em minha mente ecoa a voz de Ray, em uma de suas muitas aulas de autodefesa: *É o pânico que vai matar você ou deixá-la gravemente ferida, Annie.* Eu respiro fundo, tentando controlar minha respiração. A pessoa que nos segue está atrás de Christian. Enquanto respiro fundo mais uma vez, minha mente começa a desanuviar e o frio na barriga desaparece. Tenho que proteger Christian. Eu queria dirigir o carro, e queria dirigir em alta velocidade. *Bom, eis aí a minha oportunidade.* Agarro o volante e dou uma última olhada pelo retrovisor. O Dodge está se aproximando.

Diminuo a velocidade, ignorando o súbito olhar de pânico de Christian em minha direção, e calculo minha entrada na 520 de modo que o Dodge precise desacelerar e parar até conseguir uma chance de entrar no tráfego. Diminuo a marcha e acelero. O R8 parte como uma flecha, jogando-nos com força contra os encostos dos assentos. O velocímetro pula para cento e vinte quilômetros por hora.

— Calma, baby — diz Christian calmamente, embora eu tenha certeza de que ele está tudo menos calmo.

Avanço em ziguezague por entre as duas pistas, como uma peça preta em um jogo de xadrez, quase saltando os automóveis e caminhões. Estamos tão próximos do lago nessa ponte que é como se estivéssemos dirigindo sobre a água. Deliberadamente ignoro os olhares irados e reprovadores dos outros motoristas. Christian aperta as mãos no colo, mantendo-se o mais imóvel possível, e, apesar de minha mente estar fervilhando, imagino vagamente que talvez o propósito dele com isso seja não me distrair.

— Boa menina — diz ele, meio sem ar, para me encorajar. Ele olha para trás. — Não estou vendo o Dodge.

— Estamos bem atrás do elemento, Sr. Grey. — É a voz de Sawyer que surge no viva-voz. — Ele está tentando alcançar o senhor. Vamos tentar chegar pelo lado e nos colocar entre o seu carro e o Dodge.

Elemento? O que isso quer dizer?

— Ótimo. A Sra. Grey está indo muito bem. Nessa velocidade, desde que o trânsito continue bom, e pelo que eu posso ver vai continuar, vamos sair da ponte em alguns minutos.

— Sim, senhor.

Passamos pela torre de controle da ponte, o que indica que já percorremos metade do lago Washington. Quando olho no velocímetro, vejo que ainda estou a cento e vinte quilômetros por hora.

— Você está indo muito bem, Ana — repete Christian, olhando para trás.

Por um momento fugaz, seu tom me faz recordar nosso primeiro encontro no quarto de jogos, quando ele pacientemente me encorajou em nossa primeira cena. A lembrança me distrai, portanto a descarto imediatamente.

— Para onde devo ir? — pergunto, um pouco mais calma.

Agora consigo sentir o carro. É uma maravilha de dirigir, tão silencioso e fácil de manejar que mal dá para acreditar que estamos indo tão rápido. Dirigir a esta velocidade neste carro é fácil.

— Sra. Grey, vá para a Interestadual 5 e depois siga para o sul. Queremos ver se o Dodge segue o R8 por todo esse caminho — diz Sawyer pelo viva-voz.

O sinal na ponte está verde — graças a Deus —; sigo em frente, em disparada. Olho nervosa para Christian, que me dirige um sorriso tranquilizador. Mas logo seu rosto se anuvia.

— Merda! — xinga ele baixinho.

Há uma fila de carros parados à nossa frente quando saímos da ponte, e sou forçada a reduzir. Tensa, olho pelo retrovisor mais uma vez e acho que vejo o Dodge.

— Depois de uns dez carros?

— É, estou vendo — diz Christian, observando pela janela à sua direita. — Quem será o filho da mãe?

— Também queria saber. Vocês viram se é um homem ao volante? — deixo escapar para o BlackBerry.

— Não sei, Sra. Grey. Pode ser homem ou mulher. Os vidros são muito escuros.

— Uma mulher? — pergunta Christian.

Dou de ombros.

— A sua Mrs. Robinson, talvez? — sugiro, sem tirar os olhos da rua.

O corpo de Christian se contrai e ele tira o BlackBerry do suporte.

— Ela não é a minha Mrs. Robinson — resmunga. — Não falo com ela desde o meu aniversário. E a Elena não faria isso. Não é do estilo dela.

— E a Leila?

— Está em Connecticut com os pais, eu lhe disse.

— Tem certeza?

Ele faz uma pausa.

— Não. Mas se ela tivesse fugido, tenho certeza de que os pais dela teriam contado para o Flynn. Vamos falar sobre isso quando chegarmos em casa. Concentre-se no que está fazendo.

— Talvez seja um carro qualquer.

— Não quero correr riscos. Não se você estiver envolvida. — E ele recoloca o BlackBerry no suporte para ficarmos em contato com a equipe de segurança.

Ah, merda. Não quero desestabilizá-lo logo agora... mais tarde, talvez. Seguro a língua. Felizmente o trânsito melhora um pouco. Consigo atingir uma velocidade maior quando chego ao cruzamento da Mountlake com a Interestadual 5, ziguezagueando entre os carros novamente.

— E se os guardas nos pararem? — pergunto.

— Seria ótimo.

— Não para a minha carteira de motorista.

— Não se preocupe com isso — diz ele. E, inesperadamente, noto um pingo de bom humor em sua voz.

Sento o pé no acelerador de novo, e chego a cento e vinte. Minha nossa, este carro realmente corre. Adorei — é tão fácil. Chego a quase cento e quarenta. Acho que nunca dirigi tão rápido. Já ficava feliz quando o meu Fusca fazia oitenta por hora.

— Ele saiu do congestionamento e ganhou velocidade. — É a voz de Sawyer pelo aparelho, calma e informativa. — Está a cento e quarenta e cinco.

Merda! Mais rápido! Mando ver no acelerador, e o carro ronca, chegando a mais de cento e cinquenta ao nos aproximarmos do cruzamento da Interestadual 5.

— Mantenha a velocidade, Ana — murmura Christian.

Diminuo por um instante, para pegarmos a Interestadual 5. A estrada está bastante tranquila, portanto consigo passar para a faixa de alta velocidade em menos de um segundo. Quando piso fundo novamente, o glorioso R8 sai como uma flecha e nós rasgamos a pista da esquerda, os reles mortais nos dando passagem. Se eu não estivesse tão assustada, com certeza iria adorar.

— Ele atingiu cento e sessenta, senhor.

— Fique na cola dele, Luke — berra Christian para Sawyer.

Luke?

Um caminhão entra abruptamente na faixa rápida — *Merda!* —, e tenho que pisar no freio de repente.

— Filho da puta! — xinga Christian quando somos lançados para a frente no banco.

Ainda bem que existe o cinto de segurança.

— Contorne, querida — diz Christian, com os dentes cerrados.

Verifico os espelhos e corto pela direita, cruzando logo três faixas. Ultrapassamos velozmente os veículos mais lentos e voltamos para a faixa de velocidade.

— Boa — elogia-me. — Cadê os guardas quando mais precisamos deles?

— Não quero levar multa, Christian — reclamo, concentrando-me na pista à frente. — Você já levou alguma por excesso de velocidade com este carro?

— Não — responde ele, mas, ao olhar de relance, percebo que está rindo.

— Já pararam você?

— Já.

— Ah.

— Charme. Tudo depende de charme. Agora, concentração. Onde está o Dodge, Sawyer?

— Ele acaba de chegar a cento e oitenta, senhor.

Puta merda! Meu coração quase salta pela boca. Será que consigo dirigir mais rápido que isso? Piso no pedal com ainda mais força e passo como um foguete pelos outros veículos.

— Pisque os faróis — ordena Christian quando um Ford Mustang não sai da nossa frente.

— Mas isso é coisa de babaca.

— Então seja babaca!

Puxa. Tudo bem!

— Hã... Onde eu ligo os faróis?

— O ponteiro. Puxe para você.

Faço isso, e o Mustang dá passagem, mas só depois de o motorista mostrar o dedo para mim de uma forma não muito educada. Rapidinho ele fica para trás.

— Ele é que é babaca — diz Christian, ofegante, e depois grita para mim: — Saia pela Stewart!

Sim, senhor!

— Vamos pegar a saída da Rua Stewart — avisa ele a Sawyer.

— Siga direto para o Escala, senhor.

Diminuo a velocidade, olho nos espelhos, dou sinal e então cruzo, com a maior facilidade, quatro faixas da autoestrada, para depois pegar a saída. Entrando na Stewart, tomamos a direção sul. A rua está tranquila, poucos veículos transitando. *Cadê todo mundo?*

— Tivemos uma puta sorte com o trânsito. Mas isso significa que o Dodge também teve. Não diminua agora, Ana. Vamos chegar logo em casa.

— Não consigo me lembrar do caminho — murmuro, apavorada por saber que o Dodge ainda está em nosso encalço.

— Siga para o sul na Stewart. Continue até eu falar onde virar. — Ele parece tenso novamente.

Passo rápido por três quarteirões, mas o sinal fica amarelo na Avenida Yale.

— Avance, Ana! — grita Christian.

Dou um pulo tão forte que meu pé faz o acelerador encostar no chão, o que joga nossas costas contra os encostos ao avançarmos o sinal agora vermelho.

— Ele está entrando na Stewart — diz Sawyer.

— Fique na cola dele, Luke.

— Luke?

— É o nome dele.

Um rápido olhar na sua direção e vejo que Christian me olha como se eu fosse louca.

— Olhe para a rua! — fala ele rispidamente.

Ignoro seu tom de voz.

— Luke Sawyer.

— Isso! — Ele parece exasperado.

— Ah.

Como é que eu não sabia disso? O homem vem me seguindo até o trabalho faz seis semanas e eu nem sabia o primeiro nome dele.

— Sou eu, senhora. — A voz de Sawyer me dá um susto, apesar de ser a voz calma e monótona de sempre. — O elemento está descendo a Stewart, senhor. Ganhando bastante velocidade.

— Vamos lá, Ana. Menos papo furado — reclama Christian.

— Estamos parados no primeiro sinal da Stewart — informa-nos Sawyer.

— Ana! Rápido: aqui! — grita Christian, apontando para um estacionamento no lado sul da Avenida Boren.

Faço a curva, os pneus cantando em protesto quando desvio para o estacionamento lotado.

— Circule. Rápido — ordena Christian. Dirijo o mais depressa que consigo para o final do terreno, longe da rua. — Ali. — Ele aponta uma vaga.

Merda! Ele quer que eu estacione. *Droga!*

— Pare ali — ordena.

E então eu paro... perfeitamente. Deve ser a primeira vez que eu estaciono assim tão direitinho.

— Estamos escondidos no estacionamento entre a Stewart e a Boren — avisa Christian para o BlackBerry.

— Certo. — Sawyer parece irritado. — Fiquem aí; vamos seguir o elemento.

Christian se vira para mim, seus olhos perscrutando meu rosto.

— Você está bem?

— Claro — sussurro.

Ele sorri.

— Seja quem for naquele Dodge, não pode nos escutar, você sabe, né?

Eu dou uma risada.

— Estamos passando pelo cruzamento da Stewart com a Boren, senhor. Já vejo o estacionamento. O Dodge passou direto, senhor.

Nossos ombros desabam simultaneamente, de tanto alívio.

— Muito bem, Sra. Grey. Ótima motorista.

Christian acaricia de leve meu rosto; eu tenho um sobressalto quando sinto o contato da sua mão, e inspiro profundamente. Não fazia ideia de que estava segurando a respiração.

— Isso significa que você vai parar de reclamar quando eu dirijo? — pergunto.

Ele ri — uma risada alta e sincera.

— Não me atrevo a afirmar isso.

— Obrigada por me deixar dirigir seu carro. E sob circunstâncias tão emocionantes. — Tento desesperadamente transmitir leveza.

— Talvez eu deva pegar a direção agora.

— Para falar a verdade, acho que não consigo descer do carro agora para você se sentar aqui. Minhas pernas estão balançando feito gelatina. — De repente começo a tremer e a me sacudir.

— É a adrenalina, baby — diz ele. — Você se saiu muitíssimo bem, como sempre. Você me surpreende, Ana. Nunca me decepciona.

Ele toca minha face carinhosamente com as costas da mão, seu rosto pleno de amor, medo, arrependimento — tantas emoções simultâneas —, e suas palavras são a gota d'água para mim: dominada pelas emoções, um soluço contido escapa da minha garganta apertada e eu começo a chorar.

— Não, baby, não. Por favor, não chore.

Ele se aproxima e, apesar do espaço limitado, me puxa por cima do freio de mão para me aconchegar em seu colo. Afastando o cabelo do meu rosto, beija meus olhos e minha face, e eu o envolvo em meus braços e choro baixinho em seu pescoço. Ele afunda o nariz no meu cabelo e me aperta nos braços; ficamos ali sentados sem dizer nada, só abraçados.

A voz de Sawyer nos desperta:

— O elemento diminuiu a velocidade perto do Escala. Está estudando o terreno.

— Siga o carro.

Limpo o nariz nas costas da mão e respiro fundo para me acalmar.

— Use a minha camisa. — Christian me beija na têmpora.

— Desculpe — balbucio, envergonhada por ter chorado.

— Por quê? Não se desculpe.

Limpo o nariz mais uma vez. Ele ergue meu queixo e planta um beijo terno nos meus lábios.

— Sua boca fica tão macia quando você chora, minha menina linda e corajosa — sussurra ele.

— Me beije de novo.

Christian permanece imóvel, uma das mãos nas minhas costas, a outra na minha bunda.

— Me beije — peço, ofegante, e observo seus lábios se afastarem quando ele inala fortemente.

Inclinando-se sobre mim, ele tira o BlackBerry do suporte e o joga no assento do motorista, junto aos meus pés. Depois sua boca está colada na minha e ele leva a mão direita até meu cabelo, segurando-me no lugar, e com a esquerda envolve meu rosto. Sua língua invade minha boca, e eu a recebo com satisfação. A adrenalina se transforma em uma onda de luxúria que percorre todo o meu corpo. Agarro seu rosto, passando os dedos por suas costeletas, deleitando-me em seu sabor. Ele geme ante a minha resposta apaixonada, um gemido baixo e do fundo da garganta, e meu ventre se contorce dolorosamente de desejo. Sua mão desce pelo meu corpo, esfregando meus seios, minha cintura e parando no meu traseiro. Eu mudo minimamente minha posição.

— Ah! — exclama ele, e se afasta de mim, sem fôlego.

— O que foi? — murmuro, os lábios colados nos dele.

— Ana, estamos num estacionamento de Seattle.

— E daí?

— Bom, no momento eu quero comer você, e você está se mexendo em cima de mim... é desconfortável.

O desejo me consome quando o ouço dizer isso, mais uma vez retesando todos os músculos abaixo da minha cintura.

— Então me come.

Beijo-o no canto da boca. Eu o quero. Agora. A perseguição foi excitante. Excitante demais. Aterrorizante... e o medo despertou minha libido. Ele se inclina para trás a fim de me fitar, seus olhos escuros e enevoados.

— Aqui? — Sua voz soa rouca.

Minha boca fica seca. Como ele consegue me excitar com uma única palavra?

— Aqui. Eu quero você. Agora.

Ele inclina a cabeça para o lado e me encara por alguns momentos.

— Muito atrevida, Sra. Grey — sussurra, após o que me parece uma eternidade.

Ele aperta o cabelo da minha nuca, segurando-me firmemente no lugar, e sua boca procura a minha novamente, com mais violência dessa vez. A outra mão desliza pelo meu corpo, pela bunda, indo até o meio das coxas. Enrosco os dedos em seu cabelo.

— Que bom que você está de saia — murmura ele, e escorrega a mão por baixo da minha saia estampada em azul e branco para acariciar minha coxa. Eu me retorço novamente em seu colo e ele solta um assovio.

— Fique quieta — diz, sua voz está áspera.

Ele envolve meu sexo com a mão e eu congelo imediatamente. Com o polegar ele esfrega meu clitóris, e minha respiração fica ofegante com o prazer que me sacode como eletricidade, bem dentro de mim.

— Quieta — murmura Christian.

Ele me beija mais uma vez enquanto seu polegar gentilmente desenha círculos por sobre a renda fina e transparente da minha requintada calcinha. Lentamente, ele faz dois dedos passarem pela calcinha e os enfia em mim. Solto um gemido e empurro os quadris na direção da sua mão.

— Por favor... — sussurro.

— Hmm, você está prontinha — diz ele, tirando e botando os dedos numa lentidão torturante. — Você fica excitada com perseguições?

— Você é que me excita.

Ele dá um sorriso voraz e retira os dedos de repente, deixando-me ávida por mais. Ele passa o braço por baixo dos meus joelhos e me pega de surpresa ao me levantar e me fazer girar, para ficar de frente para o para-brisa.

— Encoste as pernas nas minhas como se fosse fechá-las — ordena ele, unindo as pernas na frente.

Obedeço, apoiando os pés no chão, um de cada lado. Ele desliza as mãos pelas minhas coxas, e depois volta a subir, erguendo minha saia.

— Mãos nos meus joelhos, baby. E se incline para a frente. Levante essa bunda maravilhosa. Cuidado com a cabeça.

Merda! Nós realmente vamos fazer isso em um estacionamento público. Dou uma olhada rápida na área à minha frente e não avisto ninguém, mas sinto uma empolgação se apossando de mim. Estou em um local público. Que *excitante*! Christian se mexe por baixo de mim e eu ouço o revelador som do seu zíper se abrindo. Abraçando-me pela cintura e com a outra mão afastando minha calcinha rendada para o lado, ele me penetra em um movimento rápido.

— Ah! — grito, encaixando-me nele, e o ouço soltar um ruído abafado entre os dentes.

Seu braço serpenteia ao redor do meu corpo, subindo até o pescoço, e ele me agarra por baixo do queixo. Sua mão então se abre, puxando-me para trás e inclinando minha cabeça para o lado de modo que ele possa beijar meu pescoço. A outra mão agarra meu quadril e, juntos, começamos a nos movimentar.

Ergo um pouco o corpo, apoiando-me nos pés, e ele vai enfiando em mim — metendo e tirando. A sensação é... Solto um gemido alto. Ele chega bem fundo nessa posição. Com a mão esquerda eu agarro o freio de mão, e com a direita me seguro na porta. Ele mordisca o lóbulo da minha orelha e puxa — quase dói. Ele não para de meter, uma estocada atrás da outra. Eu subo e desço, estamos no mesmo ritmo, e ele enfia a mão por baixo da minha saia até o alto das minhas coxas, e seus dedos começam a brincar suavemente com meu clitóris por cima da renda transparente da minha calcinha.

— Ah!

— Seja. Rápida — diz ele ofegante no meu ouvido, com os dentes cerrados, a mão ainda no meu pescoço logo abaixo do queixo. — Temos que ser rápidos, Ana. — E ele aumenta a pressão dos dedos sobre o meu sexo.

— Ah!

Sinto aquela onda de prazer tão familiar, reverberando forte dentro de mim, bem fundo.

— Vamos lá, querida. — Sua voz soa áspera no meu ouvido. — Quero ouvir você.

Solto outro gemido, as sensações à flor da pele, os olhos bem fechados. A voz dele no meu ouvido, sua respiração no meu pescoço, o prazer irradiando dos dedos dele no meu corpo, provocando-me, e dos seus movimentos dentro de mim, e então eu me entrego. Meu corpo assume o controle, ansiando pelo desfecho.

— Isso — sibila Christian em meu ouvido, e eu abro os olhos brevemente, encarando o teto forrado do R8, e volto a fechá-los quando gozo com ele dentro de mim.

— Ah, Ana — murmura ele, fascinado.

Christian me abraça e mete com força uma última vez, para finalmente se aquietar ao atingir o clímax dentro de mim, bem fundo.

Ele passa o nariz de leve pelo meu queixo e beija meu pescoço carinhosamente, depois minha face, minha têmpora, e eu me recosto nele, a cabeça reclinada contra seu pescoço.

— Aliviou a tensão, Sra. Grey?

Christian cerra os dentes de novo no lóbulo da minha orelha e puxa. Meu corpo está esgotado, totalmente exausto, e eu choramingo. Sinto o sorriso dele encostado em mim.

— Com a minha ajudou, com certeza — acrescenta ele, tirando-me de cima. — Perdeu a voz?

— Perdi — murmuro.

— Bom, quer dizer que você é uma criatura devassa? Não sabia desse seu lado exibicionista.

Imediatamente me empertigo, assustada. Ele fica tenso.

— Ninguém está olhando, não é?

Olho o estacionamento ao redor, nervosa.

— Você acha que eu ia deixar alguém assistir a minha mulher gozar?

Ele acaricia minhas costas, para me tranquilizar, mas o tom de sua voz me provoca calafrios na espinha. Eu me viro para fitá-lo e abro um sorriso travesso.

— Sexo no carro! — exclamo.

Ele ri e coloca uma mecha de cabelo atrás da minha orelha.

— Vamos voltar. Agora eu dirijo.

Ele abre a porta para me deixar sair do seu colo e saltar do carro. Quando olho para baixo, ele rapidamente fecha a braguilha. Também sai do carro, e segura a porta para eu ocupar o banco do carona. Contornando depressa o carro, ele se senta ao volante, pega o BlackBerry e faz uma chamada.

— Onde está o Sawyer? — pergunta, ríspido. — E o Dodge? Por que o Sawyer não está com você?

Ele ouve Ryan com atenção, suponho.

— Ela? — exclama, surpreso. — Quero que a segure aí. — Christian desliga e me fita.

Ela! A motorista do carro? Quem poderá ser — Elena? Leila?

— Quem estava dirigindo o Dodge era uma mulher?

— Parece que sim — diz ele calmamente. Sua boca se fecha com força e raiva. — Vamos para casa — murmura, e dá partida no R8, manobrando-o suavemente para fora da vaga.

— Cadê o... hã... elemento? Que forma estranha de falar. — Christian dá um breve sorriso, saindo do estacionamento para pegar a Stewart.

— É um termo usado nesses casos. Ryan trabalhou no FBI.

— FBI?

— Nem pergunte.

Christian balança a cabeça. É óbvio que ele está perdido em pensamentos.

— Bem, mas onde está o elemento feminino?

— Na Interestadual 5, seguindo para o sul. — Ele me olha de relance, um ar sério.

Nossa — de ardentemente excitado para calmo e depois ansioso no espaço de poucos minutos. Estico o braço e acaricio sua coxa, deixando meus dedos roçarem distraidamente a costura interna da sua calça jeans, na esperança de acalmá-lo. Ele tira a mão do volante e interrompe o caminho lento e ascendente que estou traçando.

— Não — diz ele. — Conseguimos chegar até aqui. Você não quer que eu bata o carro a três quarteirões de casa.

Ele leva minha mão aos lábios e deposita um beijo frio no meu indicador para amenizar a bronca. Frio, calmo, autoritário... Meu Cinquenta Tons. E pela primeira vez em um bom tempo ele faz com que eu me sinta uma criança teimosa. Retiro a mão e fico quieta por um momento.

— Mulher?

— Aparentemente, sim.

Ele suspira, dirige-se à entrada da garagem subterrânea do Escala e digita o código de acesso no painel de segurança. O portão se abre e ele entra, estacionando o R8 suavemente na sua vaga.

— Gostei muito desse carro — murmuro.

— Eu também gosto. Gostei também de como você se saiu com ele; e sem causar nenhum estrago.

— Você pode me dar um de aniversário. — Sorrio maliciosamente.

Ele está boquiaberto quando eu saio do carro.

— Branco, acho — acrescento, inclinando-me para dirigir-lhe mais um sorriso travesso.

Ele sorri.

— Anastasia Grey, você nunca deixa de me surpreender.

Fecho a porta e fico esperando por ele junto à traseira do veículo. Ele sai do carro elegantemente, observando-me com aquele olhar... aquele olhar que mexe comigo. Conheço bem esse olhar. Quando chega perto de mim, ele se inclina e sussurra:

— Você gostou do carro. Eu gosto do carro. Comi você ali dentro ... talvez eu deva comer você em cima dele.

Engulo em seco. E um lustroso BMW prateado entra na garagem. Christian olha para o automóvel primeiro com tensão, depois com aborrecimento, e sorri para mim.

— Mas parece que temos companhia. Venha.

Pegando minha mão, ele me leva até o elevador. Aperta o botão para chamar, e, enquanto esperamos, o motorista do BMW se aproxima. Ele é jovem, está vestido casualmente e tem cabelo escuro, longo e abundante. Pela sua aparência, eu diria que trabalha com mídia.

— Oi — diz ele, sorrindo calorosamente.

Christian coloca o braço em volta dos meus ombros e o cumprimenta polidamente.

— Acabei de me mudar. Apartamento dezesseis.

— Olá.

Retribuo o sorriso. Ele tem olhos castanhos simpáticos e tranquilos.

O elevador chega e entramos. Christian me olha com uma expressão indecifrável.

— Você é Christian Grey — diz o jovem.

Christian dá um sorriso contido.

— Noah Logan. — Ele estica a mão. Relutantemente, Christian a aperta. — Qual andar? — pergunta Noah.

— Tenho que digitar um código.

— Ah.

— Cobertura.

— Ah. — Noah abre um largo sorriso. — Claro. — Ele aperta o botão do oitavo andar e as portas se fecham. — Sra. Grey, eu imagino.

— Isso.

Dou um sorriso bem-educado e trocamos um aperto de mãos. Noah fica levemente ruborizado e me fita por mais alguns segundos. Também fico vermelha, e sinto o braço de Christian se apertar sobre mim.

— Quando foi que você se mudou? — pergunto.

— No último fim de semana. Adorei o lugar.

Ficamos num silêncio embaraçoso por alguns momentos, até que o elevador para no andar de Noah.

— Foi ótimo conhecer vocês — diz o jovem, parecendo aliviado, e sai.

As portas se fecham silenciosamente atrás dele. Christian digita o código e o elevador torna a subir.

— Ele me pareceu simpático — comento. — Nunca conheci nenhum vizinho seu antes.

Christian franze a testa.

— Prefiro assim.

— É porque você é um eremita. Eu achei o sujeito agradável.

— Eremita?

— Eremita. Preso na sua torre de marfim — digo calmamente. Christian retorce a boca, achando graça.

— Nossa torre de marfim. E acho que você pode acrescentar outro nome à sua lista de admiradores, Sra. Grey.

Reviro os olhos.

— Christian, você pensa que todo mundo é meu admirador.

— Você acabou de revirar os olhos para mim?

Minha pulsação acelera.

— Com toda certeza — sussurro, a respiração quase na garganta.

Ele inclina a cabeça para o lado, e sua expressão é divertida, arrogante e sensual.

— E agora, o que fazemos a respeito disso?

— Alguma coisa bruta.

Ele pisca, tentando esconder a surpresa.

— Bruta?

— Por favor.

— Você quer mais, é?

Confirmo lentamente. As portas do elevador se abrem e estamos em casa.

— Muito bruta? — Sua respiração fica mais forte, os olhos escurecendo.

Olho para ele e não digo nada. Ele fecha os olhos por um instante, depois pega minha mão e me puxa para o vestíbulo.

Quando irrompemos pelas portas duplas, Sawyer está de pé na entrada, olhando para nós em expectativa.

— Sawyer, gostaria de ter um resumo do caso daqui a uma hora — diz Christian.

— Sim, senhor. — Sawyer se vira e volta para o escritório de Taylor.

Temos uma hora!

Christian me olha.

— Bruta?

Confirmo com a cabeça.

— Bom, Sra. Grey, a senhora está com sorte. Hoje estou atendendo a pedidos.

CAPÍTULO SEIS

— Alguma coisa em mente? — murmura Christian, cravando em mim um olhar atrevido.

Dou de ombros, repentinamente agitada e sem fôlego. Não sei se foi a perseguição, a adrenalina, o meu mau humor prévio — não entendo, mas quero isso, e quero ardentemente. O rosto de Christian deixa entrever uma expressão intrigada.

— Trepada sacana? — pergunta, e suas palavras são como um carinho.

Confirmo, sentindo meu rosto arder. Por que estou tão constrangida? Já fiz todo tipo de sacanagem com este homem. Ele é meu marido, ora bolas! Estou constrangida porque quero isso e tenho vergonha de admitir? Meu inconsciente me olha feio. Pare de pensar tanto.

— Carta branca? — Suas palavras saem num sussurro, e ele me examina com atenção, como se estivesse tentando ler minha mente.

Carta branca? Puta merda — o que será que vem por aí?

— Sim — murmuro, nervosa, a excitação já crescendo dentro de mim. Ele lentamente abre um sorriso sensual.

— Venha — diz, e me puxa para as escadas.

Sua intenção é clara. *Quarto de jogos!*

No alto da escadaria, ele solta minha mão e destranca a porta. A chave está no chaveiro de Seattle com a palavra "Sim" que eu dei para ele pouco tempo atrás.

— Depois de você, Sra. Grey — diz, e escancara a porta de uma vez.

O quarto de jogos tem um cheiro familiar que me conforta, cheiro de couro, madeira e cera. Fico ruborizada ao pensar que a Sra. Jones deve ter vindo limpar este cômodo enquanto estávamos na lua de mel. Christian acende as luzes quando entramos, e as paredes de um vermelho escuro se iluminam com uma luz suave e difusa. Continuo de pé, olhando para ele, sentindo nas veias uma expectativa cada vez maior e mais forte. O que vai fazer? Ele tranca a porta e se vira. Inclinando o rosto para o lado, olha para mim pensativo e depois, com um ar de quem está se divertindo, balança a cabeça.

— O que você quer, Anastasia? — pergunta docemente.

— Quero você. — Minha resposta sai como um suspiro.

Ele ri de um jeito malicioso.

— Eu já sou seu. Sou seu desde o dia em que você pisou no meu escritório.

— Então me surpreenda, Sr. Grey.

Ele retorce a boca em um misto de humor contido e promessa carnal.

— Como quiser, Sra. Grey. — Ele dobra os braços e leva o comprido dedo indicador na altura dos lábios ao me avaliar. — Acho que vamos começar tirando você dessas roupas. — Ele dá um passo à frente. Segurando meu casaco curto de brim, abre-o e o joga para trás pelos meus ombros, fazendo-o cair no chão. Depois apanha a barra da minha blusa preta. — Levante os braços.

Obedeço, e ele a faz passar pela minha cabeça. Abaixando-se, deposita um beijo meigo nos meus lábios, os olhos brilhando com uma mistura cativante de luxúria e amor. A blusa logo está fazendo companhia ao casaco no chão.

— Aqui — sussurro, olhando nervosa para Christian enquanto tiro o elástico de cabelo do meu pulso e o estendo para ele.

Ele não se mexe, e seus olhos se arregalam momentaneamente, mas não entregam nada. Afinal, ele pega o elástico.

— Vire-se — ordena.

Aliviada, sorrio para mim mesma e obedeço imediatamente. Parece que ultrapassamos esse obstáculo. Ele junta meu cabelo e o trança rápida e eficientemente antes de prendê-lo com o elástico. Então puxa a trança, forçando minha cabeça para trás.

— Bem pensado, Sra. Grey — sussurra no meu ouvido, e belisca o lóbulo da minha orelha. — Agora vire-se de novo e tire a saia. Deixe cair no chão.

Ele me solta e dá um passo para trás, esperando que eu me volte para ele. Sem tirar os olhos dos seus, desabotoo o cós da minha saia e abaixo o zíper. A peça cai no chão e se espalha como um leque ao redor dos meus pés.

— Deixe-a aí — ordena.

Dou um passo na direção dele, que se ajoelha rápido na minha frente e agarra meu tornozelo direito. Habilidosamente, ele desafivela minhas sandálias, uma de cada vez, enquanto me curvo para a frente, equilibrando-me com uma das mãos na parede, embaixo dos pinos onde costumavam ficar todos os seus chicotes e varas. O açoite e o chicote de montaria são os únicos objetos que sobraram. Eu os observo com curiosidade. *Será que ele vai usar isso?*

Tendo tirado minha sandália e me deixado só com o meu conjunto rendado de calcinha e sutiã, Christian se senta sobre os calcanhares, encarando-me.

— Você é uma linda visão, Sra. Grey. — De repente ele se ajoelha, agarra meus quadris e me puxa, enterrando o nariz no alto das minhas coxas. — E está cheirando a mim, a você e a sexo — diz, inalando com força. — É intoxicante.

Ele me beija por cima da renda e eu perco o fôlego ao ouvir suas palavras; me derreto por dentro. Ele é tão... malvado. Juntando minhas roupas e sandálias, ele se levanta com um movimento único e gracioso, como um atleta.

— Vá e fique de pé ao lado da mesa — diz calmamente, apontando com o queixo. Então vira-se e caminha até a cômoda de museu.

Olhando para trás, ele sorri maliciosamente.

— De frente para a parede — ordena. — Assim você não vai saber o que eu estou planejando. Nosso objetivo é satisfazer, Sra. Grey, e você queria uma surpresa.

Eu me viro de costas, ouvindo atentamente — de repente, meus tímpanos estão sensíveis aos menores sons. Se existe uma coisa em que ele é bom, é isso: criar expectativas em mim, incitar meu desejo... fazer-me esperar. Ouço-o colocar minhas sandálias no chão e minhas roupas na cômoda, acho; depois, o barulho dos seus sapatos caindo ao chão, um de cada vez. Humm... adoro quando está descalço. Um minuto depois, ouço-o abrir uma gaveta.

Brinquedos! Ah, eu gosto tanto, tanto, tanto dessa expectativa! A gaveta se fecha e sinto minha respiração entrecortada. Como é possível que o som de uma gaveta me deixe assim, atordoada e trêmula? Não faz sentido. O chiado baixo do sistema de som ligando indica que teremos um interlúdio musical. Começo a ouvir um solo de piano, tranquilo e suave, e acordes melancólicos enchem o cômodo. Não conheço a melodia. Então entra uma guitarra. *O que é isso?* Surge a voz de um homem e eu mal consigo distinguir as palavras, algo sobre não se ter medo de morrer.

Christian vem sem pressa na minha direção, os pés descalços ressoando contra o piso de madeira. Sinto sua presença atrás de mim no mesmo momento em que uma mulher começa a cantar... ou a choramingar... a cantar?

— Algo bruto, não é mesmo? — sussurra ele no meu ouvido esquerdo.

— Hmm.

— Você tem que me mandar parar se eu for longe demais. Se você disser "pare", eu paro imediatamente. Entendeu?

— Entendi.

— Preciso que você jure que entendeu.

Inspiro com força. Cacete, o que ele vai fazer?

— Eu juro — murmuro, ofegante, lembrando-me de suas palavras de hoje mais cedo: "Não quero machucar você, mas ficaria muito feliz em brincar".

— Boa menina.

Inclinando-se, ele dá um beijo no meu ombro nu. Enfia um dedo por baixo da tira do sutiã e traça uma linha que atravessa minhas costas por baixo dela.

Tenho vontade de gemer. Como ele consegue tornar sensual o toque mais insignificante?

— Tire — sussurra ele no meu ouvido.

Obedeço imediatamente, deixando meu sutiã cair ao chão.

Suas mãos deslizam pelas minhas costas, até que ele engancha os dois polegares na minha calcinha e a faz descer pelas minhas pernas.

— Um passo — ordena.

Uma vez mais eu obedeço, dando um passo para me livrar da calcinha. Ele beija minha bunda e se levanta.

— Vou vendar você para que fique tudo mais intenso.

Ele coloca uma máscara de dormir sobre meus olhos, e meu mundo mergulha na escuridão. A mulher geme incoerentemente na música… uma melodia pungente, inquietante.

— Abaixe-se e se incline sobre a mesa. — Ele fala com suavidade. — Agora.

Sem hesitar, me inclino na lateral da mesa e descanso o torso sobre a madeira polida, sentindo meu rosto corar ao encostar na superfície dura. O tampo da mesa é frio; o odor lembra vagamente cera de abelha com um toque cítrico.

— Estenda os braços para cima e segure nas beiradas.

Ok… Esticando-me, agarro a outra extremidade da mesa. É bem larga, e meus braços estão completamente estendidos.

— Se você soltar, vou bater em você. Entendeu?

— Entendi.

— Você quer apanhar, Anastasia?

Meu corpo se retesa deliciosamente abaixo da cintura. Percebo que quero isso desde que ele me ameaçou na hora do almoço, e nem a perseguição de carro nem nossa subsequente sessão íntima saciaram essa necessidade.

— Quero. — Minha voz é um sussurro rouco.

— Por quê?

Ah… preciso ter um motivo? Dou de ombros.

— Diga — insiste ele.

— Humm…

E sem mais nem menos ele me dá uma palmada forte.

— Ah! — grito.

— Quieta agora.

Carinhosamente ele esfrega meu traseiro, no lugar onde bateu. Depois se inclina sobre mim, seus quadris pressionando minha bunda, crava um beijo entre as minhas omoplatas e inscreve uma trilha de beijos nas minhas costas. Ele tirou a camisa, e o pelo de seu peito me faz cócegas; sua ereção pressiona meu corpo por sob o tecido grosso da calça.

— Abra as pernas — exige.

Eu obedeço.

— Mais.

Solto um gemido e afasto ainda mais as pernas.

— Boa menina — diz ele em voz baixa.

Com o dedo, ele traça uma linha pelas minhas costas, passando pela minha bunda, bem na junção das nádegas, até atingir meu ânus, que se contrai ao ser tocado.

— Vamos nos divertir com isso aqui — sussurra ele.

Porra!

Seu dedo continua pelo meu períneo e lentamente desliza para dentro de mim.

— Vejo que você está bem molhada, Anastasia. De antes ou de agora?

Solto um gemido, e ele enfia e tira o dedo, várias vezes. Empurro o quadril contra a sua mão, saboreando a invasão.

— Ah, Ana. Acho que é por causa das duas coisas. Acho que você adora ficar aqui, assim. Minha.

Adoro — ah, eu adoro. Ele tira o dedo e me dá outra palmada forte.

— Conte para mim — sussurra, a voz ríspida e rouca.

— Sim, eu adoro — choramingo.

Ele me bate forte novamente e eu grito; depois, enfia dois dedos dentro de mim. Retira-os imediatamente, lambuzando a secreção por cima e ao redor do meu ânus.

— O que você vai fazer? — pergunto, ofegante. Minha nossa... será que ele vai comer meu cu?

— Não é o que você está pensando — fala ele baixinho, tranquilizando-me. — Já disse, um passo de cada vez, baby.

Ouço o leve barulho de um líquido ser derramado, provavelmente de um tubo, e então seus dedos estão me massageando ali de novo. Ele está me lubrificando... ali! Eu me contorço, meu medo lutando contra a excitação do desconhecido. Ele me dá mais uma palmada, mais embaixo dessa vez, atingindo meu sexo. Dou um gemido. Isso é tão... tão gostoso.

— Fique quieta — diz ele. — E não solte.

— Ah...

— É lubrificante.

Ele me lambuza ainda mais. Tento não me mexer por baixo dele, mas meu coração está aos pulos e meu pulso descontrolado, o desejo e a ansiedade crescendo dentro de mim.

— Eu queria fazer isso com você já faz algum tempo, Ana.

Solto um som abafado. E sinto algo frio, frio como metal, descer pela minha espinha.

— Tenho um presentinho para você aqui — sussurra Christian.

Uma imagem de nossa sessão de demonstração vem à minha mente. *Puta merda*. Um plugue anal. Christian o desliza pelo espaço entre minhas nádegas.

Cacete.

— Vou meter isso em você, bem devagar.

Estou arfando, eletrificada pela expectativa e pela ansiedade.

— Vai doer?

— Não, baby. É pequeno. Mas quando estiver todo lá dentro, vou te comer com força.

Quase tenho um convulsão. Curvando-se sobre mim, ele me beija novamente entre as omoplatas.

— Pronta? — Sua voz é um sussurro.

Pronta? Eu estou pronta para isso?

— Sim — murmuro baixinho, a boca seca.

Ele desliza outro dedo entre meu ânus e o períneo e o enfia em mim. Porra, é o polegar. Ele envolve meu sexo com a mão e seus dedos acariciam meu clitóris. Eu gemo… é tão… bom. E suavemente, enquanto seus dedos estão operando aquela mágica, ele empurra o plugue frio dentro de mim, devagarzinho.

— Ah!

Solto um gemido forte, e meus músculos protestam contra a intrusão. Ele faz um círculo dentro de mim com o polegar e empurra com ainda mais força o plugue, que se encaixa facilmente e não sei se é porque estou tão excitada ou se é porque ele me distraiu com seus dedos deliciosos, mas meu corpo parece aceitar. É pesado… esquisito… está ali!

— Ah, baby.

E eu posso senti-lo… no lugar onde o seu polegar gira, dentro de mim… e o plugue pressionando… ai… Lentamente ele gira o plugue, arrancando de mim um gemido que vem lá do fundo.

— Christian — falo baixinho, como se o nome dele fosse um mantra, enquanto me adapto a essa nova sensação.

— Boa menina.

Ele desliza a mão livre pelo meu corpo até chegar aos quadris. Devagar, tira o polegar, e eu ouço o som que denuncia a abertura do seu zíper. Segurando um dos lados do meu quadril, ele me puxa e afasta minhas pernas ainda mais, seu pé empurrando o meu.

— Não solte a mesa, Ana — avisa.

— Não vou soltar — respondo, ofegante.

— Quer que eu seja bruto? Avise se eu estiver sendo bruto demais. Entendeu?

— Entendi — respondo em um sussurro.

Ele entra em mim e me puxa para si ao mesmo tempo, empurrando o plugue cada vez mais fundo…

— Merda! — eu berro.

Ele para, sua respiração agora mais áspera, e estamos arquejantes no mesmo ritmo. Tento assimilar todas as sensações: a delícia de estar toda preenchida, o sentimento indescritível de estar fazendo algo proibido, o prazer erótico que exala de uma parte minha bem lá no fundo. Ele mexe o plug suavemente.

Meu Deus… Gemo de novo, e ouço sua respiração entrecortada — um sinal de prazer puro e genuíno. Que incendeia meu sangue. Será que alguma vez já me senti tão devassa?… tão…

— Quer mais? — sussurra ele.

— Quero.

— Relaxe — ordena. E sai de mim para me penetrar com força de novo.

Ai… era isso que eu queria.

— Isso… — sussurro.

Ele pega ritmo, a respiração mais difícil, junto com a minha, enquanto mete com força.

— Ah, Ana — balbucia.

Christian tira uma das mãos dos meus quadris e gira o plugue mais uma vez, puxando-o lentamente, depois o retira e o empurra de volta. A sensação é indescritível, e acho que vou desmaiar na mesa. Ele não perde o ritmo, movimentando-se dentro de mim cada vez mais forte e mais rápido, todo o interior do meu corpo tremendo e se contraindo.

— Puta que pariu — gemo. Isso vai me rasgar toda.

— Isso aí — diz ele, sibilando.

— Por favor… — imploro, e não sei exatamente pelo quê: para parar, para não parar nunca, para girar o plugue de novo. Meu corpo parece se contrair em volta dele e do plugue.

— Isso — fala ele, ofegante, e me dá uma palmada forte na bunda, e eu gozo: mais e mais, caindo, caindo, rodando, palpitando… e Christian tira o plugue com cuidado.

— Merda! — grito, e ele agarra meus quadris, imobilizando-me, e goza alto.

A mulher ainda está cantando. Christian sempre coloca as músicas para repetirem aqui. Estranho. Estou enroscada nos braços dele, nossas pernas entrelaçadas, minha cabeça descansando em seu peito. Estamos no chão do quarto de jogos, ao lado da mesa.

— Bem-vinda de volta — diz ele, retirando a venda dos meus olhos.

Fico piscando até meus olhos se ajustarem à luz fraca. Ele pega meu queixo e me beija na boca com carinho, seus olhos procurando os meus ansiosamente. Acaricio seu rosto. Ele sorri.

— E então, cumpri a tarefa? — pergunta ele, bem-humorado.

— Tarefa? — Franzo a testa.

— Você queria alguma coisa bruta — diz ele suavemente.

Não posso evitar um sorriso.

— É, acho que sim...

Christian levanta as sobrancelhas e retribui o sorriso.

— Fico feliz em saber. Você está com uma cara de quem acabou de ser muito bem comida, e está linda. — Ele acaricia meu rosto, seus dedos compridos tocando minha face.

— É como eu me sinto — digo, quase ronronando.

Ele se curva para me beijar ternamente, os lábios macios, quentes e entregues.

— Você nunca me decepciona. — Ele chega para trás a fim de me olhar nos olhos. — Como se sente? — Sua voz soa terna, preocupada.

— Bem — respondo num murmúrio, sentindo o rubor colorir meu rosto. — Muito bem comida. — Sorrio timidamente.

— Ora, Sra. Grey, mas que linguagem mais chula. — Ele se finge de ofendido, mas percebo seu tom de brincadeira.

— Isso é porque eu sou casada com um homem muito, muito pervertido, Sr. Grey.

Ele dá uma risada ridiculamente idiota — e é contagiosa.

— Que bom que você se casou com ele.

Carinhosamente ele pega minha trança, leva-a aos lábios e beija a ponta com um ar de reverência, os olhos brilhantes de amor. Ah, meu Deus... alguma vez eu seria capaz de resistir a esse homem?

Pego a sua mão esquerda e beijo sua aliança, um anel de platina simples igual ao meu.

— Meu — murmuro.

— Seu — responde ele, abraçando-me e enterrando o nariz no meu cabelo. — Quer que eu prepare um banho para você?

— Hmm. Só se você entrar comigo.

— Tudo bem.

Ele me coloca de pé e se levanta. Ainda está de calça jeans.

— Você vai vestir a sua... outra calça jeans?

Ele franze a testa.

— Outra calça?

— Aquela que você costumava usar aqui.

— Aquela? — murmura ele, piscando em surpresa, confuso.

— Você fica muito sexy naquela calça.

— Fico?

— Fica... muito sexy.

Ele sorri timidamente.

— Bem, para você, Sra. Grey, talvez eu use.

Ele se abaixa para me beijar e depois apanha na mesa a tigela com o plugue anal, o lubrificante, a venda e a minha calcinha.

— Quem limpa esses brinquedinhos? — pergunto, seguindo-o até a cômoda.

Ele levanta as sobrancelhas, como se não entendesse minha pergunta.

— Eu. A Sra. Jones.

— O quê?

Ele faz que sim, com um ar que me parece satisfeito e constrangido ao mesmo tempo. Ele desliga a música.

— Bom... é...

— Eram as suas submissas que faziam isso? — termino a frase.

Ele dá de ombros, como que se desculpando.

— Tome.

Ele me passa sua camisa, que eu visto, puxando-a ao redor do meu corpo. Seu perfume ainda está entranhado no linho, e logo esqueço minha preocupação com a limpeza do plugue anal. Ele deixa tudo em cima da cômoda, pega minha mão e, destrancando a porta do quarto de jogos, me conduz para fora dali, descendo as escadas. Eu me deixo levar.

A ansiedade, o mau humor, a emoção, o medo e a excitação da perseguição — tudo sumiu. Sinto-me relaxada; finalmente saciada e tranquila. Quando entramos no banheiro, bocejo alto e me espreguiço... à vontade comigo mesma, para variar.

— O que foi? — pergunta Christian ao abrir a torneira.

Balanço a cabeça em negativa.

— Conte para mim — pede ele, suavemente.

Vejo-o despejar óleo de banho de jasmim na água, inebriando o ambiente com o aroma doce e sensual.

Fico corada.

— Estou me sentindo melhor, só isso.

Ele sorri.

— É, hoje você estava meio estranha, Sra. Grey. — Ele ergue as costas e me pega nos braços. — Sei que você está preocupada com os acontecimentos recentes. Lamento que você tenha sido envolvida nisso. Não sei se é uma vingança, um ex-funcionário ou um concorrente. Se acontecer alguma coisa com você por minha causa... — Sua voz torna-se um sussurro doloroso. Eu o envolvo em meus braços.

— E se algo acontecer com você, Christian? — digo, expressando meu medo.

Ele me fita.

— Vamos dar um jeito. Agora tire a camisa e entre no banho.

— Você não tem que falar com o Sawyer?

— Ele pode esperar.

Sua boca se retesa, e de repente sinto pena de Sawyer. O que será que ele fez para aborrecer Christian?

Ele me ajuda a tirar a camisa e franze a testa quando me viro para ele. Meus seios ainda trazem manchas esmaecidas dos chupões da nossa lua de mel, mas decido não provocá-lo com isso.

— Será que o Ryan conseguiu alcançar o Dodge?

— Vamos saber, mas só depois do banho. Entre.

Ele me oferece a mão. Entro na água morna e perfumada e me sento aos poucos.

— Ai. — Meu ânus está sensível e a água quente me faz estremecer.

— Devagar, baby — diz Christian, mas assim que ele fala, a sensação desagradável desaparece.

Christian tira a roupa e também entra na banheira, sentando-se atrás de mim e me puxando para junto de seu peito. Eu me aninho entre as pernas dele e ficamos ali, felizes, aproveitando a água morna. Deslizo os dedos pelas suas pernas e ele brinca com a minha trança.

— Precisamos rever as plantas da casa nova. Pode ser hoje mais tarde?

— Claro.

Aquela mulher vem aqui novamente. Meu inconsciente desvia os olhos do volume três das *Obras completas de Charles Dickens* e me fuzila com o olhar. Concordo com o meu inconsciente. Suspiro. Infelizmente, as curvas de Gia Matteo são impressionantes.

— Tenho que organizar minhas coisas para voltar ao trabalho — sussurro.

Ele para tudo.

— Você sabe que não precisa voltar a trabalhar — diz ele.

Ah, não... de novo não.

— Christian, já discutimos isso. Por favor, não desenterre essa questão.

Ele puxa minha trança e meu rosto se ergue para trás.

— Só estou dizendo... — E me beija ternamente.

VISTO UMA CALÇA de moletom e uma camiseta de alça e resolvo ir pegar minhas roupas no quarto de jogos. Quando passo pelo corredor, ouço Christian aos brados no escritório. Paro na mesma hora.

— Onde é que você se meteu, porra?

Que merda. Ele está gritando com Sawyer. Meu corpo se tensiona e eu disparo para cima rumo ao quarto de jogos. Quero fugir dali para não ouvir o que Christian está dizendo a Sawyer — ainda acho assustador o Christian que grita. Coitado do Sawyer. Pelo menos eu posso gritar de volta.

Junto minhas roupas e o sapato de Christian e então reparo que a pequena tigela de porcelana com o plugue anal continua sobre a cômoda. *Bem... Acho que devo limpar isso.* Acrescento à pilha de coisas que eu já levava e desço as escadas de volta. Dou uma olhada nervosa para a sala, mas está tudo quieto. Graças a Deus.

Taylor deve voltar amanhã à noite; Christian geralmente fica mais calmo com ele por perto. Taylor foi passar os dias de hoje e amanhã com a filha. Será que algum dia vou conhecê-la?, pergunto-me distraidamente.

Dou com a Sra. Jones vindo da área de serviço. Nós duas levamos um susto.

— Sra. Grey, não tinha visto a senhora. — Ah, então agora sou a Sra. Grey!

— Olá, Sra. Jones.

— Bem-vinda, e meus parabéns. — Ela sorri.

— Por favor, me chame de Ana.

— Sra. Grey, eu não ficaria à vontade.

Ah! Por que tudo deve mudar apenas pelo fato de eu ter um anel no dedo?

— A senhora gostaria de conferir o cardápio para a semana? — pergunta ela, demonstrando certa expectativa.

Cardápio?

— Hmm... — Essa é uma pergunta que eu nunca imaginei ouvir.

Ela sorri.

— Quando comecei a trabalhar para o Sr. Grey, todo domingo à noite ele repassava comigo o cardápio para a semana e fazia uma lista do que eu teria que comprar no mercado.

— Entendo.

— Quer que eu leve isso para a senhora?

Ela estende as mãos para pegar as roupas.

— Ah... hum. Na verdade, ainda vou usar essas coisas.

E as roupas estão escondendo o potinho com o plugue! Fico vermelha. É impressionante que eu ainda possa encarar a Sra. Jones. Ela sabe o que fazemos — ela limpa o quarto de jogos. Credo, que esquisito não ter privacidade.

— Quando quiser, Sra. Grey. Vai ser ótimo repassar as coisas com a senhora.

— Obrigada.

Somos interrompidas por um Sawyer lívido, que sai do escritório de Christian e atravessa a sala a passos largos. Ele nos cumprimenta rapidamente, sem encarar a nenhuma de nós duas, e se refugia no escritório de Taylor. Fico aliviada com sua aparição, pois no momento não estou muito a fim de conversar sobre cardápios ou plugues anais com a Sra. Jones. Dando-lhe um breve sorriso, volto apressadamente para o quarto. Será que algum dia vou me acostumar a ter criados em casa à minha disposição? Balanço a cabeça... um dia, quem sabe.

Jogo os sapatos de Christian no chão e minhas roupas na cama, e levo para o banheiro o potinho com o plugue anal. Observo desconfiada o pequeno objeto. Parece inofensivo e surpreendentemente limpo. Para acabar logo com isso, lavo-o rapidamente com água e sabão. Será suficiente? Vou ter que perguntar ao Sr. Especialista em Sexo se deve ser esterilizado ou algo do gênero. Sinto um arrepio só de pensar.

GOSTEI DE CHRISTIAN ter deixado a biblioteca para o meu uso. Agora ela está mobiliada com uma bela escrivaninha de madeira branca onde posso trabalhar. Pego meu laptop e verifico as anotações que fiz sobre os cinco manuscritos que li durante nossa lua de mel.

Pronto, tenho tudo de que preciso. Uma parte de mim está apreensiva com a volta ao trabalho, mas jamais poderei confessar isso a Christian. Ele aproveitaria a oportunidade para me fazer sair de lá. Lembro-me da reação apoplética de Roach quando lhe contei que ia me casar e com quem, e também de que, pouco tempo depois, meu cargo foi confirmado. Percebo agora que era porque eu ia me casar com o chefe. Não é um pensamento bem-vindo. Não sou mais assistente — sou Anastasia Steele, editora.

Ainda não encontrei coragem para contar a Christian que não vou mudar meu nome no trabalho. Acho meus motivos consistentes. Preciso manter alguma distância dele, mas sei que vai dar briga quando ele finalmente descobrir. Talvez eu deva discutir isso com ele à noite.

Ajeitando-me na cadeira, dou início à minha última tarefa do dia. Verifico relógio digital do laptop, que indica serem sete horas da noite. Christian ainda não saiu do escritório, então tenho algum tempo. Retiro o cartão de memória da câmera Nikon e o conecto ao laptop para transferir as fotos. Enquanto espero as fotos descarregarem, reflito sobre o que se passou no dia. Será que Ryan já voltou? Ou ainda está a caminho de Portland? Será que ele alcançou a tal mulher misteriosa? Será que Christian teve notícias dele? Queria algumas respostas. Não me importa que Christian esteja ocupado; quero saber o que está acontecendo, e subitamente me sinto um pouquinho ressentida por ele me manter no escuro. Então eu me levanto, com a intenção de confrontá-lo no seu escritório, mas justo nesse momento as fotos dos últimos dias de nossa lua de mel começam a surgir na tela.

Caramba!

Milhares de fotos minhas. Dormindo, muitas fotos em que estou dormindo, meu cabelo caído no rosto ou espalhado no travesseiro, os lábios entreabertos... droga — chupando o dedo. Não chupo o dedo há anos! Tantas fotos... Eu não tinha ideia de que ele tinha tirado isso tudo. Tem algumas sequências longas e meigas, entre elas uma em que estou debruçada sobre a amurada do iate, o olhar perdido à frente. Como eu não notei que estava sendo fotografada? Não contenho um sorriso quando me vejo enroscada por baixo dele, rindo — meu cabelo voando enquanto tento me desvencilhar dos seus dedos, que me atormentavam com as cócegas. E há uma outra de nós dois na cama da cabine, que ele mesmo tirou, esticando o braço. Estou aninhada em seu peito e ele olha para a câmera, um ar jovem, os olhos bem abertos... apaixonado. Sua outra mão está apoiada na minha cabeça, e eu sorrio como uma boba louca de amor, sem conseguir desviar os olhos de Christian. Ah, meu querido marido, o cabelo pós-foda todo despenteado, os olhos cinzentos brilhando, os lábios entreabertos e sorrindo. Meu lindo marido, que não suporta sentir cócegas, que não suportava ser tocado até pouco tempo mas que agora tolera meu toque. Tenho que lhe perguntar se ele gosta ou se me deixa tocá-lo não pelo seu próprio prazer, mas pelo meu.

Olho para sua imagem com as sobrancelhas franzidas, subitamente tomada pelos sentimentos que tenho por ele. Alguém em algum lugar tem a intenção de lhe fazer mal — primeiro o *Charlie Tango*, depois o incêndio na sede da empresa, e em seguida esse maldito carro nos perseguindo. Engulo em seco, levando a mão à boca quando um soluço involuntário me escapa. De um salto eu me levanto, abandonando o computador, e saio a procurá-lo — agora não mais para confrontá-lo, apenas para ter certeza de que ele está são e salvo.

Sem me dar o trabalho de bater à porta, irrompo em seu escritório. Christian está a sua mesa, falando ao telefone. Ele ergue um olhar de contrariedade e surpresa, mas a irritação em seu rosto some quando ele vê que sou eu.

— Mas então, não dá para ampliar mais? — pergunta, continuando a conversa ao telefone mas mantendo os olhos em mim.

Sem hesitação, circundo sua mesa, e ele, franzindo o cenho, vira a cadeira para ficar de frente para mim, uma expressão intrigada no rosto. Percebo que ele está pensando: O que será que ela quer? Quando monto nele, suas sobrancelhas se erguem de súbito, em surpresa. Coloco os braços em volta de seu pescoço e me aconchego em seu corpo. Ele cautelosamente me envolve com um braço.

— Hmm... É, Barney. Pode esperar um momento? — E encosta o aparelho no ombro. — Ana, aconteceu alguma coisa?

Balanço a cabeça em negativa. Levantando meu queixo, ele me olha bem nos olhos. Solto a cabeça da mão dele e a deito embaixo do seu queixo, aninhando-me ainda mais em seu colo. Intrigado, ele me aperta ainda mais em seu braço e me beija no alto da cabeça.

— Certo, Barney, o que você estava dizendo? — continua Christian, segurando o telefone contra a orelha com o ombro, e digita uma tecla no laptop.

Uma imagem granulada e em preto e branco de circuito fechado de TV surge na tela, revelando um homem de cabelo escuro vestindo um macacão claro. Christian pressiona outra tela e o homem está caminhando em direção à câmera, mas de cabeça baixa. Quando ele se aproxima, Christian congela a imagem. É uma sala branca e muito iluminada, e à esquerda do homem vemos o que parece ser uma série de armários escuros. Deve ser a sala dos servidores da empresa.

— Ok, Barney, mais uma vez.

A tela ganha vida. Uma janela aparece em volta da cabeça do homem na gravação do circuito fechado e de repente é ampliada. Eu levanto o corpo, fascinada.

— É o Barney que está fazendo isso? — pergunto baixinho.

— É — responde Christian. — Tem como definir melhor a foto? — pergunta ele a Barney.

A imagem fica borrada mas depois ganha foco novamente, definindo um pouco melhor o homem que propositadamente olha para baixo, evitando a câmera. Enquanto o observo, sinto na espinha um calafrio de reconhecimento. Há algo de familiar na linha do seu maxilar. Ele tem um cabelo estranho, é curto, preto e seboso, todo desgrenhado... e na imagem melhorada, percebo um brinco, uma argolinha.

Puta merda! Eu sei quem é.

— Christian — sussurro —, é Jack Hyde.

CAPÍTULO SETE

— Você acha? — pergunta Christian, surpreso.

— É a linha do maxilar. — Aponto para a tela. — E os brincos e o formato dos ombros. E ele tem o mesmo porte também. Deve estar usando uma peruca; ou então cortou e pintou o cabelo.

— Barney, você ouviu isso? — Christian pousa o telefone sobre a mesa e ativa o viva-voz. — Aparentemente você conhece o seu ex-chefe nos mínimos detalhes, Sra. Grey — murmura, e não parece nem um pouco satisfeito. Olho zangada para ele, mas sou salva por Barney.

— Sim, senhor, ouvi o que a Sra. Grey disse. Estou agora mesmo passando toda a gravação digitalizada do circuito fechado de TV por um software de reconhecimento de fisionomia. Vamos ver por onde mais esse filho da puta... perdão, madame: onde esse homem esteve dentro da empresa.

Olho ansiosa para Christian, que ignora o xingamento de Barney. Está examinando a foto na tela bem de perto.

— Por que ele faria isso? — pergunto a Christian.

Ele dá de ombros.

— Vingança, talvez. Não sei. Não dá para entender por que algumas pessoas se comportam de determinada maneira. Só estou com raiva de você ter trabalhado tão próxima dele. — Seus lábios se apertam, formando uma linha tensa e fina, e ele passa o braço pela minha cintura.

— Temos também o conteúdo do hard drive dele, senhor — acrescenta Barney.

— Sim, eu me lembro. Você tem o endereço do Sr. Hyde? — pergunta Christian, rispidamente.

— Tenho sim, senhor.

— Alerte Welch.

— Com certeza. Também vou dar uma olhada nas imagens das câmeras de segurança da cidade e ver se consigo rastrear os movimentos dele.

— Procure saber qual é o carro dele.

— Sim, senhor.

— Barney pode fazer tudo isso? — sussurro.

Christian faz que sim e abre um sorriso presunçoso.

— O que tem no hard drive? — sussurro.

O rosto de Christian se endurece e ele balança a cabeça.

— Nada de mais — diz, os lábios apertados, o sorriso fechado.

— Conte.

— Não.

— É sobre você ou sobre mim?

— Sobre mim. — Ele suspira.

— Que tipo de coisa? Seu estilo de vida?

Christian balança a cabeça em negativa e encosta o dedo indicador nos meus lábios para me fazer calar a boca. Faço cara feia para ele. Mas ele aperta os olhos, e é um aviso claro de que devo segurar a língua.

— É um Camaro 2006. Vou mandar os detalhes para Welch também — diz Barney, animadamente, ao telefone.

— Ótimo. Quero que você me avise em que outros lugares do meu prédio esse canalha andou. E compare essa imagem com a foto que consta no arquivo de funcionários da SIP. — Christian me encara, cético. — Quero ter certeza de que é ele.

— Já fiz isso, senhor, e a Sra. Grey tem razão. É mesmo Jack Hyde.

Abro um sorriso largo. *Viu?* Posso ser útil. Christian acaricia minhas costas.

— Muito bem, Sra. Grey. — Ele sorri, o rancor de antes já esquecido. E, dirigindo-se a Barney, diz: — Quero que me informe quando tiver rastreado todos os movimentos dele no QG. E também verifique se ele teve acesso a outras propriedades da GEH e avise à equipe de segurança para que possam fazer outra varredura em todos os prédios.

— Sim, senhor.

— Obrigado, Barney. — Christian desliga.

— Ora, ora, Sra. Grey, parece que você não é só decorativa, mas útil também.

Seus olhos se iluminam com uma expressão de diversão maldosa. Sei que ele está me provocando.

— Decorativa? — zombo, entrando na provocação.

— Muito — fala ele baixinho, plantando um selinho carinhoso em meus lábios.

— Você é muito mais decorativo do que eu, Sr. Grey.

Ele sorri e me beija com mais força, enrolando minha trança no seu pulso e me envolvendo em seus braços. Quando paramos para tomar fôlego, meu coração está disparado.

— Está com fome? — pergunta ele.

— Não.

— Eu estou.

— Fome de quê?

— Bem... De comida, na verdade.

— Vou preparar alguma coisa para você. — Dou uma risadinha.

— Adoro ouvir isso.

— Eu oferecendo comida para você?

— Você rindo.

Ele beija meu cabelo e eu me levanto.

— E então, o que gostaria de comer, senhor? — pergunto docemente.

Ele aperta os olhos.

— Está sendo gentil, Sra. Grey?

— Sempre, Sr. Grey.

Ele abre um sorriso de esfinge.

— Olhe que ainda posso deitar você no meu joelho — murmura ele, sedutoramente.

— Eu sei. — Sorrio. E, apoiando-me nos braços da sua cadeira, inclino-me e lhe dou um beijo. — Essa é uma das coisas que eu amo em você. Mas guarde as palmadas para depois. Agora você está com fome.

Ele abre seu sorriso de menino, e meu coração se derrete.

— Ah, Sra. Grey, o que eu vou fazer com você?

— Vai responder à minha pergunta: o que quer comer?

— Alguma coisa leve. Surpreenda-me — diz ele, repetindo minhas palavras no quarto de jogos hoje mais cedo.

— Vou ver o que posso fazer.

Saio rebolando do escritório e vou à cozinha. Mas desanimo quando encontro a Sra. Jones lá.

— Olá, Sra. Jones.

— Sra. Grey. Quer comer algo?

— Hmm...

Ela está mexendo uma panela no fogão, algo com um cheiro delicioso.

— Eu ia fazer sanduíches para o Sr. Grey e para mim.

Ela faz uma pausa por uma fração de segundo.

— Claro — diz ela. — O Sr. Grey gosta de baguete. Tem no congelador já cortada para sanduíche. Posso preparar para a senhora, madame.

— Eu sei. Mas eu gostaria de fazer.

— Entendo. Vou abrir um espaço para a senhora.

— O que está cozinhando?

— Molho à bolonhesa. Vocês podem usar a qualquer momento. Vou congelar. — Ela sorri calorosamente e abaixa o fogo.

— Hmm... De que o Christian gosta quando vai comer... um sanduíche?

Fico meio constrangida com o que acabei de falar. Será que a Sra. Jones vai entender o duplo sentido?

— A senhora pode usar qualquer coisa, desde que seja na baguete ele vai comer.

Sorrimos uma para a outra.

— Tudo bem, obrigada.

Vou até o congelador e pego o pão já cortado, embalado em um saco ziploc. Ponho dois pedaços em um prato, enfio no micro-ondas e coloco para descongelar.

A Sra. Jones desapareceu. Franzo a testa e volto para a geladeira para procurar ingredientes. Suponho que dependerá de mim estabelecer os parâmetros sob os quais eu e a Sra. Jones vamos operar. Gosto da ideia de cozinhar para Christian nos fins de semana. Será ótimo ter a Sra. Jones para se ocupar dessa tarefa durante a semana — a última coisa que eu vou querer fazer quando chegar do trabalho vai ser cozinhar. Hmm... Um pouco como a rotina de Christian com suas submissas. Balanço a cabeça. Não devo pensar muito nisso. Encontro presunto na geladeira e um abacate perfeitamente maduro.

Quando estou adicionando uma pitada de sal e gotas de limão ao abacate amassado, Christian surge do escritório com as plantas da casa nova nas mãos. Ele as coloca no balcão, vem todo alegre até onde estou e me abraça, beijando meu pescoço.

— Descalça e na cozinha — murmura ele.

— O comentário machista não é descalça e grávida na cozinha? — Abro um sorriso malicioso.

Ele fica imóvel, o corpo inteiro tenso contra o meu.

— Ainda não — declara ele, com uma evidente apreensão na voz.

— Não! Ainda não!

Ele relaxa.

— Nisso nós concordamos, Sra. Grey.

— Mas você quer filhos, não quer?

— Quero, claro. Mais para a frente. Ainda não estou pronto para dividir você. — E beija meu pescoço de novo.

Ah... *dividir?*

— O que você está fazendo? Parece gostoso.

Ele me beija atrás da orelha, e sei que é para me distrair. Um arrepio delicioso desce pela minha espinha.

— Coisas gostosas de comer. — Sorrio maliciosamente, recuperando meu senso de humor.

Ele sorri contra meu pescoço e mordisca o lóbulo da minha orelha.

— Meu prato preferido.

Dou uma cotovelada nele.

— Sra. Grey, assim você me machuca. — Ele aperta a lateral do corpo como se estivesse sentindo dor.

— Fracote — murmuro, em tom de desaprovação.

— Fracote? — repete ele, sem acreditar. E dá uma palmada na minha bunda, fazendo-me soltar um gritinho. — Ande logo com a minha comida, criada. E mais tarde vou lhe mostrar o fracote que eu sou. — Ele me dá mais uma palmada de brincadeira e vai até a geladeira. — Quer uma taça de vinho?

— Por favor.

Christian espalha sobre o balcão da cozinha as plantas feitas por Gia. Ela realmente tem ideias espetaculares.

— Adoro a proposta de fazer a parede atrás da escada toda de vidro, mas...

— Mas? — ele logo indaga.

Suspiro.

— Não quero perder todo o caráter da casa.

— Caráter?

— É. O que a Gia está propondo é bem radical, mas... bem... eu me apaixonei pela casa como ela é... com seus defeitos e qualidades.

A testa de Christian franze como se isso fosse um anátema para ele.

— Eu meio que gosto do jeito que é — sussurro. Será que isso vai irritá-lo?

Ele me observa fixamente.

— Quero que essa casa seja do jeito que você quiser. O que você quiser. Ela é sua.

— Eu quero que você também goste da casa. Que também fique feliz lá.

— Vou ficar feliz onde você estiver. É simples assim, Ana.

Seu olhar sustenta o meu. Ele está sendo sincero, inteiramente sincero. Apenas o olho, sentindo meu coração se expandir. *Nossa, ele realmente me ama.*

— Bem — engulo em seco, brigando com o pequeno nó de emoção preso na garganta —, eu gosto da parede de vidro. Talvez possamos pedir a ela para incorporar na casa de uma maneira mais harmoniosa.

Christian sorri.

— Claro. O que você quiser. O que acha das plantas para o andar de cima e para o porão?

— Isso eu achei legal.

— Ótimo.

Ok... Fico toda tensa para fazer a pergunta de um milhão de dólares:

— Quer acrescentar um quarto de jogos?

Sinto o rubor tão familiar aparecer no meu rosto quando lanço a pergunta. As sobrancelhas de Christian se erguem imediatamente.

— Você quer? — replica ele, surpreso e ao mesmo tempo se divertindo com a discussão.

Dou de ombros.

— Ah… Se você quiser.

Ele me analisa por um momento.

— Por enquanto vamos deixar nossas opções em aberto. Afinal, vai ser uma casa de família.

Fico surpresa com o desapontamento que sinto. Acho que ele tem razão… Mas quando será que teremos uma família? Pode levar anos.

— Além disso, podemos improvisar.

— Eu gosto de improvisos — sussurro.

Ele dá um grande sorriso.

— Tem mais uma coisa que eu quero discutir com você.

Christian aponta para o nosso quarto, e começamos uma discussão detalhada sobre os banheiros e os closets separados.

QUANDO TERMINAMOS, são nove e meia da noite.

— Vai voltar a trabalhar? — pergunto enquanto Christian enrola as plantas.

— Se você não quiser, eu não volto. — Ele sorri. — O que quer fazer?

— Podíamos ficar vendo TV.

Não quero ler nem ir para a cama… ainda não.

— Tudo bem — concorda Christian prontamente, e vamos juntos até a sala de TV.

Já ficamos sentados aqui umas três vezes, talvez quatro, e Christian em geral lê um livro. Ele não se interessa nem um pouco por televisão. Eu me aconchego ao seu lado no sofá, sentada em cima das minhas pernas dobradas e descansando a cabeça em seu ombro. Ele liga a TV de tela plana com o controle remoto e zapeia despreocupadamente pelos canais.

— Alguma bobagem específica que você queira ver?

— Você não gosta muito de TV, não é? — murmuro sardonicamente.

Ele balança a cabeça.

— Perda de tempo. Mas vou ver alguma coisa com você.

— Achei que podíamos dar uns amassos.

Ele vira o rosto rapidamente para mim.

— Amassos? — E me encara como se eu tivesse duas cabeças. Até interrompe a interminável troca de canais, parando numa novela espanhola de imagem estourada.

— É. — *Por que ele parece tão horrorizado?*

— Podemos ir para a cama e dar uns amassos.

— A gente faz isso o tempo todo. Quando foi a última vez que você deu uns amassos em frente à TV? — pergunto, tímida e provocante ao mesmo tempo.

Ele dá de ombros e balança a cabeça. Apertando o controle remoto de novo, troca mais alguns canais antes de escolher um episódio antigo de *Arquivo X*.

— Christian?

— Eu nunca fiz isso — diz calmamente.

— Nunca?

— Não.

— Nem mesmo com a Mrs. Robinson?

Ele faz um som de desprezo.

— Baby, eu fiz muitas coisas com a Mrs. Robinson. Dar uns amassos não foi uma delas. — Ele sorri maliciosamente para mim e então aperta os olhos com uma curiosidade divertida. — Você já fez?

Fico corada.

— Claro. — Bem, mais ou menos...

— O quê? Com quem?

Ah, não. Não quero ter essa conversa.

— Conte para mim — insiste ele.

Olho para meus dedos entrelaçados. Ele delicadamente cobre minhas mãos com a dele. Quando levanto os olhos, ele está sorrindo para mim.

— Quero saber. Para eu fazer esse cara em pedacinhos, seja quem for.

Dou uma risada.

— Bem, a primeira vez...

— A primeira vez! Teve mais de um canalha? — rosna ele.

Dou outro risinho.

— Por que a surpresa, Sr. Grey?

Ele franze a testa por um instante, passa a mão no cabelo e me olha como se me visse por uma luz completamente diferente. Depois dá de ombros.

— Só estou surpreso. Quer dizer... dada a sua pouca experiência.

Fico corada.

— Já me atualizei bastante desde que estamos juntos.

— É verdade. — Ele sorri. — Mas conte. Quero saber.

Encaro seus pacientes olhos cinzentos, tentando descobrir qual o seu estado de espírito. Será que isso vai deixá-lo aborrecido ou será que ele quer mesmo saber? Não quero vê-lo irritado... Ele fica impossível quando está irritado.

— Você realmente quer que eu diga?

Ele faz que sim com a cabeça, apenas uma vez, e seus lábios se torcem em um sorriso arrogante e bem-humorado.

— Morei por pouco tempo no Texas com a minha mãe e o Marido Número Três dela. Eu estava no segundo ano do ensino médio. O nome dele era Bradley. Era a minha dupla no laboratório de física.

— Quantos anos você tinha?

— Quinze.

— E o que ele está fazendo agora?

— Não sei.

— E até onde vocês chegaram?

— Christian! — repreendo-o.

E de repente ele agarra meus joelhos, depois meus tornozelos, e me levanta de modo a me fazer cair de costas no sofá, para depois colocar-se suavemente sobre mim, prendendo-me embaixo de si, uma perna entre as minhas. É tão rápido que eu grito de surpresa. Ele pega minhas mãos e as levanta acima da minha cabeça.

— Então, esse Bradley... Ele levou a bola até a grande área? — murmura ele, roçando o nariz pelo meu e me dando beijinhos suaves no canto da boca.

— Levou — digo contra sua boca.

Ele solta uma das mãos para poder apertar meu queixo e me segurar enquanto sua língua invade a minha boca, e eu me entrego ao seu beijo ardente.

— Assim? — sussurra Christian ao tomar fôlego.

— Não... nada parecido — respondo, e todo o meu sangue parece fluir para o sul do meu corpo.

Soltando meu queixo, ele percorre meu corpo com a mão e chega até os seios.

— Ele fez isso? Tocou você assim?

Seu polegar desliza por sobre a minha blusa em meu mamilo, suave e repetidamente, até deixá-lo enrijecido com seu toque hábil.

— Não. — Eu me contorço embaixo dele.

— Ele chegou a passar pela marca do pênalti? — murmura ele no meu ouvido.

Sua mão desce para minhas costelas, passa pela minha cintura e vai até meus quadris. Ele pega um lóbulo da minha orelha com os dentes e puxa delicadamente.

— Não — sussurro.

Na TV, Mulder fala alguma coisa sobre os elementos mais indesejados do FBI. Christian para, levanta o corpo e aperta o "mudo" no controle remoto. Depois me olha.

— E o sujeito número dois? Chegou à marca do pênalti com você?

Seus olhos ardem em fogo... Irado? Excitado? É difícil dizer. Ele desliza o corpo para o meu lado e leva a mão para dentro da minha calça de moletom.

— Não — sussurro, presa no seu olhar carnal. Christian sorri maldosamente.

— Ótimo. — Ele coloca a mão no meu sexo. — Sem calcinha, Sra. Grey. Aprovado.

Ele me beija de novo à medida que seus dedos se mexem de maneira mais mágica, seu polegar deslizando sobre meu clitóris, provocando-me, enquanto empurra o dedo indicador para dentro de mim com uma lentidão primorosa.

— Eu só queria dar uns amassos — digo, gemendo.

Christian para.

— Não é o que estamos fazendo?

— Não. Sem sexo.

— O quê?

— Sem sexo...

— Sem sexo, é? — Ele tira a mão da minha calça. — Aqui.

Ele passa o indicador nos meus lábios, e sinto meu gosto salgado e pegajoso. Empurra o dedo para dentro da minha boca, imitando o que estava fazendo no minuto anterior. Então se vira e fica entre minhas pernas, sua ereção me pressionando. Dá estocadas uma, duas vezes, e de novo. Fico ofegante quando sua calça roça em mim do jeito certo. Ele empurra mais uma vez, espremendo-se contra meu corpo.

— É isso que você quer? — murmura ele, e move os quadris ritmadamente, se balançando contra mim.

— Isso — gemo.

Sua mão volta a se concentrar no meu mamilo e seus dentes arranham meu maxilar.

— Você tem ideia de como é gostosa, Ana?

Sua voz está rouca, e ele se movimenta com mais violência contra mim. Abro a boca para articular uma resposta, mas fracasso miseravelmente, gemendo alto. Ele captura minha boca mais uma vez, prendendo meu lábio inferior com os dentes antes de enfiar a língua de novo. Então solta meu outro pulso, e minhas mãos sobem avidamente pelos seus ombros e pelo seu cabelo enquanto nos beijamos. Quando puxo seu cabelo, ele geme e me olha nos olhos.

— Ah...

— Você gosta que eu toque em você? — sussurro.

Suas sobrancelhas se franzem rapidamente, como se ele não entendesse a pergunta. Ele para de pressionar o corpo contra o meu.

— Claro que sim. Eu adoro que você me toque, Ana. Sou como um homem faminto em um banquete quando se trata do seu toque. — Sua voz transmite uma sinceridade apaixonada.

Minha Nossa...

Ele se ajoelha entre as minhas pernas e me ergue para poder tirar minha blusa. Estou sem nada embaixo. Agarrando a barra da própria camisa, ele a passa por cima da cabeça e a joga no chão. Depois, ainda de joelhos, arrasta-me para o seu colo, os braços enganchados logo acima da minha bunda.

— Toque em mim — sussurra.

Caramba... Hesitantemente, estendo o braço e com as pontas dos dedos acaricio os pelos do seu peito sobre seu esterno, onde estão as cicatrizes das queimaduras. Ele inspira forte e suas pupilas dilatam, mas não é de medo. É uma resposta sensual ao meu toque. Ele me observa com atenção enquanto meus dedos dançam delicadamente sobre sua pele, primeiro em um mamilo e depois no outro. Eles se contraem com minhas carícias. Curvando-me para a frente, distribuo beijos suaves pelo peito dele, e minhas mãos se movem para seus ombros, sentindo as linhas firmes e definidas dos músculos e dos tendões. Uau... Ele está em boa forma.

— Eu quero você — murmura ele, acendendo o sinal verde para a minha libido.

Meus dedos penetram por entre seu cabelo, puxando sua cabeça para trás para que eu possa ter acesso a sua boca, o fogo queimando alto e quente na minha barriga. Ele geme e me empurra de volta para o sofá, depois senta-se e arranca minha calça, abrindo a braguilha da dele ao mesmo tempo.

— Gol — sussurra, e rapidamente me preenche.

— Ah... — gemo, e ele para, segurando meu rosto entre as mãos.

— Eu amo você, Sra. Grey — murmura ele, e muito devagar, muito gentilmente, faz amor comigo até que eu desabe, gritando seu nome e me enroscando em volta dele, não querendo nunca soltá-lo.

Estou deitada esparramada sobre seu peito. Estamos no chão da sala de TV.

— Sabe, você ignorou completamente a pequena área. — Meus dedos traçam uma linha nos seus músculos peitorais.

Ele ri.

— Fica para a próxima. — E me dá um beijo no alto da cabeça.

Olho para a tela da televisão, que está passando os créditos finais do *Arquivo* X. Christian alcança o controle remoto e coloca som de novo.

— Você gostava dessa série? — pergunto.

— Quando eu era criança.

Ah... Christian criança... kickboxing, *Arquivo* X e nenhum toque.

— E você? — pergunta ele.

— Não é da minha época.

— Você é tão jovem. — Christian sorri carinhosamente. — Eu gosto de dar uns amassos em você, Sra. Grey.

— Digo o mesmo, Sr. Grey.

Beijo seu peito, e ficamos deitados em silêncio vendo o *Arquivo* X terminar e começarem os comerciais.

— Foram três semanas perfeitas. Apesar da perseguição de carro, do incêndio e do ex-chefe psicopata. Foi como se estivéssemos numa bolha, só nós dois — murmuro sonhadoramente.

— Hmm... — sussurra Christian, do fundo da garganta. — Não sei se já estou pronto para dividir você com o resto do mundo.

— Amanhã voltamos à realidade — falo baixo, tentando disfarçar a melancolia em minha voz.

Christian suspira e passa a outra mão pelo cabelo.

— A segurança vai ficar mais rigorosa... — diz ele, mas levo o dedo aos seus lábios. Não quero ouvir isso de novo.

— Eu sei. Vou ficar bem. Prometo. — O que me faz lembrar... Mudo de posição, apoiando-me nos cotovelos para vê-lo melhor. — Por que você estava brigando com o Sawyer?

Ele enrijece o corpo imediatamente. *Ah, merda.*

— Porque nós fomos seguidos.

— Não foi culpa dele.

Ele me fita, nossos olhos no mesmo nível.

— Eles nunca deveriam ter deixado que você se afastasse tanto. Eles sabem disso.

Fico corada de culpa e volto à minha posição anterior, descansando no seu peito. Foi culpa minha. Eu é que queria me afastar deles.

— Isso não foi...

— Chega! — diz Christian, de repente rude. — Isso não está em discussão, Anastasia. É um fato, e eles não vão deixar que aconteça de novo.

Anastasia! Sou Anastasia quando levo bronca, assim como acontecia em casa com a minha mãe.

— Tudo bem — murmuro, acalmando-o. Não quero brigar. — O Ryan conseguiu alcançar a mulher no Dodge?

— Não. E não estou convencido de que era uma mulher.

— É mesmo? — Olho para cima de novo.

— O Sawyer viu alguém de cabelo preso, mas ele olhou rápido. Deduziu que fosse uma mulher. Mas agora que você identificou aquele filho da mãe, talvez fosse ele. Ele usava o cabelo daquele jeito. — O asco na voz de Christian é palpável.

Não sei o que fazer com essas novidades. Christian passa a mão pelas minhas costas nuas, distraindo-me.

— Se acontecesse alguma coisa com você... — murmura ele, os olhos arregalados e sérios.

— Eu sei — sussurro. — Sinto o mesmo em relação a você. — Eu me arrepio só de pensar.

— Venha. Você está ficando com frio — diz ele, erguendo o corpo para sentar-se. — Vamos para a cama. Podemos passar pela pequena área lá.

Ele sorri maliciosamente, mais instável do que nunca, apaixonado, zangado, ansioso, sexy — meu Cinquenta Tons. Pego sua mão e ele me puxa para me levantar, e, sem um pedaço de pano sequer no corpo, sigo-o pela sala até o quarto.

NA MANHÃ SEGUINTE, Christian aperta minha mão quando paramos o carro em frente à SIP. Ele tem toda a aparência do executivo poderoso que é, com seu terno azul-marinho e uma gravata da mesma cor, e eu sorrio. Ele não se vestia assim tão chique desde o balé de Monte Carlo.

— Você sabe que não precisa fazer isso, não sabe? — murmura Christian. Fico tentada a revirar os olhos para ele, impaciente.

— Eu sei — sussurro, pois não quero que Sawyer e Ryan, sentados no banco da frente do Audi, nos ouçam. Ele franze a testa e eu sorrio. — Mas é o que eu quero — continuo. — Você sabe disso. — Eu me inclino para lhe dar um beijo, mas sua expressão preocupada não desaparece. — O que foi?

Ele olha de soslaio para Ryan, um tanto incerto, e Sawyer salta do carro.

— Vou sentir falta de ter você só para mim.

Acaricio seu rosto.

— Eu também. — Dou-lhe um beijo. — Foi uma lua de mel maravilhosa. Obrigada.

— Vá trabalhar, Sra. Grey.

— Você também, Sr. Grey.

Sawyer abre a porta. Aperto a mão de Christian mais uma vez antes de saltar para a calçada. Ao entrar no prédio, dou-lhe um pequeno aceno. Sawyer abre a porta para mim e me segue até lá dentro.

— Oi, Ana. — Claire sorri atrás da mesa da recepção.

— Claire, olá. — Sorrio de volta.

— Você parece ótima. Como foi a lua de mel?

— Foi excelente, obrigada. Como vão as coisas por aqui?

— O velho Roach está o mesmo, só a segurança que foi intensificada e a nossa sala dos servidores está sendo inspecionada. Mas a Hannah vai contar tudo para você.

Claro que vai. Abro um sorriso amigável para Claire e vou para a minha sala.

Hannah é minha assistente. Ela é alta, magra e tão eficiente que às vezes me intimida um pouco. Mas ela é um doce comigo, apesar de ser uns dois anos mais velha que eu. Minha xícara de café com leite já está à minha espera — o único café que eu admito que ela pegue para mim.

— Oi, Hannah — digo calorosamente.

— Ana, como foi a lua de mel?

— Fantástica. Aqui… Para você.

Coloco na mesa o pequeno frasco de perfume que lhe trouxe de presente, e ela bate palmas de alegria.

— Ah, obrigada! — diz, empolgada. — A correspondência urgente está na sua mesa e o Roach quer falar com você às dez. Por enquanto é só.

— Ótimo. Obrigada. E obrigada também pelo café.

Entro na minha sala, apoio a maleta na mesa e olho para a pilha de cartas. Tenho muito o que fazer.

Pouco antes das dez horas ouço batidas tímidas na porta.

— Entre.

Elizabeth enfia a cabeça no vão da porta.

— Oi, Ana. Só queria lhe dar as boas-vindas.

— Oi. Devo admitir que, lendo toda essa correspondência, eu preferia voltar para o sul da França.

Elizabeth ri, mas sua risada é forçada. Inclino a cabeça para o lado e a encaro da mesma maneira que Christian faz comigo.

— Que bom que você voltou e que está bem — diz ela. — A gente se vê daqui a pouco, na reunião com o Roach.

— Ok — murmuro, e ela sai e fecha a porta.

Franzo a testa quando me vejo sozinha. *O que foi isso?* Dou de ombros, descartando o pensamento. Meu e-mail soa um alarme discreto — mensagem de Christian.

De: Christian Grey

Assunto: Esposas malcomportadas

Data: 22 de agosto de 2011 09:56

Para: Anastasia Steele

Esposa,

Mandei o e-mail abaixo e ele voltou.

Foi porque você não trocou o seu nome.

Quer me dizer alguma coisa?

Christian Grey

CEO, Grey Enterprises Holdings, Inc.

Anexado:

De: Christian Grey
Assunto: FW: Bolha
Data: 22 de agosto de 2011 09:32
Para: Anastasia Grey

Sra. Grey,

Adorei todos aqueles dribles e lances de futebol ontem à noite.

Tenha uma boa volta ao trabalho.

Já estou com saudades da nossa bolha.

Bj,

Christian Grey
CEO de Volta ao Mundo Real, Grey Enterprises Holdings, Inc.

Merda. Aperto o "responder" imediatamente.

De: Anastasia Steele
Assunto: Não Estoure a Bolha
Data: 22 de agosto de 2011 09:58
Para: Christian Grey

Marido,

Adoro suas metáforas de futebol, Sr. Grey.

Quero manter meu nome de solteira aqui.

Explico melhor hoje à noite.

Estou indo para uma reunião.

Também sinto falta da nossa bolha...

P.S.: Achei que eu tivesse que usar meu BlackBerry

Anastasia Steele
Editora, SIP

Isso vai dar briga. Já estou até vendo. Dou um suspiro e separo os papéis para a reunião.

A reunião dura duas horas. Todos os editores estão presentes, além de Roach e Elizabeth. Discutimos questões de pessoal, estratégias, marketing, segurança e fim de ano. À medida que a reunião prossegue, fico cada vez mais desconfortável. Há uma sutil mudança na maneira como todos me tratam — uma distância e uma deferência que não existiam antes de eu sair em lua de mel. E por parte de Courtney, que gerencia o setor de não ficção, sinto uma hostilidade aberta. Talvez eu esteja apenas sendo paranoica, mas de certa forma explica as estranhas boas-vindas de Elizabeth hoje mais cedo.

Minha mente se perde e volta para o iate, depois para o quarto de jogos, e para o R8 fugindo veloz do misterioso Dodge na Interestadual 5. Talvez Christian tenha razão... Talvez eu não possa mais fazer isso. Essa ideia me deprime — isso é tudo que eu sempre quis fazer. Se eu não puder continuar aqui, o que vou fazer? Ao retornar para a minha sala, tento me livrar desses pensamentos sombrios.

De volta à minha mesa, checo rapidamente meus e-mails. Nenhuma mensagem nova de Christian. Pego o BlackBerry... Também nada. Bom. Pelo menos não houve uma reação adversa ao meu e-mail. Talvez possamos conversar sobre isso hoje à noite, como eu pedi. Acho difícil de acreditar, mas, ignorando meu sentimento de desconforto, abro o plano de marketing que me foi entregue durante a reunião.

Como é nosso ritual na segunda-feira, Hannah vem até a minha sala trazendo um prato com o meu almoço embalado, cortesia da Sra. Jones, e enquanto almoçamos juntas, discutimos as metas da semana. Ela também me atualiza das fofocas do escritório, que aliás — considerando que estive fora por três semanas — são bem escassas. Estamos conversando quando batem à porta.

— Pode entrar.

Roach abre a porta e ao seu lado está Christian. Fico momentaneamente muda. Christian me lança um olhar flamejante e entra, antes de sorrir educadamente para Hannah.

— Olá, você deve ser a Hannah. Sou Christian Grey — diz ele.

Hannah fica de pé meio desajeitada e estende a mão.

— Sr. Grey. P-prazer em conhecê-lo — gagueja ela ao apertar sua mão. — Posso lhe trazer um café?

— Por favor — responde ele, calorosamente.

Com um rápido e confuso olhar para mim, ela sai depressa da sala, passando por Roach, que está parado à porta tão mudo quanto eu.

— Se me der licença, Roach, eu gostaria de ter uma palavra com a *Srta.* Steele. — Ele pronuncia o "senhorita" lentamente... Sarcasticamente.

É por isso que ele está aqui... Ah, merda.

— Claro, Sr. Grey. Ana — murmura Roach, fechando a porta da minha sala ao sair.

Recupero a fala:

— Sr. Grey, que bom ver você. — Sorrio com extrema doçura.

— *Srta.* Steele, posso me sentar?

— A empresa é sua. — E indico a cadeira que Hannah acabou de vagar.

— De fato.

Ele sorri ferozmente para mim, mas seus olhos permanecem frios. Seu tom é ríspido. Ele está todo arrepiado de tensão — posso senti-la ao meu redor. *Merda.* Meu coração se aperta.

— Sua sala é bem pequena — diz ele ao se sentar à mesa de frente para mim.

— É o suficiente.

Ele me olha de maneira neutra, mas sei que está zangado. Respiro fundo. Isso não vai ser divertido.

— Então, o que posso fazer por você, Christian?

— Estou apenas conferindo meus bens.

— Seus bens? Todos eles?

— Todos eles. Alguns precisam de um reposicionamento.

— Reposicionamento? De que maneira?

— Acho que você sabe. — Sua voz é ameaçadoramente calma.

— Por favor... Não me diga que você interrompeu seu dia de trabalho depois de três semanas ausente para vir até aqui e brigar comigo por causa do meu nome. — *Eu não sou um maldito bem!*

Ele se ajeita na cadeira, cruza as pernas.

— Não exatamente brigar. Não.

— Christian, eu estou trabalhando.

— A mim pareceu que você estava fofocando com a sua secretária.

Minhas bochechas pegam fogo.

— Estávamos repassando nossas tarefas — falo rispidamente. — E você não respondeu à minha pergunta.

Alguém bate à porta.

— Entre! — grito, e minha voz sai muito alta.

Hannah entra trazendo uma pequena bandeja. Jarra de leite, açucareiro, café fresco em uma cafeteira francesa — pensou em tudo. Ela coloca a bandeja na minha mesa.

— Obrigada, Hannah — murmuro, envergonhada por ter gritado.

— Precisa de mais alguma coisa, Sr. Grey? — pergunta ela, sem fôlego. Minha vontade é revirar os olhos para ela, mostrando que a visita dele não me agrada.

— Não, obrigado.

E ele abre um sorriso encantadoramente sedutor. Ela enrubesce e sai sorrindo timidamente. Christian volta a atenção novamente para mim.

— Onde estávamos mesmo, *Srta.* Steele?

— Você estava interrompendo rudemente meu dia de trabalho para brigar comigo por causa do meu nome.

Christian pisca uma vez — surpreso, eu acho, pela veemência da minha voz. Cuidadosamente, ele tira uma poeira invisível do seu joelho com os dedos compridos e habilidosos. É para distrair. Ele está fazendo de propósito. Aperto os olhos para ele.

— Gosto de fazer visitas-surpresa. Mantêm os gerentes nos eixos, as esposas nos lugares. Sabe como é. — Ele dá de ombros, e sua boca vira uma linha arrogante.

Esposas nos lugares!

— Eu não sabia que você tinha tempo sobrando para isso — disparo.

Seus olhos viram gelo.

— Por que você não quer mudar seu nome aqui? — pergunta ele, a voz mortalmente calma.

— Christian, temos que discutir isso agora?

— Eu estou aqui. Não vejo por que não discutirmos logo.

— Estou cheia de coisas para fazer, trabalho acumulado das últimas três semanas.

Seus olhos estão frios e avaliadores — distantes, até. É impressionante como ele pode parecer tão frio depois de ontem à noite, depois das últimas três semanas. *Merda.* Ele deve estar furioso — furioso mesmo. Quando é que ele vai aprender a encarar as coisas de uma forma mais equilibrada?

— Você tem vergonha de mim? — pergunta ele, a voz enganosamente suave.

— Não! Christian, é claro que não. — Faço cara feia para ele. — Não tem nada a ver com você.

Caramba, ele é exasperante às vezes. Um bobo de um megalomaníaco dominador.

— Como não tem nada a ver comigo?

Ele pende a cabeça para o lado, genuinamente perplexo, um pouco do seu distanciamento escoando à medida que me encara com olhos arregalados; e eu percebo que ele está magoado. *Que merda!* Eu o magoei. Ah, não... É a última pessoa que eu quero ver magoada. Tenho que fazê-lo enxergar a lógica. Tenho que explicar a razão da minha escolha.

— Christian, quando eu assumi esse emprego, tinha acabado de conhecer você — digo pacientemente, lutando para encontrar as palavras certas. — Não sabia que você ia comprar a empresa...

O que posso dizer desse evento na nossa curta história? Suas razões para fazê-lo eram todas insanas: sua mania de controlar tudo e sua tendência a sufocar aqueles que ama, tudo completamente sem freio graças à sua espantosa riqueza. Sei que ele quer o meu bem, mas o problema fundamental aqui é o fato de ele ser dono da SIP. Se ele nunca tivesse interferido, eu poderia continuar agindo normalmente e não teria que enfrentar meus colegas de trabalho exibindo esse ar de desagrado e cochichando recriminações. Coloco a cabeça nas mãos, apenas para não precisar olhar nos olhos dele.

— Por que isso é tão importante para você? — pergunto, tentando desesperadamente manter a calma.

Encaro seu olhar impassível, seus olhos luminosos sem deixar transparecer nada, sua mágoa de antes agora escondida. Mas mesmo enquanto faço a pergunta, bem no fundo sei a resposta antes mesmo de ele dizer.

— Quero que todo mundo saiba que você é minha.

— Eu sou sua... Olhe.

Levanto a mão esquerda, mostrando minha aliança e meu anel de noivado.

— Não é suficiente.

— Não é suficiente que eu tenha me casado com você? — Minha voz é quase um suspiro.

Ele apenas pisca, registrando o horror no meu rosto. Aonde isso vai nos levar? O que mais eu posso fazer?

— Não foi isso o que eu quis dizer — fala ele, ríspido, e passa a mão pelo cabelo, que acaba por cair em sua testa.

— O que você *quis* dizer?

Ele engole em seco.

— Quero que o seu mundo comece e termine em mim — diz ele, com expressão franca.

Isso me quebra completamente. É como se ele tivesse me dado um soco forte no estômago, ferindo-me e fazendo eu me dobrar de dor. E a visão que me vem à cabeça é a de um menino de olhos cinzentos e cabelo acobreado, um menino pequeno e amedrontado, dentro de roupas sujas e descombinadas e do tamanho errado para ele.

— E o meu mundo *é* assim — digo, e é verdade. — Estou apenas tentando estabelecer uma carreira e não quero trocar tudo pelo seu nome. Eu tenho que fazer *alguma coisa*, Christian. Não posso ficar presa no Escala ou na nossa casa nova sem nada para fazer. Eu ficaria maluca. Sufocada. Sempre trabalhei, e gosto de trabalhar. Este é o emprego dos meus sonhos, tudo o que eu sempre quis. Mas fazer isso não significa que eu ame você menos. Você é o meu mundo.

Minha garganta se fecha e lágrimas brotam nos meus olhos. Não posso chorar, não aqui. Repito isso várias e várias vezes na minha cabeça. *Não posso chorar. Não posso chorar.*

Ele me encara sem dizer nada. Então uma expressão intrigada cruza seu rosto por um momento, como se ele estivesse considerando o que eu disse.

— Eu sufoco você? — Sua voz é triste e é o eco de uma pergunta que ele me fez antes.

— Não... Sim... Não.

Mas que conversa exasperante — não queria tratar desse assunto agora, aqui. Fecho os olhos e esfrego a testa, tentando entender como chegamos a esse ponto.

— Olhe, estávamos conversando sobre o meu nome. Quero manter meu nome aqui porque quero conservar alguma distância entre mim e você... Mas só aqui, só isso. Você sabe que todo mundo pensa que eu consegui esse emprego por sua causa, quando a realidade é... — Paro quando seus olhos se arregalam. *Ah, não... Foi por causa dele?*

— Você quer saber por que conseguiu esse emprego, Anastasia?

Anastasia? Merda.

— O quê? O que você quer dizer?

Ele muda de posição na cadeira como se endurecesse. Será que eu quero saber?

— A gerência daqui deu a você o trabalho do Hyde para você servir de babá do cargo. Seria muito caro contratar um executivo sênior justo quando a empresa estava sendo vendida. Não tinham ideia do que o novo dono faria quando tomasse posse e, sabiamente, não queriam arcar com os altos custos da demissão. Então colocaram você no lugar do Hyde para que ocupasse o cargo até o novo dono... — ele faz uma pausa e seus lábios se torcem em um sorriso irônico — quer dizer, eu, assumir.

Puta merda.

— O que você está dizendo?

Então *foi* por causa dele. *Merda!* Estou horrorizada.

Ele sorri e balança a cabeça como se lamentasse meu susto.

— Relaxe. Você mais do que cresceu com o desafio. Está se saindo muito bem. — Há uma mínima sugestão de orgulho na sua voz que quase me faz desabar.

— Ah — murmuro incoerentemente, ainda absorvendo tudo isso.

Sento-me ereta na cadeira, boquiaberta, encarando-o. Ele muda de posição de novo.

— Não quero sufocar você, Ana. Não quero colocar você em uma jaula dourada. Quer dizer... — Ele faz uma pausa, seu rosto tornando-se sombrio. — Quer dizer, minha parte racional não quer. — Ele coça o queixo pensativamente, sua mente tramando algum plano.

Opa, aonde ele quer chegar com isso? Christian olha para cima de repente, como se tivesse tido um momento de iluminação.

— Então um dos meus objetivos em vir aqui, além de lidar com a minha esposa malcomportada — diz ele, apertando os olhos —, é discutir o que vou fazer com esta empresa.

Esposa malcomportada! Não sou malcomportada e não sou um bem! Faço cara feia para Christian de novo, e já não há mais a ameaça das lágrimas.

— E quais são os seus planos?

Inclino a cabeça para o lado, imitando-o, e não consigo evitar o tom sarcástico. Seus lábios se torcem em uma sugestão de sorriso. Uau — mudança de humor de novo! Como posso me manter atualizada do estado de espírito do Sr. Instável?

— Vou mudar o nome da empresa. Para Grey Publishing.

Puta merda.

— E em um ano ela será sua.

Meu queixo cai de novo — dessa vez para valer.

— É o meu presente de casamento para você.

Fecho a boca e depois volto a abri-la, tentando articular algo — mas não sai nada. Minha mente é um vazio.

— Então, vou ter que mudar o nome para Steele Publishing?

Ele está falando sério. Porra...

— Christian — sussurro quando meu cérebro finalmente se reconecta com a minha boca —, você já me deu um relógio... E eu não sei administrar um negócio.

Ele balança a cabeça de um lado para o outro e me olha com uma expressão de censura.

— Eu comecei a administrar meu negócio quando tinha vinte e um anos.

— Mas você é... você. Controlador e superdotado. Caramba, Christian, você chegou a estudar economia em Harvard por um tempo. Pelo menos você tem alguma ideia. Eu passei três anos vendendo tintas e braçadeiras em um trabalho de meio período, pelo amor de Deus. Conheço muito pouco do mundo e não sei quase nada! — O volume da minha voz aumenta, ficando mais alta ao fim do meu discurso.

— Você também é a leitora mais voraz que eu conheço — replica ele, com sinceridade. — Você ama um bom livro. Não conseguiu largar o trabalho nem quando estávamos em lua de mel. Quantos originais você leu? Quatro?

— Cinco — sussurro.

— E escreveu relatórios completos sobre todos eles. Você é uma mulher muito inteligente, Anastasia. Tenho certeza de que vai conseguir.

— Você está louco?

— Louco por você — sussurra ele.

Solto um ruído rouco, porque é a única coisa que consigo fazer. Ele aperta os olhos.

— Você vai ser motivo de piada. Comprando uma empresa para a mulherzinha, que só teve um emprego integral por poucos meses na vida adulta.

— Você acha que eu me importo com o que os outros pensam? Além disso, você não vai estar sozinha.

Fico pasma. Ele realmente perdeu a razão dessa vez.

— Christian, eu...

Coloco a cabeça entre as mãos. Minhas emoções estão num turbilhão. *Ele está louco?* E, vindo de algum lugar sombrio e profundo, sinto uma necessidade repentina e inapropriada de rir. Quando volto a fitá-lo, seus olhos estão arregalados.

— Está achando graça em algo, Srta. Steele?

— Estou. Em você.

Seus olhos se arregalam ainda mais; ele parece em choque, mas com certo bom humor.

— Rindo do seu marido? Isso é inaceitável. E você está mordendo o lábio.

Seus olhos se escurecem... daquela maneira. Ah, não — eu conheço esse olhar. Provocante, sedutor, obsceno... Não, não, não! Não aqui.

— Nem pense nisso — alerto-o, o medo evidente na minha voz.

— Nisso o quê, Anastasia?

— Eu conheço esse olhar. Estamos no trabalho.

Ele se inclina para a frente, os olhos grudados nos meus, olhos cor de ferro fundido, olhos famintos. *Merda!* Engulo em seco instintivamente.

— Estamos numa sala pequena, razoavelmente protegida dos ouvidos alheios e com uma porta que pode ser trancada — sussurra ele.

— Conduta moral inadequada. — Enuncio cada palavra com cuidado.

— Não se for com o seu marido.

— Com o chefe do chefe do meu chefe — sibilo.

— Você é minha esposa.

— Christian, não. Estou falando sério. Você pode me comer e castigar hoje à noite. Mas não agora. Não aqui!

Ele pisca e aperta os olhos mais uma vez. E então, inesperadamente, ri.

— Sete níveis de domingo? — Ele arqueia a sobrancelha, intrigado. — Vou cobrar essa promessa, Srta. Steele.

— Ah, pare com isso de Srta. Steele! — falo rispidamente, e bato na mesa: nós dois levamos um susto. — Pelo amor de Deus, Christian. Se é tão importante para você, eu mudo meu nome!

A boca dele se abre quando ele inspira fortemente. E então ele sorri de orelha a orelha, um sorriso alegre, radiante, mostrando todos os dentes. *Uau...*

— Ótimo. — Ele bate palmas e se levanta de repente.

E agora?

— Missão cumprida. Bom, agora eu tenho trabalho a fazer. Se me der licença, Sra. Grey.

Ahhh! Esse homem me deixa louca!

— Mas...

— Mas o quê, Sra. Grey?

Eu fraquejo.

— Nada. Pode ir.

— É o que estou fazendo. A gente se vê à noite. Estou ansioso para castigá-la.

Faço cara feia.

— Ah, e eu tenho um monte de eventos sociais de negócios, quero que você me acompanhe.

Olho embasbacada para ele. *Será que você pode ir logo embora?*

— Vou pedir à Andrea que ligue para Hannah pedindo para ela reservar as datas na sua agenda. Tem algumas pessoas que você precisa conhecer. Você deveria deixar a Hannah cuidar dos seus horários daqui para a frente.

— Tudo bem — resmungo, em completa surpresa, desnorteamento e choque.

Ele se inclina sobre a minha mesa. *O que foi agora?* Sou capturada pelo seu olhar hipnótico.

— Adorei negociar com você, Sra. Grey. — Ele se inclina ainda mais; eu permaneço paralisada em minha cadeira. Christian me dá um beijo suave e terno na boca. — Até mais tarde, querida — murmura. E então levanta-se abruptamente, pisca para mim e sai.

Descanso a cabeça na mesa, sentindo como se tivesse sido atropelada por um trator — o trator que é meu amado marido. Ele deve ser o homem mais frustrante, perturbador e teimoso do planeta. Volto a sentar-me ereta e esfrego freneticamente os olhos. *O que foi que eu acabei de aceitar?* Tudo bem: Ana Grey à frente da Seattle Independent Publishing — quer dizer, da Grey Publishing. Esse homem é insano. Batem à porta, e Hannah coloca a cabeça para dentro.

— Você está bem? — pergunta ela.

Apenas a encaro. Ela franze o cenho.

— Sei que você não gosta disso, mas... quer um chá?

Faço que sim com a cabeça.

— Twinings English Breakfast, fraco e sem leite?

Faço que sim mais uma vez.

— Já está saindo, Ana.

Fico com o olhar perdido, encarando a tela do computador ainda em choque. Como posso fazê-lo entender? E-mail!

De: Anastasia Steele
Assunto: NÃO SOU UM BEM!
Data: 22 de agosto de 2011 14:23
Para: Christian Grey

Sr. Grey,

Da próxima vez que vier me ver, marque uma hora; assim posso ao menos estar mais preparada para a sua autoritária megalomania adolescente.

Um beijo,

Anastasia Grey <—— favor reparar no nome.
Editora, SIP

De: Christian Grey
Assunto: Castigo
Data: 22 de agosto de 2011 14:34
Para: Anastasia Steele

Minha Querida Sra. Grey (ênfase no Minha),

O que posso dizer em minha defesa? Eu estava passando aí perto.

E não, você não é um bem, é minha esposa amada.

Como sempre, você alegrou meu dia.

Christian Grey
CEO & Megalomaníaco Autoritário, Grey Enterprises Holdings, Inc.

Ele está tentando ser engraçado, mas não estou com vontade de rir. Respiro fundo e volto para a minha correspondência.

* * *

Christian está quieto quando eu entro no carro à noite.

— Oi — murmuro.

— Oi — responde ele, cauteloso. Acho bom.

— Interrompeu o trabalho de mais alguém hoje? — pergunto, cheia de simpatia.

Uma sombra de sorriso cruza seu rosto.

— Só o do Flynn.

Ah.

— Da próxima vez que você for vê-lo, vou dar uma lista de assuntos para vocês discutirem — digo acidamente.

— Você parece irritada, Sra. Grey.

Mantenho os olhos fixos à minha frente, contemplando a nuca de Ryan e de Sawyer. Christian se mexe desconfortavelmente ao meu lado.

— Ei — diz com ternura, e pega minha mão.

Em vez de me concentrar no trabalho, passei a tarde toda tentando pensar no que falar para ele. Mas só ficava mais e mais chateada com o passar das horas. Cansei do seu comportamento arrogante, petulante e, francamente, infantil. Puxo a mão, soltando-a da dele — de uma maneira arrogante, petulante e infantil.

— Está com raiva de mim? — sussurra ele.

— Sim — digo.

Cruzando os braços de maneira defensiva, fico olhando para fora pela janela. Ele se mexe no lugar mais uma vez, mas não vou me permitir olhá-lo. Não entendo por que estou tão brava — mas estou. Puta da vida.

Assim que o carro estaciona em frente ao Escala, quebro o protocolo e saio do carro com minha maleta. Entro no prédio batendo os pés, sem verificar se tem alguém me seguindo. Ryan me segue às pressas e corre para chamar o elevador.

— Que foi? — digo rispidamente quando o vejo ao meu lado. Suas faces ficam vermelhas.

— Minhas desculpas, madame — murmura ele.

Então Christian chega e se coloca ao meu lado para esperar o elevador, e Ryan se afasta.

— Então não é só comigo que você está irritada? — diz ele secamente. Encaro-o e vejo um traço de sorriso no seu rosto.

— Você está rindo de mim? — Aperto os olhos.

— Longe de mim — responde ele, levantando os braços como se eu estivesse lhe apontando uma arma.

Em seu terno azul-marinho, Christian parece fresco e limpo, com seu cabelo desajeitadamente sexy e uma expressão sincera.

— Você precisa cortar o cabelo — resmungo.

E, dando-lhe as costas, entro no elevador.

— Sério?

Ele afasta o cabelo da testa ao entrar atrás de mim no elevador.

— Sério.

Digito o código do nosso apartamento no teclado numérico.

— Então você voltou a falar comigo?

— Só o necessário.

— Por que exatamente você está com raiva de mim? Preciso de uma dica — pergunta ele com cautela.

Eu me viro e o olho boquiaberta.

— Você realmente não tem ideia? Sério, você é tão inteligente, não suspeita de nada? Não acredito que seja tão tapado.

Dá um passo atrás, assustado.

— Você está realmente brava. Achei que tivéssemos resolvido tudo hoje mais cedo na sua sala — murmura, perplexo.

— Christian, eu só capitulei diante das suas exigências petulantes. Só isso.

A porta do elevador se abre e eu saio como um furacão. Taylor está parado no corredor. Ele dá um passo para trás e rapidamente fecha a boca quando passo por ele a todo vapor.

— Oi, Taylor — murmuro.

— Sra. Grey — responde ele.

Largando minha maleta no corredor, entro na sala. A Sra. Jones está ao fogão.

— Boa noite, Sra. Grey.

— Oi, Sra. Jones — cumprimento-a.

Vou direto para a geladeira e pego uma garrafa de vinho branco. Christian me segue até a cozinha e me observa como um falcão tirar uma taça do armário. Ele despe o paletó e o coloca casualmente no balcão.

— Aceita uma bebida? — pergunto, superdoce.

— Não, obrigado — responde ele, sem tirar os olhos de mim.

Sei que ele se sente impotente. Não sabe como agir comigo. É cômico por um lado e trágico por outro. *Ah, ele que se dane!* Estou tendo dificuldade em localizar meu lado compassivo desde a nossa conversa de hoje à tarde. Devagar, ele tira a gravata e abre o botão do colarinho. Eu sirvo uma grande taça de sauvignon blanc e Christian passa a mão pelo cabelo. Quando me viro, a Sra. Jones desapareceu. *Merda!* Ela é meu escudo humano. Tomo um gole do vinho. *Hmm.* É bom.

— Pare com isso — sussurra Christian.

Ele avança os dois passos que nos separam e para à minha frente. Gentilmente, coloca meu cabelo atrás da orelha e acaricia o lóbulo com as pontas dos dedos, deixando-me arrepiada. Foi disso que eu senti falta o dia todo? Do seu toque? Balanço a cabeça, fazendo-o soltar minha orelha, e o encaro.

— Fale comigo — murmura ele.

— Para quê? Você não me escuta.

— Escuto sim. Você é uma das poucas pessoas a quem eu escuto.

Tomo mais um grande gole de vinho.

— É por causa do seu nome?

— Sim e não. É por causa da maneira como você lidou com o fato de que eu discordei de você. — Ergo um olhar agressivo, esperando vê-lo zangado.

Suas sobrancelhas se franzem.

— Ana, você sabe que eu tenho... problemas. Para mim é difícil abrir mão de certas coisas relacionadas a você. Você sabe disso.

— Mas eu não sou uma criança e não sou um bem.

— Eu sei. — Ele suspira.

— Então pare de me tratar como se eu fosse — sussurro, implorando.

Ele esfrega as costas dos dedos na minha face e passa a ponta do polegar no meu lábio inferior.

— Não fique zangada. Você é tão preciosa para mim... Como um bem inestimável, como uma criança — sussurra ele, uma expressão melancólica e reverente no rosto.

Suas palavras me distraem. *Como uma criança.* Preciosa como uma criança... Uma criança seria preciosa para ele!

— Não sou nada disso, Christian. Sou sua esposa. Se você ficou magoado porque eu não ia usar seu nome, deveria ter dito.

— Magoado? — Ele franze bastante a testa, e sei que está avaliando essa possibilidade. Subitamente, porém, Christian fica ereto, embora ainda com uma expressão preocupada, e olha depressa para seu relógio de pulso. — A arquiteta vai estar aqui em menos de uma hora. É melhor comermos.

Ah, não. Solto um gemido por dentro. Ele não me respondeu, e agora tenho que receber Gia Matteo. Meu dia de merda acaba de ficar ainda pior. Faço uma cara feia para Christian.

— Esta discussão não acabou — murmuro.

— O que mais temos para discutir?

— Você poderia vender a empresa.

Christian emite um ruído de desprezo.

— Vender?

— Sim.

— Você acha que eu acharia um comprador no mercado de hoje?

— Quanto custou?

— Foi relativamente barata. — Seu tom é defensivo.

— E se ela fechar?

Ele sorri com afetação.

— Vamos sobreviver. Mas não vou deixar a empresa fechar, Anastasia. Não enquanto você estiver lá.

— E se eu sair?

— E vai fazer o quê?

— Não sei. Alguma outra coisa.

— Você já disse que esse é o emprego dos seus sonhos. E, perdoe-me se estiver errado, mas eu prometi perante Deus, o reverendo Walsh e uma congregação dos nossos entes e amigos mais próximos e mais queridos que eu "cuidaria de você, apoiaria suas esperanças e seus sonhos e a manteria segura ao meu lado".

— Citar os votos de casamento não é jogar limpo comigo.

— Eu nunca prometi jogar limpo quando a questão envolvesse você. Além disso — acrescenta ele —, você já usou essa arma contra mim antes.

Faço uma cara contrariada. É verdade.

— Anastasia, se ainda está irritada comigo, desconte na cama mais tarde. — Sua voz subitamente fica baixa e cheia de desejo sensual, os olhos quentes.

O quê? Cama? Como?

Ele sorri com indulgência diante da minha expressão. Será que Christian está querendo que eu o amarre? *Caramba!*

— Castigo — sussurra ele. — Estou ansioso.

Opa!

— Gail! — grita ele abruptamente, e quatro segundos depois a Sra. Jones está de volta.

Onde ela estava? No escritório do Taylor? Ouvindo nossa conversa? Ah, não.

— Sim, Sr. Grey?

— Gostaríamos de comer agora, por favor.

— Muito bem, senhor.

Christian não tira os olhos de mim; me observa como se eu fosse alguma criatura exótica pronta para saltar sobre ele. Tomo outro gole de vinho.

— Acho que vou tomar uma taça também — diz ele, suspirando, e passa a mão no cabelo de novo.

— Não quer mais comer?

— Não.

Olho para meu prato de fettuccine praticamente intocado, para evitar a expressão sombria de Christian. Antes que ele possa dizer algo, levanto-me e tiro os pratos da mesa de jantar.

— Gia deve chegar daqui a pouco — murmuro.

Sua boca se retorce em uma carranca de desagrado, mas ele não diz nada.

— Pode me dar, Sra. Grey — diz a Sra. Jones quando eu entro na cozinha.

— Obrigada.

— A senhora não gostou? — pergunta ela, preocupada.

— Estava ótimo. Só não estou com fome.

Dirigindo-me um breve sorriso de solidariedade, ela se vira para esvaziar meu prato e colocar tudo na máquina de lavar louças.

— Vou fazer algumas ligações — anuncia Christian, dirigindo-me um olhar de avaliação antes de entrar no escritório.

Deixo escapar um suspiro de alívio e vou para o nosso quarto. O jantar foi estranho. Ainda estou aborrecida com Christian, mas ele parece pensar que não fez nada de errado. *Será que fez?* Meu inconsciente levanta uma sobrancelha para mim e me encara com pena por trás dos óculos de meia-lua. Sim, ele fez. Deixou as coisas ainda mais estranhas para mim no trabalho. Não esperou para discutir o assunto comigo quando estivéssemos na privacidade relativa da nossa casa. Como ele se sentiria se eu irrompesse pelo seu escritório, baixando a lei? E, para piorar, ele quer me dar a SIP! Como é que eu posso administrar uma empresa? Não sei quase nada de negócios.

Olho para a linha do horizonte de Seattle lá fora, sob a perolada luz cor-de-rosa do anoitecer. E, como de hábito, ele quer resolver nossas diferenças na cama... hmm... no sofá... no quarto de jogos... na bancada da cozinha... *Pare!* Tudo sempre termina em sexo com ele. É o mecanismo que utiliza para enfrentar os problemas.

Entro no banheiro e faço uma careta para meu reflexo no espelho. Voltar ao mundo real é difícil. Conseguimos superar nossas diferenças enquanto estávamos na nossa bolha porque ficamos muito agarrados um no outro. Mas e agora? Por um momento volto ao dia do meu casamento, lembrando-me das minhas preocupações daquele dia — casar tão depressa. Não, não devo pensar assim. Eu sabia que Christian era Cinquenta Tons quando me casei com ele. Só preciso perseverar e tentar resolver isso com ele na base da conversa.

Encaro a mim mesma no espelho, os olhos semicerrados. Estou pálida, e ainda tem aquela mulher para eu enfrentar.

Estou usando uma saia-lápis cinza e uma blusa sem mangas. *Vamos lá!* Minha deusa interior pega seu esmalte vermelho-meretriz. Abro dois botões da blusa, criando um pequeno decote. Lavo o rosto e refaço com cuidado a maquiagem, aplicando mais rímel do que o usual e colocando brilho extra nos lábios. Jogando a cabeça para baixo, escovo meu cabelo vigorosamente da raiz às pontas. Quando volto a erguer o corpo, ele cai como uma nuvem castanha sobre meus seios. Ajeito-o habilidosamente atrás das orelhas e vou procurar meu scarpin, para ter um pequeno salto sob meus pés.

Quando volto para a sala, Christian está com as plantas da casa espalhadas sobre a mesa de jantar. Uma música toca no aparelho de som. Paro de súbito.

— Sra. Grey — diz ele, caloroso, e me olha zombeteiramente.

— O que é isso? — pergunto. A música é maravilhosa.

— Réquiem de Fauré. Você está diferente — responde ele, distraído.

— Ah. Eu nunca tinha ouvido antes.

— É muito calma, relaxante — diz ele, e levanta uma sobrancelha. — Você fez alguma coisa com o cabelo?

— Escovei.

Sou transportada pelas vozes pungentes. Abandonando as plantas sobre a mesa, ele vem até onde estou, um caminhar vagaroso, no ritmo da música.

— Dança comigo? — murmura ele.

— Isso? Mas é um réquiem — retruco, chocada.

— É.

Ele me puxa para seus braços e me abraça, enterrando o nariz no meu cabelo e me balançando suavemente de um lado para o outro. Seu cheiro é divinamente inconfundível.

Ah... eu senti falta dele. Retribuo o abraço e tento não chorar. *Por que você é tão irritante?*

— Odeio brigar com você — sussurra ele.

— Então pare de ser babaca, ora essa.

Ele ri, e o som cativante reverbera pelo seu peito. Christian me aperta contra si.

— Babaca?

— Escroto.

— Prefiro babaca.

— Combina com você.

Ele ri mais uma vez e beija o alto da minha cabeça.

— Um réquiem? — murmuro, um pouco chocada de estarmos dançando essa música.

Ele dá de ombros.

— É só uma linda música, Ana.

Taylor tosse discretamente à entrada, e Christian me solta.

— A Srta. Matteo está aqui — diz ele.

Ah, que alegria!

— Mande-a entrar — diz Christian.

Ele se inclina e pega minha mão quando Gia Matteo entra na sala.

CAPÍTULO OITO

Gia Matteo é uma mulher bonita — uma mulher alta e bonita. Seu cabelo é curto, tingido de louro, com um perfeito corte repicado e impecavelmente arrumado, quase como uma coroa sofisticada. Está vestida com um terninho cinza-claro, a calça e o paletó justos, definindo suas curvas exuberantes. São roupas que parecem caras. Na base do seu pescoço cintila um brilhante solitário, combinando com os brincos: um único brilhante em cada orelha. Ela é bem-cuidada — uma daquelas mulheres que cresceram com dinheiro e classe, embora sua classe pareça estar falhando hoje: a blusa azul-clara está aberta demais. Assim como a minha. Fico vermelha.

— Christian. Ana.

Ela dá um sorriso alegre, mostrando dentes brancos e perfeitos, e estende a mão com as unhas feitas para apertar primeiro a de Christian e depois a minha, de forma que sou obrigada a soltar a mão dele para cumprimentá-la. Ela é apenas um pouco mais baixa que Christian, mas está usando sapatos de salto altíssimo.

— Gia — diz Christian polidamente.

Eu sorrio com frieza.

— Vocês dois parecem ótimos depois da lua de mel — diz ela suavemente, os olhos azuis encarando Christian atrás de seus longos cílios cobertos de rímel. Christian coloca o braço à minha volta, puxando-me para si.

— Passamos uma temporada maravilhosa, obrigado. — Ele me dá um beijo na têmpora, pegando-me de surpresa.

Veja... ele é meu. Irritante — exasperante, até —, mas meu. Dou um sorriso maldoso. *Neste exato momento eu realmente amo você, Christian Grey.* Deslizo a mão para sua cintura e depois para o bolso traseiro da sua calça, e aperto sua bunda. Gia dá um sorriso amarelo.

— Vocês conseguiram olhar as plantas?

— Conseguimos — murmuro.

Ergo o olhar para Christian, que sorri para mim com a sobrancelha erguida, em uma expressão de divertimento e sarcasmo. Do que ele está achando graça? Da minha reação à chegada de Gia ou do fato de eu ter apertado sua bunda?

— Por favor — diz Christian. — As plantas estão aqui.

Ele gesticula em direção à mesa de jantar e, pegando minha mão, me conduz até lá, Gia atrás de nós. Finalmente me lembro dos bons modos:

— Quer beber alguma coisa? — pergunto. — Uma taça de vinho?

— Seria ótimo — diz Gia. — Branco seco, se tiver.

Merda! Sauvignon blanc é branco seco, não é? Deixando com relutância o posto ao lado do meu marido, vou até a cozinha. Ouço o chiado do iPod quando Christian desliga a música.

— Quer mais vinho, Christian? — pergunto.

— Por favor, querida — fala ele em voz baixa, sorrindo para mim.

Uau, ele pode ser tão sensacional em alguns momentos e tão desagradável em outros.

Ao abrir o armário, estou ciente dos olhos dele em mim, e tenho o estranho sentimento de que Christian e eu estamos atuando, como competidores em um jogo — só que dessa vez estamos do mesmo lado, adversários da Srta. Matteo. Será que Christian sabe que ela se sente atraída por ele e está deixando isso muito óbvio? Sinto um pequeno prazer quando percebo que talvez ele esteja tentando me tranquilizar. Ou talvez esteja apenas mandando uma mensagem clara para essa mulher: de que ele já tem dona.

Ele é meu. *Isso mesmo, sua vaca: meu.* Minha deusa interior está usando seu uniforme de gladiadora e não está poupando ninguém. Sorrindo para mim mesma, tiro três taças do armário, pego a garrafa aberta de sauvignon blanc da geladeira e coloco tudo no balcão da cozinha. Gia está inclinada sobre a mesa, enquanto Christian, de pé ao lado dela, aponta para algo nas plantas.

— Acho que a Ana tem alguns ajustes a sugerir sobre a parede de vidro, mas no geral estamos satisfeitos com as ideias que você propôs.

— Ah, fico feliz em saber — diz Gia efusivamente, obviamente aliviada. Ao falar, toca o braço dele rapidamente; um pequeno gesto de flerte. Christian enrijece no mesmo instante, embora de forma sutil. Ela nem parece notar.

Deixe-o em paz, sua piranha. Ele não gosta de ser tocado.

Afastando-se dela discretamente, Christian se vira para mim:

— E o vinho?

— Já estou indo.

Ele está mesmo jogando. Ela o deixa desconfortável. Como não vi isso antes? É por isso que não gosto dela. Ele está habituado ao efeito que causa nas mulheres. Já vi isso muitas vezes e em geral ele nem pensa no assunto. Já contato físico é diferente. Bem, aí vai a Sra. Grey ao resgate.

Sirvo o vinho depressa, junto as três taças nas mãos e corro de volta para meu cavaleiro em perigo. Oferecendo uma taça a Gia, posiciono-me deliberadamente entre eles. Ela sorri com polidez ao aceitar o vinho. Entrego a segunda taça para Christian, que aceita com ansiedade, demonstrando gratidão.

— Tim-tim — diz Christian para nós duas, mas olhando apenas para mim.

Gia e eu levantamos nossas taças e respondemos em uníssono. Tomo um gole feliz.

— Ana, você tem restrições à parede de vidro? — pergunta Gia.

— Tenho. Eu adorei, não me entenda mal. Mas acho melhor incorporarmos de uma maneira mais orgânica à casa. Afinal, eu me apaixonei por ela como era e não quero fazer nenhuma mudança radical.

— Entendo.

— Só quero que o projeto seja harmonioso, sabe... Mais em coerência com a casa original. — Olho para Christian, que está me encarando pensativamente.

— Sem grandes renovações? — murmura ele.

— Isso. — E confirmo com a cabeça para enfatizar.

— Você gosta do jeito que está?

— Na maior parte, sim. Sempre achei que só precisava de uma reforma.

Os olhos de Christian brilham calorosamente.

Gia olha para nós dois e suas faces ficam rosadas.

— Tudo bem — diz ela. — Acho que estou entendendo aonde você quer chegar, Ana. Que tal se conservarmos a parede de vidro, mas a abrirmos para um deque maior, que mantenha o estilo mediterrâneo? Já temos o terraço de pedras. Podemos colocar pilares de uma pedra que combine, bem espaçados, para não perdermos a vista. Acrescentamos um telhado de vidro ou colocamos telhas, tal como no resto da casa. Assim, também servirá como uma área aberta para refeições ou descanso.

Tenho que reconhecer... essa mulher é muito boa.

— Ou, em vez do deque, podemos incorporar madeira colorida à sua escolha entre as portas de vidro, o que ajudaria a manter o espírito mediterrâneo — continua ela.

— Como as lindas janelas azuis do sul da França — murmuro para Christian, que me observa atentamente.

Ele toma um gole de vinho e dá de ombros, sem expressar nenhuma opinião. *Hmm.* Ele não gosta da ideia, mas não dá um veredito negativo, não passa por cima de mim nem faz com que eu me sinta estúpida. Deus, esse homem é um poço de contradições. Suas palavras de ontem me vêm à mente: *Quero que essa casa seja do jeito que você quiser. O que você quiser. Ela é sua.* Ele quer me ver feliz — feliz em tudo o que eu faça. Bem no fundo, acho que sei disso. É só que... eu me detenho. *Não pense na nossa briga agora.* Meu inconsciente me olha com censura.

Gia está olhando para Christian, esperando que ele tome a decisão. Vejo as pupilas dela se dilatarem e seus lábios cobertos de gloss se entreabrirem. Sua língua passa rapidamente pelo seu lábio superior antes de ela tomar um gole do vinho. Quando me viro para Christian, ele ainda está olhando para mim — não para ela. *Uhul*! Vou ter uma conversinha com a Srta. Matteo.

— Ana, o que você quer fazer? — murmura Christian, muito claramente transferindo a decisão para mim.

— Gostei da ideia do deque.

— Eu também.

Eu me viro de novo para Gia. *Ei, queridinha, olhe para mim, não para ele. Sou eu que estou tomando as decisões aqui.*

— Acho que eu gostaria de ver novos desenhos, mostrando o deque maior e os pilares que vão manter o estilo da casa.

Gia relutantemente afasta seus desejosos olhos do meu marido e sorri para mim. Será que ela pensa que eu não vou notar?

— Claro — concorda ela com simpatia. — Mais alguma questão?

Além de você devorar meu marido com os olhos?

— Christian quer remodelar a suíte principal — murmuro.

Ouvimos uma tosse discreta vindo da entrada da sala. Nós três nos viramos ao mesmo tempo e vemos Taylor parado lá.

— Taylor? — pergunta Christian.

— Preciso falar com o senhor sobre um assunto urgente, Sr. Grey.

Christian aperta meus ombros por trás e se dirige a Gia:

— A Sra. Grey está no comando desse projeto. Ela tem carta branca. O que ela quiser, nós faremos. Confio plenamente em seus instintos. Ela é muito perspicaz. — Sua voz se altera quase imperceptivelmente. Detecto orgulho e um alerta velado — um alerta para Gia?

Ele confia em meus instintos? Ah, esse homem é irritante. Meus instintos o deixaram me tratar de maneira rude hoje à tarde. Balanço a cabeça em frustração, mas estou satisfeita por ele estar dizendo à Srta. Provocante-e-Infelizmente-Boa--no-Que-Faz quem é que está dando as ordens. Acaricio sua mão, que descansa no meu ombro.

— Agora se me dão licença...

Christian aperta meus ombros e deixa o salão com Taylor. Pergunto-me vagamente o que será que está acontecendo.

— Então... a suíte principal? — pergunta Gia, nervosa.

Eu a encaro, fazendo uma pausa por um momento para ter certeza de que os dois já se afastaram o suficiente. Então, unindo minha força interior ao fato de ter passado as últimas cinco horas sendo seriamente provocada, coloco tudo para fora:

— Você tem razão de estar nervosa, Gia, porque neste momento sua colaboração nesse projeto está por um fio. Mas tenho certeza de que vamos ficar bem desde que você mantenha as mãos longe do meu marido.

Ela engasga.

— Senão, você está fora. Entendeu? — Enuncio cada palavra com clareza.

Ela pisca rapidamente, em completo atordoamento. Não consegue acreditar no que eu falei. Eu não consigo acreditar no que acabo de falar. Mas me mantenho firme, olhando impassivelmente dentro dos seus olhos castanhos que se arregalam cada vez mais.

Não recue. Não recue! Aprendi esse olhar enlouquecedoramente impassível com Christian, que consegue ser impassível como ninguém. Sei que reformar a residência principal dos Grey é um projeto de prestígio para a empresa de arquitetura de Gia — uma resplandecente cereja no seu bolo. Ela não pode perder essa comissão. E no momento não estou ligando a mínima para o fato de ela ser amiga do Elliot.

— Ana... Sra. Grey... P-por favor me desculpe. Eu nunca... — Ela ruboriza, sem saber mais o que dizer.

— Vou ser bem clara: meu marido não está interessado em você.

— Com certeza — murmura ela, ficando lívida.

— Como eu disse, só queria deixar claro.

— Sra. Grey, eu sinceramente lamento que a senhora tenha pensado... que eu... — Ela para, ainda procurando as palavras.

— Ótimo. Desde que a gente se entenda, vai dar tudo certo. Agora, vou lhe contar o que temos em mente para a suíte principal e então gostaria de receber uma lista de todos os materiais que você tem intenção de usar. Como sabe, Christian e eu estamos determinados a fazer dessa casa um local ecologicamente sustentável, e eu quero deixá-lo tranquilo quanto a todos os materiais e às suas origens.

— C-claro — gagueja ela, os olhos arregalados e, francamente, um pouco intimidada por mim. Essa é uma primeira vez. Minha deusa interior percorre a arena, acenando para a multidão delirante.

Gia mexe no cabelo, e percebo que é um gesto de nervosismo.

— A suíte principal? — repete ela, tensa, e sua voz é um sussurro sem fôlego.

Agora que tenho domínio da situação, sinto-me relaxada pela primeira vez desde o encontro com Christian hoje à tarde. Posso fazer isso. Minha deusa interior está celebrando sua megera interior.

* * *

CHRISTIAN VOLTA QUANDO estamos terminando.

— Tudo pronto? — pergunta ele, passando o braço pela minha cintura e se virando para Gia.

— Tudo, Sr. Grey. — Gia sorri com alegria, embora seu sorriso pareça forçado. — Daqui a alguns dias entrego as novas plantas para vocês.

— Excelente. Está feliz? — pergunta-me ele diretamente, seus olhos calorosos ao me sondar.

Confirmo com a cabeça e fico corada por alguma razão que não consigo entender.

— É melhor eu ir andando — diz Gia, de novo alegre demais.

Ela estende a mão primeiro para mim dessa vez, e depois para Christian.

— Até a próxima, Gia — murmuro.

— Até mais, Sra. Grey. Sr. Grey.

Taylor aparece à entrada da sala.

— Taylor vai acompanhar você à saída.

Falo alto o suficiente para que ele ouça. Mexendo no cabelo mais uma vez, ela gira em seus saltos e vai embora, seguida de perto por Taylor.

— Ela estava visivelmente mais fria — comenta Christian, olhando intrigado para mim.

— Estava? Nem notei. — Dou de ombros, tentando me manter neutra. — O que o Taylor queria? — pergunto, em parte porque estou curiosa e em parte porque quero mudar de assunto.

Franzindo o cenho, Christian me solta e começa a enrolar as plantas sobre a mesa.

— Era sobre o Hyde.

— O que tem o Hyde? — sussurro.

— Nada para se preocupar, Ana. — Deixando de lado as plantas, Christian me envolve nos braços. — Descobrimos que ele não aparece em casa há semanas, só isso.

Ele beija meu cabelo, então me solta e continua a enrolar os papéis.

— E então, o que vocês decidiram? — pergunta ele, e sei que é porque não quer que eu continue questionando-o sobre Hyde.

— Só o que eu e você já tínhamos discutido. Acho que ela gosta de você — digo calmamente.

Ele bufa.

— Você disse alguma coisa para ela? — pergunta ele, e eu fico vermelha.

Como ele descobriu? Sem saber o que dizer, olho para baixo, para os meus dedos.

— Éramos Christian e Ana quando ela chegou, e Sr. e Sra. Grey quando ela foi embora. — Seu tom é seco.

— Talvez eu tenha falado alguma coisa — murmuro.

Quando o espio, ele está me observando com carinho, e por um momento de descuido em sua armadura emocional ele parece... satisfeito. Então para de me olhar, balançando a cabeça, e sua expressão se transforma.

— Ela está apenas reagindo a este rosto. — Ele soa vagamente amargo, aborrecido até.

Ah, Christian, não!

— O que foi? — Ele fica confuso com minha expressão perplexa. Seus olhos se arregalam em preocupação. — Você não está com ciúmes, está? — pergunta, horrorizado.

Fico corada e engulo em seco; então olho para meus dedos cruzados. *Estou?*

— Ana, essa mulher é uma predadora sexual. Não faz nem um pouco o meu tipo. Como você pode ter ciúmes dela? Ou de qualquer outra mulher? Nada nela me interessa.

Quando ergo o olhar, ele está me fitando embasbacado como se tivesse crescido um terceiro braço em mim. Ele passa a mão pelo cabelo.

— É só você, Ana — diz calmamente. — E vai ser sempre só você.

Puxa. Abandonando as plantas mais uma vez, Christian vem até mim e segura meu queixo entre o polegar e o indicador.

— Como você pode pensar outra coisa? Eu já lhe dei algum sinal de que poderia estar remotamente interessado em outra pessoa? — Seus olhos fitam ardentemente os meus.

— Não — sussurro. — Estou sendo boba. É só porque hoje... você...

Todas as emoções conflitantes que eu senti mais cedo vêm à tona. Como posso expressar a confusão em que estou? Fiquei perplexa e frustrada com seu comportamento hoje à tarde no escritório. Em um minuto ele quer que eu fique em casa, no outro me dá uma empresa de presente. Assim fico perdida!

— O que tem eu?

— Ah, Christian — meu lábio inferior treme —, estou tentando me adaptar a essa nova vida que nunca imaginei para mim. Eu tenho tudo de bandeja: o emprego, você, meu marido lindo, a quem eu nunca... nunca pensei que amaria desse jeito, dessa forma tão intensa, tão rápida, tão... indelével.

Respiro fundo para me acalmar. Christian está boquiaberto. Continuo:

— Mas você é como um trator, e eu não quero ser arrastada, porque senão a garota por quem você se apaixonou vai ser esmagada. E o que restaria? Só um raio X social oco, transitando de um evento de caridade para outro. — Faço mais uma pausa, tentando encontrar as palavras capazes de transmitir como me sinto. — E agora você quer que eu seja a CEO de uma empresa, o que nunca foi minha intenção. Estou perdida entre todas essas ideias, estou me debatendo. Você quer que eu fique em casa. Você quer que eu administre uma empresa. É tão confuso...

Paro de falar, as lágrimas ameaçando escorrer, e reprimo um soluço.

— Você tem que me deixar tomar as minhas próprias decisões, correr meus próprios riscos e cometer meus próprios erros, deixar que eu aprenda com eles. Preciso aprender a andar antes de começar a correr, Christian, você não vê? Quero alguma independência. É isso o que o meu nome significa para mim. — Pronto, era isso o que eu queria falar para ele hoje à tarde.

— Você se sente arrastada? — sussurra ele.

Faço que sim com a cabeça.

Ele fecha os olhos, perturbado.

— Eu só quero lhe dar o mundo, Ana, tudo que você quiser, qualquer coisa. E também defender você do mundo. Proteger você. Mas ao mesmo tempo quero que todo mundo saiba que você é minha. Eu entrei em pânico hoje quando recebi o seu e-mail. Por que você não me avisou que ia manter seu nome?

Fico vermelha. Ele tem razão.

— Eu pensei nisso durante a nossa lua de mel, mas, bem, eu não queria estourar a nossa bolha, e acabei me esquecendo. Só me lembrei ontem à noite. E aí teve o Jack... você sabe, aquilo me distraiu. Desculpe, eu deveria ter contado ou discutido isso com você, mas parecia que eu nunca conseguiria encontrar o momento certo.

O jeito intenso de Christian me olhar é enervante. É como se ele tentasse entrar no meu cérebro, mas ele não diz nada.

— Por que você entrou em pânico? — pergunto.

— Só não quero deixar você escorregar por entre os meus dedos.

— Pelo amor de Deus, eu não vou a lugar algum. Quando é que você vai enfiar isso nessa sua cabeça dura? Eu. Amo. Você. — Faço um gesto no ar, como ele faz às vezes, para enfatizar o que digo. — Mais que... "a luz dos meus olhos, o espaço ou a liberdade".

Seus olhos se arregalam.

— O amor de uma filha? — E abre um sorriso irônico.

— Não. — Rio, mesmo sem querer. — Foi a única citação que me veio à cabeça.

— O louco rei Lear?

— O querido rei Lear; querido e louco. — Acaricio seu rosto, e ele se inclina para receber meu toque, fechando os olhos. — Você mudaria o seu nome para Christian Steele para que todo mundo soubesse que você me pertence?

Seus olhos se abrem, e ele me encara como se eu tivesse acabado de dizer que o mundo é quadrado. Ele franze a testa.

— Que eu pertenço a você? — murmura, testando as palavras.

— Meu.

— Seu — repete ele, as mesmas palavras que dissemos no quarto de jogos ainda ontem. — Sim, eu mudaria. Se significasse tanto assim para você.

Ai, meu Deus.

— Significa tanto assim para você?

— Sim. — Ele é bem claro.

— Tudo bem.

Farei isso por ele. Vou lhe dar a segurança de que ele ainda precisa.

— Achei que você já tivesse concordado com isso.

— Sim, eu concordei, mas agora que discutimos melhor, estou mais feliz com a minha decisão.

— Ah — murmura ele, surpreso.

Então ele abre seu lindo sorriso juvenil, do tipo sim-eu-realmente-sou-meio--que-um-garoto, que me deixa sem fôlego. Agarrando-me pela cintura, Christian me balança. Solto um grito agudo e rio, e não sei se ele está apenas feliz ou aliviado ou... o quê?

— Sra. Grey, sabe o que isso significa para mim?

— E como.

Ele se inclina e me beija, os dedos penetrando por entre o meu cabelo, segurando-me firme.

— Significa sete níveis de domingo — murmura ele contra minha boca, e passa o nariz de leve no meu.

— Você acha? — Inclino-me para trás para encará-lo.

— Certas promessas foram feitas. Uma oferta concedida, um negócio intermediado — sussurra ele, os olhos brilhando com um deleite malicioso.

— Hmm... — Ainda estou meio perdida, tentando acompanhar suas variações de humor.

— Está me renegando? — pergunta ele, incerto, e uma expressão especulativa surge no seu rosto. — Tenho uma ideia.

Mais uma trepada sacana? O que será agora?

— Uma questão muito importante para resolver — continua ele, de repente todo sério de novo. — Sim, Sra. Grey. Uma questão da maior importância.

Espere aí — ele está rindo de mim.

— O que é? — pergunto.

— Preciso que você corte meu cabelo. Tenho a impressão de que está grande demais, e minha mulher não gosta.

— Eu não posso cortar o seu cabelo!

— Pode, sim.

Ele ri e balança a cabeça, fazendo seu cabelo cobrir os olhos.

— Bem, se a Sra. Jones tiver uma cuia para servir de molde... — Dou uma risada. Ele também ri.

— Tudo bem, já entendi. Vou pedir ao Franco.

Ah, não! O Franco trabalha para a monstra filha da mãe! Talvez eu pudesse dar uma aparada. Afinal, corto o cabelo do Ray há anos e ele nunca reclamou.

— Venha.

Puxo-o pela mão. Ele arregala os olhos. Levo-o para o banheiro, onde o solto e pego a cadeira de madeira branca que fica no canto. Coloco-a em frente à pia. Quando olho para Christian, ele está me encarando, os polegares enfiados nos passadores de cinto da parte da frente da calça, mal disfarçando que acha aquilo tudo muito divertido; mas seus olhos estão ardentes, pegando fogo.

— Sente-se. — Aponto para a cadeira vazia, tentando manter a autoridade.

— Você vai lavar meu cabelo?

Faço que sim. Ele levanta uma sobrancelha em surpresa, e por um momento acho que desistiu.

— Tudo bem.

Devagar, ele começa a abrir cada botão da camisa branca, iniciando pelo que fica logo embaixo do queixo. Dedos hábeis e ligeiros se movem, um botão de cada vez, até sua camisa estar toda aberta.

Minha nossa... Minha deusa interior faz uma pausa na sua volta vitoriosa pela arena.

Christian estende os punhos, em um gesto de "abra logo isso", e sua boca se torce daquela maneira sensual e desafiante.

Ah, as abotoaduras. Pego seu pulso e abro a primeira delas, um disco de platina com suas iniciais gravadas em uma letra simples em itálico — e depois tiro a do outro lado. Quando termino, olho para ele: sua expressão de divertimento foi embora, substituída por algo mais quente... muito mais quente. Inclino-me e empurro a camisa dos seus ombros, deixando que ela caia no chão.

— Pronto? — sussurro.

— Estou pronto para qualquer coisa que você quiser, Ana.

Desço o olhar para sua boca: entreaberta, para que ele possa inspirar mais profundamente. Esculpida, bem delineada, o que for: é uma boca linda, e ele sabe exatamente o que fazer com ela. Eu me vejo na ponta dos pés para beijá-lo.

— Não — diz ele, e coloca as mãos nos meus ombros. — Não. Se você me beijar, vai acabar não cortando o meu cabelo.

Ah...

— Eu quero que você corte — continua ele.

Seus olhos estão bem abertos e inflamados, por alguma razão inexplicável. Isso me desarma.

— Por quê? — sussurro.

Ele me encara por um segundo, e seus olhos se abrem ainda mais.

— Porque vai fazer com que eu me sinta amado.

Meu coração praticamente para. *Ah, Christian... meu Cinquenta Tons.* E, antes que eu me dê conta, abraço-o e beijo seu peito, aninhando o rosto nos pelos do seu tórax.

— Ana. Minha Ana — sussurra ele.

Christian me abraça também, e ficamos ali parados, imóveis, agarrados um ao outro no banheiro. Ah, como eu amo estar nos seus braços. Mesmo ele sendo um babaca megalomaníaco e autoritário, ele é o meu babaca megalomaníaco e autoritário, um babaca que necessita de uma boa dose de carinho. Inclino-me para trás, sem soltá-lo.

— Você realmente quer que eu faça isso?

Ele confirma com a cabeça e abre seu sorriso tímido. Retribuo o sorriso e me descolo dele.

— Então sente-se — repito.

Ele obedece, sentando-se com as costas para a pia. Tiro meus sapatos e chuto-os para perto da sua camisa, que está caída toda amassada no chão. Pego de dentro do box seu xampu Chanel, comprado na França.

— Que tal isto, senhor? — Seguro-o com as duas mãos, como se estivesse vendendo-o em um canal de vendas na TV. — Trazido diretamente do sul da França. Gosto do cheiro deste produto... É o seu cheiro — acrescento num sussurro, deixando de lado meu papel de apresentadora.

— Sim, obrigado. — Ele ri.

Pego uma pequena toalha do toalheiro térmico. A Sra. Jones realmente sabe deixá-las supermacias.

— Incline-se para a frente — ordeno, e Christian obedece.

Colocando a toalha em volta dos seus ombros, abro as torneiras e encho a pia com água morna.

— Agora para trás.

Ah, como eu gosto de estar no comando. Christian se recosta, mas ele é muito alto. Então afasta um pouco a cadeira da pia e a inclina para trás até deixar o topo apoiado. Distância perfeita. Ele deita a cabeça para trás. Olhos audaciosos me fitam, e eu sorrio. Pego um dos copos que costumamos deixar na penteadeira, mergulho-o na água e viro-o na sua cabeça, ensopando seu cabelo. Repito o processo, inclinando-me sobre ele.

— Você está tão cheirosa, Sra. Grey — murmura ele, e fecha os olhos.

Enquanto molho metodicamente seu cabelo, contemplo-o abertamente. *Minha nossa*. Será que algum dia vou me cansar disso? Seus longos cílios escuros são como um leque tocando as pálpebras inferiores; sua boca se entreabre, formando um pequeno e escuro diamante entre os lábios; ele inspira suavemente. Hmm... Como eu queria enfiar minha língua ali...

Espirro água nos olhos dele. *Merda!*

— Desculpe!

Ele pega a ponta da toalha e ri ao enxugar os olhos.

— Ei, eu sei que sou um idiota, mas não me afogue.

Dobro o corpo para beijar sua testa, rindo.

— Não me tente.

Ele me segura pela nuca e ergue o corpo para encostar a boca na minha. É um selinho rápido, e ele faz um barulhinho satisfeito com a garganta que se conecta com os músculos bem lá dentro do meu ventre. É um som muito sedutor. Ele me solta e volta a deitar para trás obedientemente, encarando-me com expectativa. Por um momento parece vulnerável, como uma criança. Meu coração se aperta.

Ponho um pouco de xampu na palma da mão e massageio seu couro cabeludo, começando pelas têmporas e indo até o topo da cabeça, depois descendo pelos dois lados, desenhando círculos ritmados com os dedos. Ele fecha os olhos e faz aquele som baixo de novo.

— Que gostoso — diz depois de um momento, e relaxa sob o toque firme dos meus dedos.

— Aham. — Beijo sua testa mais uma vez.

— Eu gosto quando você arranha meu couro cabeludo com as pontas das unhas.

Seus olhos ainda estão fechados, mas sua expressão é de total satisfação — nenhum traço de vulnerabilidade permanece. Caramba, como seu estado de espírito mudou! Fico contente em saber que fui eu que fiz isso.

— Cabeça para cima — ordeno, e ele obedece.

Hmm... Uma mulher pode se acostumar com isso. Espalho a espuma na parte de trás da sua cabeça, percorrendo seu couro cabeludo com as unhas.

— Para trás.

Ele se inclina para trás e eu enxáguo a espuma, usando o copo. Dessa vez, consigo não espirrar nele.

— Mais uma vez? — pergunto.

— Por favor.

Seus olhos vibram e seu olhar sereno encontra o meu. Abro um sorriso para ele.

— É pra já, Sr. Grey.

Viro-me para a pia que Christian normalmente usa e encho-a de água morna.

— Para enxaguar — digo, quando noto seu olhar confuso.

Repito o processo com o xampu, ouvindo sua respiração calma e profunda. Assim que ele está cheio de espuma, levo mais um minuto apreciando o belo rosto do meu marido. Não consigo resistir a ele. Acaricio sua face ternamente, e ele abre os olhos, observando-me sonolento por entre os longos cílios. Inclinando-me para a frente, dou um beijo suave e casto na sua boca. Ele sorri, fecha os olhos e deixa escapar um suspiro de total satisfação.

Quem iria imaginar que depois da discussão que tivemos hoje à tarde ele ficaria tão relaxado? Sem sexo? Inclino-me sobre ele.

— Hmm... — murmura Christian em satisfação quando meus seios esbarram no seu rosto.

Resistindo à vontade de balançá-los, puxo a tampa da pia para que escorra a água cheia de espuma. Suas mãos se movem para meus quadris e para a minha bunda.

— Nada de passar a mão na cabeleireira — murmuro, fingindo desaprovação.

— Não esqueça que eu estou surdo — diz ele.

Ainda de olhos fechados, ele passa as mãos pela minha bunda e começa a levantar minha saia. Dou um tapa no seu braço. Estou gostando de bancar a cabeleireira. Ele ri alto, uma risada infantil, como se eu o tivesse apanhado fazendo algo ilícito do qual ele secretamente tem orgulho.

Pego o copo de novo, mas dessa vez uso a água da outra pia para cuidadosamente tirar todo o xampu do seu cabelo. Continuo me inclinando sobre ele, que mantém as mãos no meu traseiro, passando os dedos para trás e para a frente, para cima e para baixo... Para trás e para a frente... Hmm... Eu agito o corpo. Ele faz um ruído com a garganta.

— Pronto. Tudo enxaguado.

— Que bom.

Seus dedos apertam minha bunda e subitamente ele se endireita na cadeira, seu cabelo ensopado pingando por todo o seu corpo. Ele me puxa para o seu colo, as mãos subindo do meu traseiro para minha nuca e então para o meu queixo, segurando-me. Levo um susto, e então seus lábios estão nos meus, sua língua quente e firme na minha boca. Agarro seu cabelo molhado, e pingos d'água escorrem pelos meus braços; à medida que o nosso beijo fica mais intenso, seu cabelo encharca o meu rosto. Suas mãos descem do meu queixo até o primeiro botão da minha blusa.

— Chega dessa encenação. Quero comer você agora e pode ser aqui ou no quarto. Você decide.

Seus olhos brilham, quentes e cheios de promessas, seu cabelo pingando em nós dois. Minha boca fica seca.

— O que vai ser, Anastasia? — pergunta ele, segurando-me no seu colo.

— Você está molhado — respondo.

Ele joga a cabeça para a frente de repente, passando o cabelo molhado por toda a frente da minha blusa. Dou um grito agudo e tento me esquivar, mas ele me segura com mais força.

— Ah não, você não vai embora, querida.

Quando ele levanta a cabeça, está rindo lascivamente para mim, e eu sou a Garota Camiseta Molhada. Minha blusa está ensopada e totalmente transparente. Estou toda molhada... toda mesmo.

— Que bela visão — murmura ele, e se curva para passar o nariz em círculos ao redor de um dos meus mamilos molhados. Eu me contorço. — Quero uma resposta, Ana. Aqui ou no quarto?

— Aqui — sussurro em agonia.

Que se dane o corte de cabelo. Faço isso mais tarde. Ele abre um sorriso devagar, seus lábios curvando-se com sensualidade, cheio de promessas libidinosas.

— Boa escolha, Sra. Grey — sussurra ele contra a minha boca.

Christian solta meu queixo e desce a mão para o meu joelho, depois a faz subir suavemente pela minha perna, levantando minha saia e passeando na minha pele, o que provoca arrepios em mim. Seus lábios vão fazendo uma trilha de suaves beijos desde a base da minha orelha, contornando meu maxilar.

— Ah, o que eu faço com você? — sussurra ele. Seus dedos param no alto das minhas meias sete oitavos. — Eu gosto disso.

Ele coloca um dedo dentro da meia e o desliza para a parte interior da minha coxa. Fico ofegante e me contorço mais uma vez no seu colo.

Ele faz um barulho rouco com a garganta.

— Se eu vou foder com força, quero que fique parada.

— Vai ter que me obrigar — eu o desafio, minha voz suave e sussurrante.

Christian inspira forte. Ele aperta os olhos e me fita com uma expressão quente, velada.

— Ah, Sra. Grey. Basta você pedir. — Sua mão se move da minha meia para minha calcinha. — Vamos tirar isso.

Ele puxa de leve, e eu me mexo para ajudar. Sua respiração sibila contra seus dentes enquanto faço isso.

— Fique parada — grunhe ele.

— Estou ajudando.

Faço um beicinho, e ele morde suavemente meu lábio inferior.

— Parada — rosna ele.

Christian faz minha calcinha deslizar pelas minhas pernas e tira-a. Levantando minha saia para que fique toda acima dos meus quadris, ele leva as duas mãos para minha cintura e me levanta, minha calcinha ainda na sua mão.

— Monte em mim — ordena, olhando bem dentro dos meus olhos.

Eu mudo de posição, montando nele, e o encaro provocativamente. *Pode vir com tudo!*

— Sra. Grey — avisa ele —, está me atiçando?

Ele me olha com um ar de diversão, mas ao mesmo tempo excitado. É uma combinação sedutora.

— Estou. O que vai fazer?

Seus olhos se iluminam com o meu desafio, cheios de um deleite obsceno, e sinto sua ereção embaixo de mim.

— Junte as mãos às costas.

Oh! Faço o que ele manda, e ele habilmente amarra meus pulsos com a calcinha.

— Minha calcinha? Sr. Grey, você não tem vergonha — digo em reprovação.

— Não em assuntos relacionados a você, Sra. Grey, mas você sabe muito bem disso.

Seu olhar é intenso e quente. Segurando a minha cintura, ele me coloca mais para trás no seu colo. A água ainda escorre pelo seu pescoço, até seu peito. Quero me inclinar para a frente e lamber as gotas, mas é mais difícil agora que estou com os braços presos.

Christian acaricia minhas coxas e desliza as mãos até os meus joelhos. Ele gentilmente os afasta mais, e também abre as próprias pernas, para me manter nessa posição. Seus dedos alcançam os botões da minha blusa.

— Acho que não precisamos disso — diz ele.

Christian começa a abrir metodicamente cada botão da minha blusa molhada, sem tirar os olhos dos meus. Seu olhar escurece cada vez mais à medida que prossegue, vagarosamente, no seu próprio tempo. Minha pulsação acelera e fico ofegante. Não consigo acreditar: ele mal me tocou e eu já me sinto assim — excitada, conturbada... pronta. Quero me contorcer. Ele deixa aberta minha blusa molhada e, usando as duas mãos, acaricia meu rosto com os dedos, seu polegar deslizando pelo meu lábio inferior. De repente, ele enfia o polegar na minha boca.

— Chupe — ordena ele.

Fecho a boca em volta do seu dedo e faço exatamente o que ele manda. Ah... Eu gosto desse jogo. O gosto dele é bom. O que mais eu gostaria de chupar? Os músculos da minha barriga tensionam só de pensar. Sua boca se entreabre quando passo os dentes pela parte macia do seu polegar e mordo.

Ele geme e, devagar, tira o dedo molhado da minha boca, fazendo-o descer pelo meu queixo, meu pescoço, meu esterno. Então o engancha no bojo do meu sutiã e puxa, revelando meu seio.

Seu olhar nunca deixa o meu. Ele está observando cada reação que seu toque provoca em mim, e eu também o observo. É excitante. Devorador. Possessivo. Eu adoro. Ele faz o mesmo com a outra mão, de forma que agora meus dois seios estão nus, e, cobrindo-os com a palma da mão delicadamente, cada polegar dele acaricia um mamilo meu, traçando círculos devagar, provocando e mexendo em cada um até que ficam duros e inflados debaixo do seu toque habilidoso. Eu tento, realmente tento, não me mexer, mas meus mamilos estão ligados à minha virilha, então eu gemo e jogo a cabeça para trás, fechando os olhos e me rendendo a essa tortura tão deliciosa.

— Shh. — Sua voz tranquila soa incoerente com o ritmo provocador e insistente de seus dedos habilidosos. — Paradinha, baby, paradinha.

Soltando um dos meus seios, ele estica o braço e abre a mão sobre a minha nuca, para então inclinar-se adiante e engolir meu mamilo, sugando com força, seu cabelo molhado me fazendo cócegas. Ao mesmo tempo, ele para de acariciar meu outro mamilo, já alongado, pegando-o entre o polegar e o indicador e apertando e girando delicadamente.

— Ah! Christian! — gemo, e salto para a frente no seu colo.

Mas ele não para. Continua a provocação lenta, prazerosa e agonizante. E meu corpo arde à medida que o prazer toma um caminho mais sombrio.

— Christian, por favor — choramingo.

— Hmm... — murmura ele, baixinho, um som que sai do seu peito. — Quero que você goze assim.

Meu mamilo ganha um alívio momentâneo enquanto suas palavras acariciam minha pele, e é como se ele estivesse evocando uma parte obscura e profunda da minha mente que só ele conhece. Quando ele volta a atacar com os dentes, o prazer é quase intolerável. Gemendo alto, estremeço no seu colo, tentando encontrar alguma boa fricção contra sua calça. Luto inutilmente contra a calcinha que prende meus braços, louca para tocá-lo, mas me perco nessa sensação perigosa.

— Por favor — sussurro, implorando, e o prazer percorre o meu corpo, indo direto do meu pescoço para as minhas pernas, para os dedos dos meus pés, envolvendo tudo à sua passagem.

— Você tem peitos tão lindos, Ana. — Ele geme. — Ainda vou comer esses peitos.

O que ele quer dizer com isso? Abrindo os olhos, fito seu rosto boquiaberta enquanto ele me chupa, minha pele respondendo a seu toque. Não sinto mais minha blusa encharcada, seu cabelo molhado... Nada a não ser a ardência. E arde deliciosamente quente e fundo, bem no fundo, e todos os meus pensamentos evaporam à medida que meu corpo se enrijece e se contrai... quase chegando lá... clamando pela liberação. E ele não para — provoca, puxa, me deixa louca. Eu quero... Eu quero...

— Não resista — diz ele.

E eu me entrego, gemendo alto, meu orgasmo fazendo meu corpo entrar em convulsões, e ele para sua doce tortura e me envolve nos seus braços, segurando-me enquanto meu corpo se contorce em clímax. Quando abro os olhos, estou descansando no seu peito e ele está me fitando.

— Meu Deus, eu adoro ver você gozar, Ana. — Sua voz está maravilhada.

— Isso foi... — As palavras me faltam.

— Eu sei.

Ele se inclina para a frente e me beija, a mão ainda na minha nuca, segurando-me, inclinando minha cabeça para que ele possa me beijar profundamente — com amor, com reverência.

Fico perdida no seu beijo.

Ele se afasta para tomar fôlego, seus olhos da cor de uma tempestade tropical.

— Agora eu vou foder você com força — murmura ele.

Puta que pariu. Agarrando-me pela cintura, ele me levanta das suas coxas e me coloca na ponta dos seus joelhos, para então, com a mão direita, abrir o botão da sua calça azul-marinho. Os dedos da sua mão esquerda passeiam para cima e para baixo pela minha coxa, sempre parando no alto da minha meia. Ele me observa atentamente. Estamos cara a cara e eu estou impotente, toda envolta no meu sutiã e com as mãos presas pela calcinha. Este deve ter sido um dos nossos momentos mais íntimos — eu sentada no colo dele, olhando bem dentro dos seus lindos olhos cinzentos. Sinto-me uma devassa, mas também muito conectada a ele — não estou constrangida nem tímida. Este é Christian, meu marido, meu amante, meu megalomaníaco autoritário, meu Cinquenta Tons — o amor da minha vida. Ele abre o zíper, e minha boca fica seca quando sua ereção salta para fora.

Ele sorri maliciosamente.

— Você gosta? — pergunta ele, num sussurro.

— Hmm... — murmuro em aprovação.

Pegando-o, ele movimenta as mãos para cima e para baixo... *Ai, meu Deus.* Encaro-o com os olhos semicerrados. Cacete, ele é tão sexy...

— Está mordendo o lábio, Sra. Grey.

— É porque eu estou com fome.

— Fome? — Sua boca se abre em surpresa, e seus olhos quase se arregalam.

— Aham... — concordo, e passo a língua nos lábios.

Ele abre um sorriso enigmático e morde o lábio inferior enquanto continua se acariciando. Por que é tão excitante ver meu marido se dando prazer?

— Entendo. Você deveria ter comido o seu jantar. — Seu tom é ao mesmo tempo de zombaria e censura. — Mas talvez eu possa ajudá-la. — Ele coloca as mãos na minha cintura. — Levante-se — diz suavemente, e eu sei o que ele vai fazer.

Obedeço, minhas pernas não mais tremendo.

— Ajoelhe-se.

Faço o que ele manda: ajoelho-me no piso gelado do banheiro. Ele desliza para a frente na cadeira.

— Beije — profere ele, segurando sua ereção.

Olho-o de relance e vejo-o passar a língua pelos dentes superiores. É excitante, muito excitante ver o desejo dele, seu desejo nu por mim e pela minha boca. Inclinando-me para a frente, meus olhos nos dele, beijo a ponta da sua ereção. Vejo-o inspirar forte e cerrar os dentes. Christian segura a lateral da minha cabeça e eu passo a língua pela ponta, provando a pequena gota do líquido que repousa no final. Hmm... Que gosto bom. Sua boca se abre ainda mais quando ele inspira, e eu parto para o ataque, engolindo-o e chupando forte.

— Ah...

O ar sibila entre seus dentes e ele flexiona os quadris para a frente, enfiando ainda mais na minha boca. Mas eu não paro. Cobrindo os dentes com os lábios, eu desço e subo. Ele move ambas as mãos, de forma que agora segura totalmente minha cabeça, enterrando os dedos no meu cabelo, e então começa a se mexer devagar, entrando e saindo da minha boca, sua respiração cada vez mais rápida, mais áspera. Giro a língua em volta da ponta e o engulo de novo, em um perfeito contraponto ao movimento dele.

— Meu Deus, Ana.

Ele suspira e fecha os olhos com força. Ele está entregue, e é inebriante vê-lo reagir a mim. A *mim*. Muito devagar, contraio os lábios para trás, deixando só os dentes.

— Ah!

Christian para de se mexer. Dobrando-se para a frente, ele me agarra e me puxa para o seu colo.

— Chega! — murmura ele.

Alcançando minhas costas, ele solta minhas mãos com um puxão na minha calcinha. Flexiono os pulsos e encaro os olhos ardentes que me olham de volta com amor, desejo e luxúria. E percebo que sou eu que quero transar com este homem. Eu o quero demais. Quero vê-lo gozar enlouquecidamente embaixo de mim. Agarro sua ereção e monto nele. Colocando a outra mão no seu ombro, faço-o entrar em mim, muito devagar e delicadamente. Ele solta um barulho grave, gutural e selvagem e, com as mãos para cima, arranca minha blusa, deixando-a cair no chão. Suas mãos agarram meus quadris.

— Quieta. — Ele faz um ruído estridente, as mãos se enterrando na minha pele. — Por favor, deixe-me saborear isso. Saborear você.

Eu paro. *Nossa*... É tão bom senti-lo dentro de mim. Ele acaricia meu rosto, os olhos bem abertos e selvagens, os lábios semiabertos ao respirar. Ele se flexiona por baixo de mim e eu gemo, fechando os olhos.

— Esse é o meu lugar preferido — sussurra ele. — Dentro de você. Dentro da minha mulher.

Ai, cacete. Christian. Não consigo mais me conter. Meus dedos deslizam entre o seu cabelo molhado, minha boca procura a dele e eu começo a me movimentar.

Subindo e descendo nos dedos dos pés, saboreando-o, saboreando a mim. Ele geme alto, e suas mãos estão no meu cabelo e nas minhas costas, e sua língua invade minha boca com avidez, tomando tudo o que eu ofereço com prazer. Depois da nossa discussão de hoje à tarde, minha frustração com ele, a dele comigo... Ainda temos isso. Sempre teremos isso. Eu o amo tanto que é quase esmagador. Ele segura minha bunda e começa a me controlar, erguendo-me e baixando-me, repetidas vezes, imprimindo seu ritmo — um ritmo quente e agradável.

— Ah! — gemo, impotente, dentro da sua boca, enquanto sou levada.

— Isso. Isso, Ana — sibila ele, e eu inundo de beijos seu rosto, seu queixo, sua mandíbula, seu pescoço. — Baby — diz ele, capturando minha boca mais uma vez.

— Ah, Christian, eu amo você. Sempre vou amar você. — Estou sem fôlego, querendo que ele saiba do meu amor, que tenha certeza disso depois da batalha de vontades que tivemos hoje mais cedo.

Ele geme alto e me abraça, no mesmo momento em que chega ao clímax, com um soluço lamurioso, e isso basta... isso basta para me deixar no limite de novo. Aperto os braços em volta da sua cabeça e me deixo levar, e gozo em volta dele, as lágrimas surgindo nos meus olhos por amá-lo tanto.

— Ei — sussurra ele, levantando meu queixo e me fitando com uma preocupação discreta. — Por que está chorando? Machuquei você?

— Não — murmuro, tranquilizando-o.

Ele afasta o cabelo do meu rosto, seca uma lágrima solitária com o polegar e me beija ternamente na boca. Ainda está dentro de mim. Ele se mexe, e eu estremeço quando sai do meu corpo.

— O que houve, Ana? Por favor, diga.

Dou uma fungada.

— É só que... é só que às vezes eu me sinto esmagada pelo amor que sinto por você — sussurro.

Depois de um instante, ele abre seu sorriso tímido especial — reservado para mim, eu acho.

— Você provoca o mesmo em mim — sussurra ele, e me beija mais uma vez.

Sorrio, e por dentro minha alegria se desdobra e se estica preguiçosamente.

— Mesmo?

Ele sorri com malícia.

— Você sabe que sim.

— Às vezes eu sei. Não o tempo todo.

— Digo o mesmo em relação a você, Sra. Grey.

Dou um grande sorriso e deposito beijos suaves no seu peito, leves como uma pluma. Esfrego o rosto nos pelos do seu peito. Christian acaricia meu cabelo e passa a mão pelas minhas costas. Ele abre o fecho do meu sutiã e desce a alça de um dos braços. Mudo de posição; então ele puxa a outra alça e deixa o sutiã cair no chão.

— Hmm... Pele com pele — murmura com prazer, e me envolve em seus braços de novo, beijando meu ombro e roçando o nariz pela minha orelha. — Seu cheiro é magnífico, Sra. Grey.

— O seu também, Sr. Grey.

Passo o rosto no seu peito de novo e inalo seu aroma de Christian, agora misturado com o inebriante cheiro de sexo. Eu poderia ficar assim, em seus braços, saciada e feliz, para sempre. É só disso que eu preciso depois de um dia cheio, agitado pela volta ao trabalho, pelas nossas discussões e pela surra verbal que dei naquela vaca. É aqui que eu quero estar, e, apesar do seu espírito controlador e da sua megalomania, sinto que aqui é o meu lugar. Christian enterra o nariz no meu cabelo e inspira profundamente. Deixo escapar um suspiro de contentamento e sinto seu sorriso. E ficamos assim, sentados, os braços envolvendo um ao outro, sem falar nada.

Finalmente, a realidade vem se intrometer.

— Está tarde — diz Christian, seus dedos acariciando metodicamente minhas costas.

— Seu cabelo ainda precisa de um corte.

Ele dá uma risada.

— Isso é verdade, Sra. Grey. Você ainda tem energia para terminar o trabalho que começou?

— Por você, Sr. Grey, faço qualquer coisa. — Beijo seu peito mais uma vez e relutantemente me levanto.

— Não vá.

Agarrando-me pelos quadris, Christian me gira. Então senta-se ereto na cadeira e tira minha saia, deixando-a cair no chão. Estende a mão para mim. Aceito-a, e dou um passo adiante, deixando a saia para trás. Agora estou apenas de meia e cinta-liga.

— Você é uma belíssima visão, Sra. Grey.

Ele se recosta de novo na cadeira e cruza os braços, avaliando-me abertamente de alto a baixo.

Abro os braços e dou uma voltinha para ele.

— Meu Deus, que grande filho da puta sortudo que eu sou — diz ele, admirando-me.

— É mesmo.

Ele ri.

— Vista a minha camisa para cortar meu cabelo. Desse jeito você só vai me distrair, e vamos acabar nunca indo para a cama.

Não consigo evitar um sorriso em resposta. Sabendo que ele está observando cada movimento meu, vou rebolando até onde deixamos meus sapatos e a camisa dele. Inclinando-me devagar, eu me abaixo, pego a camisa, cheiro-a — hmm — e então a visto.

Os olhos de Christian estão bem abertos. Ele fechou a braguilha e está me olhando atentamente.

— Esse foi um tremendo espetáculo solo, Sra. Grey.

— Você tem uma tesoura? — pergunto inocentemente, piscando os cílios.

— No meu escritório — responde ele, em voz baixa e rouca.

— Vou procurar.

Deixando-o no banheiro, entro no quarto e pego meu pente na penteadeira antes de ir para o escritório. No corredor principal, reparo na porta aberta do escritório de Taylor. A Sra. Jones está parada alguns passos depois da entrada. Eu paro, completamente congelada.

Taylor está passando os dedos pelo rosto dela e sorrindo docemente. Então ele se inclina e a beija.

Puta merda! Taylor e a Sra. Jones? Fico boquiaberta de espanto — quer dizer, eu pensei... Bem, eu meio que desconfiava. Mas eles obviamente estão juntos! Fico rubra, sentindo-me uma voyeur, e consigo fazer meus pés se mexerem. Atravesso correndo o salão e entro no escritório de Christian. Acendo a luz e vou até a mesa. Taylor e a Sra. Jones... Uau! Estou tonta. Sempre achei que a Sra. Jones fosse mais velha que ele. Ah, tenho que tirar essa cena da minha cabeça. Abro a primeira gaveta e imediatamente sou distraída de meus pensamentos ao ver uma arma. *Christian tem uma arma!*

Um revólver. *Puta merda!* Eu não fazia ideia de que Christian tinha uma arma. Tiro-a da gaveta, abro o tambor e verifico o cilindro. Está completamente carregada, mas é leve... muito leve. Deve ser de fibra de carbono. O que Christian quer com uma arma? Caramba, espero que ele saiba usar isso. Os incessantes alertas de Ray quanto a armas passam rapidamente pela minha cabeça. Ele nunca esqueceu o treinamento militar. *Armas de fogo podem matar você, Ana. Você precisa saber o que está fazendo quando pegar numa dessas.* Coloco o revólver de volta e encontro a tesoura. Pegando-a rapidamente, corro de volta para o banheiro, minha cabeça girando. Taylor e a Sra. Jones... O revólver...

Na entrada da sala de estar, deparo com Taylor.

— Sra. Grey, me desculpe. — Seu rosto fica vermelho quando ele vê meus trajes.

— Hmm, Taylor, oi... Hmm. Estou cortando o cabelo do Christian! — falo abruptamente, constrangida.

Taylor está tão mortificado quanto eu. Abre a boca para falar algo, mas então a fecha rapidamente, afastando-se para o lado.

— Primeiro as damas — diz ele, todo formal.

Devo estar da cor do meu antigo Audi, o especial de submissa. Tem como isso ficar mais embaraçoso?

— Obrigada — murmuro, e disparo pelo corredor.

Droga! Será que algum dia vou me acostumar com o fato de que não estamos sozinhos? Entro no banheiro correndo, sem fôlego.

— O que aconteceu?

Christian está de pé em frente ao espelho, segurando meus sapatos. Todas as minhas roupas, que estavam espalhadas, estão agora cuidadosamente empilhadas sobre a pia.

— Acabei de cruzar com o Taylor.

— Ah. — Christian franze a testa. — Vestida dessa maneira.

Ah, merda!

— Não foi culpa dele.

Christian franze ainda mais a testa.

— Não. Mas mesmo assim.

— Estou vestida.

— Com quase nada.

— Não sei quem ficou mais constrangido, eu ou ele. — Tento minha técnica de distração: — Você sabia que ele e a Gail estão... bem, juntos?

Christian ri.

— Sim, claro que eu sabia.

— E nunca me contou?

— Achei que você soubesse também.

— Não.

— Ana, eles são adultos. Vivem sob o mesmo teto. Nenhum dos dois é comprometido. Os dois são bonitos.

Fico corada, sentindo-me boba por não ter notado.

— Bem, vendo dessa maneira... Eu só pensei que a Gail fosse mais velha do que o Taylor.

— Ela é, mas não muito. — Ele me encara, perplexo. — Alguns homens gostam de mulheres mais velhas... — Ele para abruptamente e seus olhos se arregalam.

Olho mal-humorada para ele.

— Eu sei disso — falo rispidamente.

Christian parece arrependido. Sorri afetuosamente para mim. Pronto! Minha técnica de distração foi um sucesso! Meu inconsciente me olha com desaprovação — mas a que custo? Agora a sombra da inominável Mrs. Robinson está pairando entre nós.

— Isso me lembra... — diz ele alegremente.

— O quê? — murmuro com petulância. E, pegando uma cadeira, viro-a para o espelho acima das pias. — Sente-se — ordeno.

Christian me fita com um ar meio divertido e meio indulgente, mas faz o que eu mando e se senta na cadeira. Começo a pentear seu cabelo, agora meramente úmido.

— Eu estava pensando em transformar os quartos de cima das garagens, na casa nova, num espaço para eles — comenta Christian. — Fazer um lar para os dois. Então talvez a filha do Taylor pudesse passar mais tempo com o pai.

Ele me observa com cautela pelo espelho.

— Por que ela não fica aqui?

— O Taylor nunca me pediu isso.

— Talvez você deva propor isso a ele. Mas aí teríamos que nos comportar.

Ele franze as sobrancelhas.

— Eu não tinha pensado nisso.

— Talvez seja por isso que o Taylor nunca tenha pedido. Você conhece a menina?

— Conheço. Um doce. Tímida. Uma graça. Eu pago a escola dela.

Ah. Paro de penteá-lo e o encaro pelo espelho.

— Eu não tinha ideia.

Ele dá de ombros.

— Acho que é o mínimo que eu posso fazer. Além do mais, assim ele não vai embora.

— Tenho certeza de que ele gosta de trabalhar para você.

Christian me encara sem nenhuma expressão e então dá de ombros.

— Não sei.

— Acho que ele gosta muito de você, Christian.

Volto a penteá-lo e desvio o olhar para ele; Christian não deixa de me fitar.

— Você acha?

— Acho.

Ele emite um som desdenhoso mas contente, como se estivesse secretamente satisfeito pelo fato de seus empregados gostarem dele.

— Que bom. Você fala com a Gia sobre os quartos em cima da garagem?

— Sim, claro.

Não sinto mais a mesma irritação que sentia antes quando surgia o nome dela. Meu inconsciente concorda solenemente comigo. *É... nós nos saímos bem hoje.* Minha deusa interior exulta. Agora ela vai deixar meu marido em paz e não vai deixá-lo desconfortável.

Estou pronta para cortar o cabelo de Christian.

— Tem certeza disso? É sua última chance de desistir.

— Faça o pior que puder, Sra. Grey. Não sou eu que tenho que olhar para mim, e sim você.

Dou uma risada.

— Christian, eu poderia olhar para você o dia inteiro.

Ele balança a cabeça, aborrecido.

— É só um rosto bonito, querida.

— E atrás dele, um homem muito bonito. — Beijo-o na têmpora. — Meu homem.

Ele sorri timidamente.

Pegando a primeira mecha de cabelo, penteio-a para cima e seguro-a entre o indicador e o dedo médio. Coloco o pente na boca, pego a tesoura e faço o primeiro corte, tirando uns dois centímetros do comprimento. Christian fecha os olhos e fica sentado como uma estátua, suspirando contente enquanto eu continuo. Às vezes ele abre os olhos e eu o pego me olhando fixamente. Ele não me toca durante a tarefa, o que é um alívio. Seu toque me faz... perder a concentração.

Quinze minutos depois, está pronto.

— Acabei.

Fico satisfeita com o resultado. Ele está mais lindo do que nunca, o cabelo ainda desalinhado e sexy... apenas um pouco mais curto.

Christian se olha no espelho. Parece positivamente surpreso. Ele abre um largo sorriso.

— Bom trabalho, Sra. Grey.

Ele vira a cabeça de um lado para o outro e me envolve em seus braços. Puxando-me para si, me beija e se aninha na minha barriga.

— Obrigado — diz ele.

— O prazer foi meu. — Inclino-me e lhe dou um beijo rápido.

— Está tarde. Dormir. — E ele dá um tapinha de brincadeira na minha bunda.

— Ah! Tenho que limpar isso aqui. — Tem cabelo espalhado no chão todo.

Christian franze o cenho, como se esse pensamento fosse algo que nunca lhe ocorreria.

— Tudo bem, vou pegar a vassoura — diz ele sarcasticamente. — Não quero que você constranja os empregados com esses trajes inapropriados.

— Você sabe onde fica a vassoura? — pergunto inocentemente.

Isso o faz parar na mesma hora.

— Hmm... Não.

Dou uma risada.

— Eu vou.

Eu me deito na cama e, enquanto espero por Christian, reflito sobre como esse dia poderia ter terminado tão diferente. Eu estava com muita raiva dele hoje mais cedo, e ele de mim. Como vou conseguir lidar com esse absurdo de me fazer administrar uma empresa? Não sinto vontade nenhuma de ter minha própria empresa. Não sou ele. Preciso tirar essa ideia da cabeça dele. Talvez devêssemos combinar uma senha para quando ele estiver agindo de forma autoritária e dominadora, para quando estiver sendo um babaca. Dou uma risadinha. Talvez a senha devesse ser babaca. Uma ideia muito interessante.

— O que foi? — pergunta ele ao deitar ao meu lado na cama, vestindo só a calça do pijama.

— Nada. Só uma ideia.

— Que ideia? — Ele se espreguiça ao meu lado.

Isso não vai dar em nada.

— Christian, acho que eu não quero administrar uma empresa.

Ele ergue o corpo, apoiando-se no cotovelo, e me encara.

— Por que está dizendo isso?

— Porque é algo que nunca desejei.

— Você é mais do que capaz, Anastasia.

— Eu gosto de ler livros, Christian. Não vou conseguir fazer isso enquanto dirijo uma empresa.

— Você poderia ser a diretora de conteúdo.

Franzo o cenho.

— Veja — continua ele —, gerenciar uma empresa de sucesso se resume a abraçar o talento dos indivíduos que você tem à sua disposição. Se é aí que estão os seus talentos e interesses, então você estrutura a empresa de uma forma que lhe permita explorá-los. Não descarte essa possibilidade logo de cara, Anastasia. Você é uma mulher muito capaz. Acho que poderia fazer qualquer coisa que quisesse.

Uau! Como ele pode saber se eu vou ser boa nisso?

— Também tenho medo de que isso tome muito do meu tempo.

Christian franze o cenho.

— Tempo que eu poderia dedicar a você. — Recorro à minha arma secreta.

Seu olhar escurece.

— Sei o que você está fazendo — murmura ele, achando graça.

Droga!

— O quê? — digo, fingindo inocência.

— Está tentando me distrair do assunto em questão. Você sempre faz isso. Só não descarte logo a ideia, Ana. Pense sobre o assunto. É só o que eu peço.

Ele se inclina e me beija castamente, depois passa o polegar pelo meu rosto. Essa discussão vai render. Dou um sorriso para ele — e algo que ele disse mais cedo me vem de repente à cabeça.

— Posso perguntar uma coisa? — Minha voz é fraca, hesitante.

— Claro.

— Hoje você disse que se eu estivesse com raiva de você, que era para descontar na cama. O que você quis dizer com isso?

Ele fica parado.

— O que acha que eu quis dizer?

Merda! Vou ter que falar logo.

— Acho que você queria que eu o amarrasse.

Suas sobrancelhas se erguem em surpresa.

— Hmm... não. Não era isso. Não mesmo.

— Ah. — E fico surpresa ao notar a pontada de desapontamento que sinto.

— Você quer me amarrar? — pergunta ele, obviamente interpretando minha expressão da forma correta. Ele parece chocado. Fico vermelha.

— Bem...

— Ana, eu... — Ele então para de falar, e algo sombrio cruza seu rosto.

— Christian — sussurro, alarmada.

Mudo de posição, deitando de lado, e me apoio em um cotovelo, imitando-o. Acaricio seu rosto. Seus olhos estão muito abertos e cheios de medo. Ele balança a cabeça tristemente.

Merda!

— Christian, pare. Não importa. Eu pensei que fosse isso o que você quisesse dizer.

Ele pega minha mão e a coloca sobre seu coração, que bate acelerado. *Cacete!* O que está havendo?

— Ana, não sei como eu me sentiria sendo tocado se eu estivesse amarrado.

Meu couro cabeludo começa a formigar. É como se ele estivesse confessando algo profundo e sombrio.

— Isso é tudo muito recente ainda. — Sua voz é baixa e rouca.

Merda. Foi só uma pergunta, e eu percebo que ele já avançou muito, mas ainda tem um longo caminho pela frente. *Ah, Christian, meu Cinquenta Tons.* A angústia aperta meu coração. Inclino-me para perto de Christian e ele congela, mas dou apenas um beijo suave no canto da sua boca.

— Christian, eu entendi errado. Por favor, não se preocupe, não pense nisso.

Dou um beijo nele. Ele fecha os olhos, geme e retribui o beijo, puxando meu corpo para me derrubar no colchão, suas mãos segurando meu queixo. E logo estamos perdidos... perdidos um no outro de novo.

CAPÍTULO NOVE

Pela manhã, acordo antes de o despertador tocar e vejo Christian enrolado em mim, a cabeça no meu peito, o braço em volta da minha cintura e a perna entre as minhas. E ele está no meu lado da cama. É sempre a mesma coisa. Se discutimos à noite, é assim que ele fica durante o sono, todo enrolado em mim, deixando-me com calor e incomodada.

Ah, meu Cinquenta Tons. Tão carente em alguns aspectos. Quem diria? A imagem que tenho de Christian como um menininho sujo e infeliz me persegue. Acaricio delicadamente seu cabelo, agora mais curto, e minha melancolia desaparece. Ele se mexe, e seus olhos sonolentos encontram os meus. Ele pisca algumas vezes à medida que vai despertando.

— Oi — murmura ele, e sorri.

— Oi. — Adoro acordar com esse sorriso.

Ele se aninha nos meus seios e deixa escapar um gemido de apreciação, que vem bem do fundo da garganta. Suas mãos descem pelo meu corpo a partir da cintura, passando levemente sobre o frio cetim da minha camisola.

— Que tentação você é — murmura ele. — Mas, apesar da tentação — ele olha o relógio —, tenho que levantar.

Ele se espreguiça, se solta de mim e se levanta.

Eu me recosto na cabeceira da cama, coloco as mãos atrás da cabeça e aproveito o espetáculo: Christian tirando a roupa para entrar no banho. Ele é perfeito. Eu não mudaria um fio de cabelo dele.

— Admirando a vista, Sra. Grey? — Christian levanta uma sobrancelha irônica para mim.

— É uma bela vista, Sr. Grey.

Ele ri e joga a calça do pijama em mim de um jeito que quase cai no meu rosto, mas eu a pego a tempo, dando risadinhas como uma menina. Com um sorriso malicioso, ele puxa o edredom, coloca um joelho na cama, agarra meus tornozelos e me arrasta na direção dele, de modo que minha camisola sobe. Dou um grito agudo e ele engatinha por cima do meu corpo, deixando uma trilha de beijos no meu joelho, na minha coxa... na minha... ah... *Christian!*

— Bom dia, Sra. Grey — cumprimenta-me a Sra. Jones.

Fico ruborizada, constrangida, recordando-me do seu momento de intimidade com Taylor ontem à noite.

— Bom dia — respondo enquanto ela me oferece uma xícara de chá.

Sento-me num banco alto ao lado do meu marido, que parece simplesmente radiante: recém-saído do banho, o cabelo molhado, usando uma camisa branca engomada e aquela gravata prateada. Minha preferida. Tenho deliciosas lembranças dela.

— Como vai, Sra. Grey? — pergunta ele, os olhos calorosos.

— Acho que você sabe, Sr. Grey. — E ergo o olhar com o rosto para baixo.

Ele sorri.

— Coma — ordena. — Você não comeu ontem.

Ah, meu Cinquenta Tons mandão!

— Eu não comi porque você estava sendo um babaca.

A Sra. Jones derruba alguma coisa com um estrondo na pia, fazendo-me pular de susto. Christian parece não se dar conta do barulho. Ignorando-a, ele continua a me olhar impassivo.

— Babaca ou não, coma. — Seu tom de voz é sério. Não vou discutir.

— Tudo bem! Pegando a colher, comendo granola... — murmuro, como uma adolescente petulante.

Pego o iogurte grego e coloco um pouco sobre o meu cereal, seguido de um punhado de blueberries. Olho de esguelha na direção da Sra. Jones e ela capta o meu olhar. Sorrio, e ela abre um sorriso caloroso em resposta. Ela providenciou o meu café da manhã preferido, que me foi apresentado durante a nossa lua de mel.

— Talvez eu tenha que ir a Nova York no final da semana. — O anúncio do Christian interrompe meus devaneios.

— Ah.

— Devo dormir uma noite lá. Quero que você vá comigo.

— Christian, eu não vou ter folga.

Ele me olha daquele seu jeito que diz "Ah, jura? Mas eu sou o seu chefe". Solto um suspiro.

— Sei que você é o dono da empresa, mas eu passei três semanas fora. Por favor. Como você espera que eu administre um negócio se nunca estou lá? Vou ficar bem. Presumo que você vá levar o Taylor, mas o Sawyer e o Ryan vão estar aqui... — Paro de falar, porque Christian está sorrindo para mim. — O quê? — pergunto rispidamente.

— Nada. Só você — diz ele.

Fecho a cara. Ele está rindo de mim? Então um pensamento horrível surge na minha mente.

— Como você vai para Nova York?

— No jatinho da empresa. Por quê?

— Só queria saber se você iria no *Charlie Tango.* — Minha voz sai baixa e um arrepio desce pela minha espinha.

Eu me lembro da última vez que ele voou nesse helicóptero. Uma onda de náusea me atinge quando me recordo das horas tensas que passei à espera de notícias. Deve ter sido o momento mais difícil da minha vida. Noto que a Sra. Jones também ficou imóvel. Tento descartar esse pensamento.

— Eu não poderia ir a Nova York no *Charlie Tango*. Ele não tem autonomia para um voo desses. Além disso, os engenheiros só vão liberá-lo daqui a duas semanas.

Graças aos céus. Meu sorriso é em parte de alívio, mas também de satisfação em saber que o desaparecimento do *Charlie Tango* ocupou grande parte da atenção e do tempo de Christian ao longo das últimas semanas.

— Bem, fico feliz que o conserto esteja quase pronto, mas...

Paro de falar. Será que posso lhe contar que vou ficar muito nervosa da próxima vez que ele entrar naquele helicóptero?

— O que foi? — pergunta ele, terminando o omelete.

Dou de ombros.

— Ana? — insiste ele, dessa vez mais firme.

— Eu só... Você sabe. Da última vez que você voou nele... Eu pensei... todos pensamos... que você tinha... — Não consigo terminar a frase, e a expressão de Christian se suaviza.

— Ei. — Ele acaricia meu rosto com as costas dos dedos. — Aquilo foi sabotagem.

Uma expressão sombria cruza seu rosto, e por um momento me pergunto se ele sabe quem foi o responsável.

— Eu não aguentaria perder você — murmuro.

— Cinco pessoas foram demitidas por causa daquilo, Ana. Não vai acontecer de novo.

— Cinco?

Ele confirma com a cabeça, a expressão séria.

Caramba!

— Isso me lembra uma coisa. Tem uma arma na sua gaveta.

Ele franze a testa diante do meu comentário fora de propósito e, provavelmente, também pelo meu tom acusatório, embora não fosse essa a minha intenção.

— É da Leila — diz ele finalmente.

— Está completamente carregada.

— Como você sabe? — Ele franze ainda mais a testa.

— Eu vi ontem.

Ele me olha zangado.

— Não quero você mexendo com armas. Espero que tenha colocado de volta a trava de segurança.

Fico sem reação por um momento, estupefata.

— Christian, aquele revólver não tem trava de segurança. Você não entende nada de armas?

Seus olhos se arregalam.

— Hã... Não.

Taylor tosse discretamente à entrada. Christian assente com a cabeça para ele.

— Temos que ir — diz Christian.

Ele se levanta, distraído, e veste o paletó cinza. Vou atrás dele pelo corredor.

Ele está com a arma da Leila. Estou chocada com essa novidade, e me pergunto rapidamente o que terá acontecido com ela. Será que ainda está em... onde é mesmo? Algum lugar no leste. New Hampshire? Não consigo me lembrar.

— Bom dia, Taylor — diz Christian.

— Bom dia, Sr. e Sra. Grey.

Ele nos cumprimenta com um aceno de cabeça, mas toma o cuidado de não me olhar nos olhos. Fico aliviada, lembrando de como estava pouco coberta quando esbarramos um com o outro ontem à noite.

— Vou só escovar os dentes — murmuro.

Christian sempre escova os dentes antes do café da manhã. Não entendo por quê.

— VOCÊ DEVERIA PEDIR ao Taylor para ensiná-lo a atirar — digo quando estamos no elevador. Christian me encara com um ar de quem acha graça.

— Deveria, é? — diz ele secamente.

— Sim.

— Anastasia, eu tenho desprezo por armas. Minha mãe cuidou de muitas vítimas de crimes com armas de fogo e meu pai condena veementemente as armas. Eu cresci imbuído desse espírito. Ajudo pelo menos duas iniciativas para o controle de armas aqui em Washington.

— Ah. O Taylor anda armado?

Ele pressiona os lábios.

— Às vezes.

— Você não aprova? — pergunto, enquanto Christian me apressa para fora do elevador ao chegarmos ao térreo.

— Não — diz ele, os lábios cerrados. — Digamos que eu e o Taylor temos visões muito diferentes no que diz respeito ao controle de armas.

Estou com o Taylor nessa.

Christian abre a porta da entrada para mim e eu me dirijo para o carro. Ele não me deixa ir sozinha para a SIP desde que descobriu que o *Charlie Tango* foi sabotado. Sawyer sorri com simpatia, segurando a porta aberta para Christian e eu entrarmos no carro.

— Por favor. — Pego a mão de Christian.

— Por favor o quê?

— Aprenda a atirar.

Ele revira os olhos.

— Não. Discussão encerrada, Anastasia.

E mais uma vez sou uma criança sendo repreendida. Abro a boca para dizer algo cortante, mas decido que não quero começar meu dia de trabalho de mau humor. Em vez disso, cruzo os braços e vejo Taylor me observando pelo espelho retrovisor. Ele parece absorto, concentrado na rua à sua frente, mas balança a cabeça um pouco, numa frustração óbvia.

Hmm... Ele também fica enlouquecido com Christian às vezes. Esse pensamento me faz sorrir, e meu bom humor está salvo.

— Onde está a Leila? — pergunto, enquanto Christian olha para fora pela janela.

— Já falei. Está em Connecticut com os pais. — Ele me olha de relance.

— Você verificou isso? Afinal, ela tem cabelo comprido. Poderia ser ela dirigindo o Dodge.

— Sim, eu verifiquei. Ela está matriculada numa escola de artes em Hamden. Começou esta semana.

— Você falou com ela? — sussurro, e meu rosto fica lívido.

Christian vira a cabeça rapidamente ao ouvir o tom da minha voz.

— Não. Foi o Flynn. — Ele investiga meu rosto à procura de uma pista para meus pensamentos.

— Entendi — murmuro, aliviada.

— O quê?

— Nada.

Christian suspira.

— Ana. O que foi?

Dou de ombros, não querendo admitir meu ciúme irracional.

Christian continua:

— Estou de olho nela, para ter certeza de que ela está do outro lado do país. Ela está melhor, Ana. Flynn a encaminhou para um psiquiatra em New Haven, e todos os relatórios têm sido bem positivos. Ela sempre se interessou por artes, então...

Ele para, o rosto ainda perscrutando o meu. E nesse momento eu suspeito de que ele esteja pagando pelas aulas de artes dela. Será que eu quero saber? Será que devo perguntar? Não é que ele não possa fazer isso, mas por que ainda se sente na obrigação? Suspiro. A bagagem de Christian nem se compara ao Bradley Kent, da aula de biologia, com suas tentativas fajutas de me beijar. Christian pega minha mão.

— Não fique pensando nisso, Anastasia — murmura ele, e eu retribuo seu gesto tranquilizador. Sei que ele está fazendo o que acha certo.

NO MEIO DA MANHÃ, tenho um intervalo entre as reuniões. Quando pego o telefone para ligar para Kate, noto um e-mail novo de Christian.

De: Christian Grey
Assunto: Elogios
Data: 23 de agosto de 2011 09:54
Para: Anastasia Grey

Sra. Grey,

Recebi três elogios ao meu novo corte de cabelo.
Ser elogiado pelos meus funcionários é algo novo para mim. Deve ser o sorriso ridículo que aparece no meu rosto sempre que eu me lembro de ontem à noite.
Você é, sem dúvida, uma mulher linda, talentosa e maravilhosa.

E toda minha.

Christian Grey
CEO, Grey Enterprises Holdings, Inc.

Eu me derreto lendo isso.

De: Anastasia Grey
Assunto: Tentando me concentrar aqui
Data: 23 de agosto de 2011 10:48
Para: Christian Grey

Sr. Grey,

Estou tentando trabalhar e não quero ser distraída por lembranças deliciosas.

Agora é a hora de confessar que eu costumava cortar o cabelo do Ray regularmente? Não tinha ideia de que seria tão útil.

E sim, eu sou sua, e você, meu marido querido e autoritário, que se recusa a exercitar seu direito constitucional, de acordo com a Segunda Emenda, de portar arma de fogo, é meu. Mas não se preocupe, eu vou protegê-lo. Sempre.

Anastasia Grey
Editora, SIP

De: Christian Grey
Assunto: Annie Oakley
Data: 23 de agosto de 2011 10:53
Para: Anastasia Grey

Sra. Grey,

Estou encantado de ver que você falou com o depto. de TI e trocou o seu nome. :D

Dormirei em segurança na minha cama sabendo que minha esposa armada dorme ao meu lado.

Christian Grey
CEO & Hoplofóbico, Grey Enterprises Holdings, Inc.

Hoplofóbico? Que diabo é isso?

De: Anastasia Grey
Assunto: Palavras compridas
Data: 23 de agosto de 2011 10:58
Para: Christian Grey

Sr. Grey,

Mais uma vez o senhor me confunde com sua destreza linguística.

Na verdade, sua destreza em geral, e eu acho que o senhor sabe do que estou falando.

Anastasia Grey
Editora, SIP

De: Christian Grey
Assunto: Opa!
Data: 23 de agosto de 2011 11:01
Para: Anastasia Grey

Sra. Grey,

Está flertando comigo?

Christian Grey
CEO Chocado, Grey Enterprises Holdings, Inc.

De: Anastasia Grey
Assunto: Você preferiria…
Data: 23 de agosto de 2011 11:04
Para: Christian Grey

… que eu flertasse com outra pessoa?

Anastasia Grey
Editora Corajosa, SIP

De: Christian Grey
Assunto: Grrrrr
Data: 23 de agosto de 2011 11:09
Para: Anastasia Grey

NÃO!

Christian Grey
CEO Possessivo, Grey Enterprises Holdings, Inc.

De: Anastasia Grey
Assunto: Uau...
Data: 23 de agosto de 2011 11:14
Para: Christian Grey

Você está rosnando para mim? Porque isso meio que dá tesão.

Anastasia Grey
Editora se contorcendo (no bom sentido), SIP

De: Christian Grey
Assunto: Cuidado
Data: 23 de agosto de 2011 11:16
Para: Anastasia Grey

Flertando e brincando comigo, Sra. Grey?

Talvez eu lhe faça uma visita hoje à tarde.

Christian Grey
CEO Priápico, Grey Enterprises Holdings, Inc.

De: Anastasia Grey
Assunto: Ah, não!
Data: 23 de agosto de 2011 11:20
Para: Christian Grey

Vou me comportar. Não quero o chefe do chefe do meu chefe em cima de mim no trabalho. ;)

Agora me deixe trabalhar. O chefe do chefe do meu chefe pode me dar um pé na bunda.

Anastasia Grey

Editora, SIP

De: Christian Grey
Assunto: &*%$&*&*
Data: 23 de agosto de 2011 11:23
Para: Anastasia Grey

Pode acreditar que tem muitas coisas que ele gostaria de fazer com a sua bunda agora. Mas não com o pé.

Christian Grey
CEO & Fanático por Bundas, Grey Enterprises Holdings, Inc.

A resposta dele me faz rir.

De: Anastasia Grey
Assunto: Vá embora!
Data: 23 de agosto de 2011 11:26
Para: Christian Grey

Você não tem um império para administrar?

Pare de me atrapalhar.

Tenho uma reunião agora.

Achei que você preferisse peitos...

Pense na minha bunda e eu penso na sua...

Amo vc. Bj.

Anastasia Grey
Editora Agora Molhadinha, SIP

Não consigo evitar um ar deprimido quando Sawyer me leva para o trabalho na quinta. A ameaça da viagem de Christian a Nova York a negócios se concretizou e, embora ele tenha partido há apenas algumas horas, já sinto saudades. Ligo o computador e tem um e-mail me esperando. Fico mais animada imediatamente.

De: Christian Grey
Assunto: Já com saudades
Data: 25 de agosto de 2011 04:32
Para: Anastasia Grey

Sra. Grey,

Você estava encantadora esta manhã.

Comporte-se enquanto eu estiver fora.

Amo você.

Christian Grey
CEO, Grey Enterprises Holdings, Inc.

Esta será a primeira noite em que dormiremos separados desde o casamento. Pretendo me encontrar com Kate para tomar uns drinques — que vão me ajudar a dormir. Impulsivamente, respondo o e-mail, mesmo sabendo que ele ainda está no avião.

De: Anastasia Grey
Assunto: Comporte-se!
Data: 25 de agosto de 2011 09:03
Para: Christian Grey

Avise quando pousar — até lá vou ficar preocupada.

E vou me comportar. Afinal, que tipo de besteira eu posso fazer ao lado de Kate?

Anastasia Grey
Editora, SIP

Clico em "enviar" e dou um gole no meu café com leite, cortesia da Hannah. Quem diria que um dia eu adoraria café? Apesar de ter combinado de sair à noite com Kate, sinto como se uma parte de mim estivesse faltando. Uma parte que no momento se encontra a trinta e cinco mil pés de altura, a caminho de Nova York. Não pensei que eu fosse me sentir assim tão insegura e ansiosa só porque Christian está longe. Tenho certeza de que com o tempo vou deixar de sentir essa perda e insegurança, não é? Deixo escapar um suspiro pesado e continuo meu trabalho.

Quase na hora do almoço, começo a checar obsessivamente meus e-mails e meu BlackBerry por uma mensagem. Cadê ele? Será que chegou bem? Hannah pergunta se eu quero almoçar, mas estou muito apreensiva, então a dispenso. Sei que é irracional, mas preciso ter certeza de que ele chegou são e salvo.

O telefone da minha sala toca, assustando-me.

— Ana St... Ana Grey.

— Oi. — A voz de Christian é calorosa e traz um traço de divertimento. O alívio me percorre.

— Oi. — Estou sorrindo de orelha a orelha. — Como foi o voo?

— Longo. O que você e a Kate vão fazer hoje?

Ah, não.

— Só vamos sair para relaxar, tomar alguma coisa.

Christian não fala nada.

— Sawyer e a mulher nova, Prescott, também vão, para garantir nossa segurança — acrescento, numa tentativa de apaziguá-lo.

— Achei que a Kate fosse lá em casa.

— Ela prefere dar uma saída rápida. — *Por favor, deixe-me sair!*

Christian suspira pesadamente.

— Por que você não me falou? — pergunta ele, em voz baixa. Muito baixa.

Protesto mentalmente.

— Christian, vamos ficar bem. O Ryan, o Sawyer e a Prescott estão aqui. É só uma saída rápida.

Christian permanece em resoluto silêncio, e eu sei que ele não está feliz.

— Eu a vi poucas vezes desde que nós estamos juntos. Por favor. Ela é a minha melhor amiga.

— Ana, eu não quero afastar você dos seus amigos. Mas pensei que ela fosse lá em casa.

— Tudo bem — eu cedo. — Vamos ficar em casa.

— Só enquanto aquele lunático está solto. Por favor.

— Eu já disse que sim — murmuro, exasperada, e reviro os olhos com impaciência.

Christian bufa de leve no telefone.

— Eu sempre sei quando você está revirando os olhos para mim.

Faço uma careta para o telefone.

— Olha, me desculpe. Eu não queria preocupar você. Vou falar com a Kate.

— Ótimo — diz ele, com evidente alívio. Sinto-me culpada por preocupá-lo.

— Onde você está?

— Na pista do JFK.

— Ah, então você acabou de pousar.

— Sim. Você pediu para eu ligar assim que pousasse.

Sorrio. Meu inconsciente me encara com ar de desdém. *Viu? Ele faz o que promete.*

— Bem, Sr. Grey, pelo menos um de nós dois é escrupuloso.

Ele ri.

— Sra. Grey, seu dom para hipérboles não conhece limites. O que vou fazer com você?

— Tenho certeza de que você vai pensar em algo criativo. Você é bom nisso.

— Você está flertando comigo?

— Estou.

Sinto-o sorrir.

— É melhor eu ir. Ana, faça o que lhe pedirem, por favor. A equipe de segurança sabe o que faz.

— Pode deixar, Christian, vou fazer. — Soo exasperada de novo. *Tudo bem, já entendi.*

— A gente se vê amanhã à noite. Ligo mais tarde.

— Para me vigiar?

— Isso.

— Ora, por favor, Christian! — exclamo, repreendendo-o.

— *Au revoir,* Sra. Grey.

— *Au revoir,* Christian. Amo você.

Ele inspira com força.

— Também amo você, Ana.

Nenhum de nós dois desliga.

— Desligue, Christian — sussurro.

— Mas que mandona que você é!

— Você é que é mandão.

— Minha. — Ele suspira. — Faça o que lhe pedirem. Desligue.

— Sim, senhor.

Desligo o telefone e sorrio estupidamente.

Alguns minutos depois, um e-mail aparece na minha caixa de entrada.

De: Christian Grey
Assunto: Dedos coçando
Data: 25 de agosto de 2011 13:42 LESTE
Para: Anastasia Grey

Sra. Grey,

Você, como sempre, foi muito divertida ao telefone.

É sério. Faça o que mandarem.

Preciso saber que você está segura.

Amo você.

Christian Grey
CEO, Grey Enterprises Holdings, Inc.

Sinceramente, o mandão é ele. Mas bastou um telefonema e toda a minha tensão desapareceu. Ele chegou bem e está preocupando-se comigo, como de costume. Abraço a mim mesma momentaneamente. Meu Deus, como eu amo esse homem. Então Hannah bate à porta, distraindo-me; trazendo-me de volta para o presente.

KATE ESTÁ LINDA. Com uma calça jeans branca e justa e uma blusa vermelha, ela está pronta para arrasar. Encontro-a conversando animadamente com Claire na recepção quando entro.

— Ana! — exclama ela, me dando um abraço estilo Kate. Então se afasta um pouco, segurando minhas mãos.

— Veja só quem está parecendo a mulher de um magnata! Quem diria, a pequena Ana Steele? Você está tão... sofisticada!

Ela abre um enorme sorriso. Reviro os olhos em modéstia. Estou usando um vestido creme com um cinto azul-marinho e sapatos de salto alto da mesma cor.

— Que bom ver você, Kate. — E retribuo seu abraço.

— Então, aonde vamos?

— Christian quer que a gente fique em casa.

— Ah, sério? Não podemos fugir para um drinque rápido no Café Zig Zag? Eu reservei uma mesa.

Abro a boca para protestar.

— Por favor... — choraminga ela, e faz um beicinho gracioso.

Kate deve estar pegando essa mania da Mia. Ela normalmente não faz beicinho. Eu realmente gostaria de tomar um drinque no Zig Zag. Foi tão divertido da última vez que fomos lá, e é perto de onde Kate mora.

Levanto o dedo indicador.

— Um.

Ela sorri.

— Um.

Kate me dá o braço e vamos passeando até o carro, que está estacionado no meio-fio, Sawyer ao volante. Somos seguidas pela Srta. Belinda Prescott, que é nova na equipe de segurança — uma mulher alta, negra, com uma postura direta e objetiva. Ainda tenho que quebrar o gelo entre nós, talvez por ela ser tão fria e profissional. Nenhuma decisão foi tomada ainda, mas, assim como os outros da equipe, ela foi escolhida a dedo por Taylor. Prescott está vestida como Sawyer, com um terninho escuro e formal.

— Pode nos levar ao Zig Zag, por favor, Sawyer?

Sawyer se vira para me olhar e eu sei que ele quer dizer alguma coisa. Obviamente recebeu ordens. Ele hesita.

— O Café Zig Zag. Vamos tomar só um drinque.

Dou uma olhadela de lado para Kate: ela está encarando Sawyer com hostilidade. Pobre homem.

— Sim, madame.

— O Sr. Grey solicitou que a senhora voltasse para o apartamento — intromete-se Prescott.

— O Sr. Grey não está aqui — falo rispidamente. — Para o Zig Zag, por favor.

— Madame — replica Sawyer, com um olhar de esguelha para Prescott, que sabiamente segura a língua.

Kate olha pasma para mim, como se não conseguisse acreditar no que vê e ouve. Franzo os lábios e dou de ombros. Tudo bem, então estou sendo um pouco mais assertiva do que eu costumava ser. Kate faz que sim com a cabeça enquanto Sawyer arranca com o carro rumo ao trânsito do início da noite.

— Você sabe que a Grace e a Mia estão enlouquecendo com o reforço na segurança — comenta Kate casualmente.

Olho para ela boquiaberta, pareço estúpida.

— Você não sabia? — Ela parece incrédula.

— Sabia do quê?

— A segurança para todos os Grey foi triplicada. Quadruplicada, até.

— Sério?

— Ele não contou para você?

Fico vermelha.

— Não. — *Porra, Christian!* — Você sabe por quê?

— Jack Hyde.

— O que tem o Jack? Pensei que ele estivesse atrás só do Christian — exclamo. *Meu Deus. Por que ele não me disse?*

— Desde segunda-feira — acrescenta Kate.

Segunda-feira? *Hmm... Nós identificamos Jack no domingo. Mas por que todos os Grey?*

— Como você sabe de tudo isso?

— Elliot.

Claro.

— Christian não falou nada disso para você, não é?

Fico vermelha mais uma vez.

— Não.

— Ah, Ana, que droga.

Suspiro. Como sempre, Kate enfiou o punhal bem no coração, no seu costumeiro estilo impiedoso de enfiar punhais.

— Você sabe por quê?

Se Christian não vai me contar, talvez Kate conte.

— Elliot disse que tem a ver com alguma informação que foi armazenada no computador do Jack Hyde quando ele trabalhava na SIP.

Droga.

— Você está brincando.

Um surto de raiva cresce dentro de mim. Como a Kate sabe disso e eu não?

Ergo o olhar e vejo Sawyer me observando pelo retrovisor. Então o sinal abre e ele arranca, olhando para a rua à frente. Levo o dedo aos lábios e Kate concorda com a cabeça. Aposto que Sawyer sabe também e eu não.

— Como vai Elliot? — pergunto, para mudar de assunto.

Kate sorri estupidamente, dizendo-me tudo o que eu preciso saber.

Sawyer para ao sair do túnel que leva ao Café Zig Zag, e Prescott abre a porta para mim. Saio do carro e Kate salta atrás de mim. Damos os braços e vagueamos pela passagem, seguidas por Prescott, que está com uma expressão ameaçadora no rosto. Ah, pelo amor de Deus, é só um drinque. Sawyer vai estacionar.

— E ENTÃO, DE ONDE Elliot conhece a Gia? — pergunto, tomando um gole do meu segundo mojito de morango.

O bar é íntimo e aconchegante e eu não quero ir embora. Kate e eu não paramos de falar. Eu havia esquecido como gosto de estar com ela. É uma sensação libertadora sair, relaxar, aproveitar a companhia da minha amiga. Penso em mandar uma mensagem de texto para Christian, mas descarto a ideia. Ele só vai ficar zangado e me obrigar a ir para casa como uma criança desobediente.

— Não me fale daquela vaca! — solta Kate.

A reação dela me faz rir.

— O que tem de tão engraçado nisso, Steele? — reclama ela, mas sei que é de brincadeira.

— Eu também não gosto dela.

— Ah, é?

— É. Ela ficava toda se jogando em cima do Christian.

— Ela teve um caso com Elliot. — Kate faz bico.

— Não!

Ela confirma com a cabeça, os lábios apertados e o rosto fechado numa carranca Katherine Kavanagh devidamente patenteada.

— Coisa rápida. Ano passado, eu acho. É uma alpinista social. Não me admira que tenha se interessado pelo Christian.

— Christian já tem dona. Eu disse a ela para deixá-lo em paz, ou então não trabalharia mais para mim.

Kate me olha boquiaberta de novo, atordoada. Confirmo com a cabeça, orgulhosa, e ela levanta o copo para fazer um brinde, impressionada e sorridente.

— Sra. Anastasia Grey! Muito bem!

Brindamos.

— Elliot tem uma arma?

— Não. Ele é totalmente contra. — Kate mexe seu terceiro drinque.

— Christian também. Acho que foi influência de Grace e Carrick — murmuro. Estou me sentindo um pouco tonta.

— Carrick é um homem bom.

— Ele queria um acordo pré-nupcial — murmuro tristemente.

— Ah, Ana. — Ela estende a mão por cima da mesa e pega no meu braço. — Ele só estava protegendo o filho dele. Como nós duas sabemos, está escrito golpe do baú na sua testa. — Ela sorri, e eu mostro a língua para ela, depois dou uma risada.

— Muito maduro, Sra. Grey — diz ela, sorrindo. Parece Christian falando. — Você vai fazer a mesma coisa pelo seu filho um dia.

— Meu filho?

Nunca havia passado pela minha cabeça que meus filhos seriam ricos. Droga. Eles vão ter tudo o que quiserem. Quer dizer... tudo mesmo. Isso exige mais reflexão — mas não agora. Dou uma olhada em Prescott e Sawyer, que estão sentados a uma mesa próxima, diante de copos de água mineral com gás, observando os muitos frequentadores da noite e a nós duas.

— Você acha que devemos comer? — pergunto.

— Não. Devemos beber — diz Kate.

— Por que você está tão a fim de beber?

— Porque quase não vejo mais você. Não imaginei que você fosse se casar com o primeiro cara que virasse a sua cabeça. — Ela faz beicinho de novo. — Sinceramente, você se casou tão rápido que eu pensei que estivesse grávida.

Dou uma risada.

— Todo mundo pensou isso. Mas não vamos voltar a esse assunto. Por favor! E eu preciso ir ao banheiro.

Prescott me acompanha. Ela não fala nada. E não precisa. A desaprovação irradia dela como um gás letal.

— Não saio sozinha desde que me casei — articulo as palavras, sem emitir som, para a porta fechada da cabine.

Faço uma careta, sabendo que ela está do outro lado da porta, esperando eu terminar de fazer xixi. O que exatamente Hyde faria em um bar, aliás? Christian está apenas exagerando, como de costume.

— Kate, está tarde. É melhor irmos embora.

São dez e quinze e eu acabei com o meu quarto mojito de morango. Estou definitivamente sentindo os efeitos do álcool, sentindo-me tonta e quente. Christian vai ficar bem. No devido tempo.

— Claro, Ana. Foi muito bom ver você. Você parece tão mais, não sei... confiante. Dá para ver que o casamento lhe fez bem.

Sinto meu rosto esquentar. Vindo da Srta. Katherine Kavanagh, isso é um indubitável elogio.

— É verdade — sussurro.

Provavelmente porque eu bebi demais, meus olhos ficam cheios d'água. Eu não poderia estar mais feliz. Apesar de toda a sua bagagem, sua natureza, seus Cinquenta Tons, eu conheci e me casei com o homem dos meus sonhos. Rapidamente mudo de assunto para frear meus pensamentos sentimentais, porque senão eu sei que vou chorar.

— Eu realmente adorei nossa noite. — Pego a mão de Kate. — Obrigada por me arrastar para fora de casa!

Nós nos abraçamos. Quando ela me solta, aceno para Sawyer e ele entrega a Prescott as chaves do carro.

— Tenho certeza de que a Sra. Certinha-Prescott contou ao Christian que eu não estou em casa. Ele vai ficar muito bravo — murmuro para Kate.

E talvez ele pense em alguma maneira deliciosa de me punir... Tomara.

— Por que esse sorriso bobo, Ana? Você gosta de deixar o Christian bravo?

— Não. Na verdade, não. Mas é fácil de acontecer. Ele é muito controlador às vezes. — *Na maior parte do tempo.*

— Reparei — diz Kate, fazendo uma careta.

Paramos em frente ao prédio de Kate. Ela me abraça forte.

— Não vire uma estranha — sussurra ela, e me dá um beijo na bochecha.

Então ela sai do carro. Eu dou tchau, estranhamente com saudade de casa. Estava sentindo falta de conversas femininas. É divertido, relaxante e me faz lembrar que ainda sou jovem. Preciso me esforçar para ver Kate mais vezes, mas a verdade é que eu adoro ficar na minha bolha com Christian. Ontem à noite fomos a um jantar de caridade juntos. Havia um monte de homens de terno e mulheres elegantes e arrumadas falando sobre preços de imóveis, a economia em declínio e sobre a queda da bolsa de valores. Ou seja, foi um saco, um saco mesmo. Então é revigorante trocar confidências com alguém da minha idade.

Meu estômago ronca. Ainda não comi. *Merda — Christian!* Mexo na minha bolsa e pesco meu BlackBerry. *Droga — cinco ligações perdidas!* Uma mensagem...

ONDE VOCÊ SE METEU?

E um e-mail.

De: Christian Grey
Assunto: Furioso. Você ainda não me viu furioso
Data: 26 de agosto de 2011 00:42 LESTE
Para: Anastasia Grey

Anastasia,

Sawyer me disse que você está tomando drinques em um bar, sendo que você disse que não iria.

Tem alguma ideia de como estou aborrecido no momento?

Vejo você amanhã.

Christian Grey
CEO, Grey Enterprises Holdings, Inc.

Meu ânimo desaba. Ah, merda! Estou realmente encrencada. Meu inconsciente me encara com frieza e depois dá de ombros, adotando sua expressão de você-pediu-agora-aguenta. O que eu esperava? Considero a ideia de ligar para Christian, mas é tarde e ele provavelmente está dormindo... ou andando de um lado para o outro. Decido que uma mensagem rápida é o suficiente.

*AINDA ESTOU INTEIRA. TIVE UMA NOITE ÓTIMA.
SAUDADES — POR FAVOR, NÃO FIQUE ZANGADO*

Fico olhando para o BlackBerry, desejando que ele responda, mas só há um silêncio abominável. Suspiro.

Prescott para em frente ao Escala e Sawyer sai para abrir a porta para mim. Enquanto estamos parados esperando o elevador, aproveito a oportunidade para interrogá-lo.

— A que horas o Christian telefonou?

Sawyer fica vermelho.

— Por volta das nove e meia, madame.

— Por que você não interrompeu minha conversa com Kate para que eu pudesse falar com ele?

— *O Sr. Grey pediu que eu não fizesse isso.*

Aperto os lábios. O elevador chega e subimos em silêncio. Subitamente sinto alívio por Christian ter uma noite inteira para se recuperar do seu acesso de raiva e por estar do outro lado do país. Isso me dá algum tempo. Por outro lado... sinto saudades dele.

A porta do elevador se abre e por um segundo eu contemplo a mesa do hall de entrada.

O que está errado nessa cena?

O vaso de flores está quebrado em pedaços por todo o chão, água, flores e pedaços de porcelana espalhados por todo lado, e a mesa está de cabeça para baixo. Meu couro cabeludo formiga; Sawyer agarra meu braço e me puxa de volta para o elevador.

— Fique aqui — sussurra ele, pegando uma arma.

Ele entra no hall e desaparece do meu campo de visão.

Eu me escondo no fundo do elevador.

— Luke! — ouço Ryan chamar do salão. — Código azul!

Código azul?

— Você pegou o invasor? — Sawyer grita de volta. — Santo Deus!

Eu me aperto contra a parede do elevador. O *que está acontecendo?* A adrenalina percorre meu corpo e meu coração ameaça sair pela boca. Ouço vozes suaves, e, um minuto depois, Sawyer reaparece no hall, parado na poça d'água. Seu revólver está no coldre.

— Pode entrar agora, Sra. Grey — diz ele gentilmente.

— O que aconteceu, Luke? — É um fiapo de voz que sai da minha boca.

— Tivemos visita.

Ele me segura pelo cotovelo, e fico agradecida pelo apoio: minhas pernas viraram gelatina. Passamos juntos pelas portas duplas, já abertas.

Ryan está parado na entrada do salão. Tem um corte aberto no supercílio, sangrando, e outro na boca. Ele está bem acabado, as roupas amarfanhadas. Mas o mais chocante é ver Jack Hyde caído aos seus pés.

CAPÍTULO DEZ

Meu coração está batendo forte e o sangue ressoa alto nos meus tímpanos; o álcool que flui pelo meu organismo amplifica o som.

— Ele está...? — gaguejo, incapaz de terminar a frase e encarando Ryan aterrorizada, de olhos arregalados. Não consigo nem olhar para a figura caída no chão.

— Não, madame. Apenas desmaiado.

O alívio percorre o meu corpo. *Ah, graças a Deus.*

— E você? — pergunto, ainda olhando para Ryan.

Percebo que não sei seu primeiro nome. Ele está ofegante como se tivesse corrido uma maratona. Ele limpa o canto da boca, enxugando o sangue, e vejo que um hematoma está se formando em seu rosto.

— Foi uma luta dos diabos, mas eu estou bem, Sra. Grey.

Ele sorri de forma tranquilizadora. Se eu o conhecesse melhor, diria que parece até um pouco convencido.

— E Gail? A Sra. Jones?

Ah, não... Será que ela está bem? Será que se machucou?

— Estou aqui, Ana.

Olhando para trás, vejo-a de camisola e robe, o cabelo solto, o rosto pálido e os olhos arregalados — como os meus, imagino.

— Ryan me acordou. Insistiu em que eu viesse para cá. — Ela aponta para trás, na direção do escritório de Taylor. — Não aconteceu nada comigo. E a senhora, está bem?

Faço que sim várias vezes, num movimento de cabeça frenético, e percebo que ela deve ter acabado de sair do quarto do pânico, que é contíguo ao escritório de Taylor. Quem diria que precisaríamos desse cômodo tão cedo? Christian insistiu na sua instalação logo depois do nosso noivado — e eu desdenhei a ideia. Agora, ao ver Gail parada à entrada, fico aliviada por ele ter tomado essa precaução.

Um rangido na porta do hall me distrai. As dobradiças estão despencando. Que diabo aconteceu com aquilo?

— Ele estava sozinho? — pergunto a Ryan.

— Sim, madame. Do contrário a senhora não estaria aqui, posso lhe garantir. — Ele parece levemente ofendido.

— Como ele entrou? — pergunto, ignorando seu tom de voz.

— Pelo elevador de serviço. Ele é bem ousado, madame.

Olho para a figura caída de Jack. Ele está usando um uniforme esfarrapado — um macacão, eu acho.

— Quando?

— Uns dez minutos atrás. Eu vi no monitor de segurança. Ele estava de luvas... Meio estranho em pleno verão. Então o reconheci e decidi deixá-lo entrar. Assim poderíamos pegar o sujeito. A senhora não estava aqui e Gail estava segura, então achei que seria agora ou nunca. — Mais uma vez Ryan parece satisfeito consigo mesmo; Sawyer olha para ele com ar de desaprovação.

Luvas? O pensamento me distrai, e dou mais uma olhada em Jack. Sim, ele está usando luvas de couro marrom. Assustador.

— E agora? — Tento descartar os desdobramentos que surgem na minha cabeça.

— Precisamos amarrá-lo — responde Ryan.

— Amarrá-lo?

— Para o caso de ele acordar. — Ryan dirige um olhar rápido para Sawyer.

— Do que você precisa? — pergunta a Sra. Jones, dando um passo à frente. Ela recuperou a compostura.

— Alguma coisa para prender; barbante ou corda — responde Ryan.

Braçadeiras. Fico ruborizada quando as lembranças da noite passada invadem minha mente. Esfrego os punhos reflexivamente e dou uma olhada rápida na pele do local: não, nenhuma marca. Ainda bem.

— Eu tenho braçadeiras. Serve?

Todos os olhos se voltam para mim.

— Sim, madame. Perfeito — diz Sawyer, todo sério.

Quero que o chão me engula, mas me viro e vou até o quarto. Às vezes é preciso simplesmente encarar as coisas de frente, sem pudores. Talvez seja a combinação do medo com o álcool que está me deixando audaciosa.

Quando retorno, a Sra. Jones está conferindo a bagunça no hall e a Srta. Prescott chegou. Entrego as braçadeiras a Sawyer, que, devagar e com um cuidado desnecessário, prende as mãos de Hyde às costas. A Sra. Jones desaparece na cozinha e volta com um kit de primeiros socorros. Ela pega o braço de Ryan e o leva até a entrada do salão, para cuidar do corte em seu supercílio. Ele se encolhe quando ela passa de leve um antisséptico. Então reparo na Glock no chão, com um silenciador acoplado. *Puta merda! Jack estava armado?* A bile sobe à minha garganta e eu tento segurar.

— Não toque, Sra. Grey — diz Prescott quando eu me inclino para pegar a arma.

Sawyer surge do escritório de Taylor com luvas de borracha.

— Eu cuido disso, Sra. Grey — diz ele.

— É dele? — pergunto.

— Sim, madame — diz Ryan, estremecendo mais uma vez devido aos cuidados da Sra. Jones.

Minha nossa. Ryan lutou com um homem armado na minha casa. O pensamento me dá arrepios. Sawyer se abaixa e pega cuidadosamente a Glock.

— Você deveria estar fazendo isso? — pergunto.

— O Sr. Grey esperaria isso de mim, madame.

Sawyer coloca a arma em um saco plástico e se agacha para revistar Jack. Ele para e, do bolso do homem, puxa apenas um pouco para fora um rolo de fita adesiva. Sawyer fica branco e enfia a fita de volta.

Fita adesiva? Minha mente registra de maneira vaga essa informação, enquanto observo os procedimentos fascinada e com um estranho desinteresse. Então a bile sobe à minha garganta de novo quando percebo as implicações disso. Rapidamente afasto esses pensamentos da minha cabeça. *Não pense nisso, Ana.*

— Não devemos chamar a polícia? — murmuro, tentando esconder meu medo. Quero Hyde fora da minha casa, e quanto mais cedo melhor.

Ryan e Sawyer se entreolham.

— Acho que deveríamos chamar a polícia — digo, dessa vez mais firme, me perguntando o que estará acontecendo entre os dois.

— Acabei de tentar falar com o Taylor, mas ele não atende o celular. Talvez esteja dormindo. — Sawyer olha para o relógio. — É uma e quarenta e cinco da manhã na Costa Leste.

Ah, não.

— Você ligou para o Christian? — sussurro.

— Não, madame.

— Estava ligando para o Taylor para pedir instruções?

Sawyer parece constrangido por um momento.

— Sim, madame.

Uma parte de mim se arrepia. Esse homem — dou mais uma olhada para Hyde — invadiu minha casa e precisa ser retirado pela polícia. Porém, olhando para os quatro, para seus olhos ansiosos, sinto que tem alguma coisa que eu não sei ou não percebi; então, decido ligar para Christian. Meu couro cabeludo está formigando. Sei que ele está bravo comigo — muito, muito bravo —, e hesito ao imaginar o que ele vai falar. E sei que ele vai ficar estressado porque não está aqui e só poderá estar amanhã à noite. Sei que já o preocupei o suficiente esta noite. Talvez eu não devesse ligar. E então algo me ocorre. Merda. *E se eu estivesse aqui?* Fico lívida diante dessa ideia. Graças aos céus, eu estava fora. Talvez minha desobediência não cause tanto problema afinal.

— Ele está bem? — pergunto, apontando para Jack.

— Ele vai sentir o crânio dolorido quando acordar — responde Ryan, olhando para Jack com desprezo. — Mas precisaríamos chamar os paramédicos para ter certeza.

Pego meu BlackBerry da bolsa e, antes que eu possa pensar muito na extensão da raiva de Christian, disco seu número. Cai direto na caixa postal. Ele deve ter desligado o telefone de tão irritado que está. Não consigo pensar no que falar. Virando-me de costas, vou para o início do corredor, para longe de todos.

— Oi. Sou eu. Por favor, não fique zangado. Tivemos um incidente no apartamento. Mas está tudo sob controle, então não se preocupe. Ninguém se machucou. Quando puder, ligue para mim. — Desligo. — Chame a polícia — ordeno a Sawyer.

Ele concorda com um aceno de cabeça, pega seu celular e dá o telefonema.

O OFICIAL SKINNER conduz uma intensa conversa com Ryan à mesa de jantar. O oficial Walker está com Sawyer no escritório de Taylor. Não sei onde Prescott está, talvez no escritório de Taylor também. O detetive Clark me enche de perguntas ríspidas, sentado ao meu lado no sofá da sala. Ele é alto, moreno e seria bonito se não fosse pela imutável cara fechada. Suspeito de que ele tenha sido acordado e tirado da sua cama quentinha porque a casa de um dos executivos mais influentes e ricos de Seattle foi invadida.

— Ele era seu chefe? — pergunta Clark sucintamente.

— Era.

Estou cansada — exausta mesmo — e quero dormir. Ainda não tive notícias de Christian. Pelo menos os paramédicos já removeram Hyde. A Sra. Jones entrega uma xícara de chá para o detetive Clark e outra para mim.

— Obrigado. — Clark se vira de volta para mim. — E onde está o Sr. Grey?

— Em Nova York. A negócios. Ele volta amanhã à noite. Quer dizer, hoje à noite. — Já passa da meia-noite.

— Hyde é nosso conhecido — murmura o detetive Clark. — Vou precisar que a senhora vá à delegacia prestar depoimento. Mas isso pode esperar. Está tarde, e já tem alguns repórteres acampados na calçada. A senhora se importa se eu der uma olhada por aí?

— Claro que não — digo, aliviada por que as perguntas dele acabaram.

Estremeço ao pensar nos fotógrafos lá fora. Bem, eles só serão um problema amanhã. Tenho que lembrar de ligar para minha mãe e Ray caso eles venham a saber de alguma coisa e fiquem preocupados.

— Sra. Grey, por que não vai se deitar? — sugere a Sra. Jones, sua voz cheia de carinho e preocupação.

Olhando nos seus olhos calorosos e gentis, repentinamente sinto uma necessidade esmagadora de chorar. Ela se aproxima e acaricia meu ombro.

— Estamos em segurança agora — murmura ela. — Tudo isso vai parecer melhor de manhã, depois que a senhora tiver dormido um pouco. E o Sr. Grey volta à noite.

Olho nervosa para ela, mal contendo as lágrimas. Christian vai ficar tão bravo.

— A senhora deseja alguma coisa antes de ir para a cama? — pergunta ela.

Percebo agora como estou com fome.

— Adoraria alguma coisa para comer.

Ela abre um sorriso.

— Um sanduíche e um copo de leite?

Aceito agradecida, e ela vai para a cozinha. Ryan ainda está com o oficial Skinner. No hall, o detetive Clark examina a bagunça à saída do elevador. Ele parece atencioso, apesar da expressão fechada. E subitamente fico com saudades — saudades de Christian. Segurando a cabeça entre as mãos, desejo fervorosamente que ele estivesse aqui. Ele saberia o que fazer. *Que noite.* Quero me aconchegar no seu colo, sentir seu abraço e ouvi-lo dizer que me ama, muito embora eu não faça o que ele manda — mas isso só será possível à noite. No fundo, sinto certa irritação... Por que ele não me disse que havia aumentado a segurança para todo mundo? O que exatamente havia no computador de Jack? Ele é tão frustrante, mas no momento eu não me importo. Quero meu marido. Sinto falta dele.

— Aqui está, querida.

É a Sra. Jones, interrompendo meu turbilhão interior. Quando ergo o olhar, ela me entrega um sanduíche de manteiga de amendoim e geleia, os olhos brilhantes. Não como um desses há anos. Sorrio timidamente e ataco meu lanche.

Quando finalmente me deito na cama, me encolho do lado de Christian, vestindo uma camiseta sua. Tanto o travesseiro quanto a roupa têm o cheiro dele, e, ao adormecer, silenciosamente desejo que ele volte para casa em segurança... e de bom humor.

ACORDO COM UM sobressalto. Já está claro e minha cabeça dói, latejando nas têmporas. Ah, não. Espero que não seja ressaca. Abrindo os olhos com cautela, percebo que a cadeira do quarto não está no mesmo lugar e que Christian está sentado nela. Ele está de smoking, a ponta da gravata-borboleta saindo do bolso do paletó.

Será que estou sonhando? Seu braço esquerdo está apoiado na cadeira, e na sua mão há um copo de vidro decorado contendo um líquido âmbar. Conhaque? Uísque? Não tenho ideia. Uma de suas longas pernas está cruzada sobre a outra, o tornozelo sobre o joelho. Ele está usando meias pretas e sapatos sociais. Seu cotovelo direito descansa no braço da cadeira, a mão no queixo, e ele passa o dedo indicador devagar e ritmadamente de um lado a outro do lábio inferior. Sob a luz do começo da manhã, seus olhos queimam com intensidade e gravidade, mas sua expressão geral é completamente indecifrável.

Meu coração quase para. Ele está aqui. Como chegou? Deve ter partido de Nova York à noite. Há quanto tempo ele está aqui, me olhando dormir?

— Oi — sussurro.

Ele me olha friamente e meu coração quase para mais uma vez. *Ah, não.* Ele tira o dedo comprido da boca, engole o restante do drinque e coloca o copo na mesa de cabeceira. Eu meio que espero um beijo, mas ele não faz isso. Apenas se recosta, continuando a me observar, a expressão impassível.

— Olá — diz ele finalmente, a voz baixa. E sei que ainda está zangado. Muito zangado.

— Você voltou.

— Parece que sim.

Devagar, eu levanto o corpo para me colocar sentada, sem tirar os olhos dele. Minha boca está seca.

— Há quanto tempo você está aí me observando dormir?

— Tempo suficiente.

— Ainda está zangado. — Mal consigo falar.

Ele me encara, como se refletisse sobre a resposta.

— Zangado — repete ele, como se testasse a palavra, pesando suas nuances, seus significados. — Não, Ana. Estou muito, muito mais que zangado.

Droga. Tento engolir, mas é difícil com a boca seca.

— Muito mais que zangado... Isso não parece bom.

Ele me fita, completamente impassivo, e não responde. Um silêncio absoluto se instala entre nós. Pego o meu copo d'água e tomo um gole, tentando controlar meus batimentos cardíacos.

— Ryan pegou o Jack. — Tento um outro caminho e coloco meu copo ao lado do dele na mesa de cabeceira.

— Eu sei — responde ele, gelado.

Claro que ele sabe.

— Vai ficar monossilábico por muito tempo?

As sobrancelhas dele se movem ligeiramente, registrando sua surpresa, como se ele não esperasse essa pergunta.

— Vou — diz ele finalmente.

Ah... tudo bem. O que fazer? Defesa — a melhor forma de ataque.

— Sinto muito por ter saído.

— Sente mesmo?

— Não — murmuro depois de uma pausa, porque é a verdade.

— Então por que disse isso?

— Porque eu não quero que você fique bravo comigo.

Ele suspira pesadamente, como se estivesse segurando essa tensão há mil horas, e passa a mão pelo cabelo. Ele está lindo. Furioso, mas lindo. Fico aliviada por vê-lo ali — ele voltou —, furioso, mas inteiro.

— Acho que o detetive Clark quer falar com você.

— Com certeza.

— Christian, por favor...

— Por favor o quê?

— Não seja tão frio.

Suas sobrancelhas se arqueiam de surpresa mais uma vez.

— Anastasia, frieza não é o que eu estou sentindo no momento. Estou queimando por dentro. Queimando de raiva. Não sei como lidar com esses... — ele levanta a mão, procurando a palavra — ... sentimentos. — Seu tom é amargo.

Ah, merda. A honestidade dele me desarma. Tudo o que quero é sentar no seu colo. É o que eu quero fazer desde que voltei para casa ontem à noite. *Que se dane.* Vou até ele, pegando-o de surpresa e deitando constrangedoramente no seu colo, onde me aninho. Ao contrário do que eu temia, ele não me afasta. Depois de um tempo, ele dobra os braços em volta de mim e enterra o nariz no meu cabelo. Christian está cheirando a uísque. *Quanto ele bebeu?* Também sinto o cheiro da sua loção de banho. Cheiro de Christian. Abraço seu pescoço e me aconchego em sua garganta, e ele suspira mais uma vez, agora profundamente.

— Ah, Sra. Grey. O que eu faço com você?

Ele beija a minha cabeça. Fecho os olhos, saboreando nosso contato.

— Quanto você bebeu?

Ele fica imóvel.

— Por quê?

— Você não costuma tomar nada forte.

— Esse é o meu segundo copo. Tive uma noite exaustiva, Anastasia. Dê um desconto.

Eu sorrio.

— Se você insiste, Sr. Grey — sussurro em seu pescoço. — Você está divinamente cheiroso. Dormi do seu lado da cama, porque o travesseiro tem o seu cheiro.

Ele faz carinho no meu cabelo.

— Foi isso, então? Fiquei me perguntando por que você estava daquele lado. Ainda estou com muita raiva de você.

— Eu sei.

Sua mão acaricia ritmadamente minhas costas.

— E eu de você — sussurro.

Ele faz uma pausa.

— E o que eu fiz, me diga, para merecer a sua ira?

— Eu digo mais tarde, quando você não estiver mais queimando de raiva.

Beijo seu pescoço. Ele fecha os olhos e se inclina para o meu beijo, mas não faz nenhum movimento para me beijar de volta. Seus braços me apertam com mais força.

— Quando eu penso no que poderia ter acontecido… — Sua voz é quase um suspiro. Débil, embargada.

— Eu estou bem.

— Ah, Ana. — É quase um soluço.

— Eu estou bem. Estamos todos bem. Um pouco abalados. Mas Gail está bem. Ryan está bem. E Jack se foi.

Ele balança a cabeça.

— Embora você não tenha nenhum crédito nisso — murmura ele.

O quê? Inclino-me para trás e o encaro com frieza.

— O que você quer dizer?

— Não quero discutir sobre isso agora, Ana.

Bem, talvez eu queira, mas é melhor não. Pelo menos ele está falando comigo. Eu me aninho no seu colo mais uma vez. Seus dedos sobem para a minha cabeça e começam a brincar com meu cabelo.

— Quero punir você — sussurra ele. — Espancar você até não poder mais.

Meu coração parece saltar pela boca. *Porra.*

— Eu sei — sussurro, sentindo meu couro cabeludo formigar.

— Talvez eu faça isso.

— Espero que não.

Ele me abraça mais apertado.

— Ana, Ana, Ana. Até um santo perderia a paciência com você.

— Eu poderia acusá-lo de muitas coisas, Sr. Grey, mas não de ser santo.

Finalmente sou abençoada com sua risada relutante.

— É verdade; sempre usando bons argumentos, Sra. Grey. — Ele beija minha testa e se remexe na cadeira. — Volte para a cama. Você dormiu tarde também. — E, com um movimento rápido, ele me pega e me joga de volta no colchão.

— Deita comigo?

— Não. Tenho umas coisas para fazer. — Ele se inclina e pega o copo. — Volte a dormir. Eu acordo você daqui a algumas horas.

— Ainda está zangado comigo?

— Estou.

— Vou dormir mais, então.

— Ótimo. — Ele me cobre e beija minha testa mais uma vez. — Durma.

E, como ainda estou atordoada pela noite passada, além de aliviada por ele já ter voltado e emocionalmente fatigada pelo nosso reencontro, faço exatamente o que ele manda. Enquanto adormeço, fico curiosa mas aliviada, dado o gosto horroroso na minha boca, em saber por que ele não se utilizou do seu costumeiro mecanismo de lidar com essas situações e não avançou sobre mim com sua típica perversidade.

— Aqui: suco de laranja para você — diz Christian, e meus olhos se abrem de novo.

Tive as duas horas de sono mais repousantes de que me lembro, e acordo renovada, a cabeça não mais latejando. O suco de laranja é uma visão feliz — assim como meu marido. Ele está de moletom. E eu momentaneamente me recordo do Hotel Heathman e da primeira vez que acordei a seu lado. Sua camiseta regata cinza está encharcada de suor. Ou ele andou malhando na academia do porão ou saiu para dar uma corrida, mas ele não deveria ficar tão bonito assim depois de fazer exercícios.

— Vou tomar um banho — murmura ele, e desaparece no banheiro.

Franzo a testa. Ele continua distante. Ou está distraído, com tudo o que aconteceu, ou ainda está com raiva ou... o quê? Ergo o corpo, sentando-me, e pego o suco de laranja, que bebo rápido. Está delicioso, geladinho, tornando a minha boca um lugar muito melhor. Desço da cama, ansiosa para diminuir a distância — real e metafísica — entre meu marido e eu. Dou uma olhada rápida para o relógio. São oito horas. Tiro a camiseta de Christian que eu estava vestindo e vou atrás dele no banheiro. Encontro-o no chuveiro, lavando o cabelo, e não hesito. Coloco-me muito discretamente atrás dele, que se enrijece no momento em que o envolvo em meus braços — a parte da frente do meu corpo contra as suas costas musculosas e molhadas. Ignoro sua reação; continuo segurando-o apertado, e colo a face na sua pele, fechando os olhos. Depois de um momento ele muda de posição, de forma que estamos ambos embaixo do chuveiro de água quente, e continua lavando o cabelo. Deixo a água correr pelo meu corpo enquanto me aninho junto ao homem que amo. Penso em todas as vezes que transamos e em todas as vezes que ele fez amor comigo aqui. Franzo o cenho. Ele nunca ficou tão quieto. Virando a cabeça, começo a traçar uma linha de beijos nas suas costas. Seu corpo se enrijece de novo.

— Ana — diz ele; é um alerta.

— Hmm...

Desço as mãos devagar pelo seu abdômen firme. Ele segura minhas duas mãos, interrompendo-me abruptamente, balançando a cabeça.

— Não. — Mais um alerta.

Eu o solto na mesma hora. *Ele está dizendo não?* Minha mente entra em queda livre — isso já aconteceu antes? Meu inconsciente balança a cabeça, os lábios apertados, e me encara através dos seus óculos de meia-lua, com aquela sua expressão de você-realmente-abusou-dessa-vez. Eu me sinto como se tivesse levado um tapa, um tapa bem forte. Rejeitada. E uma vida inteira de insegurança produz o pensamento horroroso de que *ele não me quer mais*. Respiro com dificuldade, pois a dor me queima por dentro. Mas então Christian se vira, e fico aliviada de ver que ele não está completamente imune aos meus encantos. Pegando no meu queixo, ele inclina minha cabeça para trás, e eu me pego fitando seus olhos circunspectos e cinzentos.

— Ainda estou puto da vida com você — diz ele, numa voz baixa e séria.

Merda! Inclinando-se para baixo, ele descansa a testa na minha, fechando os olhos. Acaricio seu rosto.

— Não fique zangado comigo, por favor. Acho que você está exagerando — sussurro.

Ele fica tenso, pálido. Minha mão cai livre ao lado do meu corpo.

— Exagerando? — rosna ele. — Um lunático maldito entra no meu apartamento para sequestrar a minha mulher e você acha que eu estou exagerando! — A ameaça contida na voz dele é aterrorizante, e seus olhos me encaram com uma fúria que é como se *eu* fosse o lunático maldito.

— Não... hã... não era disso que eu estava falando. Achei que você estivesse assim porque eu dei uma saída.

Ele fecha os olhos mais uma vez, como se estivesse com dor, e balança a cabeça.

— Christian, eu não estava aqui — digo, na tentativa de apaziguá-lo e tranquilizá-lo.

— Eu sei — sussurra ele, abrindo os olhos. — E tudo porque você não consegue atender uma merda de um pedido tão simples. — Seu tom é amargo, e é minha vez de empalidecer. — Não quero discutir isso agora, no banho. Ainda estou puto com você, Anastasia. Você está me fazendo repensar certas coisas.

Ele se vira e sai de supetão do box, pegando uma toalha no caminho para o quarto, deixando-me fria e desolada debaixo da água.

Merda. Merda. Merda.

Então finalmente compreendo o que ele acabou de dizer. *Sequestrar?* Cacete. Jack queria me sequestrar? Lembro-me então da fita adesiva, e da minha resistência em pensar sobre o motivo para Jack estar carregando aquilo consigo. Será que Christian tem mais informações? Eu me lavo às pressas, depois passo xampu e condicionador no cabelo. Eu quero saber. Eu preciso saber. Não vou permitir que ele me deixe no escuro nessa história.

Christian não está no quarto quando eu saio. Caramba, como ele se arruma rápido. Faço o mesmo, colocando meu vestido preferido, aquele cor de ameixa, e sandálias pretas, e percebo que escolhi essa roupa porque é também uma das preferidas de Christian. Seco o cabelo vigorosamente com a toalha, depois faço um trança e a prendo num coque. Colocando brincos de brilhante nas orelhas, corro até o banheiro para passar um pouco de rímel e me olho no espelho. *Estou pálida. Estou sempre pálida.* Respiro fundo; tenho que me controlar. Preciso encarar as consequências da minha decisão impetuosa de me divertir um pouco com uma amiga. Suspiro, pois sei que Christian não vai encarar dessa maneira.

Não o encontro na sala. A Sra. Jones está ocupada na cozinha.

— Bom dia, Ana — diz ela, com doçura.

— Bom dia.

Abro um largo sorriso para ela. Voltei a ser Ana!

— Chá?

— Sim, obrigada.

— Alguma coisa para comer?

— Por favor. Eu queria um omelete hoje.

— Com cogumelos e espinafre?

— E queijo.

— Já está saindo.

— Cadê o Christian?

— O Sr. Grey está no escritório.

— Ele já tomou café? — Olho para os dois lugares postos no balcão.

— Não, madame.

— Obrigada.

Christian está ao telefone. Está vestindo uma camisa branca sem gravata, a visão perfeita de um CEO relaxado. Como as aparências enganam! Talvez ele nem vá à empresa hoje. Ele ergue o olhar quando apareço à porta, mas balança a cabeça para mim, indicando que não sou bem-vinda. *Merda*... Eu me viro e volto cabisbaixa para o balcão da cozinha. Taylor aparece, elegante em um terno escuro, com a aparência de quem desfrutou de oito horas de sono ininterruptos.

— Bom dia, Taylor — murmuro, tentando avaliar seu humor e ver se ele vai me dar alguma dica visual sobre o que aconteceu.

— Bom dia, Sra. Grey — responde ele, e percebo solidariedade nessas quatro palavras.

Retribuo com um sorriso compassivo, sabendo que ele teve que aturar um Christian raivoso e frustrado voltando para Seattle bem antes do previsto.

— Como foi o voo? — ouso perguntar.

— Longo, Sra. Grey. — Sua concisão diz mais do que mil palavras. — Como está a senhora, se me permite a pergunta? — acrescenta ele, num tom mais suave.

— Estou bem.

Ele assente com a cabeça.

— Se me der licença...

E ele vai para o escritório de Christian. Hmm. Taylor pode entrar, mas eu não.

— Aqui está.

A Sra. Jones coloca meu café da manhã na minha frente. Meu apetite já era, mas eu como mesmo assim, pois não quero ofendê-la.

Quando termino de comer o máximo que consigo, Christian ainda não saiu do escritório. Será que ele está me evitando?

— Obrigada, Sra. Jones — murmuro, descendo do banco e indo ao banheiro.

Enquanto escovo os dentes, lembro do mau humor em que Christian ficou por causa dos votos do casamento. Ele também se entocou no escritório na ocasião, só de pirraça. Será que é isso? Pirraça? Então sinto um arrepio ao me lembrar do pesadelo que ele teve logo depois. Será que aquilo vai acontecer de novo? Nós realmente precisamos conversar. Preciso saber sobre Jack e lhe perguntar sobre o reforço da segurança para os Grey — todos os detalhes que foram ocultados de mim, mas não de Kate. Obviamente, Elliot conversa decentemente com ela.

Olho o relógio. São oito e cinquenta — estou atrasada para o trabalho. Termino de escovar os dentes, passo um pouquinho de gloss na boca, pego meu paletó preto superleve e volto para a sala. É um alívio ver que Christian está lá, tomando seu café da manhã.

— Está saindo? — pergunta ele quando me vê.

— Para o trabalho? Sim, claro.

Corajosamente, vou até ele e apoio as mãos na ponta do balcão. Ele me encara sem expressão alguma.

— Christian, nós voltamos não faz nem uma semana. Tenho que ir trabalhar.

— Mas...

Ele para de falar e passa a mão no cabelo. A Sra. Jones sai silenciosamente do recinto. *Discrição, Gail, discrição.*

— Sei que temos muito o que conversar. Talvez, se você tiver se acalmado, a gente possa fazer isso de noite.

Sua boca se abre em espanto.

— Acalmado? — Sua voz está assustadoramente suave.

Fico vermelha.

— Você sabe o que eu quero dizer.

— Não, Anastasia. Não sei o que você quer dizer.

— Não quero brigar. Só vim perguntar se eu posso ir no meu carro.

— Não. Não pode — responde ele, rispidamente.

— Tudo bem. — Aquiesço de imediato.

Ele me olha desarmado. Estava obviamente esperando que eu criasse caso.

— A Prescott vai acompanhar você. — Seu tom é um pouco menos beligerante.

Droga, a Prescott não. Quero fazer bico e protestar, mas decido acatar o que ele diz. Agora que Jack foi pego, com certeza poderemos amenizar as medidas de segurança.

Recordo-me da conversa ao estilo "palavras de sabedoria" que tive com minha mãe na véspera do meu casamento. *Ana, querida, você realmente terá que escolher que batalhas lutar. E vai ser a mesma coisa com os seus filhos quando você os tiver.* Bem, pelo menos ele está me deixando ir trabalhar.

— Tudo bem — balbucio.

E como não quero deixá-lo assim com tantas questões não resolvidas e tanta tensão entre nós, eu me aproximo hesitantemente. Seu corpo se tensiona, os olhos quase se arregalam, e por um momento ele parece tão vulnerável que me toca lá no fundo escuro do meu coração. *Ah, Christian, eu sinto muito.* Dou um beijo casto no canto da sua boca. Ele fecha os olhos como se saboreasse imensamente meu toque.

— Não me odeie — sussurro.

Ele pega minha mão.

— Eu não odeio você.

— Você não me deu nem um beijo — sussurro.

Ele me olha com suspeita.

— Eu sei — murmura.

Quero desesperadamente lhe perguntar por quê, mas não sei se quero ouvir a resposta. Então, bruscamente, ele se levanta e segura meu rosto entre as mãos, e no segundo seguinte sua boca está colada na minha, buscando-me com violência. Solto uma exclamação de surpresa, inadvertidamente concedendo acesso à sua língua. Ele aproveita a chance, invadindo minha boca, clamando por mim, e logo quando estou começando a retribuir o beijo ele me solta, a respiração mais rápida.

— O Taylor vai levar você e a Prescott para a SIP — diz Christian, os olhos ardendo de avidez. — Taylor! — grita ele.

Fico ruborizada, tentando recuperar a compostura.

— Sim, senhor. — Taylor surge à porta.

— Diga à Prescott que a Sra. Grey está indo para o trabalho. Você pode levar as duas, por favor?

— Certamente. — E, virando-se, Taylor desaparece.

— Se você pudesse tentar não se meter em nenhuma confusão hoje, eu agradeceria — balbucia Christian.

— Vou ver o que posso fazer.

Sorrio docemente. Um pequeno e relutante sorriso aparece em seu rosto, mas ele não se deixa entregar.

— Até mais tarde, então — diz friamente.

— Até mais tarde — sussurro.

Prescott e eu pegamos o elevador de serviço até a garagem subterrânea, para evitar a mídia do lado de fora. A prisão de Jack e o fato de que ele foi apreendido no nosso apartamento são agora de conhecimento público. Ao entrar no Audi, pergunto-me se haverá mais paparazzi esperando na SIP, como no dia do anúncio do nosso noivado.

Percorremos algumas ruas em silêncio por um tempo, até eu me lembrar de ligar primeiro para Ray e depois para minha mãe, a fim de tranquilizá-los e dizer que eu e Christian estamos bem. Felizmente, ambos os telefonemas são curtos, e quando desligo estamos justamente chegando à SIP. Como eu temia, há um aglomerado de repórteres e fotógrafos esperando. Eles se viram todos de uma vez, olhando com expectativa para o Audi.

— Tem certeza de que quer fazer isso, Sra. Grey? — pergunta Taylor.

Parte de mim quer ir para casa, mas isso significaria passar o dia com o Sr. Ardendo de Raiva. Espero que, com um pouco de tempo, ele comece a ver as coisas por outra perspectiva. Jack está detido na polícia; logo, Christian deveria estar feliz, mas não está. Parte de mim entende a razão; esse problema está quase totalmente fora do seu controle, inclusive eu, mas não tenho tempo para pensar nisso agora.

— Taylor, dê a volta até o portão para carga e descarga, por favor.

— Sim, madame.

É UMA HORA da tarde e eu consegui ficar imersa no trabalho a manhã toda. Batem à porta e Elizabeth coloca a cabeça para dentro.

— Posso entrar um momento? — pergunta ela alegremente.

— Claro — murmuro, surpresa pela sua visita não agendada.

Ela entra e se senta, jogando para trás o longo cabelo preto.

— Só queria ver se você está bem. O Roach me pediu para dar uma passada aqui — acrescenta apressadamente, seu rosto ficando vermelho. — Sabe, depois de tudo o que aconteceu ontem à noite...

A prisão de Jack Hyde está em todos os jornais, mas ninguém parece ter feito a conexão com o incêndio na empresa de Christian ainda.

— Estou bem — respondo, tentando não pensar muito profundamente sobre como me sinto.

Jack queria me fazer mal. Bem, isso não é novidade. Ele já havia tentado antes. É com Christian que estou mais preocupada.

Olho rapidamente o meu e-mail. Ainda não há nenhum novo dele. Não sei se eu deveria escrever algo ou se estaria apenas provocando mais ainda o Sr. Ardendo de Raiva.

— Que bom — responde Elizabeth, e, uma vez na vida, seu sorriso parece sincero. — Se eu puder fazer alguma coisa... qualquer coisa que você precise... é só me falar.

— Pode deixar.

Ela se levanta.

— Eu sei como você está ocupada, Ana. Vou deixá-la voltar ao trabalho.

— Hm... Obrigada.

Essa deve ter sido a reunião mais curta e mais sem sentido do hemisfério ocidental no dia de hoje. Por que Roach a mandou aqui? Talvez ele esteja preocupado, já que sou a esposa do seu chefe. Afasto os pensamentos sombrios e pego meu BlackBerry, na esperança de que haja uma mensagem de Christian. Nesse momento, soa o meu e-mail do trabalho.

De: Christian Grey
Assunto: Depoimento
Data: 26 de agosto de 2011 13:04
Para: Anastasia Grey

Anastasia,

O detetive Clark irá à sua sala hoje às três da tarde para pegar o seu depoimento.

Insisti em que ele fosse até você, já que não quero que você vá até a delegacia.

Christian Grey
CEO, Grey Enterprises Holdings, Inc.

Fico olhando para o e-mail dele por cinco minutos inteiros, tentando formular uma resposta leve e engenhosa para levantar seu astral. Não consigo pensar em nada, portanto escolho ser sucinta.

De: Anastasia Grey
Assunto: Depoimento
Data: 26 de agosto de 2011 13:12
Para: Christian Grey

Ok.

Bj,

Anastasia Grey
Editora, SIP

Fico olhando para a tela por mais cinco minutos, ansiosa pela resposta, mas não chega nada. Christian não está para brincadeiras hoje.

Eu me reclino na cadeira. Será que posso condená-lo? Meu pobre marido devia estar fora de si nas primeiras horas desta manhã. Então algo me ocorre. Christian estava de smoking quando acordei hoje. A que horas ele decidiu voltar de Nova York? Ele normalmente deixa o trabalho entre dez e onze. Ontem à noite, a essa hora, eu ainda estava com Kate.

Será que Christian voltou porque eu tinha saído ou por causa do incidente com Jack? Se foi porque eu estava fora me divertindo, ele não teria ideia sobre Jack, sobre a polícia, nada — só quando pousasse em Seattle. De repente, descobrir isso é muito importante para mim. Se Christian voltou só porque eu estava no bar, então foi um exagero. Meu inconsciente faz um ruído de desprezo e assume sua expressão de harpia. Tudo bem, estou feliz que ele tenha voltado, então talvez seja irrelevante. Mas ainda assim — Christian deve ter sofrido um choque danado quando pousou. Não é de admirar que ele esteja tão confuso hoje. Suas palavras voltam à minha mente: "*Ainda estou puto com você, Anastasia. Você está me fazendo repensar certas coisas.*"

Eu preciso saber — ele voltou por causa dos meus controversos drinques ou por causa do maldito lunático?

De: Anastasia Grey
Assunto: Seu voo
Data: 26 de agosto de 2011 13:24
Para: Christian Grey

A que horas você decidiu voltar para Seattle ontem?

Anastasia Grey
Editora, SIP

De: Christian Grey
Assunto: Seu voo
Data: 26 de agosto de 2011 13:26
Para: Anastasia Grey

Por quê?

Christian Grey
CEO, Grey Enterprises Holdings, Inc.

De: Anastasia Grey
Assunto: Seu voo
Data: 26 de agosto de 2011 13:29
Para: Christian Grey

Curiosidade.

Anastasia Grey
Editora, SIP

De: Christian Grey
Assunto: Seu voo
Data: 26 de agosto de 2011 13:32
Para: Anastasia Grey

A curiosidade matou o gato.

Christian Grey
CEO, Grey Enterprises Holdings, Inc.

De: Anastasia Grey
Assunto: Hã?
Data: 26 de agosto de 2011 13:35
Para: Christian Grey

O que foi essa referência oblíqua? Mais uma ameaça?

Você sabe aonde quero chegar com isso, não sabe?

Você resolveu voltar porque eu saí para tomar um drinque com uma amiga mesmo você tendo pedido que eu não fosse ou porque tinha um homem louco no seu apartamento?

Anastasia Grey
Editora, SIP

Encaro a tela. Não há resposta. Olho para o relógio no computador. Uma e quarenta e cinco e ainda nada.

De: Anastasia Grey
Assunto: É o seguinte...
Data: 26 de agosto de 2011 13:56
Para: Christian Grey

Vou tomar seu silêncio como uma confirmação de que você realmente voltou para Seattle porque EU MUDEI DE IDEIA. Sou uma mulher adulta e saí para tomar um drinque com uma amiga. Eu não podia avaliar os desdobramentos, em termos de segurança, do fato de eu ter MUDADO DE IDEIA porque VOCÊ NUNCA ME FALA NADA. Descobri pela Kate que, na verdade, a segurança foi reforçada para todos os Grey, e não só para nós. Acho que você em geral exagera quando se trata da minha segurança, e entendo o motivo, mas você está sempre agindo como o menino que avisava do lobo sem ser verdade.

Eu nunca sei o que é uma preocupação real ou o que é meramente algo que você encara como uma preocupação. Eu estava com dois seguranças. Achei que tanto Kate quanto eu estaríamos seguras. O fato é que estávamos mais seguras no bar do que em casa. Se eu tivesse sido INFORMADA DIREITO da situação, teria agido de maneira diferente.

Pelo que sei, as suas preocupações têm algo a ver com um material que estava no computador do Jack — ou pelo menos é o que a Kate disse. Você sabe como é irritante descobrir que minha melhor amiga sabe mais sobre o que está acontecendo com você do que eu? E eu sou sua ESPOSA. Então, você vai me falar? Ou vai continuar a me tratar como uma criança, para que eu continue a me comportar como uma?

Você não é o único que está puto da vida. Entendeu?

Ana

Anastasia Grey
Editora, SIP

Clico em "enviar". *Pronto — toma essa, Grey.* Inspiro profundamente. Agora fiquei uma fera. Estava me sentindo culpada e arrependida por ter me comportado mal. Bem, não estou mais.

De: Christian Grey
Assunto: É o seguinte...
Data: 26 de agosto de 2011 13:59
Para: Anastasia Grey

Sra. Grey, como sempre, você foi franca e desafiadora em seu e-mail.

Talvez possamos discutir isso quando você voltar para NOSSA casa.

Você deveria tomar cuidado com o que fala. Ainda estou puto da vida.

Christian Grey
CEO, Grey Enterprises Holdings, Inc.

Tomar cuidado com o que falo! Olho para o computador de cara feia, percebendo que isso não está me levando a lugar algum. Não respondo; em vez disso, pego um original recém-recebido de um autor novo promissor e começo a ler.

MEU ENCONTRO COM o detetive Clark é tranquilo. Ele está menos carrancudo do que ontem à noite, talvez por ter conseguido dormir um pouco. Ou talvez apenas prefira trabalhar durante o dia.

— Obrigado pelo seu depoimento, Sra. Grey.

— De nada, detetive. O Hyde ainda está detido?

— Sim, madame. Ele saiu do hospital de manhã cedo. Pelas acusações que pesam sobre ele, deverá ficar conosco por um tempo. — Ele sorri, os olhos escuros enrugando-se nos cantos.

— Que bom. Tem sido uma época de bastante tensão para mim e meu marido.

— Conversei muito com o Sr. Grey esta manhã. Ele parece aliviado. Homem interessante, o seu marido.

O senhor não tem ideia.

— É, acho que sim.

Dirijo-lhe um sorriso educado, e ele sabe que está sendo dispensado.

— Caso se lembre de mais alguma coisa, pode me ligar. Aqui está meu cartão. — Com esforço, ele tira um cartão da carteira e me entrega.

— Obrigada, detetive. Pode deixar.

— Tenha um bom dia, Sra. Grey.

— Bom dia.

Quando ele sai, me pergunto quais exatamente são as acusações contra Hyde. Sem dúvida, Christian não vai me contar. Aperto os lábios, irritada.

VOLTAMOS EM SILÊNCIO até o Escala. Sawyer é quem dirige dessa vez, Prescott a seu lado, e meu coração fica cada vez mais pesado ao nos aproximamos de casa. Sei que Christian e eu vamos brigar, e não sei se tenho energia para isso.

Enquanto o elevador da garagem leva Prescott e eu à cobertura, tento ordenar meus pensamentos. O que eu quero falar? Acho que disse tudo por e-mail. Talvez ele me dê algumas respostas. Espero que sim. Não consigo não ficar nervosa. Meu coração bate acelerado, minha boca está seca, e minhas mãos suam. Não quero brigar. Mas às vezes ele é difícil demais, e eu preciso fincar o pé.

A porta do elevador se abre, revelando o hall, que está novamente limpo e arrumado. A mesa foi reerguida, e sobre ela há um novo vaso, guarnecido com um lindo arranjo de peônias brancas e cor-de-rosa. Verifico as pinturas ao entrar — as Madonas todas parecem intactas. A porta quebrada já foi consertada e voltou a funcionar; Prescott a abre gentilmente para mim. Ela esteve muito quieta hoje. Acho que prefiro assim.

Largo minha maleta no hall e entro na enorme sala de estar. Paro. *Puta merda.*

— Boa noite, Sra. Grey — diz Christian suavemente.

Ele está de pé ao lado do piano, vestindo uma camiseta preta justa e uma calça jeans... *Aquela* calça — a que ele usava no quarto de jogos. *Ai, meu Deus.* É uma calça de um azul-claro lavado e desbotado, rasgada no joelho — justa e excitante. Ele vem calmamente até mim, os pés descalços, o botão da calça aberto, os olhos ardentes fixos nos meus.

— Que bom que você chegou. Eu estava à sua espera.

CAPÍTULO ONZE

— Estava, é? — sussurro.

Minha boca fica ainda mais seca, meu coração batendo forte no peito. Por que Christian está vestido assim? O que isso significa? Ele ainda está bravo?

— Sim. — Sua voz é muito suave, mas ele sorri maliciosamente ao vir em minha direção.

Ele está muito gato — a calça jeans caindo no quadril bem daquele jeito. Ah, não, não vou me distrair pelo Sr. Tesão Ambulante. Tento descobrir seu estado de espírito enquanto ele se aproxima aos poucos. Zangado? Brincalhão? Excitado? *Grrr!* Impossível dizer.

— Gostei da sua calça — murmuro.

Ele abre um sorriso feroz e irresistível, mas seus olhos permanecem sérios. *Merda — ele ainda está bravo.* Está usando esses artifícios para me distrair. Christian para na minha frente e eu me sinto queimar sob a intensidade de seu olhar. Ele me fita, os olhos bem abertos e ilegíveis ardendo nos meus. Engulo em seco.

— Parece que você tem algumas questões para resolver, Sra. Grey — diz ele delicadamente, e puxa algo do bolso traseiro da calça.

Não consigo desviar o olhar do dele, mas o ouço desdobrar um pedaço de papel. Ele o ergue, e, dando uma olhada rápida naquela direção, reconheço meu e-mail. Volto a fitá-lo; seus olhos ardem de raiva.

— Sim, eu tenho algumas questões para resolver — sussurro, sem fôlego.

Preciso de distância se vamos discutir isso. Mas antes que eu possa dar um passo para trás, ele se inclina e encosta o nariz no meu. Meus olhos quase se fecham, e eu saboreio esse toque leve e inesperado.

— Eu também tenho — sussurra ele contra a minha pele, e abro os olhos ao ouvir essas palavras. Ele empertiga o corpo e me encara intensamente mais uma vez.

— Acho que já conheço bem as suas questões, Christian.

Minha voz soa ácida, e ele aperta os olhos, reprimindo o ar divertido que surge neles momentaneamente. Vamos brigar? Dou um passo para trás por precaução. Preciso me distanciar fisicamente dele — do seu cheiro, do seu olhar, do seu corpo nessa calça jeans sensual que me distrai. Ele franze o cenho quando eu me afasto.

— Por que você voltou de Nova York? — pergunto, num sussurro. Vamos acabar logo com isso.

— Você sabe por quê. — Seu tom carrega um sinal de advertência.

— Por que eu saí com Kate?

— Porque você não cumpriu sua palavra e me desafiou, correndo um risco desnecessário.

— Não cumpri minha palavra? É assim que você vê? — digo, ofegante, ignorando o resto da sua frase.

— É.

Droga. Isso é que é exagero! Começo a revirar os olhos em reprovação, mas paro quando ele me olha de cara feia.

— Christian, eu mudei de ideia — explico devagar, pacientemente, como se ele fosse uma criança. — Sou uma mulher. Somos conhecidas por mudar de ideia o tempo todo. É o que fazemos.

Ele pisca como se não compreendesse.

— Se eu tivesse pensado, por um minuto que fosse, que você cancelaria sua viagem...

As palavras me faltam. Percebo que não sei o que dizer. Sou momentaneamente catapultada de volta à discussão sobre nossos votos. *Eu nunca prometi obedecer você, Christian.* Mas seguro a língua, porque no fundo estou feliz que ele tenha voltado. Apesar de sua fúria, estou feliz de vê-lo aqui, inteiro, zangado e supersexy à minha frente.

— Quer dizer que você mudou de ideia? — Ele não consegue conter a incredulidade e o desdém.

— Isso.

— E por que não me ligou? — Ele me encara com censura, incrédulo, antes de continuar: — Além do mais, você deixou a equipe de segurança em falta aqui, colocando o Ryan em risco.

Bem, eu não tinha pensado nisso.

— Eu deveria ter ligado, mas não queria preocupar você. Se eu ligasse, você com certeza me proibiria de ir, e eu estava com saudades de Kate. Queria me encontrar com ela. Além disso, estando no bar, acabei ficando fora do caminho de Jack. Ryan não deveria tê-lo deixado entrar.

Isso é tão confuso... Se Ryan não tivesse feito isso, Jack ainda estaria solto.

Seus olhos brilham selvagemente e depois se fecham, o rosto se enrugando como se ele estivesse sentindo dor. *Ah, não.* Ele balança a cabeça e, antes que eu me dê conta, ele já me abraçou, puxando-me forte contra si.

— Ah, Ana — sussurra ele ao me apertar mais, de forma que mal consigo respirar. — Se alguma coisa acontecesse com você... — Sua voz mal passa de um sussurro.

— Não aconteceu nada — consigo dizer.

— Mas poderia ter acontecido. Eu morri mil vezes hoje pensando o que poderia ter acontecido. Eu estava furioso, Ana. Furioso com você. Furioso comigo mesmo. Com todo mundo. Não consigo me lembrar de já ter sentido tanta raiva assim... exceto... — Ele para de novo.

— Exceto?

— Uma vez no seu antigo apartamento. Quando Leila estava lá.

Ah. Não quero pensar nisso.

— Você estava tão frio hoje de manhã — murmuro.

Minha voz falha na última palavra, quando me lembro do terrível sentimento de rejeição no banho. Suas mãos sobem para a minha nuca, deixando-me mais solta, e eu respiro profundamente. Ele puxa minha cabeça para trás.

— Não sei como lidar com essa raiva. Acho que eu não quero machucar você — diz ele, os olhos bem abertos e atentos. — Hoje de manhã eu queria punir você, punir mesmo, e... — Ele para, provavelmente perdido nas palavras ou com muito medo de proferi-las.

— Você estava com medo de me machucar? — termino a frase por ele, sem acreditar nessa hipótese nem por um minuto, mas também aliviada. Uma parte de mim, uma parte pequena mas cruel, tinha medo de que fosse porque ele não me quisesse mais.

— Eu não podia confiar em mim mesmo — diz ele, baixinho.

— Christian, eu sei que você nunca me machucaria. Não fisicamente, pelo menos. — Seguro a cabeça dele entre as mãos.

— Sabe? — pergunta ele, e há ceticismo na sua voz.

— Claro. Eu sabia que o que você disse era uma ameaça vazia, à toa. Tinha certeza de que você não ia me bater até cansar.

— Mas eu queria.

— Não, não queria. Você só pensou que quisesse.

— Não sei se isso é verdade — murmura ele.

— Pense nisso — encorajo-o, envolvendo-o em meus braços mais uma vez e acariciando seu peito com o rosto, por sobre a camiseta preta. — Em como você se sentiu quando eu fui embora. Você me contou muitas vezes como aquilo afetou você. Como alterou sua visão de mundo, de mim. Eu sei do que você abriu mão por minha causa. Pense em como você se sentiu quando viu as marcas das algemas, durante a nossa lua de mel.

Ele fica parado, e eu sei que está processando a informação. Aperto os braços em volta dele, minhas mãos nas suas costas, sentindo seus músculos firmes e tonificados por baixo da camiseta. Gradativamente, ele vai relaxando, a tensão diminuindo.

É isso que o tem deixado preocupado? O medo de me machucar? Por que eu confio mais nele do que ele mesmo? Não entendo; nós certamente nos transformamos. Em geral ele é tão forte, tão controlado, mas sem isso ele se sente perdido. *Ah, Christian, Christian, Christian... Me desculpe.* Ele beija meu cabelo, eu ergo o rosto para ele e seus lábios encontram os meus, procurando, dando, tomando, implorando — pelo quê, eu não sei. Só quero sentir sua boca na minha, e retribuo o beijo apaixonadamente.

— Você confia tanto em mim — sussurra ele depois que se afasta.

— Confio mesmo.

Ele acaricia meu rosto com as costas dos dedos e a ponta do polegar, olhando atentamente dentro dos meus olhos. Sua raiva passou. Meu Cinquenta Tons está de volta, de onde quer que estivesse. É bom vê-lo. Ergo o olhar e sorrio timidamente.

— Além disso — suspiro —, você não tem a papelada.

Ele abre a boca, chocado e achando graça ao mesmo tempo, e me aperta contra seu peito de novo.

— Você tem razão. — Ele ri.

Ficamos parados no meio da sala, colados em nosso abraço, apenas apertando um ao outro.

— Vamos para a cama — sussurra ele, depois de sabe-se lá quanto tempo.

Ai, meu Deus...

— Christian, precisamos conversar.

— Mais tarde — implora ele suavemente.

— Christian, por favor. Fale comigo.

Ele suspira.

— Sobre o quê?

— Você sabe. Você me deixa no escuro.

— Quero proteger você.

— Não sou uma criança.

— Estou plenamente ciente disso, Sra. Grey.

Ele desliza as mãos pelo meu corpo e apalpa minha bunda. Flexionando o quadril, pressiona sua ereção crescente contra mim.

— Christian! — repreendo-o. — Converse comigo.

Ele suspira mais uma vez, exasperado.

— O que você quer saber? — Sua voz é resignada, e ele me solta.

Eu empaco... *Isso não quer dizer que você precisa me soltar.* Pegando minha mão, ele se abaixa para apanhar meu e-mail no chão.

— Um monte de coisas — balbucio, enquanto me deixo levar por ele até o sofá.

— Sente-se — ordena.

Algumas coisas nunca mudam, penso, e obedeço. Christian se senta ao meu lado e, inclinando-se para a frente, enterra a cabeça nas mãos.

Ah, não. Será que é difícil demais para ele? Então ele se senta ereto, passa as duas mãos no cabelo e se vira para mim, parecendo ao mesmo tempo ansioso e resignado com seu destino.

— Pergunte – diz ele simplesmente.

Ah. Bem, isso foi mais fácil do que eu pensava.

— Por que reforçar a segurança para a sua família?

— Hyde era uma ameaça para eles.

— Como você sabe?

— Pelo computador dele. Tinha armazenados detalhes pessoais sobre mim e sobre o resto da minha família. Principalmente Carrick.

— Carrick? Por que ele?

— Não sei ainda. Vamos para a cama.

— Christian, conte!

— Contar o quê?

— Você é tão... irritante.

— Você também. — Ele me lança um olhar penetrante.

— Você não aumentou a segurança logo que descobriu que havia informação sobre a sua família no computador. Então o que aconteceu? Por que agora?

Christian aperta os olhos.

— Eu não sabia que ele iria tentar incendiar minha empresa ou... — Ele para. — Pensamos que se tratasse de uma obsessão indesejável, mas, você sabe — ele dá de ombros —, quando se está em evidência, as pessoas ficam interessadas. Eram coisas aleatórias: notícias sobre mim de quando eu estudava em Harvard: minhas atividades no remo, meu trabalho. Relatórios sobre o Carrick: informações sobre a carreira dele, sobre a carreira da minha mãe, e, até certo ponto, sobre Elliot e Mia.

Que estranho.

— Você disse *ou* — continuo.

— Ou o quê?

— Você disse: "tentar incendiar minha empresa ou..." Como se fosse falar mais alguma coisa.

— Está com fome?

O quê? Franzo a testa para ele e meu estômago ronca.

— Você comeu hoje? — Seu tom é severo e seus olhos, frios.

Sou traída pelo rubor na minha face.

— Foi o que pensei. — Sua voz é cortante. — Você sabe como eu me sinto quanto a você deixar de comer. Venha — diz ele, levantando-se e estendendo a mão. — Vou alimentar você. — E ele muda de novo... Dessa vez sua voz está cheia de promessas sensuais.

— Vai me alimentar? — sussurro, e tudo abaixo do meu umbigo se liquefaz.

Mas que inferno. Essa é uma distração tão tipicamente volátil em relação ao que estávamos discutindo. *Acabou? É só isso o que eu vou conseguir tirar dele agora?* Levando-me para a cozinha, Christian pega um banco e o suspende para colocá-lo no outro lado da ilha.

— Sente-se — ordena.

— Cadê a Sra. Jones? — pergunto ao me sentar, notando a ausência dela pela primeira vez.

— Dei esta noite de folga a ela e ao Taylor.

Ah.

— Por quê?

Ele me fita por um instante, e seu divertimento arrogante volta.

— Porque eu posso.

— Então você vai cozinhar? — Minha voz trai minha incredulidade.

— Ah, está lhe faltando um pouco mais de fé, Sra. Grey. Feche os olhos.

Uau. Achei que fôssemos ter uma briga feia, e aqui estamos, brincando na cozinha.

— Feche os olhos — repete ele.

Primeiro eu reviro os olhos, depois obedeço.

— Hmm... Não foi muito bom — murmura Christian.

Abro um olho e o vejo pegar um lenço de seda cor de ameixa do bolso de trás da calça. Combina com o meu vestido. *Caramba.* Olho inquisidoramente para ele. *Em que momento ele pegou isso?*

— Feche — ordena ele de novo. — Sem roubar.

— Você vai me vendar? — balbucio, chocada. De repente, fico sem fôlego.

— Vou.

— Christian... — Ele encosta um dedo nos meus lábios, silenciando-me.

Eu quero conversar.

— A gente conversa mais tarde. Quero que você coma agora. Você disse que estava com fome.

Ele me beija de leve na boca. Sinto a maciez da seda do lenço contra minhas pálpebras quando ele dá um nó firme na parte de trás da minha cabeça.

— Está conseguindo ver? — pergunta ele.

— Não — murmuro, revirando os olhos figurativamente. Ele dá uma risada.

— Eu sei quando você está revirando os olhos... e você sabe como eu me sinto em relação a isso.

Aperto os lábios.

— Podemos acabar logo com isso? — falo rispidamente.

— Quanta impaciência, Sra. Grey. Tão ansiosa para conversar. — Seu tom é brincalhão.

— Isso mesmo!

— Preciso alimentá-la antes — diz ele, e esfrega os lábios na minha têmpora, acalmando-me instantaneamente.

Tudo bem... Como você quiser. Eu me conformo com meu destino e fico ouvindo seus movimentos pela cozinha. A porta da geladeira se abre e Christian coloca vários pratos no balcão atrás de mim. Depois vai até o micro-ondas, põe alguma coisa lá dentro e o liga. Minha curiosidade fica aguçada. Ouço o barulho da torradeira, o controle sendo girado e o som baixo do timer. Hmm... torrada?

— Isso aí. Estou doida para conversar — murmuro, distraída.

Uma variedade de aromas picantes e exóticos enche a cozinha e eu me mexo ansiosa na cadeira.

— Fique parada, Anastasia. — Ele está perto de mim de novo. — Quero que você se comporte... — sussurra.

Ai, meu Deus.

— E não morda o lábio.

Delicadamente, ele puxa meu lábio inferior, tirando-o dos meus dentes, e não consigo evitar um sorriso.

Depois, ouço o estouro nítido de uma rolha de cortiça saindo de uma garrafa e o som suave de vinho sendo servido em uma taça. Então um momento de silêncio, seguido por um estalido e pelo suave ruído branco das caixas de som surround quando elas ganham vida. O som alto e metálico de um violão começa uma música que eu não conheço. Christian abaixa o volume para manter um som ambiente. Um homem começa a cantar, uma voz grave, baixa e sensual.

— Um drinque primeiro, eu acho — sussurra Christian, tirando minha atenção da música. — Cabeça para trás. — Inclino a cabeça ligeiramente. — Mais — ordena ele.

Obedeço, e seus lábios estão nos meus. Um vinho fresco e seco escorre para dentro da minha boca. Engulo por reflexo. *Nossa.* Lembranças de não muito tempo atrás me vêm à mente — eu amarrada na minha cama em Vancouver, antes de me formar, com um Christian sexy e bravo por causa do meu e-mail. *Hmm... Os tempos mudaram?* Não muito. Exceto que agora eu reconheço o vinho, o preferido de Christian — um Sancerre.

— Hmm — murmuro em aprovação.

— Gostou do vinho? — sussurra ele, a respiração quente contra a minha face. Estou inebriada com sua proximidade, sua vitalidade, o calor irradiando do seu corpo, embora ele não me toque.

— Gostei — balbucio.

— Mais?

— Eu sempre quero mais com você.

Quase ouço-o sorrir. O que faz com que eu sorria também.

— Sra. Grey, está flertando comigo?

— Estou.

Ouço sua aliança tinindo contra a taça quando ele toma mais um gole de vinho. Que som sensual... Dessa vez ele puxa minha cabeça bem para trás e me ampara. Ele me beija novamente e, com avidez, engulo o vinho que me oferece. Ele sorri e me beija de novo.

— Está com fome?

— Achei que já tivéssemos definido isso, Sr. Grey.

O trovador no iPod está cantando sobre jogos perversos. *Hmm... que adequado.*

O micro-ondas apita e Christian me solta. Empertigo-me no banco. A comida tem um cheiro picante: alho, menta, orégano, alecrim e cordeiro, acho. A porta do micro-ondas se abre e o cheiro apetitoso fica ainda mais forte.

— Merda! Droga! — pragueja Christian, e um prato cai com estrondo sobre o balcão.

Ah, meu Cinquenta Tons!

— Tudo bem aí?

— Sim! — responde ele, rispidamente, a voz contida. Um instante depois, ele está de pé ao meu lado mais uma vez.

— Acabei de me queimar. Aqui. — Ele coloca o dedo indicador dentro da minha boca. — Por que não dá um beijo para passar?

— Opa. — Pegando sua mão, puxo seu dedo devagar de dentro da minha boca. — Pronto, pronto — conforto-o, e, inclinando-me para a frente, sopro, esfriando sua pele, e então o beijo duas vezes, delicadamente.

Ele para de respirar. Engulo seu dedo de novo e chupo suavemente. Ele inspira com força, e o som vai até a minha virilha. Seu gosto é delicioso como sempre, e eu percebo que este é o seu jogo: seduzir a esposa lentamente. Pensei que ele estivesse zangado, mas agora...? Este homem, meu marido, me confunde. Mas é assim que eu gosto dele. Brincalhão. Divertido. Sexy de doer. Ele me deu algumas respostas, mas sou gananciosa. Quero mais, mas também quero brincar. Depois da ansiedade e da tensão de hoje, além do pesadelo de ontem à noite, com Jack, essa é uma distração bem-vinda.

— Em que está pensando? — murmura Christian, interrompendo meus pensamentos ao puxar o dedo da minha boca.

— Em como você é inconstante.

Ele fica parado ao meu lado.

— Cinquenta Tons, baby — diz ele finalmente, e me dá um beijo terno no canto da boca.

— Meu Cinquenta Tons — sussurro. E, agarrando-o pela camiseta, puxo-o para mim.

— Ah, não faça isso, Sra. Grey. Sem contato físico... ainda não.

Ele pega minha mão, tira-a da sua camiseta e beija um dedo de cada vez.

— Sente-se direito — ordena ele.

Faço um beicinho.

— Vou bater em você se fizer beicinho. Agora abra bem a boca.

Ah, merda. Abro a boca e ele enfia um garfo cheio de cordeiro picante coberto com um molho refrescante, de menta e iogurte. Hmm. Mastigo.

— Gostou?

— Gostei.

Ele faz um barulho de quem saboreia algo, e sei que também está comendo e gostando.

— Mais?

Aquiesço. Ele me dá outra garfada e mastigo entusiasmadamente. Então ele abaixa o garfo e corta... pão, eu acho.

— Abra — ordena ele.

Dessa vez é pão pita com homus. Percebo que a Sra. Jones — ou talvez até Christian — andou fazendo compras na delicatessen que eu descobri há cerca de cinco semanas a apenas dois quarteirões do Escala. Mastigo aliviada. Christian brincalhão aumenta meu apetite.

— Mais? — pergunta ele.

Faço que sim com a cabeça.

— Mais de tudo. Por favor. Estou morrendo de fome.

Ouço-o sorrir com deleite. Lenta e pacientemente ele me alimenta, de vez em quando beijando uma migalha no canto da minha boca ou limpando com os dedos. E ocasionalmente me oferecendo um gole de vinho à sua maneira singular.

— Abra bem a boca, depois dê uma mordida — murmura ele.

Sigo seu comando. Hmm... Adoro isso, charuto de uva. Mesmo frio é delicioso, embora eu prefira quente, mas não quero que Christian se queime de novo. Ele me dá aos poucos, e, quando acabo, lambo seus dedos.

— Mais? — pergunta ele, a voz baixa e rouca.

Nego com a cabeça. Estou satisfeita.

— Que bom — sussurra ele no meu ouvido —, porque está na hora do meu prato preferido. Você.

Ele me levanta nos braços, surpreendendo-me tanto que dou um gritinho agudo.

— Posso tirar a venda?

— Não.

Quase faço beicinho, mas me lembro da ameaça e penso melhor.

— Quarto de jogos — murmura ele.

Oh. Não sei se é uma boa ideia.

— Que tal um desafio? — pergunta ele.

E como ele usou a palavra *desafio*, não posso dizer não.

— Manda ver — digo, sentindo meu corpo ser atravessado pelo desejo e por algo cujo nome não quero mencionar. Ele passa pela porta me carregando, e então sobe as escadas para o segundo andar.

— Acho que você emagreceu — balbucia ele, em desaprovação.

Será? Ótimo. Eu me recordo do seu comentário quando voltamos da lua de mel e de como aquilo me magoou. Nossa — faz só uma semana?

Antes de entrar no quarto de jogos ele me faz deslizar pelo seu corpo e me coloca de pé, mas mantém o braço em volta da minha cintura. Rapidamente ele destranca a porta.

O cheiro é sempre o mesmo: um toque cítrico e madeira envernizada. Na verdade, esse se tornou um aroma reconfortante. Soltando-me, Christian me vira de costas para si. Ele tira a venda e eu pisco sob a luz suave. Com gestos delicados, ele puxa os grampos do meu cabelo e minha trança cai, solta. Então ele a pega e a puxa suavemente, obrigando-me a dar um passo para trás, encostando-me nele.

— Eu tenho um plano — sussurra ele no meu ouvido, mandando arrepios deliciosos pela minha espinha.

— Imaginei — respondo.

Ele me beija embaixo da orelha.

— Ah, Sra. Grey, tenho sim.

Seu tom é suave, enfeitiçante. Ele joga minha trança para o lado e desce pelo meu pescoço, depositando beijos suaves em minha pele.

— Primeiro temos que deixar você nua. — Sua voz soa rouca na garganta e ressoa pelo meu corpo.

Eu quero — seja lá o que ele tenha planejado. Quero que nos conectemos da maneira como sabemos fazer. Ele me vira de frente para si. Baixo o olhar para sua calça jeans, o botão de cima ainda aberto, e não consigo me controlar. Esfrego o indicador pela cintura da calça, evitando a camiseta, sentindo os pelos do seu caminho da felicidade fazerem cócegas nas costas do meu dedo. Ele inspira forte, e eu volto a erguer os olhos. Paro no botão aberto. Seus olhos escurecem, adquirindo um tom mais profundo de cinza... *Ai, meu Deus.*

— Você não deveria tirar a calça — digo num sussurro.

— É exatamente essa a minha intenção, Anastasia.

E ele avança, agarrando-me com uma das mãos na minha nuca e a outra no meu traseiro. Ele me puxa para si, e então sua boca está colada à minha e ele me beija como se sua vida dependesse disso.

Uau!

Ele vai me empurrando para trás, nossas línguas entrelaçadas, até que eu sinto a estrutura de madeira em forma de X atrás de mim. Ele se inclina sobre mim, o contorno do seu corpo pressionando o meu.

— Vamos nos livrar desse vestido — diz ele, fazendo-o deslizar pelas minhas coxas, meu quadril, minha barriga... deliciosamente devagar, o tecido roçando de leve a minha pele, meus seios.

— Incline-se para a frente — ordena ele.

Obedeço; ele puxa o vestido pela minha cabeça e o joga no chão, deixando-me de sandálias, calcinha e sutiã. Seus olhos ardem enquanto ele pega minhas mãos e as levanta acima da minha cabeça. Ele pisca uma vez e pende a cabeça para o lado, e sei que está pedindo minha permissão. *O que ele vai fazer comigo?* Engulo em seco e concordo com a cabeça, e o esboço de um sorriso encantado, quase orgulhoso, surge em seus lábios. Ele prende meus pulsos nas algemas de couro da barra acima e pega o lenço mais uma vez.

— Acho que você já viu o suficiente.

Ele amarra o lenço em volta da minha cabeça, cobrindo meus olhos mais uma vez, e sinto um frisson percorrer meu corpo, todos os meus outros sentidos ficando mais aguçados; o som da sua respiração suave, minha própria excitação, o sangue pulsando nos meus ouvidos, o cheiro de Christian misturado ao odor cítrico e de madeira envernizada da sala — tudo ganha um foco mais nítido porque não posso enxergar. Seu nariz toca o meu.

— Vou deixar você louca — sussurra ele.

Ele agarra meu quadril e se abaixa, tirando minha calcinha enquanto suas mãos deslizam pelas minhas pernas. *Vai me deixar louca... Uau.*

— Levante os pés, um de cada vez.

Obedeço, ao que ele tira minha calcinha e depois as sandálias, uma de cada vez. Segurando meu tornozelo com suavidade, ele leva minha perna para a direita.

— Pise — ordena ele.

Então Christian algema meu tornozelo direito na cruz, e depois faz o mesmo com o esquerdo. Estou impotente, esticada na cruz. Ficando de pé, Christian avança na minha direção, e meu corpo é mais uma vez banhado em seu calor, embora ele não me toque. Depois de um momento, ele segura meu queixo, ergue minha cabeça e me dá um beijo casto.

— Uma música e alguns brinquedos, eu acho. Você está linda assim, Sra. Grey. Acho que vou ficar um momento apreciando a visão. — Sua voz é suave. Tudo se contrai dentro de mim.

Depois de um segundo, talvez dois, eu o ouço caminhar silenciosamente até a cômoda antiga e abrir uma das gavetas. A dos apetrechos anais? Não tenho ideia. Ele tira alguma coisa e coloca em cima da cômoda; em seguida, mais outra coisa. As caixas de som ganham vida, e depois de um momento o ambiente é preenchido por um solo de piano, uma melodia suave e alegre. Soa-me familiar — Bach, eu acho —, mas não sei que peça. Algo na música me deixa apreensiva. Talvez seja uma melodia muito calma, muito desconectada. Franzo o cenho, tentando compreender por que ela me perturba, mas Christian me surpreende, pegando no meu queixo e puxando-o delicadamente até soltar meu lábio inferior dos meus dentes. Sorrio, tentando me tranquilizar. Por que estou apreensiva? Será a música?

Christian desce a mão pelo meu queixo, meu pescoço, chegando até os seios. Com o polegar ele puxa o bojo do meu sutiã, expondo meu seio. Ouço seu "hmmm" de prazer, um som que sai bem do fundo da sua garganta, e ele beija meu pescoço. Agora, com a boca, ele percorre o mesmo caminho dos seus dedos, beijando-me e me chupando até alcançar meu seio. Seus dedos alcançam o seio esquerdo, livrando-o do sutiã. Eu gemo quando ele passa o polegar pelo meu mamilo esquerdo e seus lábios se fecham simultaneamente em volta do direito, puxando e provocando com delicadeza até que ambos os mamilos estejam longos e duros.

— Ah.

Ele não para. Com um cuidado especial, vagarosamente aumenta a intensidade em cada um. Em vão tento me desvencilhar das algemas, à medida que um prazer agudo vai dos meus mamilos até a minha virilha. Tento me contorcer, mas mal consigo me mexer, o que só torna a tortura mais intensa.

— Christian... — imploro.

— Eu sei — murmura ele, a voz rouca. — É assim que você faz eu me sentir.

Como é que é? Dou um gemido, e ele começa de novo, sujeitando meus mamilos cada vez mais ao seu doce e agonizante toque — fazendo-me chegar ainda mais perto.

— Por favor... — choramingo.

Ele produz um som baixo e selvagem com a garganta e então se levanta, deixando-me impotente, sem fôlego e me contorcendo contra as algemas. Então passa as mãos pelas laterais do meu corpo, uma parando no meu quadril enquanto a outra viaja pela minha barriga.

— Vamos ver como você está — murmura.

Gentilmente, ele envolve meu sexo com a mão, esfregando o polegar no meu clitóris e me fazendo gritar. Devagar, ele insere um e depois dois dedos em mim. Dou um gemido e projeto o quadril para a frente, ansiosa pelos seus dedos e pela palma da sua mão.

— Ah. Anastasia, você está tão pronta — diz ele.

Ele circula os dedos dentro de mim, dando voltas e voltas, enquanto seu polegar acaricia meu clitóris, para a frente e para trás, mais uma vez. É o único ponto do meu corpo que toca agora, e toda a tensão, toda a ansiedade do dia está concentrada nessa parte da minha anatomia.

Merda... é intenso... e estranho... a música... começo a me elevar... Christian muda de posição, sua mão ainda se movendo para dentro e para fora de mim, e ouço um zumbido baixo.

— O que foi? — pergunto, arfando.

— Sssh — ele me silencia, e logo seus lábios estão nos meus, efetivamente me silenciando. Recebo com agrado o contato mais íntimo, caloroso, beijando-o vorazmente. Até que ele quebra o contato, e o zumbido parece mais perto.

— Isto é uma varinha mágica, baby. Ela vibra.

Ele a encosta no meu peito, e sinto um objeto grande de forma cilíndrica vibrando. Fico arrepiada quando ele a move sobre minha pele, entre meus seios, em um mamilo e depois no outro; fico inundada pela sensação provocada, formigando em todos os lugares, sinapses ardendo enquanto uma necessidade sombria se concentra na base da minha barriga.

— Ah — gemo, enquanto Christian continua mexendo os dedos dentro de mim.

Estou quase lá... todo esse estímulo... Inclinando a cabeça para trás, dou um gemido alto, e Christian interrompe os movimentos dos dedos. Toda a sensação é suspensa.

— Não! Christian... — imploro, tentando mexer o quadril para a frente, em busca da fricção.

— Paradinha, baby — diz ele, enquanto meu orgasmo iminente se desfaz. Ele se inclina para a frente mais uma vez e me beija.

— Frustrante, não é? — murmura ele.

Ah, não! De repente eu entendo seu jogo.

— Christian, por favor.

— Sssh — diz ele, e me beija.

E começa tudo de novo: varinha mágica, dedos, polegar — uma combinação letal de tortura sexy. Ele muda de posição para que seu corpo se esfregue no meu. Ainda está vestido, e o tecido suave da sua calça jeans roça a minha pele, sua ereção contra o meu quadril. Tão perto que fico atordoada. Ele me leva ao limite de novo, meu corpo ardendo de desejo, e então para.

— Não... — choramingo alto.

Ele dá beijos suaves e molhados no meu ombro ao mesmo tempo em que tira os dedos de dentro de mim, e move a varinha mágica para baixo. Ela oscila na minha barriga, no meu sexo, contra o meu clitóris. Porra, isso é demais.

— Ah! — grito, puxando as algemas com vigor.

Meu corpo está tão sensível que parece que vou explodir, e justo nesse momento ele para de novo.

— Christian! — grito.

— Frustrante, não é? — murmura ele contra o meu pescoço. — Assim como você. Prometendo uma coisa e depois... — Sua voz some.

— Christian, por favor! — suplico.

Ele aperta a varinha contra meu corpo mais algumas vezes, sempre parando no momento vital. *Ah!*

— Sempre que eu paro, parece que recomeça mais forte. Certo?

— Por favor — choramingo. Minhas terminações nervosas estão clamando por alívio.

O zumbido para e Christian me beija. Ele roça o nariz no meu.

— Você é a mulher mais frustrante que eu já conheci.

Não, Não, Não.

— Christian, eu nunca prometi obedecer a você. Por favor, por favor...

Ele faz um movimento na minha frente, agarra minha bunda e puxa meu quadril para junto dele, deixando-me ofegante — sua virilha roçando na minha, os botões da sua calça me pressionando, mal contendo sua ereção. Com uma das mãos, ele arranca a venda e segura meu queixo; eu pisco, fitando seus olhos ardentes.

— Você me deixa louco — balbucia ele, empurrando o quadril contra o meu uma vez, duas vezes, três vezes e mais, fazendo meu corpo faiscar, deixando-o pronto para entrar em ebulição.

E de novo ele me nega. Eu o quero alucinadamente. Preciso dele alucinadamente. Fecho os olhos e murmuro uma súplica. Não consigo deixar de sentir que estou sendo punida. Estou impotente, e ele é impiedoso. Lágrimas escorrem dos meus olhos. Não sei até que ponto ele vai levar isso.

— Por favor... — sussurro mais uma vez.

Mas ele me olha implacável. Ele vai continuar. Por quanto tempo? Será que consigo jogar esse jogo? *Não. Não. Não — não consigo fazer isso.* Sei que ele não vai parar. Vai continuar a me torturar. Suas mãos descem pelo meu corpo mais uma vez. *Não...* E a represa estoura — toda a apreensão, a ansiedade e o medo dos últimos dois dias me esmagando de novo, as lágrimas brotando nos meus olhos. Eu me afasto dele. Isso não é amor. É vingança.

— Vermelho — choramingo. — Vermelho. Vermelho. — As lágrimas escorrem pelo meu rosto.

Ele fica imóvel.

— Não! — exclama ele, atordoado. — Por Deus, não.

Ele faz tudo rápido: solta minhas mãos, me abraça pela cintura e se abaixa para soltar meus tornozelos, enquanto eu descanso a cabeça nas mãos e choro.

— Não, não, não. Ana, por favor. Não.

Ele me pega no colo e me leva até a cama, onde se senta e me aninha contra si, enquanto eu soluço, inconsolável. Estou arrasada... Meu corpo ferido ao limite, minha mente, um vazio, e minhas emoções, espalhadas ao vento. Ele se estica atrás de mim, pega o lençol de cetim da cama com dossel e me cobre. O lençol frio parece hostil e estranho ao encostar em minha pele sensível. Ele me envolve em seus braços, apertando-me forte, embalando-me gentilmente para a frente e para trás.

— Desculpe. Desculpe — murmura Christian, a voz embargada. Ele beija meu cabelo repetidas vezes. — Ana, me perdoe, por favor.

Virando o rosto para seu pescoço, continuo a chorar, e é uma libertação catártica. Muita coisa aconteceu nos últimos dias — incêndios em salas de computadores, um carro nos perseguindo, carreiras sendo planejadas para mim, arquitetas piranhas, lunáticos armados invadindo nossa casa, discussões, a raiva dele —, e Christian ficou fora um tempo. Odeio que ele viaje... Uso o canto do lençol para assoar o nariz e gradativamente percebo que as notas racionais de Bach continuam ecoando pela sala.

— Por favor, desligue a música. — Dou uma fungada.

— Sim, claro. — Christian se mexe sem me soltar e pega o controle remoto do bolso de trás. Ele pressiona um botão e o solo de piano cessa, substituído pela minha respiração tremida. — Melhor? — pergunta ele.

Aquiesço, meus soluços diminuindo. Christian enxuga minhas lágrimas delicadamente, com o polegar.

— Não é muito fã das Variações Goldberg de Bach? — pergunta ele.

— Não dessa peça.

Ele me encara, tentando em vão esconder a vergonha que aparece em seus olhos.

— Me desculpe — repete ele.

— Por que você fez isso? — Minha voz é quase inaudível, pois estou tentando processar o emaranhado de sentimentos e pensamentos.

Ele balança a cabeça tristemente e fecha os olhos.

— Eu me perdi no momento — diz ele, de modo pouco convincente.

Franzo o cenho, e ele suspira.

— Ana, a negação do orgasmo é uma ferramenta padrão no... Você nunca... — Ele não termina a frase. Mudo de posição no seu colo e ele estremece.

Ah. Fico ruborizada.

— Me desculpe — balbucio.

Ele revira os olhos e se inclina para trás subitamente, levando-me consigo, de forma que agora estamos os dois deitados na cama, eu nos seus braços. Ajeito o sutiã, que estava me incomodando.

— Precisa de ajuda? — pergunta ele, baixinho.

Balanço a cabeça em negativa. Não quero que ele toque nos meus seios. Ele muda de posição para poder me olhar; levanta a mão, hesitante, e afaga meu rosto gentilmente com os dedos. As lágrimas enchem meus olhos novamente. Como ele pode ser tão insensível em um minuto e tão terno no outro?

— Por favor, não chore — sussurra ele.

Estou pasma e confusa com esse homem. Minha raiva me abandonou bem na hora em que eu precisava dela... Sinto-me entorpecida. Quero me dobrar em posição fetal e hibernar. Pisco algumas vezes para tentar conter as lágrimas, enquanto fito seus olhos angustiados. Inspiro o ar, trêmula, sem desviar os olhos dos dele. O que eu vou fazer com esse homem controlador? Aprender a me deixar controlar? Acho que não...

— Eu nunca o quê? — pergunto.

— Você nunca obedece. Você mudou de ideia; não me disse onde estava. Ana, eu estava em Nova York, sem poder fazer nada, e furioso. Se eu estivesse em Seattle, teria trazido você para casa.

— Então você está me punindo?

Ele engole em seco e fecha os olhos. Não precisa responder, pois sei que me punir era exatamente sua intenção.

— Você tem que parar com isso — murmuro.

Sua sobrancelha se enruga.

— Para começar, só faz você se sentir pior depois.

Ele bufa.

— É verdade — murmura Christian. — Não gosto de ver você assim.

— E eu não gosto de me sentir assim. Você disse no *Fair Lady* que não tinha se casado com uma submissa.

— Eu sei. Eu sei. — Sua voz é suave e carregada de emoção.

— Bem, então pare de me tratar como se eu fosse uma submissa. Lamento por não ter ligado. Não vou mais ser tão egoísta. Sei que você se preocupa comigo.

Ele me fita, me examinando de perto, os olhos tristes e ansiosos.

— Tudo bem. Está certo — diz finalmente.

Ele se inclina para baixo, mas para antes que seus lábios toquem os meus, silenciosamente pedindo permissão. Levanto a cabeça para ele, que me beija ternamente.

— Sua boca fica sempre tão macia depois que você chora — murmura ele.

— Eu nunca prometi obedecer você, Christian — sussurro.

— Eu sei.

— Aprenda a lidar com isso, por favor. Para o nosso bem. E eu vou tentar ter mais consideração com as suas... tendências controladoras.

Ele parece perdido e vulnerável, completamente desnorteado.

— Vou tentar — balbucia ele, sua voz transbordando sinceridade.

Deixo escapar um suspiro, um longo e trêmulo suspiro.

— Por favor, tente. Além disso, se eu *estivesse* aqui...

— Eu sei — diz ele, e empalidece.

Deitando-se para trás, Christian cobre o rosto com o braço livre. Eu me enrosco nele e coloco a cabeça no seu peito. Ficamos deitados por alguns momentos em silêncio. Sua mão se move para a ponta da minha trança e ele tira o elástico, soltando meu cabelo. Delicada e ritmadamente, começa a penteá-lo com os dedos. Então a questão toda é esta: seu medo... seu medo irracional quanto à minha segurança. Uma imagem de Jack Hyde estirado no chão do nosso apartamento com uma Glock me vem à cabeça... Bem, talvez não tão irracional, o que me lembra...

— O que você quis dizer mais cedo quando falou *ou*? — pergunto.

— Ou?

— Alguma coisa sobre o Jack.

Ele me fita.

— Você não desiste, não é?

Repouso o queixo no seu esterno, aproveitando o carinho tranquilizador dos seus dedos no meu cabelo.

— Desistir? Nunca. Quero que me diga. Não gosto que escondam as coisas de mim. A sua noção quanto à minha necessidade de proteção é muito exagerada. Você nem sabe atirar; e eu sei. Você acha que eu não vou conseguir enfrentar isso que você não quer me contar, seja lá o que for? A sua ex-submissa obcecada já apontou uma arma para mim, sua ex-amante pedófila já me atormentou; e não me olhe dessa maneira — falo rispidamente quando ele me olha de cara feia. — Sua mãe tem a mesma opinião em relação a ela.

— Você conversou com a minha mãe sobre Elena? — sua voz sobe algumas oitavas.

— Sim, Grace e eu conversamos sobre ela.

Ele me olha embasbacado.

— Ela ficou muito aborrecida com tudo aquilo. Sua mãe se culpa pelo que aconteceu.

— Não acredito que você falou com a minha mãe. Merda! — Ele se deita e coloca o braço sobre o rosto de novo.

— Não falei nada específico.

— Espero que não. A Grace não precisa saber de todos os detalhes sórdidos. Por Deus, Ana. Meu pai também?

— Não! — Balanço a cabeça veementemente. Não tenho esse tipo de relacionamento com Carrick. Seus comentários sobre o acordo pré-nupcial ainda me incomodam. — Mas você está tentando me distrair; de novo. O Jack. O que tem ele?

Christian levanta o braço por uns instantes e me encara, sua expressão indecifrável. Suspirando, ele cobre o rosto novamente.

— O Hyde está envolvido na sabotagem do *Charlie Tango*. Os investigadores acharam parte de uma impressão digital; apenas parte, então não conseguiram fazer uma comparação exata. Mas então você o reconheceu na sala do servidor. Ele tem algumas condenações de quando era menor, em Detroit, e as impressões correspondiam com a dele.

Minha mente repassa os fatos enquanto tento absorver essa informação. Jack derrubou o *Charlie Tango*? Mas Christian não para por aí:

— Hoje de manhã, uma van de carga foi encontrada aqui na garagem. Quem dirigia era o Hyde. Ontem ele entregou alguma merda para aquele vizinho novo, o que acabou de se mudar. O sujeito que encontramos no elevador.

— Não me lembro do nome dele.

— Eu também não — diz Christian. — Mas foi assim que Hyde conseguiu entrar no edifício legitimamente. Estava trabalhando para uma empresa de entregas…

— E…? O que tem de tão importante com a van?

Ele não fala nada.

— Christian, me conte.

— Os policiais encontraram… umas coisas na van. — Ele para de novo, e me aperta ainda mais em seus braços.

— Que coisas?

Ele fica quieto por alguns instantes, e eu abro a boca para pressioná-lo, mas ele fala:

— Um colchão, tranquilizante de cavalo em quantidade suficiente para apagar uma dúzia de cavalos e um bilhete. — Sua voz diminuiu ao ponto de tornar-se quase um sussurro, o horror e a repulsa tomando conta dele.

Puta merda.

— Bilhete? — Minha voz soa igual à dele.

— Endereçado a mim.

— O que dizia?

Christian balança a cabeça, indicando que não sabe ou que não vai mencionar o conteúdo.

Oh.

— Ele veio aqui ontem à noite com a intenção de sequestrar você.

Christian congela, o rosto rígido de tensão. Quando ele fala essas palavras, me recordo da fita adesiva, e um arrepio me percorre, embora no fundo isso não seja novidade para mim.

— Merda — balbucio.

— Pois é — diz Christian, tenso.

Tento me lembrar de Jack no trabalho. Ele sempre foi louco? Como ele pôde pensar que se sairia bem dessa? Quer dizer, ele era bem esquisito, mas tão desvairado assim?

— Não entendo por quê — murmuro. — Não faz sentido para mim.

— Eu sei. A polícia está investigando mais a fundo, e o Welch também. Mas achamos que Detroit é a conexão.

— Detroit? — Eu o encaro, confusa.

— Sim. Tem alguma coisa lá.

— Ainda não entendo.

Christian levanta o rosto e me olha fixamente, a expressão indecifrável.

— Ana, eu nasci em Detroit.

CAPÍTULO DOZE

— Pensei que você tivesse nascido aqui em Seattle — murmuro.

Minha mente está a mil. O que isso tem a ver com Jack? Christian levanta o braço que lhe cobria o rosto, estende-o para trás e pega um dos travesseiros. Colocando-o sob a cabeça, ele se acomoda e me fita com uma expressão de cautela. Depois de um momento, ele balança a cabeça.

— Não. Tanto Elliot quanto eu fomos adotados em Detroit. Viemos para cá logo depois da minha adoção. Grace queria morar na Costa Oeste, longe da expansão urbana, e arranjou um trabalho no hospital Northwest. Tenho poucas lembranças dessa época. Mia foi adotada aqui.

— Então o Jack é de Detroit?

— É.

Puxa...

— Como você sabe?

— Fiz um levantamento do passado do Jack quando você foi trabalhar com ele.

Mas é claro.

— Você também tem um arquivo com informações sobre ele, num envelope de papel pardo e tudo? — Abro um sorriso irônico.

Ele torce a boca, achando graça mas disfarçando.

— Acho que é uma pasta azul-clara.

Seus dedos continuam a afagar meu cabelo; é tranquilizador.

— O que consta no arquivo dele?

Christian apenas pisca. Inclinando-se para baixo, ele acaricia minha bochecha.

— Quer realmente saber?

— É tão ruim assim?

Ele dá de ombros.

— Já vi piores.

Não! Será que ele está se referindo a si mesmo? E a imagem que tenho de Christian como um garotinho perdido, amedrontado e sujo me vem à mente. Eu me aconchego nele, apertando-o, puxando o lençol por cima do seu corpo, e deito o rosto em seu peito.

— O que foi? — pergunta ele, intrigado com a minha reação.

— Nada — murmuro.

— Não, não. Isso serve para os dois lados, Ana. O que foi?

Ergo o olhar por um momento e vejo sua expressão apreensiva. Voltando a descansar o rosto no seu peito, decido lhe contar:

— Às vezes eu imagino você quando criança... Antes de você vir morar com os Grey.

Seu corpo enrijece.

— Eu não estava falando de mim. Não quero sua piedade, Anastasia. Essa parte da minha vida já se foi. Acabou.

— Não é piedade — sussurro, assustada. — É solidariedade e tristeza... Tristeza por alguém fazer aquilo com uma criança. — Respiro profundamente para me acalmar, pois meu estômago se revira e as lágrimas brotam nos meus olhos de novo. — Essa parte da sua vida não acabou, Christian... como pode dizer isso? Você precisa conviver todos os dias com o seu passado. Você mesmo me disse: cinquenta tons, lembra? — Minha voz é quase inaudível.

Christian bufa e passa a mão livre pelo cabelo, embora permaneça mudo e tenso embaixo de mim.

— Eu sei que é por isso que você tem necessidade de me controlar. De me proteger.

— E mesmo assim você prefere me desafiar — murmura ele, perplexo, com a mão ainda no meu cabelo.

Franzo o cenho. *Nossa! Será que eu faço isso deliberadamente?* Meu inconsciente tira os óculos de leitura e morde a ponta da haste, enrugando os lábios e concordando. Ignoro-o. Isso é tão confuso... Sou sua esposa, não sua submissa, não uma empresa que ele comprou. Não sou a prostituta viciada que sua mãe era... *Cacete.* Só de pensar me sinto mal. As palavras do Dr. Flynn me voltam à mente:

É só continuar com o que você já está fazendo. O Christian está completamente apaixonado... É muito agradável de se ver.

É isso. Estou apenas fazendo o que sempre fiz. Não foi isso que atraiu Christian em primeiro lugar?

Ah, esse homem é tão confuso.

— O Dr. Flynn disse que eu deveria dar a você o benefício da dúvida. Acho que é isso o que eu faço; não tenho certeza. Talvez seja a minha maneira de trazer você para o aqui e agora, para longe do seu passado — sussurro. — Não sei. Só não consigo calcular até que ponto a sua reação vai ser exagerada.

Ele fica em silêncio por um momento.

— Maldito Flynn — murmura para si mesmo.

— Ele disse que eu deveria continuar a me comportar da maneira como sempre me comportei com você.

— Ele disse isso? — comenta Christian, secamente.

Ok. Não adianta nada, mas lá vai:

— Christian, eu sei que você amava sua mãe e não conseguiu salvá-la. Não competia a você fazer isso. Mas eu não sou ela.

Ele congela de novo.

— Pare — pede ele.

— Não, escute. Por favor. — Levanto a cabeça para olhar nos seus olhos arregalados e paralisados de medo. Ele está prendendo a respiração. *Ah, Christian...* Meu coração se aperta. — Eu não sou ela. Sou muito mais forte do que ela era. Eu tenho você, que está tão mais forte agora, e sei que você me ama. E eu também amo você — sussurro.

Sua testa se enruga como se minhas palavras não fossem o que ele esperava.

— Você ainda me ama? — pergunta ele.

— Claro que sim. Christian, eu vou amar você para sempre. Não importa o que você faça comigo. — Será essa garantia o que ele quer?

Ele exala o ar e fecha os olhos, colocando o braço sobre o rosto de novo, mas me abraçando mais apertado também.

— Não se esconda de mim. — Eu pego a mão dele e tiro seu braço de sobre seu rosto. — Você passou a vida se escondendo. Por favor, não faça isso, não comigo.

Ele me olha com incredulidade e franze a testa.

— Acha que estou me escondendo?

— Sim.

Ele muda de posição subitamente, rolando para um lado e me colocando deitada junto a si na cama. Levanta o corpo, afasta o cabelo do meu rosto e o coloca atrás da minha orelha.

— Você me perguntou mais cedo se eu a odiava. Eu não entendi por quê, e agora... — Ele para de falar, encarando-me como se eu fosse um enigma completo.

— Você acha que eu odeio você? — Agora minha voz soa incrédula.

— Não. — Ele balança a cabeça. — Agora não. — Ele parece aliviado. — Mas eu preciso saber... Por que você usou a palavra de segurança, Ana?

Fico branca. O que posso dizer? Que ele me assustou. Que eu não sabia se ele iria parar. Que eu implorei — e ele não parou. Que eu não queria que as coisas piorassem... como... como daquela única vez, aqui mesmo. Estremeço ao me lembrar dele me batendo com o cinto.

Engulo em seco.

— Porque... Porque você estava tão zangado e distante e... frio. Eu não sabia aonde você ia chegar.

Sua expressão é indecifrável.

— Você ia me deixar gozar? — Minha voz é quase um suspiro, e sinto o rubor na minha face, mas sustento o seu olhar.

— Não — responde ele após um tempo.

Puta merda.

— Isso é... cruel.

Seus dedos gentilmente acariciam minha face.

— Mas eficaz — murmura ele, e me olha fixamente como se tentasse enxergar minha alma, seus olhos escurecendo. Depois de uma eternidade, ele balbucia: — Fico feliz por você ter me interrompido.

— Sério? — Eu não entendo.

Seus lábios se contorcem num sorriso triste.

— Sim. Eu não quero machucar você; fui levado pelo momento. — Ele se inclina e me beija. — Acabei perdendo o controle. — Ele me beija de novo. — Acontece muito quando estou com você.

É? E, por alguma razão bizarra, esse pensamento me agrada... Dou um sorriso. Por que isso me deixa feliz? Ele sorri também.

— Não sei por que você está sorrindo, Sra. Grey.

— Eu também não.

Ele se enrosca em mim e deita a cabeça no meu peito. Somos um emaranhado de braços e pernas nus e cobertos de jeans e lençóis de cetim vermelho. Afago suas costas com uma das mãos e passo os dedos da outra pelo seu cabelo. Ele suspira e relaxa nos meus braços.

— Quer dizer que eu posso confiar em você... para me fazer parar. Não quero machucar você nunca — murmura ele. — Eu preciso... — Ele não completa a frase.

— Precisa do quê?

— Preciso de controle, Ana. Assim como preciso de você. É a única maneira como eu consigo funcionar. Não consigo parar. Não consigo. Já tentei... Mas com você... — Ele balança a cabeça, irritado.

Engulo em seco. Esse é o cerne do nosso dilema: a necessidade que ele tem de controle e a necessidade que tem de mim. Recuso-me a acreditar que sejam sentimentos mutuamente exclusivos.

— Eu também preciso de você — sussurro, abraçando-o com mais força. — Vou tentar, Christian. Vou tentar ter mais consideração.

— Eu quero que você precise de mim — murmura ele.

Puta merda!

— Eu preciso! — Minha voz soa apaixonada. Eu preciso muito dele. Amo-o tanto...

— Eu quero cuidar de você.

— Você já cuida. O tempo todo. Eu senti tanta saudade quando você viajou...

— Mesmo? — Seu tom de voz revela surpresa.

— Sim, claro. Detesto ficar longe de você.

Sinto que ele sorri.

— Você podia ter ido comigo.

— Christian, por favor. Não vamos voltar a essa discussão. Eu quero trabalhar.

Ele suspira, e passo os dedos delicadamente pelo seu cabelo.

— Eu amo você, Ana.

— Eu também amo você, Christian. Sempre vou amar.

Ficamos ali deitados, quietos, a calmaria que vem depois da tempestade. Escutando as batidas regulares do seu coração, eu me entrego exausta ao sono.

Acordo com um sobressalto, desorientada. Onde estou? No quarto de jogos. As luzes ainda estão acesas, iluminando suavemente as paredes vermelho-sangue. Christian geme de novo, e percebo que foi isso o que me acordou.

— Não — geme.

Ele está jogado ao meu lado, a cabeça para trás, os olhos apertados, o rosto contorcido de angústia.

Puta merda. Ele está tendo um pesadelo.

— Não! — grita outra vez.

— Christian, acorde.

Levanto o corpo com dificuldade, arrancando o lençol. Ajoelhando-me ao lado dele, agarro-o pelos ombros e o chacoalho, as lágrimas brotando em meus olhos.

— Christian, por favor. Acorde!

Seus olhos se abrem, cinzentos e assustados, as pupilas dilatadas pelo medo. Ele me olha meio perdido.

— Christian, foi só um pesadelo. Você está em casa. Está tudo bem.

Ele pisca várias vezes, olha ao redor de si em pânico e franze o cenho quando se dá conta do ambiente que o cerca. Então seus olhos voltam para mim.

— Ana — sussurra ele.

E, sem qualquer aviso, agarra meu rosto com as duas mãos, me puxa na direção do seu peito e me beija. Forte. Sua língua invade a minha boca, e sinto seu gosto de desespero e carência. Mal me dando chance para respirar, ele rola para cima de mim, os lábios colados nos meus, pressionando-me contra o colchão duro da cama de dossel. Com uma das mãos ele aperta minha mandíbula, e a outra, aberta, segura o alto da minha cabeça, mantendo-me parada enquanto ele abre minhas pernas com o joelho e se aninha, ainda de calça jeans, entre as minhas coxas.

— Ana — sussurra ele, ofegante, como se não acreditasse que estou ali.

Ele me fita por um segundo, permitindo que eu respire por um momento. Então seus lábios colam nos meus de novo, roubando minha boca para si, tomando tudo que eu tenho para dar. Ele solta um gemido alto, empurrando o quadril contra o meu corpo. Sua ereção, coberta pelo tecido da calça, pressiona minha pele macia. *Ah...* Solto um gemido, e toda a tensão sexual reprimida de antes extravasa, voltando à tona como uma vingança, alimentando meu organismo com desejo e necessidade. Guiado por seus demônios, ele beija meu rosto, meus olhos, minhas bochechas e o contorno do meu rosto com sofreguidão.

— Estou aqui — digo, tentando acalmá-lo, nossa respiração quente e ofegante se misturando. Envolvo seus ombros em meus braços e movimento a pélvis contra a dele, acolhendo-o em boas-vindas.

— Ah, Ana — balbucia ele, numa voz rouca e baixa. — Eu preciso de você.

— Eu também — sussurro de maneira incisiva, meu corpo desesperado pelo seu toque.

Eu o quero. E quero agora. Quero curá-lo. Quero me curar... Eu preciso disso. Sua mão desce e alcança o botão da calça, tateando por um momento e depois liberando sua ereção.

Puta merda. Eu estava dormindo há menos de um minuto.

Ele muda de posição, encarando-me por uma fração de segundo, suspenso sobre mim.

— Sim. Por favor — peço, minha voz áspera e cheia de desejo.

E, em um movimento brusco, ele se enterra dentro de mim.

— Ah! — grito, não de dor, mas de surpresa pela sua avidez.

Ele geme, e seus lábios encontram os meus novamente enquanto ele mete em mim repetidas vezes, sua língua também me possuindo. Ele se move freneticamente, compelido por medo, luxúria, desejo... amor? Não sei, mas eu o acolho dentro de mim a cada impulso, recebendo-o com prazer.

— Ana — murmura ele, quase inarticuladamente, e goza com força, se despejando dentro de mim, o rosto contorcido, o corpo rígido, antes de desabar com todo o peso em cima do meu corpo, ofegante, e me deixando na mão... de novo.

Puta merda. Esse não é meu dia. Eu o abraço, inspirando o ar para encher o pulmão e praticamente me debatendo de necessidade embaixo dele. Ele sai de dentro de mim e me abraça por uns minutos... muitos minutos. Finalmente, Christian balança a cabeça e se apoia nos cotovelos, aliviando um pouco do seu peso sobre mim. Ele me fita como se me visse pela primeira vez.

— Ah, Ana. Meu Deus. — Ele se inclina e me beija ternamente.

— Você está bem? — sussurro, acariciando seu belo rosto.

Ele aquiesce, mas parece agitado e definitivamente perturbado. Meu garoto perdido. Ele franze a testa e me olha hesitante, como se finalmente registrasse onde se encontra.

— E você? — pergunta ele, e noto preocupação na sua voz.

— Hmm...

Faço um movimento sinuoso por baixo dele, e após um momento ele sorri, um sorriso carnal que se abre devagar.

— Sra. Grey, você tem necessidades — murmura ele. E me beija rapidamente, para então pular da cama.

Ajoelhando-se no chão, ele me segura logo acima do joelho e me puxa na sua direção até que eu alcance a beirada da cama.

— Sente-se — murmura.

Com esforço eu me coloco sentada, meu cabelo caindo como um véu à minha volta, ao longo dos meus seios. Seu olhar cinzento sustenta o meu enquanto ele gentilmente abre ao máximo minhas pernas. Inclino-me para trás, apoiada nas mãos — sabendo muito bem o que ele vai fazer. Mas... ele acabou de... hum...

— Você é linda demais, Ana — sussurra ele.

Vejo sua cabeça com cabelo acobreado mergulhar e depositar uma trilha de beijos ao longo da minha coxa direita, rumo à parte de cima. Meu corpo inteiro se enrijece de expectativa. Ele ergue o olhar para mim, seus olhos escurecendo e semicerrados.

— Observe — diz ele com a voz áspera, e então sua boca está em mim.

Ai, meu Deus. Eu grito, o mundo concentrado no ápice das minhas coxas, e é tão erótico — *Puta que pariu* — olhá-lo. Ver sua língua agir no que parece ser a parte mais sensível do meu corpo. E ele não demonstra misericórdia alguma, provocando e atiçando, me venerando. Meu corpo se tensiona e meus braços começam a tremer, mal sustentando meu peso.

— Não... Ah — murmuro.

Delicadamente, ele enfia em mim um dos seus dedos compridos, e não consigo mais me conter: caio de costas na cama, saboreando sua boca e seus dedos tanto sobre minha pele quanto dentro de mim. Devagar e gentilmente, ele massageia aquele ponto tão, tão gostoso, bem dentro de mim. E então... eu chego lá. Explodo em volta dele, gritando uma versão incoerente do seu nome enquanto meu orgasmo intenso arqueia minhas costas, erguendo-me da cama. Acho que vejo estrelas, um sentimento primitivo e visceral... Aos poucos percebo que ele está acariciando minha barriga, beijando-me suave e docemente. Inclinando-me para baixo, acaricio seu cabelo.

— Ainda não terminei — avisa ele.

E, antes que eu volte completamente a Seattle, ao planeta Terra, ele está me buscando, agarrando meu quadril e me puxando para fora da cama, para onde ele ainda está ajoelhado, para seu colo, colocando-me sobre a sua ereção, que me aguarda.

Solto uma exclamação quando ele me penetra. *Nossa...*

— Ah, baby — sussurra ele, envolvendo-me em seus braços e ficando imóvel, afagando minha cabeça e beijando meu rosto. Ele flexiona o quadril, e o prazer avança quente e duro dentro de mim. Ele me segura e me levanta, erguendo sua virilha.

— Ai — gemo, e seus lábios estão nos meus de novo, enquanto ele, devagar, muito devagar, levanta e movimenta o corpo... levanta e movimenta. Jogo os braços em volta do pescoço dele, entregando-me ao seu ritmo suave e deixando que ele me leve aonde quiser. Flexiono as coxas, montando nele... está tão gostoso! Inclinando-me para trás, deixo a cabeça pender, minha boca bem aberta em uma expressão silenciosa de prazer, deleitando-me no amor que ele faz comigo tão suavemente.

— Ana — sussurra, e se inclina para baixo, beijando meu pescoço.

Segurando-me apertado, entrando e saindo devagar, me impelindo... mais e mais... no tempo certo e perfeito — uma espontânea força carnal. E de dentro, bem de dentro de mim, um delicioso prazer se irradia para fora, enquanto ele me segura tão intimamente.

— Eu amo você, Ana — diz junto à minha orelha, sua voz baixa e áspera, e me levanta de novo: subindo e descendo, subindo e descendo. Agarro seu pescoço e enterro minhas mãos em seu cabelo.

— Também amo você, Christian.

Abrindo os olhos, encontro-o me fitando, e tudo o que vejo é o seu amor, brilhando forte e nítido à luz suave do quarto de jogos, seu pesadelo aparentemente esquecido. E quando sinto meu corpo evoluir rumo ao alívio, percebo que era isso o que eu queria — essa conexão, essa demonstração do seu amor.

— Goze para mim, baby — murmura ele, a voz grave.

Aperto os olhos com força, e meu corpo se enrijece ao som baixo da sua voz, e eu gozo alto, contorcendo-me no clímax intenso. Ele para, a testa contra a minha, sussurrando suavemente meu nome, envolvendo-me em seus braços e encontrando a própria liberação.

ELE ME LEVANTA delicadamente e me coloca na cama. Fico deitada nos seus braços, exausta e finalmente saciada. Ele roça o rosto pelo meu pescoço.

— Está melhor agora? — sussurra.

— Hmm.

— Vamos para a cama, ou você quer dormir aqui?

— Hmm.

— Sra. Grey, fale comigo. — Ele parece estar achando graça.

— Hmm.

— Isso é o melhor que você consegue fazer?

— Hmm.

— Venha. Vou colocar você na cama. Não gosto de dormir aqui.

Relutantemente, mudo de posição, virando-me para olhá-lo.

— Espere — sussurro.

Ele apenas pisca para mim, os olhos arregalados com inocência fingida, e ao mesmo tempo com cara de quem fez um ótimo sexo e está satisfeito consigo mesmo.

— Você está bem? — pergunto.

Ele aquiesce e abre um sorriso convencido, como um adolescente.

— Agora estou.

— Ah, Christian — repreendo-o, e gentilmente afago seu lindo rosto. — Eu estava falando do seu pesadelo.

Sua expressão se congela momentaneamente; então ele fecha os olhos e aperta os braços em volta de mim, enterrando o rosto no meu pescoço.

— Não — sussurra ele, a voz rouca e embargada.

Meu coração se aperta mais uma vez no meu peito, e eu o abraço com mais força, acariciando suas costas e seu cabelo.

— Desculpe — balbucio, assustada com a sua reação. Puta merda. Como posso acompanhar essas mudanças de humor? O que será que havia nesse maldito pesadelo? Não quero lhe causar mais dor fazendo-o reviver os detalhes. — Está tudo bem — murmuro suavemente, desesperada para trazer de volta o garoto brincalhão de um minuto atrás. — Está tudo bem — fico repetindo, para tranquilizá-lo.

— Vamos para a cama — diz ele baixinho depois de um tempo, e se afasta, deixando-me com um vazio doloroso quando se levanta da cama. Levanto-me depois dele, meio desajeitada, mantendo o lençol de cetim enrolado em volta do corpo, e me abaixo para pegar minhas roupas.

— Deixe isso aí — diz ele, e, antes que eu me dê conta, ele me pega no colo. — Não quero que você tropece nesse lençol e quebre o pescoço.

Coloco os braços em volta dele, encantada por vê-lo recuperado, e o afago enquanto ele me carrega escada abaixo para o nosso quarto.

MEUS OLHOS SE abrem de súbito. Tem algo errado. Christian não está na cama, embora ainda esteja escuro. Olhando para o relógio na mesa de cabeceira, vejo que são três e vinte da manhã. Cadê ele? Então ouço o piano.

Descendo rapidamente da cama, pego meu robe e passo pelo corredor em direção à sala. A música que ele está tocando é tão depressiva — um lamento triste que eu já o ouvi tocar antes. Paro à porta e o observo, mergulhado em um facho de luz, enquanto a música dolorosamente aflita preenche a sala. Ele termina, e então reinicia a peça. Por que algo tão melancólico? Abraço a mim mesma e fico ouvindo-o, fascinada. Mas meu coração dói. *Christian, por que tanta tristeza? É por minha causa? Fui eu quem provoquei isso?* Quando ele termina, apenas para começar pela terceira vez, não consigo mais me conter. Ele não ergue o olhar quando me aproximo do piano, mas chega para o lado, para que eu possa sentar-me ao seu lado no banco. Ele continua a tocar, e eu apoio a cabeça no seu ombro. Ele beija meu cabelo, mas só para de tocar quando termina a peça. Olho para ele: Christian me encara com cautela.

— Acordei você? — pergunta.

— Só porque você não estava lá. Qual o nome dessa peça?

— É Chopin. Um dos prelúdios em mi menor. — Ele faz uma pausa. — Chama-se "Suffocation"...

Pego sua mão.

— Você ficou realmente mexido com tudo isso, não foi?

Ele solta um ruído abafado.

— Um babaca demente entra na minha casa para sequestrar a minha mulher. Ela não faz o que lhe mandam fazer. Ela me deixa louco. Ela recorre à palavra de segurança. — Ele fecha os olhos rapidamente e, quando volta a abri-los, estão severos e rudes. — É, fiquei bem mexido.

Aperto sua mão.

— Desculpe.

Ele pressiona a testa contra a minha.

— Eu sonhei que você tinha morrido — sussurra ele.

O quê?

— Deitada no chão... tão fria... e você não acordava.

Ah, meu Cinquenta Tons.

— Ei... Foi só um sonho ruim. — Seguro sua cabeça com as mãos. Seus olhos ardem nos meus, transmitindo uma angústia sombria. — Eu estou aqui, e estou com frio sem você na cama. Volte para a cama, por favor.

Pego sua mão e me levanto, esperando para ver se ele vai fazer o mesmo. Finalmente, ele também se levanta. Está só com a calça do pijama, que cai daquela maneira; fico com vontade de passar os dedos pela parte interna da cintura da calça, mas resisto e o levo de volta ao quarto.

* * *

QUANDO ACORDO, ELE está enroscado em mim, dormindo tranquilamente. Relaxo e aproveito seu calor ao redor do meu corpo, sua pele na minha. Fico deitada sem me mexer, pois não quero perturbar seu sono.

Caramba, que noite. Parece que fui esmagada por um trator — o pesado trator que é o meu marido. Difícil acreditar que o homem deitado ao meu lado, parecendo tão sereno e jovem em seu sono, estava tão atormentando ontem à noite... e que também me atormentou. Olho para o teto, e me ocorre que sempre penso em Christian como forte e dominador — mas, na verdade, ele é muito frágil, meu menino perdido. E a ironia é que ele me vê como frágil — o que eu não acho que seja. Comparada a ele, *eu* é que sou forte.

Mas será que sou forte o suficiente para nós dois? Forte o suficiente para obedecer-lhe e dar-lhe alguma paz de espírito? Suspiro. Ele não está me pedindo tanta coisa assim. Repasso nossa conversa da noite anterior. Decidimos alguma outra coisa além de que ambos vamos nos esforçar mais? O fato é que eu amo esse homem, e preciso traçar uma rota para nós dois. Uma rota que me permita manter minha integridade e independência, mas ao mesmo tempo ser mais para ele. Eu sou o seu *mais*, e ele é o meu. Resolvo fazer um esforço especial esse fim de semana, para não lhe dar mais motivo de preocupação.

Christian se agita e levanta a cabeça do meu peito, olhando-me sonolento.

— Bom dia, Sr. Grey. — Sorrio.

— Bom dia, Sra. Grey. Dormiu bem? — Ele se espreguiça ao meu lado.

— Depois que o meu marido parou com aquele lamento horrível ao piano, sim, dormi bem.

Ele abre seu sorriso tímido, e eu me derreto.

— Lamento horrível? Pode ter certeza de que eu vou mandar um e-mail para a Srta. Kathie contando isso.

— Srta. Kathie?

— Minha professora de piano.

Dou uma risadinha.

— Que lindo som — diz ele. — Que tal termos um dia melhor hoje?

— Tudo bem — concordo. — O que você quer fazer?

— Depois que eu fizer amor com a minha esposa e ela preparar o meu café da manhã, eu gostaria de levá-la a Aspen.

Olho embasbacada para ele.

— Aspen?

— É.

— Aspen, no Colorado?

— Isso mesmo. A não ser que tenham tirado de lá. Afinal de contas, você pagou vinte e quatro mil dólares pela experiência.

Abro um sorriso.

— Era dinheiro seu.

— Dinheiro nosso.

— Era seu quando eu fiz a oferta. — Reviro os olhos.

— Ah, Sra. Grey, você e seu revirar de olhos — sussurra ele, passando a mão na minha coxa.

— Não vai levar horas para chegarmos ao Colorado? — pergunto, para distraí-lo.

— Não no meu jatinho — explica ele, muito dócil, e sua mão alcança minha bunda.

Claro, meu marido tem um avião. Como pude esquecer? Sua mão continua a deslizar pelo meu corpo, levantando minha camisola por onde passa, e logo eu já esqueci tudo.

Taylor nos leva até a pista do aeroporto Sea-Tac, depois até o jato da Grey Enterprises Holdings, que está à nossa espera. É um dia cinza em Seattle, mas me recuso a deixar que o clima faça murchar minha empolgação. Christian está muito mais bem-humorado. Está animado com alguma coisa — iluminado como o Natal, e saltitante como um garotinho que guarda um grande segredo. O que será que ele está tramando? Ele parece um sonho: o cabelo desalinhado, camiseta branca e calça jeans preta. Nem um pouco CEO. Ele pega minha mão quando Taylor para perto da escada do jato.

— Tenho uma surpresa para você — murmura ele, e beija os nós dos meus dedos.

Abro um sorriso.

— Surpresa boa?

— Espero que sim. — Ele sorri calorosamente.

Hmm... O que será?

Sawyer salta do banco da frente e abre a minha porta. Taylor abre a de Christian, e em seguida tira nossa bagagem da mala do carro. Stephan está esperando no topo da escada quando entramos na aeronave. Olho para a cabine e vejo o comandante Beighley acionando botões no imponente painel de instrumentos.

Christian e Stephan apertam as mãos.

— Bom dia, senhor. — Stephan sorri.

— Obrigado por atender ao meu pedido tão repentino. — Christian lhe sorri de volta. — Nossos convidados já chegaram?

— Chegaram sim, senhor.

Convidados? Eu me viro e solto uma exclamação de surpresa. Kate, Elliot, Mia e Ethan estão sentados nos bancos de couro cor de creme, todos sorrindo. Uau! Viro de volta para Christian.

— Surpresa! — diz ele.

— Como? Quando? Quem? — balbucio inarticuladamente, tentando conter meu deleite e meu entusiasmo.

— Você disse que quase não tem visto seus amigos. — Ele dá de ombros e abre um sorriso torto de desculpas.

— Ah, Christian, obrigada.

Jogo os braços em volta do seu pescoço e o beijo com força na frente de todo mundo. Ele me segura pela cintura, enfiando os polegares nos passadores de cinto da minha calça jeans, e me beija com mais intensidade.

Ai, meu Deus.

— Continue com isso e eu arrasto você para o quarto — murmura ele.

— Você não teria coragem — sussurro contra seus lábios.

— Ah, Anastasia.

Ele sorri, balançando a cabeça; então me solta sem mais preâmbulos, abaixa-se, pega-me pelas coxas e me coloca nos ombros.

— Christian, me ponha no chão! — Dou-lhe uma palmada na bunda.

Vejo de relance o sorriso de Stephan quando ele se vira e entra na cabine do piloto. Taylor está parado à porta, tentando disfarçar o riso. Ignorando meus apelos e meus socos inúteis, Christian percorre a passos largos a cabine estreita, passando por Mia e Ethan, que estão um de frente para o outro nas poltronas, e por Kate e Elliot, que berra incentivos feito um maluco.

— Se vocês me dão licença... — diz ele para nossos quatro convidados. — Preciso ter uma palavrinha em particular com a minha esposa.

— Christian! — grito. — Me ponha no chão!

— Tudo a seu tempo, querida.

Vejo rapidamente Mia, Kate e Elliot rindo. *Que saco!* Isso não é engraçado, é constrangedor. Ethan nos olha estupefato, a boca aberta e totalmente chocado, enquanto desaparecemos na cabine.

Christian fecha a porta após entrarmos e então me solta, deixando-me deslizar pelo seu corpo lentamente, de modo que sinto a rigidez de todos os seus músculos e tendões. Ele abre seu sorriso de garoto, completamente satisfeito consigo mesmo.

— Foi realmente um espetáculo, Sr. Grey. — Cruzo os braços e olho para ele me fazendo de indignada.

— Foi divertido, Sra. Grey. — E seu sorriso aumenta. *Minha nossa...* Ele parece tão jovem.

— Você vai continuar com isso?

Arqueio uma sobrancelha, incerta de como me sinto a respeito. Afinal, os outros vão nos escutar, pelo amor de Deus. De repente fico tímida. Olhando nervosa para a cama, sinto um rubor corar meu rosto quando me lembro da nossa noite de núpcias. Conversamos tanto ontem, fizemos tanta coisa ontem... Sinto como se tivéssemos atravessado uma barreira desconhecida — mas esse é o problema: ela é desconhecida. Meus olhos encontram o olhar intenso mas bem-humorado de Christian, e não consigo manter o rosto sério. Seu sorriso é contagioso demais.

— Acho que seria indelicado deixar nossos convidados esperando — diz ele, caminhando suavemente na minha direção.

Quando ele começou a se importar com o que as pessoas pensam? Dou um passo para trás, minhas costas contra a parede da cabine, e ele me imprensa, o calor do seu corpo me mantendo no lugar. Ele se inclina para baixo e roça o nariz no meu.

— Surpresa boa? — sussurra ele, e há certa preocupação na sua voz.

— Ah, Christian, surpresa fantástica.

Deslizo as mãos pelo seu peito, subindo até seu pescoço, e o beijo.

— Quando você organizou isso? — pergunto quando o solto, afagando seu cabelo.

— Ontem à noite, quando eu não conseguia dormir. Mandei um e-mail para Elliot e Mia e aqui estão eles.

— Muito bem pensado. Obrigada. Tenho certeza de que vamos nos divertir muito.

— Espero que sim. Achei que seria mais fácil evitar a imprensa em Aspen do que em casa.

Os paparazzi! Ele tem razão. Se tivéssemos ficado no Escala, estaríamos aprisionados. Um arrepio desce pela minha espinha ao me lembrar das câmeras em ação e dos flashes pipocando hoje de manhã, quando Taylor conseguiu fugir dos poucos fotógrafos que nos cercavam.

— Venha. É melhor nos sentarmos. O Stephan vai decolar daqui a pouco. — Ele me oferece a mão, e juntos retornamos à cabine.

Elliot aplaude quando nos vê voltar.

— Isso é o que eu chamo de rapidinha no ar! — diz ele zombeteiramente.

Christian o ignora.

— Por favor, permaneçam sentados, senhoras e senhores, pois em instantes daremos início à decolagem.

A voz de Stephan ecoa calma e autoritária pela cabine. A morena — *hum... Natalie?* — que estava no voo da nossa noite de núpcias surge da área da cozinha do avião e recolhe os copos de café usados. *Natalia... O nome dela é Natalia.*

— Bom dia, Sr. e Sra. Grey — diz ela, quase ronronando.

Por que ela me deixa desconfortável? Talvez por ser morena. O próprio Christian admitiu que normalmente não contrata mulheres morenas, porque as considera bonitas. Ele dirige um sorriso educado para Natalia ao deslizar por trás da mesa, sentando-se de frente para Elliot e Kate. Dou um abraço rápido em Kate e Mia e aceno para Ethan e Elliot, para então me sentar ao lado de Christian e colocar o cinto de segurança. Ele põe a mão no meu joelho e o aperta carinhosamente. Parece relaxado e feliz, muito embora tenhamos companhia. Pergunto-me vagamente por que ele não pode ser sempre assim: sem tentar controlar tudo.

— Espero que você tenha trazido as suas botas de caminhada — diz ele, a voz calorosa.

— Não vamos esquiar?

— Isso seria um desafio, considerando que estamos em agosto — responde ele, achando graça.

Ah, claro.

— Você costuma esquiar, Ana? — É Elliot nos interrompendo.

— Não.

Christian tira a mão do meu joelho e segura minha mão.

— Tenho certeza de que meu irmãozinho pode lhe ensinar. — Elliot pisca para mim. — Ele também é bastante rápido em descer montanhas.

E não consigo evitar o rubor. Quando me volto para Christian, ele está olhando fixa e impassivelmente para Elliot, mas acho que está tentando conter a alegria. O avião dá um tranco para a frente e começa a taxiar pela pista.

Natalia repassa os procedimentos de segurança do avião em uma voz clara e ressoante. Ela veste uma elegante camisa azul-marinho sem manga e uma saia-lápis da mesma cor. Sua maquiagem é impecável: ela é realmente uma mulher muito bonita. Meu inconsciente ergue para mim uma sobrancelha finíssima.

— Tudo bem com você? — pergunta Kate agudamente. — Quer dizer, depois de toda essa história com o Hyde?

Faço que sim com a cabeça. Não quero pensar ou falar em Hyde, mas as intenções de Kate parecem ser diferentes das minhas.

— E então, por que ele enlouqueceu? — pergunta ela, indo direto ao ponto, no seu estilo inimitável. Ela joga o cabelo para trás, preparando-se para investigar a história mais a fundo.

Olhando-a friamente, Christian dá de ombros.

— Eu botei aquele filho da puta no olho da rua — diz ele, sem rodeios.

— Ah, é? Por quê? — Kate inclina a cabeça para o lado, e eu sei que ela está incorporando totalmente Nancy Drew.

— Ele deu em cima de mim — murmuro.

Tento chutar a canela de Kate por baixo da mesa, mas não acerto. Merda!

— Quando? — Kate me encara com avidez.

— Já faz séculos.

— Você nunca me contou que ele deu em cima de você! — solta ela.

Dou de ombros como que me desculpando.

— Não pode ser só ressentimento por conta disso, ah, mas não mesmo. Afinal, foi uma reação muito extremada — continua Kate, e agora ela direciona as perguntas a Christian: — Ele é mentalmente instável? E quanto a toda a informação que ele tem sobre vocês, os Grey?

Vê-la interrogando Christian dessa maneira faz meus pelos se eriçarem, mas ela já estabeleceu para si mesma que eu não sei de nada, então não pode me fazer mais perguntas. Pensar nisso me irrita.

— Achamos que tem alguma relação com Detroit — diz Christian calmamente. Calmamente demais. *Ah, não, Kate, desista disso por enquanto.*

— O Hyde também é de Detroit?

Christian aquiesce.

O avião acelera, e eu aperto a mão de Christian com mais força. Ele me lança um olhar tranquilizador. Christian sabe que eu detesto pousos e decolagens. Ele aperta minha mão e, com o polegar, afaga os nós dos meus dedos, acalmando-me.

— O que você realmente *sabe* sobre ele? — pergunta Elliot, ignorando o fato de que estamos nos movendo rapidamente pela pista em um jatinho prestes a se lançar ao ar, e ignorando igualmente a crescente irritação de Christian com Kate. Ela se inclina para a frente, ouvindo atentamente.

— O que eu vou dizer é confidencial — diz Christian, dirigindo-se diretamente a ela. A boca de Kate vira uma linha fina mas sutil. Engulo em seco. *Ah, merda.*

— Sabemos um pouco sobre Jack — continua Christian. — O pai dele morreu numa briga de bar. A mãe bebeu até perder a consciência. Ele passou a infância pulando de orfanato em orfanato... e de confusão em confusão também. A maioria por roubo de carros. Passou um tempo no reformatório. A mãe superou o alcoolismo com a ajuda de algum programa de reabilitação, e o Hyde deu a volta por cima. Ganhou uma bolsa de estudos em Princeton.

— Princeton? — A curiosidade de Kate se aguça.

— Isso. Um rapaz inteligente. — Christian dá de ombros.

— Não tanto. Ele foi pego — murmura Elliot.

— Mas com certeza ele não armou isso tudo sozinho, não é? — pergunta Kate.

Christian se enrijece ao meu lado.

— Não sabemos ainda.

Sua voz é muito baixa. *Droga.* Será que poderia ter alguém nisso junto com ele? Eu me viro e fito Christian horrorizada. Ele aperta minha mão mais uma vez, mas não me olha nos olhos. O avião decola suavemente e eu sinto na barriga a terrível sensação de estar afundando.

— Quantos anos ele tem? — pergunto a Christian, aproximando-me dele de forma que os outros não me ouçam. Por mais que eu queira saber o que está acontecendo, não quero encorajar as perguntas de Kate. Sei que ela o está irritando, e tenho certeza de que ela está na sua lista negra desde o Escândalo dos Drinques.

— Trinta e dois. Por quê?

— Curiosidade, só isso.

Ele contrai o maxilar.

— Não fique curiosa em saber mais sobre o Hyde. Só estou feliz porque aquele babaca está preso. — É quase uma reprimenda, mas resolvo ignorar seu tom.

— *Você* acha que ele tem um cúmplice?

A ideia de que mais alguém possa estar envolvido nisso faz meu estômago embrulhar. Significaria que ainda não acabou.

— Não sei — responde Christian, e contrai o maxilar mais uma vez.

— Talvez alguém que tenha algum rancor contra você, será? — sugiro. Merda. Espero que não seja a monstra filha da mãe. — Elena, por exemplo — sussurro.

Percebo que mencionei seu nome alto, mas só ele pode me ouvir. Olho preocupada para Kate, mas ela está entretida na sua conversa com Elliot, que olha irritado para ela. Hmm.

— Você gosta mesmo de demonizar a Elena, hein? — Christian revira os olhos e balança a cabeça em desdém. — Ela pode até ter ressentimento, mas não faria uma coisa desse tipo. — Ele me fita com seu inflexível olhar cinza. — Não vamos falar dela. Sei que não é o seu assunto preferido.

— Você a confrontou? — sussurro, mas não sei se realmente quero saber.

— Ana, eu não falo com Elena desde a minha festa de aniversário. Por favor, esqueça isso. Não quero falar dela.

Ele levanta a minha mão e roça a boca com os nós dos meus dedos. Seus olhos ardem nos meus, e sei que não devo insistir nesse interrogatório agora.

— Por que vocês não vão procurar um quarto? — provoca Elliot. — Ah, é... Vocês já têm um, mas não precisaram ficar por lá muito tempo.

Christian ergue o olhar e encara Elliot friamente.

— Vai se foder, Elliot — diz ele, sem maldade.

— Cara, só estou dando umas dicas. — Seus olhos se acendem de bom humor.

— Como se você soubesse — murmura Christian ironicamente, erguendo uma sobrancelha.

Elliot sorri, gostando da brincadeira.

— Você se casou com a sua primeira namorada. — Elliot aponta para mim.

Ah, merda. Aonde isso vai dar? Fico vermelha.

— E eu tinha como resistir? — Christian beija minha mão de novo.

— Não. — Elliot ri e balança a cabeça.

Fico vermelha; Kate bate na coxa de Elliot.

— Pare com essa babaquice — ela o repreende.

— Ouça a sua namorada — aconselha-o Christian, sorrindo, e sua preocupação de antes parece ter desaparecido.

Meus ouvidos estalam à medida que ganhamos altitude, e a tensão na cabine se dissipa durante o voo. Kate faz uma careta para Elliot. Hmm... Tem alguma coisa errada entre eles? Não sei dizer.

Elliot tem razão. Suspiro ao pensar na ironia. Eu sou — era — a primeira namorada de Christian, e agora sou sua esposa. As quinze e a maldita Mrs. Robinson não contam. Mas Elliot não sabe da existência delas, e ficou claro que Kate não contou a ele. Eu sorrio para ela, que me responde com uma piscadela conspiratória. Meus segredos estão a salvo com Kate.

— Muito bem, senhoras e senhores, vamos viajar a uma altitude de aproximadamente trinta e dois mil pés e o tempo estimado de viagem é de uma hora e cinquenta e seis minutos — anuncia Stephan. — Os passageiros agora podem transitar pela cabine.

Natalia surge abruptamente da cozinha.

— Alguém aceita um café? — pergunta ela.

CAPÍTULO TREZE

Aterrissamos suavemente em Sardy Field ao meio-dia e vinte e cinco, hora local. Stephan para o avião bem perto do terminal principal, e pela janela vejo uma grande minivan VW nos esperando.

— Belo pouso.

Christian sorri e aperta a mão de Stephan quando estamos nos preparando para deixar a aeronave.

— É tudo uma questão de altitude e densidade, senhor. — Stephan retribui o sorriso. — Beighley é muito eficiente nos cálculos.

Christian acena com a cabeça para a copiloto de Stephan.

— Foi cravado, Beighley. Um pouso perfeito.

— Obrigada, senhor. — Ela sorri orgulhosa.

— Aproveitem o fim de semana, Sr. e Sra. Grey. Voltamos a nos ver amanhã.

Stephan se afasta, abrindo caminho para desembarcarmos, e, tomando minha mão, Christian me conduz pela escada da aeronave. Lá embaixo, Taylor já está à nossa espera, junto ao veículo.

— Minivan? — pergunta Christian, surpreso, quando Taylor abre a porta do carro.

Taylor esboça um sorriso contrito e dá de ombros ligeiramente.

— Em cima da hora, eu sei — diz Christian, perdoando-o de imediato. Taylor retorna ao avião para apanhar nossa bagagem.

— Quer dar uns amassos nos fundos do carro? — murmura Christian em meu ouvido, um lampejo malicioso nos olhos.

Dou uma risadinha. Quem é este homem, e o que ele fez com o Sr. Super Irritado dos últimos dias?

— Andem, vocês dois. Entrem logo — diz Mia às nossas costas, parecendo impaciente ao lado de Ethan.

Entramos no carro e nos acomodamos no banco traseiro. Eu me aconchego contra o corpo de Christian, e ele passa o braço por cima do encosto do meu assento.

— Confortável? — murmura ele, enquanto Mia e Ethan se sentam à nossa frente.

— Sim.

Sorrio, e ele me beija na testa. E, por algum motivo insondável, hoje me sinto tímida na sua presença. *Por quê?* Por causa de ontem à noite? Por não estarmos sozinhos? Não consigo identificar o motivo.

Elliot e Kate são os últimos a entrar, e Taylor abre o porta-malas para colocar as bagagens. Cinco minutos depois, estamos a caminho.

Rumamos para Aspen, e aproveito para apreciar a paisagem lá fora. As árvores estão verdes, mas um indício do outono que se aproxima insinua-se aqui e ali, nas pontas amareladas das folhas. O céu é de um azul cristalino, embora algumas nuvens escuras insinuem-se na direção do oeste. Ao nosso redor, para todos os lados, veem-se as Montanhas Rochosas, o pico mais alto bem à nossa frente. As montanhas estão verdes e viçosas, e os picos mais altos têm neve no topo — igual às montanhas que as crianças costumam desenhar.

Estamos no playground de inverno dos ricos e famosos. *E eu possuo uma casa aqui.* Mal posso acreditar. Lá do fundo da minha mente, brota o conhecido mal-estar que sempre se evidencia quando tento me acostumar à fortuna de Christian, fazendo com que eu me sinta culpada. O que eu fiz para merecer um estilo de vida como esse? Nada, não fiz nada a não ser me apaixonar.

— Já esteve em Aspen antes, Ana? — pergunta Ethan, virando-se para mim e interrompendo minha divagação.

— Não, primeira vez. E você?

— Kate e eu sempre vínhamos aqui na adolescência. Meu pai é um ótimo esquiador. Minha mãe, nem tanto.

— Estou torcendo para que meu marido me ensine a esquiar. — E olho para Christian de relance.

— Não conte com isso — murmura ele.

— Não vou me sair tão mal!

— Você pode acabar quebrando o pescoço. — Seu sorriso desaparece.

Ah. Não quero discutir e azedar seu bom humor, então mudo de assunto.

— Há quanto tempo você tem essa casa?

— Quase dois anos. Agora é sua também, Sra. Grey — responde ele, com suavidade.

— Eu sei — sussurro.

Por algum motivo, porém, não me sinto inteiramente convencida. Aproximando-me mais de Christian, beijo a linha do seu maxilar e me aconchego novamente ao seu lado, ouvindo-o rir e brincar com Ethan e Elliot. Mia entra na conversa de tempos em tempos, mas Kate se mantém quieta, e me pergunto se ela está pensando em Jack Hyde ou alguma outra coisa. Então eu me lembro: Aspen... A casa que Christian possui aqui foi reformada por Gia Matteo e reconstruída por Elliot. Será que é isso que a está preocupando? Não posso perguntar nada na frente de Elliot, dada sua história com Gia. Será que Kate sabe da ligação entre Gia e a casa? Franzo o cenho, imaginando qual será o motivo da preocupação de minha amiga, e decido que vamos conversar quando estivermos sozinhas.

Passamos pelo centro de Aspen, e me sinto revitalizada à medida que conheço o visual da cidade. Vejo-me diante de prédios baixos com tijolinhos vermelhos na sua maioria, chalés em estilo suíço e numerosas casas da virada do século pintadas em cores divertidas. Há também uma boa quantidade de bancos e lojas de grife, indicando a afluência da população local. É óbvio que Christian se encaixa perfeitamente neste lugar.

— Por que você escolheu Aspen? — pergunto.

— O quê? — Ele me olha sem entender.

— Para ter uma segunda casa.

— Meus pais costumavam nos trazer aqui quando éramos pequenos. Foi onde aprendi a esquiar, e gosto do lugar. Espero que você goste também... senão, a gente vende a casa e escolhe outra cidade.

Simples assim!

Ele pega uma mecha solta do meu cabelo e a coloca atrás da minha orelha.

— Você está linda hoje — murmura Christian.

Fico vermelha. Estou vestindo apenas meu uniforme de viagem: calça jeans e camiseta, com um leve casaco azul-marinho. *Droga.* Por que ele me deixa tímida?

Ele me dá um beijo terno, doce e apaixonado.

Taylor, ao volante, começa a sair da cidade e a subir o outro lado do vale, pegando uma estrada sinuosa por entre as montanhas. Quanto mais subimos, mais entusiasmada eu fico; Christian, ao contrário, está cada vez mais tenso.

— O que foi? — pergunto ao contornarmos uma curva.

— Espero que você goste — diz ele, baixinho. — Chegamos.

Taylor reduz e atravessa uma entrada de pedras vermelhas, cinzentas e bege. Ele segue adiante até finalmente parar em frente à imponente casa. Com uma porta no centro da fachada simétrica e telhados altos e pontudos, é uma construção em madeira escura e pedras da mesma mistura de tonalidades da entrada. Uma casa impressionante — moderna e severa, bem ao estilo de Christian.

— Nosso lar — balbucia ele enquanto nossos hóspedes descem da minivan.

— Promissor.

— Venha. Vamos entrar.

Em seus olhos há um brilho de empolgação e ansiedade ao mesmo tempo, como se ele fosse me mostrar seu projeto de ciências ou coisa parecida.

Mia sobe correndo os degraus até a porta principal, onde uma mulher nos espera. Ela é bem pequena, e seu cabelo negro está salpicado de fios grisalhos. Mia joga os braços em volta do pescoço da mulher e lhe dá um abraço apertado.

— Quem é aquela? — pergunto, enquanto Christian me ajuda a sair do veículo.

— A Sra. Bentley. Ela mora aqui com o marido. Eles tomam conta da casa.

Puta merda... mais funcionários?

Mia está fazendo as apresentações: Ethan, e depois Kate. Elliot também abraça a Sra. Bentley. Taylor tira as bagagens do carro, e Christian me pega pela mão e me conduz até a porta da casa.

— Bem-vindo de volta, Sr. Grey. — A Sra. Bentley sorri.

— Carmella, esta é minha mulher, Anastasia — anuncia Christian, orgulhoso. Sua língua acaricia meu nome, fazendo meu coração bater mais forte.

— Sra. Grey. — A Sra. Bentley acena respeitosamente com a cabeça.

Estendo a mão e nos cumprimentamos. Não me surpreende que ela seja muito mais formal com Christian do que com o resto da família.

— Espero que tenham feito uma boa viagem. Parece que o tempo vai ficar bom durante todo o fim de semana, mas não tenho certeza. — Ela aponta para as nuvens escuras que se acumulam atrás de nós. — Quando quiserem o almoço, é só falar. — Ela sorri novamente, os olhos escuros brilhando, e me sinto imediatamente bem na sua presença.

— Venha cá. — Christian me pega e me levanta no colo.

— O que você está fazendo? — exclamo.

— Estreando mais um lugar nosso, Sra. Grey.

Abro um sorriso, e ele me carrega para o interior da ampla entrada, onde, após um breve beijo, coloca-me gentilmente no piso de madeira. A decoração é sóbria e lembra a sala do apartamento do Escala — paredes totalmente brancas, madeira escura e obras de arte abstrata contemporânea. Entramos em uma grande sala de estar com três sofás de couro branco em torno de uma lareira de pedra que predomina no ambiente. A única cor vem das almofadas macias espalhadas pelos sofás. Mia pega a mão de Ethan e o arrasta para dentro da casa. Christian estreita os olhos e aperta os lábios ao vê-los se afastando. Então balança a cabeça com desdém e se vira para mim.

Kate dá um assovio alto.

— Lindo lugar.

Dou uma olhada ao redor e vejo Elliot ajudando Taylor com nossa bagagem. Mais uma vez me pergunto se ela sabe que tem a mão de Gia aqui.

— Tour? — sugere Christian.

Seja lá o que o tenha incomodado em relação a Mia e Ethan, Christian já esqueceu. Ele irradia entusiasmo — ou seria ansiedade? Difícil dizer.

— Claro.

Uma vez mais me sinto esmagada diante de tanta riqueza. Quanto será que custou esta casa? E eu não contribuí com nada. Por um instante sou transportada de volta para a primeira vez que Christian me levou ao Escala. Também me senti oprimida na ocasião. *Você já se acostumou àquele apartamento*, meu inconsciente sussurra para mim com acidez.

Christian franze o cenho, mas pega minha mão e me leva para conhecer os outros cômodos. A cozinha ultramoderna é toda feita de bancadas de mármore claro e armários pretos. Há uma adega impressionante, e uma ampla sala no andar de baixo, com TV de plasma, sofás confortáveis... e uma mesa de sinuca. Olho pasma para a mesa, e fico vermelha ao ser flagrada por Christian.

— Quer jogar? — pergunta ele, com um brilho malicioso no olhar.

Balanço a cabeça em negativa, e sua expressão parece ficar carregada mais uma vez. Ele pega minha mão de novo e me leva para o primeiro andar. Há quatro quartos lá em cima, e todos são suítes.

A suíte principal é uma coisa do outro mundo. A cama é imensa, maior do que a da nossa casa, e fica de frente para uma enorme janela envidraçada com vista para Aspen e para as montanhas verdejantes.

— É a Montanha de Ajax; ou Montanha de Aspen, se preferir — diz Christian, observando-me temeroso. Ele está parado à porta, os polegares enfiados nos bolsos da sua calça jeans preta.

Faço um gesto de concordância com a cabeça.

— Você está muito quieta — murmura ele.

— É lindo, Christian. — E subitamente estou morrendo de vontade de voltar para o Escala.

Em cinco largos passos ele chega perto de mim, pega meu queixo e puxa meu lábio inferior, para soltá-lo dos meus dentes.

— O que foi? — pergunta ele, seu olhar procurando o meu.

— Você é muito rico.

— Sou.

— Às vezes eu fico surpresa com a sua fortuna.

— Nossa fortuna.

— Nossa fortuna — murmuro, como um autômato.

— Por favor, Ana, não fique preocupada com isso. É só uma casa.

— E o que a Gia fez aqui exatamente?

— A Gia? — Ele ergue as sobrancelhas em sinal de surpresa.

— É. Ela projetou a reforma da casa, não foi?

— Sim, foi. Ela reprojetou a sala lá de baixo, e Elliot providenciou a construção. — Ele passa os dedos pelo cabelo e franze a testa. — Por que você está perguntando sobre a Gia?

— Você sabia que ela teve um caso com o Elliot?

Christian me fita por um instante, sua expressão indecifrável.

— Elliot já transou com metade de Seattle, Ana.

Solto uma exclamação.

— A maioria mulheres, pelo que eu sei — completa ele, de brincadeira. Acho que Christian está se divertindo com a minha expressão de choque.

— Não!

Ele confirma com a cabeça.

— Não tenho nada a ver com isso. — E levanta as palmas das mãos num gesto de defesa.

— Acho que Kate não sabe disso.

— Ele não deve divulgar muito essa informação. E Kate parece bastante segura.

Estou chocada. O doce e despretensioso Elliot, com seus olhos azuis e seu cabelo louro? Fico olhando para Christian sem acreditar.

Ele inclina a cabeça para o lado, observando-me.

— Mas aposto que isso não tem a ver só com a promiscuidade da Gia ou do Elliot.

— Eu sei. Desculpe. Depois de tudo o que aconteceu essa semana, eu só...

Encolho os ombros, sentindo vontade de chorar de repente. Christian parece relaxar, aliviado. Puxando-me para si, ele me abraça bem apertado, o nariz no meu cabelo.

— Eu sei. Me desculpe também. Vamos relaxar e nos divertir, que tal? Você pode ficar aqui e ler, ver um daqueles programas de TV horrorosos, fazer compras, caminhadas... até pescar. O que quiser. E esqueça o que eu disse sobre Elliot. Foi indiscrição minha.

— De certa maneira explica por que ele está sempre provocando você — murmuro, aninhando-me em seu peito.

— Ele não faz ideia do meu passado. Eu já disse a você, minha família achava que eu era gay. Celibatário, mas gay.

Dou uma risada e começo a relaxar nos braços dele.

— Eu achei que você fosse celibatário. Como me enganei.

Envolvo-o em meus braços, admirada ao pensar em como é ridícula a ideia de Christian ser gay.

— Sra. Grey, está rindo de mim?

— Um pouquinho, talvez — admito. — Sabe, o que eu não entendo é por que você tem esta casa aqui.

— Como assim? — Ele beija meu cabelo.

— Você tem o barco, e eu entendo, e também o apartamento de Nova York, por causa dos negócios; mas por que aqui? E você nem dividia este lugar com outra pessoa.

Christian fica imóvel e em silêncio por um bom tempo.

— Eu estava esperando por você — diz ele suavemente, os olhos cinzentos escuros e luminosos.

— Isso... isso é uma coisa linda de se dizer.

— Mas é verdade. Só que eu não sabia na época. — Ele sorri timidamente.

— Estou feliz que você tenha esperado.

— Você valeu a espera, Sra. Grey. — Ele ergue meu queixo com a ponta do dedo, abaixa-se e me beija com ternura.

— Você também. — Sorrio. — Mas acho que eu trapaceei. Nem esperei tanto tempo por você.

Ele ri.

— Sou um prêmio tão bom assim?

— Christian, você é um prêmio de loteria, a cura para o câncer e os três desejos que o Aladim pediu ao gênio: tudo isso junto.

Ele levanta uma sobrancelha.

— Quando você vai perceber isso? — reclamo. — Você era um ótimo partido. E nem estou me referindo a isso. — Faço um gesto em volta, indicando o ambiente luxuoso. — Eu me refiro a isto aqui. — E coloco a mão sobre o seu coração. Seus olhos se abrem mais. Meu marido confiante e sensual desapareceu para dar lugar ao meu menino perdido. — Acredite em mim, Christian, por favor – sussurro, e seguro seu rosto, puxando sua boca para a minha.

Ele solta um gemido, não sei se por causa do que eu disse ou por ser sua costumeira reação primitiva. Eu o quero, meus lábios beijando os seus, minha língua invadindo sua boca.

Quando estamos os dois sem fôlego, ele se afasta e me lança um olhar duvidoso.

— Quando é que você vai enfiar de vez nessa sua cabeça dura que eu amo você? — pergunto, exasperada.

Ele engole em seco.

— Algum dia.

Já é um progresso. Sorrio, e sou recompensada com seu sorriso tímido.

— Venha. Vamos almoçar. Os outros devem estar se perguntando onde fomos parar. Podemos discutir o que vamos fazer.

— Ah, não! — exclama Kate de repente.

Todos os olhares se voltam para ela.

— Olhem — diz ela, apontando para a ampla janela.

Lá fora, a chuva começou a cair torrencialmente. Estamos sentados ao redor da mesa de madeira escura da cozinha, e acabamos de consumir um banquete italiano de antepasto misto, preparado pela Sra. Bentley, mais uma ou duas garrafas de Frascati. Estou me sentindo saciada, e também um pouco tonta por causa do álcool.

— Lá se vai nossa caminhada — murmura Elliot, mas parece até aliviado.

Kate faz cara feia para ele. Sem dúvida, tem alguma coisa esquisita entre os dois. Eles têm agido naturalmente com todos em volta, mas não um com o outro.

— Podíamos ir até o centro — intervém Mia.

Ethan lança um sorriso amarelo para ela.

— Clima perfeito para pescar — sugere Christian.

— Eu fico com a pescaria — diz Ethan.

— Vamos nos dividir. — Mia bate palmas. — Meninas, compras; rapazes, programas chatos ao ar livre.

Olho de relance para Kate, que observa Mia com ar tolerante. Pescar ou fazer compras? Puxa, que escolha.

— Ana, o que você quer fazer? — pergunta Christian.

— Qualquer coisa — minto.

Kate captura meu olhar e mexe os lábios: "compras". Talvez ela queira conversar.

— Mas eu ficaria feliz em sair para as compras.

Dou um sorriso torto para Kate e Mia. Christian sorri amarelo. Ele sabe que eu detesto fazer compras.

— Posso ficar aqui com você, se quiser — murmura ele, e alguma coisa sombria se contorce em meu ventre devido ao seu tom de voz.

— Não, pode ir pescar — respondo.

Christian precisa de um tempo com os rapazes.

— Bem, então vai ser isso — fala Kate, deixando a mesa.

— Taylor vai acompanhar vocês — diz Christian, e é um fato: sem espaço para discussão.

— Não precisamos de babá — retruca Kate, com audácia; sempre direta.

Coloco a mão no braço dela.

— Kate, é melhor o Taylor ir conosco.

Ela franze a testa e depois dá de ombros. Pela primeira vez na vida, consegue segurar a língua.

Sorrio timidamente para Christian, mas sua expressão permanece impassível. Ai, espero que ele não esteja com raiva de Kate.

Elliot franze o cenho.

— Preciso buscar uma bateria para o meu relógio no centro.

Ele olha de relance para Kate, e percebo que fica levemente vermelho. Ela não nota porque está deliberadamente ignorando-o.

— Vá no Audi, Elliot. Quando você voltar a gente vai pescar — diz Christian.

— Tudo bem — murmura Elliot, mas parece distraído. — Boa ideia.

* * *

— AQUI.

Pegando minha mão, Mia me puxa para dentro de uma butique toda decorada com seda cor-de-rosa e mobília rústica em decapê, ao estilo francês. Kate entra atrás de nós e Taylor fica esperando do lado de fora, protegendo-se da chuva sob a marquise. No sistema de som da loja, Aretha canta "Say a Little Prayer" a plenos pulmões. Adoro essa música. Acho que vou colocar no iPod de Christian.

— Vai ficar incrível em você, Ana. — Mia está segurando um vestido de tecido metalizado. — Tome, experimente.

— Hmm... é curto demais.

— Vai ficar fantástico em você. Christian vai amar.

— Você acha?

Mia abre um largo sorriso.

— Ana, suas pernas são de dar inveja, e se a gente sair para dançar hoje à noite — ela sorri, farejando uma presa fácil —, você vai ficar sexy para o seu marido.

Pisco os olhos várias vezes seguidas, ligeiramente chocada. Vamos *sair para dançar*? Eu não saio para dançar.

Kate ri da expressão no meu rosto. Ela parece mais relaxada agora que está longe de Elliot.

— Podíamos treinar uns passinhos para hoje à noite — diz ela.

— Vá experimentar — ordena Mia.

E eu me encaminho relutante para a cabine de prova.

ENQUANTO ESPERO KATE e Mia saírem dos provadores, passeio pela loja; vou até a vitrine e fico olhando para a rua lá fora, distraidamente. O pot-pourri de música soul continua: agora Dionne Warwick está cantando "Walk on By". Outra música maravilhosa — uma das preferidas da minha mãe. Olho rapidamente para o vestido em minhas mãos. *Vestido* talvez seja um exagero. É muito curto e de costas nuas, mas um achado, segundo Mia, perfeito para passar a noite toda dançando. Supostamente, também preciso de sapatos novos e um grande e volumoso colar, e é isso que vamos procurar agora. Revirando os olhos em desdém, penso novamente que sou muito sortuda por ter Caroline Acton como minha personal shopper.

Algo lá fora me chama a atenção: Elliot. Ele apareceu do outro lado da arborizada rua principal, saindo de um vistoso Audi, e agora corre para dentro de uma loja parecendo que vai se abrigar da chuva. Acho que é uma joalheria... talvez ele esteja procurando a tal bateria para relógio. Ele ressurge alguns minutos depois, mas não sozinho: com uma mulher.

Puta merda! Ele está conversando com a Gia! *O que ela está fazendo aqui?*

Enquanto assisto à cena, eles se abraçam rapidamente e ela joga a cabeça para trás, rindo animadamente de algo que ele diz. Ele a beija no rosto e corre de volta para o carro. Ela se vira e segue pela rua, e eu fico olhando-a boquiaberta. *O que foi isso?* Viro-me, inquieta, na direção dos provadores, mas ainda não há nenhum sinal de Kate ou Mia.

Dou uma olhada para Taylor, que ainda está à espera lá fora. Ele encontra meu olhar e dá de ombros. Mais um que testemunhou o rápido encontro de Elliot. Fico vermelha, constrangida por ter sido flagrada bisbilhotando. Virando-me, vejo Mia e Kate voltando, ambas rindo. Kate me olha intrigada.

— O que aconteceu, Ana? — pergunta ela. — Desistiu do vestido? Ficou sensacional em você.

— Hmmm... não.

— Está tudo bem? — Ela arregala os olhos.

— Tudo ótimo. Vamos pagar? — E me dirijo para o caixa junto com Mia, que escolheu duas saias.

— Boa tarde, madame. — A jovem vendedora, com a maior quantidade de brilho nos lábios que já vi em toda a minha vida, sorri para mim. — São oitocentos e cinquenta dólares.

O quê? Por este pedacinho de pano?! Fico um instante absorvendo a informação, e depois entrego obedientemente meu cartão Amex preto.

— Sra. Grey — ronrona a Srta. Brilho Labial.

Durante as duas horas seguintes, acompanho Kate e Mia em um estado de torpor, brigando internamente comigo mesma. Será que devo contar para Kate? Meu inconsciente balança a cabeça em negativa com firmeza. Sim, devo contar. Não, não devo. Pode ter sido apenas um encontro inocente. *Merda.* O que eu faço agora?

— E AÍ, GOSTOU do sapato, Ana? — pergunta Mia, as mãos na cintura.

— Hum... gostei, claro.

Acabo comprando um par de sapatos Manolo Blahnik incrivelmente altos com tiras que parecem feitas de espelhos. Combinam admiravelmente bem com o vestido e deixam Christian menos rico em pouco mais que mil dólares. Tenho mais sorte com o longo colar de prata que Kate insiste que eu compre; apenas oitenta e quatro dólares, uma pechincha.

— Já se acostumou a ter dinheiro? — pergunta Kate, sem soar indelicada, quando voltamos para o carro. Mia já está bem à nossa frente.

— Você sabe que não sou assim, Kate. Fico um pouco desconfortável com tudo isso. Mas pelo que me dizem, faz parte do pacote. — Contraio os lábios, e ela passa o braço em volta de mim.

— Você vai se acostumar, Ana — diz ela, solidária. — Vai ficar linda.

— Kate, como vai a sua relação com o Elliot? — pergunto.

Seus grandes olhos azuis se viram de súbito para mim.

Ah, não.

Ela balança a cabeça.

— Não quero falar sobre isso agora. — Kate aponta para Mia com a cabeça. — Mas as coisas estão... — Ela não termina a frase.

É um comportamento nada típico da tenaz Kate. *Merda.* Eu sabia que tinha alguma coisa errada. Será que conto para ela o que eu vi? Mas o que foi que eu vi, afinal? Elliot e a Srta. Predadora-Sexual-Bem-Produzida conversando e se abraçando, e um beijo no rosto. São apenas velhos amigos, não são? Não, não vou contar nada para ela. Não agora. Faço um gesto afirmativo com a cabeça, como quem diz "eu compreendo perfeitamente e vou respeitar sua privacidade". Ela pega a minha mão e a aperta, agradecida, e lá está: um breve lampejo de dor e mágoa nos seus olhos, mas que ela rapidamente afasta com uma piscadela. Sinto uma vontade repentina de proteger minha querida amiga. O que será que Elliot Mulherengo Grey está aprontando?

De volta à casa, Kate decide que merecemos uns coquetéis após nossa tarde de extravagância consumista e prepara daiquiris de morango para nós. Aconchegamo-nos nos sofás da sala de estar, em frente ao fogo da lareira.

— Elliot tem andado meio distante ultimamente — murmura Kate, fitando as chamas. Finalmente temos um momento a sós, pois Mia está guardando suas compras.

— Ah, é?

— E eu acho que me ferrei por ter ferrado você.

— Você ouviu alguma coisa sobre isso?

— Ouvi. Christian ligou para o Elliot; e Elliot me ligou.

Reviro os olhos. *Ah, Christian, Christian, Christian.*

— Lamento. O Christian é... superprotetor. Você não via o Elliot desde o Escândalo dos Drinques?

— Não.

— Ah.

— Eu realmente gosto dele, Ana — sussurra ela.

E por um terrível momento eu acho que ela vai começar a chorar. Isso não combina com Kate. Será que essa crise significa a volta do pijama cor-de-rosa? Ela se vira para mim.

— Eu me apaixonei por ele. No início pensei que fosse só pelo sexo maravilhoso. Mas ele é charmoso, bondoso, carinhoso e divertido. Eu podia nos imaginar envelhecendo juntos; você sabe... filhos, netos... o pacote completo.

— Felizes para sempre — sussurro.

Ela confirma tristemente.

— Talvez vocês devam conversar. Tente arranjar um tempinho a sós com ele aqui. Descubra o que o está incomodando.

Ou quem o está incomodando, meu inconsciente retruca. Eu o enxoto logo, chocada com a insistência dos meus próprios pensamentos.

— Que tal vocês fazerem uma caminhada amanhã de manhã?

— Vamos ver.

— Kate, odeio ver você assim.

Ela abre um sorriso débil, e eu me inclino para abraçá-la. Decido não comentar nada sobre Gia, embora eu talvez fale sobre isso com Elliot. Como é que ele brinca com os sentimentos da minha amiga desse jeito?

Mia volta, e nossa conversa passa para terrenos mais seguros.

O FOGO CHIA e cospe centelhas quando coloco o último pedaço de madeira. Quase não temos mais lenha. Ainda que seja verão, o calor da lareira é muito bem-vindo em um dia úmido como este.

— Você sabe onde podemos encontrar mais lenha? — pergunto a Mia, que saboreia seu daiquiri.

— Acho que fica na garagem.

— Vou lá buscar. Aproveito e exploro um pouco mais a casa.

A chuva já está mais fraca quando me aventuro lá fora e me dirijo à garagem anexa à casa, cujo espaço pode abrigar até três carros. A porta lateral está destrancada; eu entro, acendendo a luz para me tirar da escuridão. As lâmpadas fluorescentes dão o ar de sua graça com um ruído sibilante.

Há um carro na garagem, e percebo que é o Audi que Elliot usou hoje à tarde. Há ainda duas motos de neve. Porém, o que realmente me chama a atenção são as duas motos de trilha, ambas 125cc. Vêm à minha mente recordações de Ethan corajosamente se esforçando para me ensinar como pilotar, no verão passado. Inconscientemente, esfrego o braço no local onde me machuquei feio ao sofrer uma queda.

— Sabe dirigir isso? — pergunta Elliot atrás de mim.

Eu me viro.

— Você já voltou.

— Parece que sim. — Ele sorri, e percebo que Christian me responderia a mesma coisa; mas sem o sorriso largo e encantador. — E então? — insiste ele.

Galinha!

— Mais ou menos.

— Quer dar uma volta?

Dou uma fungada.

— Hmm, não... Acho que o Christian não ficaria muito feliz se eu saísse.

— Ele não está aqui.

Elliot abre um sorriso forçado — *ah, é uma característica da família* — e acena com o braço, indicando que estamos sozinhos. Ele vai até a moto mais próxima e passa a longa perna, coberta pela calça jeans, por sobre o selim, montando e agarrando a direção.

— Christian tem, hã... certos problemas em relação à minha segurança. Prefiro não ir.

— Você sempre faz o que ele diz?

Elliot revela uma centelha maliciosa nos seus olhos azul-bebê, e tenho um vislumbre do bad boy... o bad boy por quem Kate se apaixonou. O bad boy de Detroit.

— Não. — Levanto uma sobrancelha em sinal de advertência para ele. — Mas estou tentando mudar isso. Ele já tem muita coisa com que se preocupar, não precisa me incluir na lista. Ele já voltou?

— Não sei.

— Vocês não foram pescar?

Ele balança a cabeça em negativa.

— Eu tinha uns assuntos para resolver no centro.

Assuntos! Puta merda — um assunto com uma loura perua! Inspiro profundamente e o encaro, pasma.

— Se você não quer andar de moto, o que está fazendo na garagem? — pergunta Elliot, intrigado.

— Estou procurando lenha para a lareira.

— Aí está você. Ah, Elliot; você já voltou. — É Kate, nos interrompendo.

— Oi, baby. — Ele abre um largo sorriso.

— Pegou algum peixe?

Observo a reação dele.

— Não. Tinha umas coisas para resolver na cidade. — E, por um breve instante, eu percebo um lampejo de incerteza cruzar seu rosto.

Ah, merda.

— Vim ver por que a Ana estava demorando. — Kate olha para nós, confusa.

— Estávamos só batendo papo — diz Elliot, e sinto certa tensão entre os dois.

É então que ouvimos um carro chegando lá fora. *Ah! É Christian. Graças a Deus.* O mecanismo automático do portão da garagem chia alto, nos assustando, e o portão sobe lentamente, revelando Christian e Ethan, que descarregam um caminhão plataforma preto. Christian para o que está fazendo quando nos vê de pé ali dentro.

— Estão montando uma banda de garagem? — pergunta ele ironicamente, e entra, vindo direto até mim.

Sorrio. Estou aliviada em vê-lo. Por baixo da capa impermeável ele está usando o macacão que lhe vendi quando eu trabalhava na Clayton's.

— Oi — diz ele, olhando curioso para mim e ignorando Kate e Elliot.

— Oi. Belo macacão.

— Cheio de bolsos. Muito prático para pescar. — Sua voz é suave e sedutora, apenas para meus ouvidos, e, quando ele me fita, sua expressão é apaixonada.

Fico vermelha, e ele sorri — um sorriso enorme, aberto, que diz "sou todo seu".

— Você se molhou — murmuro.

— Estava chovendo. O que vocês estão fazendo na garagem? — Finalmente ele reparou que não estamos sozinhos.

— Ana veio pegar lenha. — Elliot levanta uma sobrancelha. De algum modo, ele faz com que a frase soe maliciosa. — Eu tentei convencê-la a dar uma volta. — Ele é um mestre na arte do duplo sentido.

O rosto de Christian se fecha, e meu coração para de bater.

— Ela não quis. Disse que você não ia gostar — continua Elliot, num tom gentil e sem insinuações.

O olhar cinzento de Christian se volta para mim.

— Ah, foi? — murmura ele.

— Escutem, eu adoraria continuar essa discussão sobre o que a Ana disse, mas será que podemos voltar para dentro de casa? — pede Kate.

Ela se curva, apanha duas achas de lenha e gira nos calcanhares, dirigindo-se ruidosamente ao portão. Ah, que merda. Kate está irritada — mas sei que não é comigo. Elliot dá um suspiro e, sem dizer uma palavra, vai atrás dela. Eu os acompanho com o olhar, mas Christian me distrai.

— Você sabe pilotar uma moto? — pergunta ele, a voz exalando descrédito.

— Não muito bem. Ethan me ensinou.

Seus olhos esfriam imediatamente.

— Você fez bem em não sair de moto hoje — continua ele, a voz mais isenta. — O solo está muito duro no momento, e por causa da chuva ficou escorregadio e traiçoeiro.

— Onde eu coloco o material de pesca? — grita Ethan lá de fora.

— Deixe aí, Ethan. Taylor cuida disso.

— E o peixe? — continua ele, num tom levemente zombeteiro.

— Você pegou um peixe? — pergunto, surpresa.

— Eu não. O Kavanagh. — E Christian faz beicinho... um beicinho lindo.

Caio na risada.

— A Sra. Bentley vai cuidar do peixe — grita ele em resposta.

Ethan ri e se dirige à casa.

— Sra. Grey, está rindo de mim?

— Com certeza. Você está todo molhado... Vou preparar um banho.
— Desde que você me acompanhe.
Ele se inclina e me beija.

No banheiro da suíte, encho a enorme banheira oval e despejo na água um gel caro de banho, que começa a formar espuma imediatamente. O aroma é divino... jasmim, acho. De volta ao quarto, vou pendurar o tal vestido enquanto a banheira enche.
— Você se divertiu? — pergunta Christian, surgindo no quarto descalço e vestindo apenas uma camiseta e uma calça de moletom. Ele fecha a porta ao entrar.
— Sim — murmuro, admirando-o.
Senti falta dele. Que ridículo — quanto tempo faz, algumas horas?
Ele inclina a cabeça para o lado e me observa.
— O que foi?
— Estava pensando em como senti sua falta hoje.
— Você fala como se sofresse de amor, Sra. Grey.
— Eu sofri, Sr. Grey.
Ele se aproxima e para na minha frente.
— O que você comprou? — sussurra ele, e sei que é para mudar de assunto.
— Um vestido, um par de sapatos e um colar. Torrei o seu dinheiro. — Ergo um olhar culpado para ele.
Ele acha engraçado.
— Que bom — murmura ele, e coloca uma mecha do meu cabelo atrás da minha orelha. — E pela bilionésima vez: é o nosso dinheiro.
Ele puxa meu queixo, fazendo-me parar de morder o lábio, e corre o dedo indicador pela minha camiseta, passando pelo esterno, por entre os meus seios, descendo pela minha barriga até a bainha.
— Você não vai precisar disso no banho — sussurra ele, e, pegando a minha camiseta pela barra, ele a puxa para cima, lentamente. — Levante os braços.
Obedeço, sem desviar os olhos dos seus, e ele joga minha camiseta no chão.
— Achei que fôssemos só tomar um banho. — Minha pulsação acelera.
— Primeiro eu quero deixar você bem suja. Também senti saudades.
Ele se inclina e me beija.

— Merda, a água!
Levanto o corpo com certa dificuldade, toda desorientada após o orgasmo.
Ele não me solta.
— Christian, a banheira! — Olho para ele; estou deitada sobre seu peito.

Ele ri.

— Relaxe. Tem um sistema de escoamento. — Ele gira o corpo na cama e me dá um selinho. — Vou lá fechar a torneira.

Com movimentos graciosos, ele desce da cama e vai até o banheiro. Sigo-o com os olhos, observando-o com avidez. Hmm... meu marido, nu e logo logo molhado. Pulo para fora da cama.

Estamos sentados um em cada ponta da banheira, que encheu demais — tanto que, sempre que nos mexemos, a água transborda pelas laterais e se esparrama no chão. Muito esbanjador. Ainda mais esbanjador é ver Christian lavando meus pés, massageando-os, puxando meus dedos de leve. Ele beija cada dedo e morde delicadamente o mindinho.

— Aaah!

Eu sinto *ali*, na minha virilha.

— Assim? — sussurra ele.

— Hmm — balbucio incoerentemente.

Ele recomeça a massagem. Ah, é tão bom. Fecho os olhos.

— Eu vi Gia quando fomos à cidade — murmuro.

— É mesmo? Acho que ela tem casa aqui — diz ele, indiferente. Não está nem um pouco interessado.

— Ela estava com Elliot.

Ele interrompe a massagem. Isso lhe despertou a atenção. Quando abro os olhos, sua cabeça está inclinada para o lado, como se não entendesse.

— Como assim com Elliot? — pergunta Christian, mais perplexo do que preocupado.

Descrevo a cena que vi.

— Ana, eles são só amigos. Acho que o Elliot está bem empolgado com Kate. — Depois de uma pausa, ele acrescenta, mais baixo: — Na verdade, eu *sei* que ele está bem empolgado com ela. — E me lança um olhar do tipo não-me-pergunte-por-quê.

— Kate é deslumbrante — rebato, defendendo minha amiga.

Christian bufa em desdém.

— Ainda fico feliz por ter sido você quem foi ao meu escritório.

Ele beija meu dedão, solta meu pé esquerdo e pega o direito, para então recomeçar todo o processo de massagem. Seus dedos são tão fortes e flexíveis que relaxo novamente. Não quero brigar por causa de Kate. Fecho os olhos e deixo suas mãos operarem sua mágica nos meus pés.

* * *

Olho boquiaberta para mim mesma, refletida no espelho de corpo inteiro: não me reconheço na beldade que me encara do outro lado. Kate hoje se esmerou e brincou de Barbie comigo, me penteando e me maquiando. Meu cabelo está volumoso e liso, meus olhos delineados com lápis, minha boca de um vermelho vivo. Eu fiquei... gostosa. Sou só pernas, principalmente nos Manolos altíssimos e no meu vestido indecentemente curto. Preciso da aprovação de Christian, embora eu tenha uma terrível sensação de que ele não vai gostar de ver tanta exposição da minha carne. Tendo em vista nossa *entente cordiale*, decido consultá-lo. Pego meu BlackBerry.

De: Anastasia Grey
Assunto: Minha bunda está muito grande nesse vestido?
Data: 27 de agosto de 2011 18:53 Hora local
Para: Christian Grey

Sr. Grey,

Preciso do seu aconselhamento de moda.

Bj,

Sra. G.

De: Christian Grey
Assunto: Maravilha
Data: 27 de agosto de 2011 18:55 Hora local
Para: Anastasia Grey

Sra. Grey,

Duvido muito.

Mas vou aí averiguar e examinar sua bunda em detalhes, só para ter certeza.

Ansiosamente,

Sr. G.

Christian Grey,
CEO, Grey Enterprises Holdings & Fiscalização de Bundas, Inc.

Ainda estou lendo o e-mail quando a porta do quarto se abre e Christian para estático na soleira. Seu queixo cai e seus olhos se arregalam.

Puta merda... ou ele gostou muito ou odiou.

— E então? — sussurro.

— Ana, você está... Uau.

— Você gostou?

— Gostei, acho que sim.

Sua voz está um pouco rouca. Lentamente, ele entra no quarto e fecha a porta. Está usando uma calça jeans preta e uma camisa branca, com um casaco preto. E está divino. Ele vem devagar até mim, mas logo que chega perto, coloca as mãos nos meus ombros e me faz girar, de forma que eu fique de frente para o espelho, e se coloca atrás de mim. Meu olhar encontra o dele no espelho, e então ele baixa o olhar para as minhas costas nuas, fascinado. Seu dedo desliza pela minha coluna e chega até a beirada do vestido, logo abaixo da cintura, onde minha pele clara encontra o tecido prateado.

— Isso mostra demais — murmura ele.

Sua mão desliza mais para baixo, pela minha bunda, até minhas coxas descobertas. Ele faz uma pausa, os olhos cinzentos ardendo intensamente, parecendo quase azuis. Então, lentamente, seus dedos percorrem o caminho inverso até a bainha da saia.

Observo seus compridos dedos se movimentarem com suavidade, roçando minha pele de forma provocante; sinto o arrepio que sua mão vai despertando por onde passa, e minha boca se abre involuntariamente.

— Isso aqui não está longe... — ele toca a bainha do vestido e depois sobe os dedos — daqui — sussurra.

Inspiro fundo quando seus dedos acariciam meu sexo, movendo-se sensualmente por sobre a minha calcinha, sentindo-me, estimulando-me.

— E isso quer dizer que... — sussurro.

— Quer dizer que... que isso aqui não está longe... — seus dedos deslizam sobre a minha calcinha, e um deles entra por baixo do tecido, acariciando minha pele macia e umedecida — ... daqui. E mais um pouco... daqui. — Ele enfia um dedo em mim.

Solto uma exclamação e um gemido baixo.

— Isso é meu — sussurra ele no meu ouvido. Fechando os olhos, ele lentamente tira e põe o dedo. — Não quero que ninguém mais veja.

Minha respiração fica entrecortada e entra no ritmo que ele impõe. Olhando-o pelo espelho, fazendo isso... é mais que erótico.

— Então, seja uma boa menina e não se abaixe, e vai ficar tudo bem.

— Você aprova? — murmuro.

— Não, mas não vou impedi-la de usar o vestido. Você está deslumbrante, Anastasia.

Ele tira o dedo bruscamente, deixando-me sedenta por mais, e se coloca diante de mim. A ponta do seu dedo invasor toca meu lábio inferior. Instintivamente o beijo, e, como recompensa, ganho um sorriso largo e malicioso. Ele então chupa o próprio dedo, e pela sua expressão vejo que meu sabor é bom... delicioso. Fico vermelha. Será que sempre vou ficar chocada quando ele fizer isso?

Ele pega minha mão.

— Venha, vamos gozar o fim de semana — ordena ele suavemente.

Eu ia replicar que estava quase gozando, mas, diante do que aconteceu no quarto de jogos ontem, decido me conter.

Estamos esperando a sobremesa em um restaurante luxuoso e exclusivo no centro da cidade. Até o momento a noite foi bem animada, e Mia insiste em esticarmos nosso programa em uma boate. Neste exato instante ela está quieta, para variar um pouco, absorvendo cada palavra dita por Ethan, que conversa com Christian. Mia está obviamente encantada por Ethan, e ele está... bem, é difícil dizer. Não sei se eles são apenas amigos ou se há algo mais ali.

Christian parece à vontade. Ele conversa animadamente com Ethan. É evidente que a tarde de pesca criou um elo entre os dois. A conversa gira principalmente em torno de psicologia. Por incrível que pareça, Christian parece o mais entendido. Ouço vagamente a conversa dos dois, e dou uma fungada triste ao perceber que o conhecimento demonstrado por Christian é resultado de sua experiência com tantos psicanalistas.

Você é a melhor terapia. Essas palavras, sussurradas por ele enquanto fazíamos amor certa vez, ecoam em minha mente. Será que sou mesmo? *Ah, Christian, espero que sim.*

Olho de relance para Kate. Ela está linda; como sempre, aliás. Ela e Elliot estão menos entusiasmados. Ele parece nervoso, suas piadas um pouco altas demais e sua risada, um pouco forçada. Será que eles brigaram? O que será que o está incomodando? Será aquela mulher? Meu coração se aperta quando penso que ele pode vir a magoar a minha melhor amiga. Olho para a entrada, meio que esperando ver Gia cruzando o restaurante em nossa direção, rebolando afetadamente seu traseiro elegante. Minha mente está me pregando peças; suspeito de que seja a quantidade de álcool que ingeri. Começo a sentir dor de cabeça.

De repente, Elliot nos pega de surpresa ao se levantar, empurrando a cadeira para trás ruidosamente pelo chão de cerâmica. Todos os olhos se voltam para ele, que fita Kate por um momento para depois se ajoelhar ao lado dela.

Ai. Meu. Deus.

Ele pega a mão dela, e o silêncio cai como um cobertor sobre o restaurante inteiro, todos parando de comer, parando de falar, parando de andar para olhar.

— Minha linda Kate, eu amo você. Sua graça, sua beleza e sua determinação são únicas, e você conquistou meu coração. Passe o resto da vida comigo. Case comigo.

Puta merda!

CAPÍTULO QUATORZE

O restaurante inteiro tem a atenção voltada para Kate e Elliot, todos respirando juntos, esperando. A ansiedade é insuportável. O silêncio se prolonga como um elástico tensionado ao máximo. A atmosfera está sufocante, cheia de apreensão e de esperança ao mesmo tempo.

Kate o encara sem expressão, enquanto ele a fita com olhos arregalados de ansiedade — de medo, até. *Droga, Kate! Acabe com a tortura do homem. Por favor.* Nossa... ele podia ter feito o pedido em particular.

Uma única lágrima desce pela face de Kate, que ainda assim permanece sem expressão alguma. Merda! Kate chorando? Então ela sorri, um sorriso incrédulo que se abre devagar, um sorriso que diz "Alcancei o Nirvana!".

— Sim — sussurra ela, um sim doce e suspirante: nem um pouco a sua cara.

Por uma fração de segundo há uma pausa em que o restaurante inteiro exala um suspiro de alívio coletivo, e depois vem um barulho ensurdecedor. Aplausos espontâneos, vivas, assovios, gritaria, e de repente sinto as lágrimas escorrendo pelo meu rosto, borrando minha maquiagem.

Alheios à comoção ao redor, Kate e Elliot estão em seu mundo particular. Elliot tira uma caixinha do bolso, abre-a e a oferece a Kate. Um anel. E, até onde consigo ver, um anel extremamente sofisticado — mas preciso olhar mais de perto. Então era isso que ele estava fazendo com Gia? Escolhendo o anel de noivado? *Merda!* Ah, estou feliz por não ter contado a Kate.

Kate olha primeiro para o anel e depois para Elliot, e então joga os braços em volta do pescoço dele. Eles se beijam, um beijo excepcionalmente recatado para os dois, e a multidão vai à loucura. Elliot se levanta e agradece a ovação com uma reverência surpreendentemente graciosa; em seguida, munido de um sorriso que deixa transparecer um ar de imensa satisfação consigo mesmo, ele volta a se sentar. Não consigo parar de olhar para eles. Tirando o anel da caixinha, Elliot o desliza com delicadeza pelo dedo de Kate, e o casal se beija mais uma vez.

Christian aperta minha mão. Eu não havia percebido que estava agarrando a dele com tanta força. Solto-o, um pouco constrangida, e ele balança a mão, dizendo um "Ai" só com o movimento dos lábios.

— Desculpe. Você sabia disso? — sussurro.

Christian sorri, e percebo que sim. Ele chama o garçom.

— Duas garrafas de Cristal, por favor. Safra 2002, se tiver.

Lanço-lhe um sorriso enviesado.

— O que foi? — pergunta ele.

— Porque a safra de 2002 é muito melhor do que a de 2003 — provoco-o.

Ele ri.

— Para um paladar criterioso, sim.

— Você tem um paladar muito criterioso, Sr. Grey, e um gosto singular. — Sorrio.

— Isso eu tenho, Sra. Grey. — Ele se inclina para mais perto de mim. — Mas o seu sabor é ainda melhor — sussurra ele, e beija um ponto específico atrás da minha orelha, provocando pequenos arrepios pela minha espinha. Fico vermelha e relembro com verdadeiro prazer sua demonstração de como faltava pano ao meu vestido.

Mia é a primeira a abraçar Kate e Elliot, e, um de cada vez, todos nós damos os parabéns ao feliz casal. Puxo Kate para um abraço apertado.

— Viu? Ele só estava tenso com o pedido — sussurro.

— Ah, Ana. — Ela ri e chora ao mesmo tempo.

— Kate, estou tão feliz por você. Parabéns.

Christian está atrás de mim. Ele aperta a mão de Elliot e — para minha surpresa e do próprio Elliot — puxa o irmão para um abraço. Ouço vagamente o que ele diz:

— É isso aí, Lelliot.

Elliot não responde. Pela primeira vez na vida, o espanto o deixa sem palavras; depois, ele retribui afetuosamente o abraço do irmão.

Lelliot?

— Obrigado, Christian — diz Elliot, emocionado.

Christian dá um abraço rápido em Kate, um tanto constrangido, mantendo uma distância de quase um braço. Sei que ele adota um posicionamento de tolerância em relação a ela, na melhor das hipóteses, e de ambivalência a maior parte do tempo; então, isso já é um progresso. Soltando-a, ele diz, tão baixo que só nós duas conseguimos ouvir:

— Espero que você seja tão feliz no seu casamento quanto eu sou no meu.

— Obrigada, Christian. Também espero — diz Kate polidamente.

O garçom retorna com o champanhe e abre a garrafa com um floreio comedido. Christian ergue sua taça.

— A Kate e meu querido irmão, Elliot. Parabéns.

Todos damos um golinho na bebida; bem, eu tomo um golão. Hmm, o Cristal é delicioso, faz com que eu me lembre da primeira vez que tomei esse champanhe, no clube noturno de Christian, e também do nosso memorável percurso de elevador até o primeiro andar, mais tarde na mesma noite.

Christian me olha com o cenho franzido.

— Está pensando em quê? — sussurra ele.

— Na primeira vez em que eu tomei esse champanhe.

Sua expressão torna-se ainda mais inquisidora.

— Estávamos no seu clube — lembro-lhe.

Ele sorri.

— Ah, sim. Lembrei. — E pisca para mim.

— Elliot, já tem data? — pergunta Mia.

Elliot olha irritado para a irmã.

— Eu acabei de pedir a mão de Kate. Vamos manter você informada, está bem?

— Ah, marquem para o Natal. Seria tão romântico... Além do mais, vocês não esqueceriam a data do aniversário de casamento. — Ela bate palmas, deliciada.

— Vou pensar no assunto. — E ele sorri, irônico.

— Depois do champanhe, podemos por favor ir dançar? — Virando-se para Christian, ela o fita com os olhos castanhos bem abertos.

— Acho que é melhor perguntarmos a Elliot e Kate o que eles gostariam de fazer.

Todos nos voltamos ao mesmo tempo para eles, à espera de uma resposta. Elliot dá de ombros e Kate fica roxa. Seu desejo carnal pelo noivo é tão evidente que eu quase cuspo o champanhe de quatrocentos dólares na mesa toda.

A Zax é a boate mais exclusiva de Aspen — ou pelo menos é o que Mia diz. Christian vai até o início da pequena fila abraçando minha cintura, e imediatamente o deixam entrar. Por um momento me pergunto se ele é o dono do lugar. Olho para o relógio — onze e meia da noite, e estou me sentindo tonta. As duas taças de champanhe e as diversas outras de Pouilly-Fumé que tomei durante o jantar estão começando a fazer efeito, e é um alívio ter o braço de Christian me segurando.

— Sr. Grey, bem-vindo novamente — cumprimenta uma loura muito bonita de pernas bem longas, vestida com um shortinho preto de cetim, uma blusa sem manga da mesma cor e uma pequena gravata-borboleta vermelha. Ela abre um sorriso largo, revelando dentes perfeitos entre lábios escarlate que combinam com a gravata.

— Max vai se encarregar dos casacos.

Um jovem todo de preto — mas sem cetim, felizmente — sorri ao se oferecer para pegar meu casaco. Seus olhos escuros são calorosos e convidativos. Sou a única de casaco no grupo — Christian insistiu em que eu pegasse o trench coat de Mia para cobrir as costas —, portanto Max só tem que se dirigir a mim.

— Belo casaco — diz ele, encarando-me intensamente.

Ao meu lado, Christian se eriça e lança para Max um olhar que diz "cai fora". Ele fica vermelho e rapidamente entrega a Christian o número para recolher o casaco.

— Vou acompanhar vocês até a mesa.

A Srta. Shortinho Sexy de Cetim tremula os cílios para o meu marido, sacode o cabelão louro e entra na boate desfilando. Seguro Christian ainda mais forte, e ele me olha interrogativamente por um momento. Depois, sorri com ironia enquanto seguimos a Srta. Shortinho Sexy de Cetim até a área do bar.

A iluminação ali é reduzida, as paredes pretas, e os móveis, vermelho-escuros. Há mesas ao longo de duas paredes, e um grande bar em forma de U no centro. Está cheio, levando-se em consideração que estamos fora de temporada, mas não lotado, e a frequência é composta por abastados de Aspen a fim de se divertir em um sábado à noite. As pessoas estão vestidas de maneira casual, e pela primeira vez na vida sinto que meu traje está um pouco demais… hmm, melhor dizendo, de menos. Não sei bem qual dos dois. O chão e as paredes vibram com a música que pulsa na pista de dança atrás do bar, e as luzes giram e piscam. Zonza como estou, chego a pensar que se trata de um pesadelo epilético.

Shortinho Sexy de Cetim nos leva até uma mesa em um canto isolado por uma corda. É perto do bar e dá acesso à pista de dança. Claramente, o melhor lugar da boate.

— Logo alguém virá anotar seus pedidos.

Ela nos dirige seu sorriso de dois mil megawatts e, com uma piscadela final para o meu marido, volta desfilando para o lugar de onde veio. Mia já está saltitando, doida para ir logo dançar, e Ethan decide acompanhá-la.

— Champanhe? — pergunta Christian quando eles estão quase indo para a pista de dança, de mãos dadas. Ethan ergue o polegar e Mia faz que sim com a cabeça entusiasmadamente.

Kate e Elliot se recostam no assento de veludo macio, as mãos entrelaçadas. Eles parecem extremamente felizes, suas feições suaves e radiantes sob o brilho das pequenas velas que tremulam nos castiçais de cristal dispostos sobre a mesa baixa. Christian, com um gesto, pede que eu me sente, e corro para perto de Kate. Ele ocupa um lugar ao meu lado e ansiosamente examina o ambiente à nossa volta.

— Quero ver seu anel — digo bem alto, por causa da música.

Vou sair daqui rouca. Kate sorri exultante e levanta a mão. O anel é primoroso, um solitário em uma garra finamente elaborada, e pequenos brilhantes de cada lado. Tem um estilo retrô vitoriano.

— É lindo.

Ela concorda, encantada, e, inclinando-se para a frente, aperta a coxa de Elliot. Ele se abaixa e a beija.

— Vão para um quarto! — grito.

Elliot sorri.

Uma jovem de cabelo escuro e curto vem anotar os nossos pedidos. Ela exibe um sorriso travesso e veste o mesmo shortinho sexy de cetim preto, que parece ser o uniforme da casa.

— O que vão querer beber? — pergunta Christian.

— Você não vai pagar a conta aqui também — reclama Elliot.

— Não comece com isso, Elliot — diz Christian calmamente.

Apesar da resistência de Kate, Elliot e Ethan, Christian pagou pelo jantar. Ele simplesmente ignorou as objeções de todos e não quis nem saber do dinheiro deles. Olho-o apaixonadamente. Meu Cinquenta Tons... sempre no controle.

Elliot abre a boca para dizer algo, mas, sabiamente, desiste.

— Vou querer uma cerveja — responde ele.

— Kate? — pergunta Christian.

— Mais champanhe, por favor. O Cristal é uma delícia. Mas é claro que o Ethan ia preferir uma cerveja.

Ela sorri toda meiga — *sim, meiga* — para Christian. Kate não cabe em si de tanta felicidade. Sinto a alegria irradiar dela, e é um prazer estar aqui para testemunhar esse momento.

— Ana?

— Champanhe, por favor.

— Uma garrafa de Cristal, três de Peroni e uma de água mineral gelada, seis copos — exige ele, no seu modo direto e autoritário de costume.

Até que isso é sexy.

— Obrigada, senhor. Eu já trago.

A Srta. Shortinho Sexy Número Dois abre um sorriso gracioso para Christian, mas o poupa do piscar de olhos, ainda que suas faces estejam um pouco vermelhas.

Balanço a cabeça, resignada. *Ele é meu, querida.*

— O que foi? — pergunta ele.

— Ela não ficou fazendo charme para você. — Dou um sorriso enviezado.

— Ah. E deveria? — Ele não consegue esconder que está achando graça.

— É costume entre as mulheres. — Meu tom é irônico.

Ele sorri.

— Sra. Grey, está com ciúmes?

— Nem um pouco.

Faço um beicinho. E neste momento percebo que estou começando a tolerar as mulheres devorando meu marido com os olhos. Quase. Christian pega minha mão e beija os nós dos meus dedos.

— Você não tem motivo nenhum para sentir ciúmes, Sra. Grey — murmura ele ao meu ouvido, sua respiração me fazendo cócegas.

— Eu sei.

— Ótimo.

A garçonete retorna, e logo me vejo bebendo mais uma taça de champanhe.

— Aqui. — Christian me oferece um copo d'água. — Beba isto.

Franzo o cenho e vejo-o, mais do que ouço, suspirar.

— Três taças de vinho branco no jantar e duas de champanhe depois de um daiquiri de morango e duas taças de Frascati no almoço. Beba. Agora, Ana.

Como Christian sabe dos drinques da tarde? Faço uma careta para meu marido, mas realmente ele tem razão. Pego o copo d'água e engulo tudo de uma vez, de uma maneira nada feminina, como protesto por ter que obedecê-lo... de novo. Enxugo a boca com as costas da mão.

— Boa menina — diz ele, com um sorriso irônico. — Você já vomitou em cima de mim uma vez. Não quero repetir a experiência tão cedo.

— Não sei do que está reclamando. Você acabou dormindo comigo.

Ele sorri, e seu olhar se ameniza.

— É verdade.

Ethan e Mia voltam.

— Ethan cansou, por enquanto. Venham, garotas. Vamos incendiar a pista. Precisamos queimar as calorias da musse de chocolate.

Kate se levanta imediatamente.

— Você vem? — pergunta ela a Elliot.

— Prefiro ficar olhando você — diz ele. E sou obrigada a virar para o outro lado rapidamente, corando diante do olhar que ele lança para Kate. Ela sorri quando eu me levanto.

— Vou queimar algumas calorias — digo, e, me curvando, sussurro no ouvido de Christian: — Você pode me olhar.

— Não se abaixe assim — rosna ele.

— Tudo bem.

Levanto-me bruscamente. Uau! Minha cabeça roda, e eu agarro o ombro de Christian, o lugar girando e balançando um pouco.

— Talvez você deva beber um pouco mais de água — murmura ele, com um claro tom de advertência na voz.

— Eu estou bem. Essas cadeiras é que são baixas, e o meu sapato é alto.

Kate me pega pela mão; inspirando profundamente, sigo Kate e Mia, em perfeito equilíbrio, até a pista de dança.

A música está pulsando, um ritmo tecno com batidas graves. A pista não está lotada, o que significa que temos algum espaço. É uma mistura eclética de gente — tanto jovens quanto um pessoal mais velho se acabando na noite. Eu nunca soube dançar muito bem. Na verdade, só fui começar depois que conheci Christian. Kate me abraça.

— Estou tão feliz — grita ela, mais alto que a música, e começa a dançar.

Mia está fazendo o que costuma fazer, sorrindo para nós duas e se movimentando para todo lado. Nossa, ela está tomando muito espaço. Dou uma olhadela para a mesa. Nossos homens estão nos observando. Começo a me mexer. O ritmo é pulsante. Fecho os olhos e me entrego à batida.

Ao abrir os olhos novamente, vejo a pista de dança se enchendo. Kate, Mia e eu somos forçadas a ficar mais próximas. E, para minha surpresa, percebo que estou realmente me divertindo. Começo a me mexer um pouco mais... com coragem. Kate ergue os dois polegares para mim, e eu sorrio alegre para ela.

Fecho os olhos. Por que foi que eu passei os primeiros vinte anos da minha vida sem fazer isso? Preferi ler a dançar. *Na época de Jane Austen não tinha músicas assim tão animadas para fazê-la se sacudir, e Thomas Hardy... Ih, ele morreria de culpa por não estar dançando com a primeira esposa.* Dou uma risada quando penso isso.

Foi Christian. Ele fez com que eu me sentisse segura a respeito do meu corpo e de como movimentá-lo.

De repente, duas mãos estão na minha cintura. Sorrio. Christian veio dançar comigo. Eu me movimento, e suas mãos descem para apertar minha bunda, retornando depois para a minha cintura.

Abro os olhos. E Mia está me encarando horrorizada. *Merda... Estou me saindo tão mal assim?* Pego nas mãos de Christian. Estão cabeludas. *Puta que pariu!* Não são dele. Giro o corpo e vejo um gigante louro, com mais dentes do que o natural e sorrindo abertamente para exibi-los.

— Tire as mãos de mim! — berro, mais alto do que a música pulsante; estou apoplética de raiva.

— Que isso, doçura, só estamos nos divertindo.

Ele sorri, levantando as mãos de macaco, os olhos azuis brilhando sob as luzes ultravioleta pulsantes.

Antes de me dar conta do que estou fazendo, dou um tapa forte no seu rosto. *Ai! Merda... Minha mão.* Está ardendo.

— Saia de perto de mim! — grito.

Ele me encara, apalpando a face vermelha. Estico minha mão ilesa na frente do seu rosto, abrindo bem os dedos para mostrar a aliança.

— Eu sou casada, seu babaca!

Ele dá de ombros, um tanto arrogante, e abre um sorriso frouxo de desculpas.

Olho ao redor freneticamente. Mia, à minha direita, encara com raiva o Gigante Louro. Kate está entretida nos seus passos de dança. Não vejo Christian à mesa. *Espero que ele tenha ido ao banheiro.* Dou um passo para trás e encosto em alguém cujo corpo eu conheço muito bem. *Ah, merda.* Christian passa o braço pela minha cintura e me puxa para o lado.

— Tire as mãos de cima da minha mulher, seu filho da puta. — Ele não está gritando, mas de alguma maneira ouve-se sua voz acima da música.

Puta merda!

— Ela sabe se cuidar sozinha — grita o Gigante Louro.

Ele então tira a mão do rosto, de onde o acertei, e Christian o atinge. É como se eu estivesse assistindo a tudo em câmera lenta. Um soco no queixo perfeitamente calculado, movendo-se a tamanha velocidade, mas com tão pouco dispêndio de energia, que o Gigante Louro só percebe quando é atingido. Ele desaba no chão como o desprezível monte de lixo que é.

Puta que pariu.

— Christian, não! — exclamo, em pânico, e me coloco na sua frente para contê-lo. Merda, ele vai matar o cara. — Eu já dei um tapa nele — berro, mais alto que a música.

Christian parece não me ver. Ele está encarando o gigante com uma crueldade que eu nunca vi antes nos seus olhos. Bem, talvez uma vez, antes de Jack Hyde dar em cima de mim.

As outras pessoas na pista se afastam como uma onda concêntrica num lago, abrindo espaço à nossa volta e mantendo uma distância segura. O Gigante Louro se levanta com dificuldade no momento em que Elliot se junta a nós.

Ah, não! Kate está comigo, olhando embasbacada para todos nós, e Elliot agarra o braço de Christian. Nessa hora, Ethan também aparece.

— Pega leve, cara. Não fiz por mal.

O Gigante Louro levanta as mãos admitindo a derrota e batendo rapidamente em retirada. Christian o segue com os olhos para longe dali. Ele não olha para mim.

A música muda, a letra explícita de "Sexy Bitch" dando lugar a um tecno pulsante cantado por uma mulher com voz apaixonada. Elliot olha para mim, depois para Christian e, soltando o irmão, puxa Kate para dançar. Coloco os braços em torno do pescoço de Christian, até que ele finalmente faz contato visual comigo, os olhos ainda em chamas — primitivos e ferozes. Um vislumbre de um adolescente brigão. *Puta merda.*

Ele examina meu rosto.

— Você está bem? — pergunta, finalmente.

— Estou.

Esfrego a palma da mão, tentando aliviar a ardência, e encosto ambas as mãos no peito dele — uma delas latejando. Eu nunca havia batido em ninguém antes. O que foi que me deu? Tocar em mim não era o pior crime contra a humanidade. Ou era?

No entanto, bem no fundo, sei por que bati no Gigante Louro: porque, instintivamente, eu sabia como Christian reagiria ao ver um estranho dando em cima de mim. Eu sabia que ele perderia seu precioso autocontrole. E só de pensar que um idiota insignificante pode tirar do sério meu marido, meu amor, fico irritada. Extremamente irritada.

— Quer se sentar? — pergunta Christian, um tom de voz mais alto do que a música pulsante.

Ah, volte para mim, por favor.

— Não. Dance comigo.

Ele me fita de modo impassível, sem dizer nada.

Toque em mim... a mulher canta.

— Dance comigo. — Ele ainda está bravo. — Dance. Christian, por favor.

Pego suas mãos. Christian olha ao redor, com raiva, à procura do rapaz, mas começo a me mexer em torno dele, entrelaçando-me em seu corpo.

A massa de gente voltou a nos rodear, apesar de haver agora uma zona de exclusão de cerca de meio metro à nossa volta.

— Você bateu nele? — pergunta Christian, mantendo-se imóvel. Pego suas mãos, ainda fechadas.

— Claro que sim. Pensei que fosse você, mas as mãos dele eram mais cabeludas. Por favor, dance comigo.

Enquanto Christian me fita, a chama em seus olhos muda devagar, evoluindo para outro sentimento, algo mais escuro, mais sensual. De repente, ele me agarra pelos pulsos e me puxa vigorosamente para si, segurando minhas mãos às minhas costas.

— Você quer dançar? Então vamos dançar — diz ele junto ao meu ouvido, e, quando começa a balançar o quadril ao meu redor e contra meu corpo, suas mãos segurando as minhas para trás, não consigo fazer outra coisa a não ser acompanhá-lo.

Ah... Christian sabe mexer o corpo, realmente sabe. Ele me mantém junto de si, sem me soltar; gradativamente, porém, suas mãos relaxam, libertando-me. Minhas mãos movem-se lentamente para a frente, subindo pelos braços dele, sentindo os feixes de músculos sob o casaco, chegando até os ombros. Ele me pressiona contra seu corpo e eu sigo seus movimentos — dançamos lentamente, sensualmente, acompanhando a batida pulsante da música eletrônica.

No momento em que Christian pega minha mão e me gira, primeiro para um lado e depois para o outro, sei que ele voltou para mim. Sorrio. Ele sorri.

Dançamos juntos, e é libertador — divertido. Sua raiva foi esquecida, ou suprimida, e ele me rodopia à sua volta, com total habilidade, no nosso pequeno espaço na pista, sem nunca me soltar. Com ele, torno-me graciosa, esse é o seu dom. Ele me torna sensual, porque é isso o que ele é. E me faz sentir amada, porque, apesar dos seus cinquenta tons, Christian tem muito amor para dar. Observando-o agora, vendo-o se divertir, eu compreenderia se alguém pensasse que ele não se importa com nada no mundo. Sei que seu amor é turvado por questões de controle e superproteção, mas isso não faz com que eu o ame menos.

Estou sem fôlego quando outra música começa.

— Podemos nos sentar? — pergunto, ofegante.

— Claro. — E juntos saímos da pista.

— Você me deixou suada e quente — sussurro ao voltarmos para a mesa.

Ele me puxa para seus braços.

— Eu gosto de você suada e quente. Embora prefira deixar você assim quando estamos a sós — murmura ele, e um sorriso lascivo surge em seu rosto.

Quando me sento, é como se o incidente na pista de dança nunca tivesse acontecido. Estou até um pouco surpresa de não terem nos expulsado daqui. Dou uma olhada em volta. Não tem ninguém nos observando, e não vejo mais o Gigante Louro. Talvez tenha ido embora, ou talvez ele é que tenha sido expulso. Kate e Elliot dançam de forma indecente na pista; Ethan e Mia estão mais comportados. Tomo outro gole de champanhe.

— Aqui.

Christian coloca outro copo d'água na minha frente e me fita com atenção. Sua expressão é de expectativa: *Beba. Beba agora.*

Faço o que ele manda. Além disso, estou com sede.

Ele pega uma garrafa de Peroni do balde de gelo que há na mesa e toma um longo gole.

— E se a imprensa estivesse aqui? — pergunto.

Christian sabe exatamente que estou me referindo ao fato de ele ter socado o Gigante Louro.

— Eu tenho advogados caros — responde ele friamente, a arrogância em pessoa.

Olho para ele de cenho franzido.

— Mas você não está acima da lei, Christian. Eu tinha a situação sob controle.

Seus olhos ficam gelados.

— Ninguém toca no que é meu — diz ele, com fria determinação, como se eu estivesse ignorando o óbvio.

Ah... Tomo mais um gole de champanhe. De repente me sinto sufocada. A música está alta, martelando na minha cabeça, que dói tanto quanto meus pés; além disso, estou tonta.

Christian pega minha mão.

— Venha, vamos embora. Quero levar você para casa — diz ele.

Kate e Elliot aparecem.

— Vocês estão indo? — pergunta ela, ansiando por uma resposta afirmativa.

— Sim — responde Christian.

— Ótimo, vamos com vocês.

Enquanto esperamos Christian pegar o meu casaco, Kate me interroga:

— O que houve com aquele cara na pista?

— Ele estava passando a mão em mim.

— Eu abri os olhos e você tinha dado um tapa nele.

Dou de ombros.

— Bem, eu sabia que o Christian viraria uma usina termonuclear, e isso poderia arruinar a sua noite.

Ainda estou processando como me sinto em relação ao comportamento de Christian. Na hora, tive medo de que ele fizesse coisa ainda pior.

— Nossa noite — corrige Kate. — Ele é bem esquentado, hein? — acrescenta ela secamente, observando Christian apanhar o meu casaco.

Solto um suspiro e sorrio.

— Pode-se dizer que sim.

— Acho que você consegue controlá-lo bem.

— Controlar?

Franzo a testa. Será que eu *controlo* Christian?

— Aqui está — diz ele, segurando meu casaco aberto para que eu o vista.

— Acorde, Ana.

Christian está me sacudindo delicadamente. Já chegamos em casa. Abro os olhos relutante e cambaleio para fora da minivan. Kate e Elliot desapareceram e Taylor espera pacientemente ao lado do veículo.

— Vou ter que carregar você? — pergunta Christian.

Balanço a cabeça em negativa.

— Vou buscar a Srta. Grey e o Sr. Kavanagh — avisa Taylor.

Christian concorda com um gesto de cabeça e depois me guia até a porta de casa. Meus pés estão latejando e eu o sigo cambaleante. Chegando à porta, ele se abaixa, pega meu tornozelo e arranca gentilmente meus sapatos, primeiro um, depois o outro. *Ah, que alívio.* Ele então se levanta e me olha, segurando meus Manolos.

— Melhor? — pergunta, achando graça.

Faço um gesto afirmativo com a cabeça.

— Tive visões deliciosas desses sapatos atrás das minhas orelhas — murmura ele, olhando para os meus sapatos pensativamente. Até que ele balança a cabeça e, pegando minha mão mais uma vez, me guia pela casa escura, e subimos a escada para o nosso quarto.

— Você está destruída, não está? — pergunta ele suavemente, fitando-me.

Admito que sim. Ele começa a abrir o cinto do meu trench coat.

— Eu faço isso — balbucio, em uma débil tentativa de afastá-lo.

— Deixa comigo.

Suspiro. Eu não tinha ideia de que estava tão cansada.

— É a altitude. Você não está acostumada. E o álcool, claro.

Com um sorriso irônico, ele tira meu casaco e o joga em uma das cadeiras do quarto. Depois, pegando minha mão, me leva ao banheiro. *Por que estamos indo para lá?*

— Sente-se — ordena ele.

Eu me sento na cadeira e fecho os olhos. Ouço quando ele mexe em alguns frascos no armário do banheiro. Estou cansada demais para abrir os olhos e descobrir o que ele está fazendo. Um instante depois, ele inclina minha cabeça para trás com delicadeza, e eu abro os olhos, surpresa.

— Olhos fechados — diz Christian.

Puxa vida, ele está segurando um chumaço de algodão! Gentilmente, ele o esfrega no meu olho direito. Permaneço sentada, perplexa, enquanto ele metodicamente remove a minha maquiagem.

— Ah. Aí está a mulher com quem eu me casei — diz ele após algumas esfregadelas.

— Não gosta de maquiagem?

— Gosto bastante, mas prefiro o que está por baixo dela. — Ele beija a minha testa. — Aqui. Pegue isso. — Ele coloca um Advil na palma da minha mão e me entrega um copo d'água.

Vejo o que é e faço um beicinho.

— Tome — ordena ele.

Reviro os olhos, mas obedeço.

— Ótimo. Você precisa de um momento sozinha? — pergunta ele, sarcasticamente.

Solto um resmungo de desaprovação.

— Tão recatado, Sr. Grey. Sim, eu preciso fazer xixi.

Ele ri.

— Quer que eu saia?

Dou uma risada.

— Você quer ficar?

Ele joga a cabeça para o lado, uma expressão bem-humorada no rosto.

— Você é um filho da puta de um pervertido. Fora. Não quero que você fique me vendo fazer xixi. Assim já é demais.

Eu me levanto e o expulso do banheiro.

QUANDO SAIO DO banheiro, ele já vestiu a calça do pijama. Hmm... Christian de pijama. Hipnotizada, contemplo seu abdômen, seus músculos, os pelos abaixo da cintura. A visão me perturba. Ele vem até mim.

— Admirando a vista? — pergunta ele, maliciosamente.

— Sempre.

— Acho que você está um pouco bêbada, Sra. Grey.

— Acho que, pela primeira vez, vou ter que concordar com você, Sr. Grey.

— Deixe que eu a ajudo a tirar o pouco pano que esse vestido tem. Realmente deveria vir com uma advertência de risco para a saúde. — Ele me vira e abre o único botão no pescoço.

— Você ficou tão zangado — murmuro.

— Fiquei, sim.

— Comigo?

— Não. Não com você. — Ele beija meu ombro. — Não dessa vez.

Sorrio. *Não comigo.* Isso é um progresso.

— Uma boa mudança.

— Sim. É mesmo.

Ele beija meu outro ombro e depois puxa o vestido, fazendo-o descer pelas minhas costas e cair no chão. Tira minha calcinha ao mesmo tempo, deixando-me nua. Ele pega a minha mão.

— Dê um passo — ordena, e eu piso para fora do vestido, equilibrando-me com a ajuda de sua mão.

Ele se levanta e joga meu vestido e minha calcinha na cadeira, junto com o trench coat de Mia.

— Levante os braços — exige ele suavemente.

Christian passa uma camiseta sua pela minha cabeça e a puxa para baixo, cobrindo-me. Estou pronta para ir deitar.

Ele me puxa para seus braços e me beija, meu hálito de menta misturando-se com o dele.

— Eu adoraria trepar com você, Sra. Grey, mas você bebeu demais, além de estar a quase dois mil e quinhentos metros de altitude e de não ter dormido bem a noite passada. Venha. Deite-se.

Christian puxa o edredom e eu me deito. Ele então me cobre e beija minha testa mais uma vez.

— Feche os olhos. Quando eu voltar para a cama, espero que já esteja dormindo. — É uma ameaça, uma ordem... é Christian.

— Não vá — suplico.

— Preciso dar alguns telefonemas, Ana.

— Hoje é sábado. Está tarde. Por favor.

Ele passa a mão pelo cabelo.

— Ana, se eu me deitar nessa cama agora, você não vai descansar nada. Durma.

Ele está inflexível. Fecho os olhos, e seus lábios roçam minha testa mais uma vez.

— Boa noite, baby — sussurra ele.

Imagens do dia passam em flashes pela minha mente... Christian me carregando no ombro dentro do avião. Sua preocupação, imaginando se eu iria ou não gostar da casa. Fazendo amor à tarde. O banho. A reação dele ao meu vestido. A briga com o Gigante Louro — a palma da minha mão formiga com a lembrança. E então Christian me colocando na cama.

Quem diria? Abro um largo sorriso, a palavra *progresso* passeando pelo meu cérebro à medida que minha mente cai no sono.

CAPÍTULO QUINZE

Estou com muito calor. Christian está me esquentando. Sua cabeça está no meu ombro e ele respira suavemente em meu pescoço enquanto dorme, as pernas entrelaçadas nas minhas, o braço cobrindo minha cintura. Permaneço no limite da consciência, ciente de que, se eu despertar totalmente, vou acordá-lo também, e ele nunca dorme o suficiente. Minha mente passeia de forma enevoada pelos eventos de ontem à noite. Eu bebi demais — nossa, como eu bebi. Estou admirada que Christian tenha deixado. Sorrio ao me lembrar de como ele me colocou na cama. Foi meigo, muito meigo, e inesperado também. Faço um rápido inventário mental de como estou me sentindo. Estômago? Bom. Cabeça? Surpreendentemente boa, mas anuviada. A palma da minha mão ainda está vermelha por causa dos acontecimentos da noite anterior. Nossa. Sem mais nem menos, penso nas palmas das mãos de Christian quando ele me bateu. Eu me contorço, e ele acorda.

— O que houve? — Seus sonolentos olhos cinza procuram os meus.

— Nada. Bom dia.

Passo os dedos da minha mão que não está vermelha pelo seu cabelo.

— Sra. Grey, está linda de manhã — diz ele, beijando meu rosto, e eu fico toda radiante.

— Obrigada por cuidar de mim ontem à noite.

— Eu gosto de cuidar de você. É o que eu gosto de fazer — diz ele baixinho, mas seus olhos o traem, o triunfo brilhando no fundo cinza. É como se ele tivesse ganhado o prêmio máximo do Super Bowl.

Ah, meu Cinquenta Tons.

— Você me faz sentir querida.

— Porque você é querida — murmura ele, e meu coração se derrete.

Ele agarra minha mão, mas, quando estremeço, me solta imediatamente, alarmado.

— Foi o soco? — pergunta ele.

Seus olhos tornam-se frios ao examinar os meus, sua voz tomada por uma raiva súbita.

— Eu dei um tapa nele. Não um soco.

— Aquele filho da mãe!

Achei que já tivéssemos encerrado esse assunto ontem à noite.

— Não consigo suportar que ele tenha tocado em você.

— Ele não me machucou, só foi inconveniente. Christian, eu estou bem. Minha mão está um pouco vermelha, só isso. Você sabe como é, não sabe? — Sorrio com malícia, e sua expressão muda, demonstrando uma surpresa bem-humorada.

— Ora, Sra. Grey, estou muito familiarizado com essa sensação. — Ele franze os lábios, achando graça. — E poderia voltar a senti-la neste exato minuto, se você desejasse.

— Ah, contenha-se, Sr. Grey.

Afago seu rosto com a mão dolorida, acariciando sua costeleta com os dedos. Puxo os cabelinhos com carinho. Isso o distrai, e ele pega meu pulso para dar um beijo terno na palma da minha mão. Milagrosamente, a dor desaparece.

— Por que você não me disse ontem à noite que estava doendo?

— Hmm... Eu quase não estava sentindo ontem à noite. Mas já está melhor agora.

Seus olhos se suavizam, e sua boca se contorce.

— Como está se sentindo?

— Melhor do que mereço.

— Você tem uma bela direita, Sra. Grey.

— É melhor se lembrar disso, Sr. Grey.

— Ah, é?

Ele rola de repente, ficando inteiramente em cima de mim, pressionando-me no colchão, segurando meus pulsos acima da minha cabeça. E me olha.

— Eu poderia lutar com você a qualquer hora, Sra. Grey. Na verdade, subjugar você na cama é uma das minhas fantasias. — Ele beija meu pescoço.

O quê?

— Achei que você me subjugasse o tempo todo. — Dou um gemido quando ele mordisca o lóbulo da minha orelha.

— Hmm... mas eu queria sentir alguma resistência — murmura ele, passando o nariz pelo contorno do meu maxilar.

Resistência? Fico imóvel. Ele para, soltando minhas mãos, e se apoia nos cotovelos.

— Quer que eu lute com você? Aqui? — sussurro, tentando conter a surpresa. Tudo bem: o choque. Ele admite que sim, os olhos velados mas cautelosos, avaliando minha reação.

— Agora?

Ele dá de ombros, e eu vejo a ideia passar rapidamente pela sua cabeça. Ele abre um sorriso tímido e admite de novo, devagar.

Ai, meu Deus... Ele está tenso, deitado em cima de mim, e sua ereção crescente encontra de maneira tentadora minha pele macia e desejosa, distraindo-me. O que será isso? Briga? Fantasia? Será que ele vai me machucar? Minha deusa interior balança a cabeça — *Jamais.*

— Era isso que você queria dizer quando falou sobre vir para a cama zangado?

Ele admite mais uma vez, os olhos ainda cautelosos.

Hmm... meu Cinquenta Tons quer lutar.

— Não morda o lábio — avisa ele.

Eu solto o lábio, obediente.

— Acho que estou em desvantagem, Sr. Grey.

Bato os cílios, fazendo charme, e me contorço provocantemente embaixo dele. Isso pode ser divertido.

— Desvantagem?

— Você já me colocou na posição em que quer, não?

Ele sorri maliciosamente, e pressiona a virilha contra a minha mais uma vez.

— Bom argumento, Sra. Grey — sussurra, e me dá um beijo rápido na boca.

Então, abruptamente, muda de posição, levando-me junto, até que estou montada nele. Pego suas mãos, segurando-as junto à sua cabeça. Minha mão machucada protesta, mas ignoro a dor. Meu cabelo cai como um véu castanho à nossa volta, e mexo a cabeça de forma a fazer cócegas no rosto dele com as pontas dos fios. Ele vira a cabeça, esquivando-se, mas não tenta me impedir.

— Então quer dizer que você quer uma brincadeira bruta? — pergunto, esfregando minha virilha na dele.

Ele entreabre a boca e inspira forte.

— Quero — sussurra, e eu o solto.

— Espere.

Alcanço o copo d'água ao lado da cama. Deve ter sido Christian que o deixou ali. A água está fresca e ainda tem gás — fresca demais para estar ali há muito tempo —, e me pergunto a que horas ele veio para a cama.

Enquanto tomo um longo gole, Christian vai desenhando pequenos círculos com os dedos ao longo das minhas coxas, fazendo minha pele formigar, depois agarra e aperta minha bunda exposta. Hmm.

Inspirando-me em seu incrível repertório, inclino-me para a frente e o beijo, despejando água gelada dentro de sua boca.

Ele bebe.

— Muito gostoso, Sra. Grey — murmura ele, abrindo um sorriso infantil e divertido.

Depois de colocar o copo de volta na mesa de cabeceira, tiro suas mãos da minha bunda e as seguro junto à sua cabeça mais uma vez.

— Então eu devo mostrar resistência? — Sorrio maliciosamente.

— Isso mesmo.

— Não sou muito boa atriz.

— Tente. — Ele sorri.

Inclino-me para baixo e dou-lhe um beijo casto.

— Tudo bem, vou tentar — sussurro, passando os dentes no queixo dele, sentindo sua barba por fazer me arranhando.

Christian produz um som baixo e sensual na garganta e se mexe, jogando-me na cama ao seu lado. Solto um grito de surpresa, e logo ele está sobre mim, e começo a me debater, mas ele agarra minhas mãos. Seguro seu peito com violência e o empurro com todas as minhas forças, tentando tirá-lo de cima de mim, enquanto, com o joelho, ele tenta abrir minhas pernas.

Continuo empurrando seu peito — *Caramba, que homem pesado* —, mas ele não recua nem se imobiliza, como teria feito antes. *Ele está gostando!* Christian tenta agarrar meus pulsos, e finalmente pega um deles, apesar das minhas corajosas tentativas de soltá-lo. É minha mão machucada, então não tenho como resistir, mas agarro o cabelo dele com a outra mão e puxo com força.

— Ai!

Ele consegue soltar a cabeça e me encara com o olhar feroz e libidinoso.

— Selvagem — balbucia ele, sua voz cheia de um deleite lascivo.

Em resposta a apenas essa única palavra sussurrada, minha libido explode, e eu paro de atuar. Mais uma vez luto em vão para soltar minha mão da dele. Ao mesmo tempo, tento cruzar os tornozelos para conter sua investida. Mas ele é muito pesado. *Ah!* É frustrante e excitante.

Com um gemido, Christian captura minha outra mão. Segurando meus dois pulsos com a mão esquerda, ele faz a direita viajar vagarosamente — de maneira quase insolente — pelo meu corpo, apalpando e acariciando por onde passa, beliscando meu mamilo no caminho.

Uivo em resposta, o prazer produzindo fisgadas curtas, agudas e quentes do meu mamilo até a virilha. Faço outra tentativa vã de afastá-lo, mas ele está todo *em cima de mim*.

Quando ele tenta me beijar, jogo a cabeça para o lado a fim de impedi-lo. Prontamente, sua mão insolente larga a barra da minha camiseta para subir até o meu queixo, segurando-me enquanto ele passa os dentes pelo meu maxilar, numa referência ao que eu lhe fiz antes.

— Ah, baby, resista — murmura ele.

Eu giro e torço o corpo, tentando me libertar da sua prisão impiedosa, mas é inútil. Ele é muito mais forte do que eu. Christian está mordendo de leve meu lábio inferior, e sua língua tenta invadir minha boca. Então percebo que não quero resistir. Eu o desejo — agora, mais do que nunca. Paro de resistir e, fervorosamente, retribuo seu beijo. Não ligo se não escovei os dentes. Não ligo para o jogo que deveríamos estar jogando. O desejo, quente e intenso, flui pela minha corrente sanguínea, e eu me entrego. Descruzando os tornozelos, abraço seu quadril com minhas pernas e, com os calcanhares, desço seu pijama.

— Ana — sussurra ele, e me beija em todos os lugares.

E então não estamos mais lutando, somos só mãos e línguas e tato e gosto, em movimentos rápidos e urgentes.

— Pele — murmura ele com a voz rouca, a respiração ofegante. E, me puxando para cima, tira minha camiseta com um único e preciso movimento.

— Você — sussurro ao me sentar na cama, porque é a única coisa que me vem à cabeça.

Agarro seu pijama e o puxo para baixo com violência, libertando sua ereção. Pego-o e o aperto. Ele está duro. Christian inspira com força, o ar assobiando ao passar por entre seus dentes, e eu me deleito diante de sua resposta.

— Foder — murmura ele.

Christian inclina o corpo para trás, levantando minhas coxas e me jogando na cama, enquanto eu o puxo e o aperto mais forte, subindo e descendo a mão pela sua ereção. Sentindo uma gota de umidade na ponta, desenho um redemoinho com o polegar. Quando ele me deita no colchão, eu levo o polegar à boca para sentir seu gosto, e suas mãos viajam pelo meu corpo, acariciando meu quadril, minha barriga, meus seios.

— É bom? — pergunta ele, em cima de mim e com o torso erguido, os olhos em chamas.

— Sim. Prove.

Enfio o polegar na sua boca; ele chupa e morde meu dedo. Dou um gemido, seguro sua cabeça e o puxo para mim, para poder beijá-lo. Envolvendo-o com minhas pernas, tiro de vez seu pijama com os pés e então subo nele, mantendo as pernas em volta da sua cintura. Seus lábios percorrem o contorno do meu rosto, mordiscando de leve.

— Você é tão linda. — Ele enterra a cabeça na base do meu pescoço. — Que pele linda. — Sua respiração é suave à medida que seus lábios deslizam para os meus seios.

O quê? Estou ofegante, confusa — ávida, e agora em compasso de espera. Achei que seria rápido.

— Christian. — Ouço o sutil apelo na minha voz e me inclino para baixo, enterrando as mãos no seu cabelo.

— Quieta — sussurra ele, e circula meu mamilo com a língua antes de colocá-lo na boca e sugar com força.

— Ah!

Eu gemo e me contorço, erguendo a pélvis para provocá-lo. Ele sorri encostado à minha pele e volta a atenção para meu outro seio.

— Ansiosa, Sra. Grey? — Ele então suga com força meu mamilo. Agarro seu cabelo. Ele geme e ergue o olhar. — Vou fazer você parar — ameaça ele.

— Me possua — imploro.

— Tudo a seu tempo — murmura ele, com a boca ainda grudada na minha pele.

Sua mão viaja com uma velocidade irritantemente lenta para o meu quadril enquanto ele reverencia meu mamilo com a boca. Solto um gemido alto, a respiração curta e rápida, e tento mais uma vez guiá-lo para dentro de mim, erguendo meu corpo ao encontro do dele. Ele já está duro, pronto e perto do clímax, mas demora o quanto pode comigo.

Foda-se. Eu me debato e torço o corpo, determinada a afastá-lo de mim de novo.

— Mas o que...

Agarrando minhas mãos, Christian as segura contra a cama, meus braços bem abertos, e joga todo o peso do corpo sobre mim, dominando-me completamente. Estou sem fôlego, descontrolada.

— Você queria resistência — digo, ofegante.

Christian ergue o torso, ainda em cima de mim, e me encara, suas mãos sem soltar meus pulsos. Posiciono meus calcanhares embaixo de sua bunda e o puxo para mim. Mas ele nem se mexe. *Argh!*

— Não quer uma brincadeira mais leve? — pergunta ele, maravilhado, os olhos brilhando de excitação.

— Só quero que você faça amor comigo, Christian.

Ele poderia ser mais complicado? Primeiro estamos brigando e lutando, depois ele fica todo terno e doce. Isso me confunde. Estou na cama com o Sr. Inconstante.

— Por favor.

Forço os calcanhares na bunda dele mais uma vez. Olhos cinzentos em chamas procuram os meus. *Ah, o que será que ele está pensando?* Ele parece momentaneamente perplexo e confuso. Solta as minhas mãos e se senta sobre os calcanhares, puxando-me para o seu colo.

— Tudo bem, Sra. Grey, vamos fazer do seu jeito.

Ele então me levanta e me coloca sobre si, de maneira que eu fico montada nele.

— Ah!

É isso. É isso o que eu quero. É disso que eu preciso. Abraçando o pescoço dele, enfio os dedos no seu cabelo, exaltando-me na sensação de tê-lo dentro de mim. Começo a me movimentar. O controle agora é meu e eu o guio no meu ritmo, na minha velocidade. Ele geme, sua boca encontra a minha, e nos perdemos.

Passo os dedos nos pelos do peito de Christian. Ele está deitado de costas, imóvel e quieto ao meu lado, enquanto nós dois recuperamos o fôlego. Sua mão afaga ritmadamente minhas costas.

— Você está tão calado — sussurro, e beijo seu ombro. Ele se vira e me olha, mas sua expressão não revela nada. — Foi divertido.

Merda, tem alguma coisa errada?

— Você me deixa confuso, Ana.

— Confuso?

Ele muda de posição para que fiquemos cara a cara.

— É. Você. Dando as cartas. É... diferente.

— Diferente bom ou diferente ruim?

Passo um dedo pelos seus lábios. Ele franze a testa, como se não entendesse bem a pergunta. Absorto, beija meu dedo.

— Diferente bom — diz, mas não soa convincente.

— Você nunca cedeu a essa fantasia antes?

Fico corada ao fazer a pergunta. Eu realmente quero saber mais sobre a vida sexual colorida... hmm, caleidoscópica do meu marido antes de mim? Meu inconsciente me olha com cautela por trás dos óculos de leitura de armação de tartaruga. *Você quer realmente mexer nisso?*

— Não, Anastasia. Você pode me tocar.

É uma explicação simples mas que diz muito. Claro, as outras quinze não podiam.

— A Mrs. Robinson podia tocar em você. — Murmuro essas palavras antes que meu cérebro registre o que eu disse. *Merda. Por que eu a mencionei?*

Ele fica estático. Seus olhos se arregalam, assumindo uma expressão de "Ah, não, aonde ela quer chegar com isso?".

— Era diferente — sussurra ele.

De repente, quero saber mais.

— Diferente bom ou diferente ruim?

Ele me fita. Em seu rosto transparece dúvida e, talvez, dor. Por um brevíssimo momento ele parece estar se afogando.

— Ruim, eu acho. — Suas palavras são quase inaudíveis.

Puta merda!

— Achei que você gostasse.

— Eu gostava. Na época.

— E agora não?

Ele me encara, os olhos arregalados, e então balança a cabeça devagar.

Ai, meu Deus...

— Ah, Christian.

Sinto-me completamente oprimida pelos sentimentos que me invadem. Meu menino perdido. Eu me jogo em cima dele e beijo seu rosto, seu pescoço, seu peito, suas pequenas cicatrizes redondas. Ele geme, puxa-me para si e me beija apaixonadamente. E muito devagar, ternamente, no seu ritmo, ele faz amor comigo mais uma vez.

— Ana Tyson. Derrubando adversários bem mais pesados que ela! — diz Ethan, aplaudindo quando chego à cozinha para o café da manhã. Ele está sentado com Mia e Kate no balcão, enquanto a Sra. Bentley faz waffles. Christian não está em nenhum lugar à vista.

— Bom dia, Sra. Grey. — A Sra. Bentley sorri. — O que gostaria para o café?

— Bom dia. O que tiver, obrigada. Cadê o Christian?

— Lá fora. — Kate gesticula com a cabeça na direção do quintal.

Olho pela janela que dá para o quintal e, mais além, para as montanhas. Está claro, um dia de verão bem azul, e meu lindo marido está a cerca de seis metros de distância, absorto em uma conversa séria com um homem.

— É o Sr. Bentley — diz Mia do balcão.

Eu me viro para olhá-la, surpresa pelo seu tom emburrado. Ela lança um olhar maldoso para Ethan. *Ai, céus.* E me pergunto mais uma vez o que estará acontecendo entre eles. Franzindo o cenho, volto a observar meu marido e o Sr. Bentley.

O marido da Sra. Bentley é magro mas musculoso, com cabelo claro e olhos escuros. Ele veste uma calça cargo e uma camiseta do corpo de bombeiros de Aspen. Christian está de calça jeans e camiseta. Enquanto os dois atravessam o gramado a passos lentos em direção à casa, entretidos na conversa, Christian casualmente se abaixa para apanhar o que parece ser um bambu que deve ter voado pelo ar ou ter sido jogado no canteiro de flores. Ele para e, distraidamente, segura o bambu com o braço esticado, como se o estivesse pesando com muito critério, e com ele golpeia o ar, uma só vez.

Ah...

O Sr. Bentley aparenta não achar nada estranho no comportamento de Christian. Eles continuam a conversa, mais perto da casa dessa vez; então, param de novo, e Christian repete o gesto. A ponta do bambu atinge o solo. Olhando para cima, Christian me vê à janela. De repente, sinto como se o estivesse espionando. Ele para. Aceno constrangida e depois dou meia-volta, retornando para o balcão onde os outros tomam café.

— O que você estava fazendo? — pergunta Kate.

— Só olhando o Christian.

— Você está realmente apaixonada — comenta ela, fungando.

— E você não, futura cunhada? — respondo, sorrindo e tentando esquecer a visão perturbadora de Christian empunhando uma vara. Levo um susto quando Kate se levanta de um salto e me abraça.

— Irmã! — exclama ela, e é difícil não ser contagiada por sua alegria.

— Ei, dorminhoca. — É Christian me acordando. — Já vamos pousar. Coloque o cinto.

Tateio em volta, sonolenta, procurando o cinto de segurança, mas Christian já o está prendendo para mim. Ele beija minha testa e então volta a se recostar em seu assento. Deito a cabeça no seu ombro de novo e fecho os olhos.

Uma caminhada por uma trilha interminável e um almoço-piquenique no topo de uma montanha espetacular me deixaram exausta. Os outros também estão quietos — até mesmo Mia. Ela parece desanimada, como aliás esteve o dia todo. Como será que vão seus esforços com Ethan? Nem sei onde eles dormiram na noite passada. Meus olhos encontram os dela, e abro um sorriso para perguntar se está tudo bem. Ela me devolve um rápido e triste sorriso e volta para seu livro. Dou uma espiada em Christian. Ele está trabalhando em um contrato ou algo do tipo, lendo e fazendo anotações nas margens. Mas parece relaxado. Elliot ronca de leve ao lado de Kate.

Ainda tenho que encurralar Elliot num canto e interrogá-lo sobre Gia, mas tem sido impossível tirá-lo de perto de Kate. Christian não está interessado o suficiente para perguntar, o que é irritante, mas eu não o pressionei. Estávamos nos divertindo tanto. Elliot descansa a mão no joelho de Kate, num gesto possessivo. Ela parece radiante. E pensar que apenas ontem à tarde ela estava tão insegura com relação ao namorado... Como foi mesmo que Christian o chamou? Lelliot. Deve ser um apelido familiar. É fofo; melhor do que "mulherengo". Elliot de súbito abre os olhos e me fita diretamente. Fico vermelha, por ser pega encarando-o.

Ele sorri.

— Adoro quando você fica vermelha, Ana — ele me provoca, espreguiçando-se.

Kate me olha com seu sorriso de quem está mais do que satisfeita, mais feliz que pinto no lixo.

A copiloto Beighley anuncia que estamos nos aproximando do aeroporto de Sea-Tac. Christian aperta minha mão.

— Como foi o seu fim de semana, Sra. Grey? — pergunta Christian quando já estamos no Audi, voltando para o Escala. Taylor e Ryan estão na frente.

— Bom, obrigada. — Sorrio, sentindo-me tímida de repente.

— Podemos voltar lá a qualquer hora. Leve quem você quiser.

— Podíamos levar o Ray. Ele ia gostar de pescar.

— É uma boa ideia.

— E para você, foi bom? — pergunto.

— Foi — responde ele após um instante, surpreso com a minha pergunta, eu acho. — Muito bom.

— Você parecia relaxado.

Ele dá de ombros.

— Eu sabia que você estava segura.

Franzo o cenho.

— Christian, eu estou segura a maior parte do tempo. Já falei: você vai pifar aos quarenta anos se continuar com esse nível de ansiedade. E eu quero ficar velhinha com você.

Pego sua mão. Christian me olha como se não compreendesse o que estou falando. Ele beija suavemente os nós dos meus dedos e muda de assunto.

— Como está a sua mão?

— Melhor, obrigada.

Ele sorri.

— Muito bem, Sra. Grey. Pronta para encarar a Gia de novo?

Ah, droga. Tinha esquecido que a encontraríamos hoje à noite para rever as plantas finais. Reviro os olhos.

— Talvez eu queira que você fique longe de nós duas, para protegê-lo. — Dou um sorriso malicioso.

— Para me proteger? — Ele está rindo de mim.

— Sempre, Sr. Grey. De todas as predadoras sexuais — sussurro.

Christian está escovando os dentes quando eu me deito na cama. Amanhã voltaremos à realidade: ao trabalho, aos paparazzi e à prisão de Jack — que talvez tenha um cúmplice. *Hmm...* Christian foi vago quando falou sobre isso. Será que ele sabe? E se soubesse, será que me contaria? Dou um suspiro. Tirar informações de Christian é como extrair um dente, e tivemos um fim de semana tão agradável... Será que quero destruir esse momento de bem-estar tentando arrancar algo dele?

Foi uma revelação vê-lo fora do seu ambiente habitual, fora deste apartamento, relaxado e feliz com a família. Será que não é por estarmos aqui, de volta ao apartamento, com todas as suas lembranças e associações, que ele fica nervoso? Talvez devêssemos nos mudar.

Ora essa. *Nós vamos nos mudar* — estamos reformando uma casa enorme na praia. As plantas de Gia estão prontas e aprovadas, e a equipe de Elliot deve começar as obras semana que vem. Dou uma risada quando me lembro da expressão de choque de Gia quando comentei com ela que a vira em Aspen. Acabou que não passou de uma coincidência. Ela tinha se isolado na sua casa de férias para trabalhar exclusivamente no nosso projeto. Por um momento terrível eu pensara que ela tinha dado sua opinião na escolha da aliança, mas pelo visto não. No entanto, ainda não confio em Gia. Quero ouvir a versão de Elliot. Pelo menos ela manteve distância de Christian dessa vez.

Contemplo o céu noturno. Vou sentir saudades dessa vista panorâmica... Seattle a nossos pés, tão cheia de possibilidades e ainda assim tão distante. Talvez seja esse o problema de Christian: ele ficou tempo demais isolado da vida real, graças ao seu exílio autoimposto. Com a família por perto, porém, ele é menos controlador, menos ansioso — mais livre, mais feliz. Fico imaginando o que Flynn diria de tudo isso. Caramba! Talvez seja essa a resposta. Talvez ele precise de uma família para ele. Balanço a cabeça em negativa — somos jovens demais, e ainda é tudo muito novo para nós dois. Christian entra no quarto, lindo como sempre, ainda que com uma expressão grave e pensativa.

— Tudo bem? — pergunto.

Ele anui distraidamente enquanto se ajeita na cama.

— Não estou muito ansiosa para voltar à realidade — murmuro.

— Não?

Balanço a cabeça e acaricio seu belo rosto.

— Tive um fim de semana maravilhoso. Obrigada.

Ele abre um sorriso suave.

— Você é a minha realidade, Ana — murmura, e me beija.

— Você sente falta?

— De quê? — pergunta ele, perplexo.

— Você sabe. Das submissões... essas coisas — sussurro, constrangida.

Ele me fita com o olhar impassível. Depois, a dúvida cruza seu rosto, e sua expressão torna-se algo do tipo “aonde ela quer chegar com isso?”.

— Não, Anastasia, não sinto falta. — Sua voz é calma e baixa. Ele afaga meu rosto. — O Dr. Flynn me disse uma coisa quando você foi embora, algo que me marcou. Ele disse que eu não poderia ser daquela maneira se você não estivesse disposta a fazer aquilo. Foi uma revelação. — Ele faz uma pausa e franze o cenho. — Eu não conhecia outra maneira, Ana. Agora conheço. Tem sido educativo.

— Estou educando você? — zombo.

Seus olhos ficam mais suaves.

— Você sente falta? — pergunta ele.

Oh!

— Eu não quero que você me machuque, mas gosto de brincar, Christian. Você sabe disso. Se quisesse fazer alguma coisa... — Encolho os ombros, fitando-o.

— Alguma coisa?

— Você sabe, com um chicote ou o seu açoite... — Paro de falar, ruborizada.

Ele levanta a sobrancelha, surpreso.

— Bem... Vamos ver. Mas no momento eu quero o bom e velho sexo baunilha.

Seu polegar contorna meu lábio inferior e ele me beija mais uma vez.

De: Anastasia Grey
Assunto: Bom dia
Data: 29 de agosto de 2011 09:14
Para: Christian Grey

Sr. Grey,

Só queria dizer que amo você.

É só isso.

Sempre sua,

A.

Anastasia Grey
Editora, SIP

De: Christian Grey
Assunto: Expulsando a tristeza da segunda-feira
Data: 29 de agosto de 2011 09:18
Para: Anastasia Grey

Sra. Grey,

Que palavras gratificantes de se ouvir da esposa (seja ela malcomportada ou não) numa manhã de segunda-feira.

Saiba que eu sinto exatamente o mesmo por você.

Sinto muito pelo jantar desta noite. Espero que não seja muito entediante para você.

Bj,

Christian Grey,
CEO, Grey Enterprises Holdings, Inc.

Ah sim. O jantar da Associação Americana de Construtores Navais. Reviro os olhos… Mais gente de nariz em pé. Christian realmente me arruma os programas mais fascinantes.

De: Anastasia Grey
Assunto: Navios que passam de noite
Data: 29 de agosto de 2011 09:26
Para: Christian Grey

Prezado Sr. Grey,

Tenho certeza de que você consegue pensar em uma maneira de apimentar o jantar…

Ansiosamente,

Sra. G.

Anastasia (bem-comportada) Grey
Editora, SIP

De: Christian Grey
Assunto: A variedade é o tempero da vida
Data: 29 de agosto de 2011 09:35
Para: Anastasia Grey

Sra. Grey,

Tenho algumas ideias...

Bj,

Christian Grey
CEO agora impaciente pelo jantar, Grey Enterprises Holdings, Inc.

Todos os músculos da minha barriga se enrijecem. Hmm... Fico pensando no que ele terá em mente. Hannah bate à porta, interrompendo meus devaneios.

— Pronta para ver a agenda desta semana, Ana?

— Claro. Sente-se. — Sorrio me recuperando, e minimizo a caixa de e-mails.

— Tive que trocar alguns compromissos. O Sr. Fox, na semana que vem, e a Dra...

Meu telefone toca, interrompendo-a. É Roach. Ele me pede para ir até sua sala.

— Podemos continuar daqui a vinte minutos?

— Claro.

De: Christian Grey
Assunto: Ontem à noite
Data: 30 de agosto de 2011 09:24
Para: Anastasia Grey

Foi... divertido.

Quem diria que o jantar anual da Associação de Construtores Navais poderia ser tão estimulante?

Como sempre, você nunca me desaponta, Sra. Grey.

Amo você.

Bj,

Christian Grey
CEO Fascinado, Grey Enterprises Holdings, Inc.

De: Anastasia Grey
Assunto: Adoro um bom jogo de bola
Data: 30 de agosto de 2011 09:33
Para: Christian Grey

Querido Sr. Grey,

Estava com saudade das bolas prateadas.

Você nunca me desaponta.

Isso é tudo.

Bj,

Sra. G.

Anastasia Grey
Editora, SIP

Hannah bate à porta, interrompendo meus pensamentos eróticos sobre a noite passada. *As mãos de Christian... sua boca.*

— Entre.

— Ana, o assistente do Sr. Roach acabou de ligar. Ele gostaria da sua presença numa reunião hoje de manhã. Significa que tenho que trocar mais alguns compromissos seus. Tudo bem?

Sua língua.

— Claro. Tudo bem — murmuro, tentando deter meus pensamentos desobedientes.

Ela sorri e sai da minha sala... deixando-me com minhas deliciosas lembranças da noite passada.

De: Christian Grey
Assunto: Hyde
Data: 1º de setembro de 2011 15:24
Para: Anastasia Grey

Anastasia,

Para sua informação, o Hyde teve a fiança negada e permanece detido. Ele está sendo acusado de tentativa de sequestro e incêndio criminoso. Ainda não foi marcada a data do julgamento.

Christian Grey
CEO, Grey Enterprises Holdings, Inc.

De: Anastasia Grey
Assunto: Hyde
Data: 1º de setembro de 2011 15:53
Para: Christian Grey

Que boa notícia.

Isso significa que você vai diminuir a segurança?

Eu realmente não vou com a cara da Prescott.

Bj,

Ana

Anastasia Grey
Editora, SIP

De: Christian Grey
Assunto: Hyde
Data: 1º de setembro de 2011 15:59
Para: Anastasia Grey

Não. A segurança continua a mesma. Sem discussão.

O que tem de errado com a Prescott? Se você não gosta dela, podemos substituí-la.

Christian Grey
CEO, Grey Enterprises Holdings, Inc.

Olho de cara feia para o seu e-mail autoritário. A Prescott não é tão ruim assim.

De: Anastasia Grey
Assunto: Não arranque os cabelos!
Data: 1° de setembro de 2011 16:03
Para: Christian Grey

Foi só uma pergunta (revirando os olhos). E vou pensar a respeito da Prescott.

Segure essa mão nervosa!

Bj,

Ana

Anastasia Grey
Editora, SIP

De: Christian Grey
Assunto: Não me provoque
Data: 1° de setembro de 2011 16:11
Para: Anastasia Grey

Posso lhe assegurar, Sra. Grey, que meu cabelo está bem firme na cabeça — você mesma comprovou isso, não?

Já a minha mão está coçando.

Acho que vou dar um jeito nisso hoje à noite.

Bj,

Christian Grey
CEO ainda não careca, Grey Enterprises Holdings, Inc.

De: Anastasia Grey
Assunto: Me contorcendo
Data: 1° de setembro de 2011 16:20
Para: Christian Grey

Promessas, promessas...

Agora pare de me importunar. Estou tentando trabalhar; tenho um encontro de última hora com um escritor. Vou tentar não me distrair pensando em você durante a reunião.

Bj,

A.

Anastasia Grey
Editora, SIP

De: Anastasia Grey
Assunto: Casa, comida e palmadas
Data: 5 de setembro de 2011 09:18
Para: Christian Grey

Marido,

Você realmente sabe como entreter uma mulher.

Com certeza vou esperar receber esse tipo de tratamento todo fim de semana.

Você está me mimando. Adoro isso.

Bjs,

Sua esposa

Anastasia Grey
Editora, SIP

De: Christian Grey
Assunto: Minha missão na vida…
Data: 5 de setembro de 2011 09:25
Para: Anastasia Grey

É mimar você, Sra. Grey.

E mantê-la segura, porque eu amo você.

Christian Grey
CEO apaixonado, Grey Enterprises Holdings, Inc.

Meu Deus. Tem coisa mais romântica?

De: Anastasia Grey
Assunto: Minha missão na vida...
Data: 5 de setembro de 2011 9:33
Para: Christian Grey

É deixar você me mimar — porque eu também amo você.

Agora deixe de ser tão bobo.

Está me fazendo chorar.

Anastasia Grey
Editora igualmente apaixonada, SIP

No dia seguinte, consulto o calendário em cima da minha mesa. Faltam só cinco dias para dez de setembro — meu aniversário. Sei que vamos dar uma passada na casa para ver o quanto Elliot e sua equipe estão progredindo. Hmm... Será que Christian tem mais algum plano? Sorrio ao pensar nisso. Hannah bate à porta.

— Entre.

Prescott está parada do lado de fora. *Estranho...*

— Oi, Ana — diz Hannah. — Tem uma tal de Leila Williams aqui querendo falar com você. Ela diz que é particular.

— Leila Williams? Eu não conheço nenhuma...

Minha boca fica seca, e os olhos de Hannah se arregalam diante da minha expressão.

Leila? Merda. O que será que ela quer?

CAPÍTULO DEZESSEIS

— Quer que eu a mande embora? — pergunta Hannah, assustada com a minha expressão.

— Hã, não. Onde ela está?

— Na recepção. E não está sozinha. Veio acompanhada de outra jovem.

Oh!

— E a Srta. Prescott quer falar com você também — acrescenta Hannah.

É evidente que ela quer falar comigo.

— Mande a Srta. Prescott entrar.

Hannah abre caminho e Prescott entra na sala. Sua postura é a de quem está em uma missão, alerta, transbordando eficiência profissional.

— Hannah, deixe-nos a sós por uns instantes. Prescott, sente-se.

Hannah fecha a porta, e nos deixa sozinhas.

— Sra. Grey, Leila Williams está na sua lista de visitantes proibidos.

— O quê? — *Eu tenho uma lista de visitantes proibidos?*

— Na nossa lista de vigilância, madame. Taylor e Welch foram bem específicos ao me alertar que ela não deveria entrar em contato com a senhora.

Franzo o cenho, sem entender.

— Ela é perigosa?

— Não sei, madame.

— Se ela está na lista, eu não deveria nem ter sido avisada da presença dela aqui, não acha?

Prescott engole em seco e, por um momento, parece constrangida.

— Eu estava no toalete. Ela entrou, falou diretamente com Claire, e Claire chamou a Hannah.

— Ah. Entendi. — Percebo que até a Prescott precisa fazer xixi, e rio. — Que coisa.

— Sim, madame.

Prescott me dirige um sorriso envergonhado, e é a primeira vez que a vejo abrir a guarda. Seu sorriso é encantador.

— Preciso falar de novo com Claire sobre o protocolo — acrescenta ela, num tom de voz aborrecido.

— Claro. Taylor sabe que Leila está aqui?

Cruzo os dedos inconscientemente, torcendo para ela não ter contado a Christian.

— Deixei uma breve mensagem de voz para ele.

Ah.

— Então tenho pouco tempo. Eu queria saber o que ela quer.

Prescott me olha por um momento.

— Devo advertir a senhora a não fazer isso, madame.

— Ela está aqui para me ver por algum motivo.

— Meu trabalho é impedir isso, madame. — Sua voz é suave, mas resignada.

— Eu realmente quero escutar o que ela tem a dizer. — Meu tom é mais veemente do que eu pretendia.

Prescott abafa um suspiro.

— Eu gostaria de revistar as duas antes.

— Tudo bem. Você pode fazer isso?

— Estou aqui para proteger a senhora, Sra. Grey, então sim, eu posso. Também gostaria de estar presente durante a conversa.

— Tudo bem. — Vou fazer essa concessão. Além disso, da última vez que encontrei Leila, ela estava armada. — Vá em frente.

Prescott se levanta.

— Hannah — chamo.

Hannah abre a porta rápido demais. Ela devia estar esperando lá fora.

— Você pode verificar se a sala de reuniões está livre, por favor?

— Já verifiquei e está livre, sim.

— Prescott, você pode revistar as duas lá? Tem privacidade suficiente?

— Sim, madame.

— Estarei lá em cinco minutos, então. Hannah, leve Leila Williams e quem quer que esteja com ela para a sala de reuniões.

— É pra já. — Hannah olha aflita de Prescott para mim. — Devo cancelar seu próximo compromisso? É às quatro horas, mas do outro lado da cidade.

— Pode cancelar — murmuro, distraída. Hannah aquiesce e depois sai.

Que diabo Leila quer? Não acho que ela esteja aqui para tentar me fazer algum mal. Ela não fez isso quando teve oportunidade. *Christian vai enlouquecer.* Meu inconsciente aperta os lábios, cruza as pernas afetadamente e concorda. Preciso avisar a Christian sobre esse encontro. Escrevo um rápido e-mail e então paro, olhando a hora. Sinto uma momentânea pontada de arrependimento. Estávamos nos dando tão bem desde Aspen... Clico em “enviar”.

De: Anastasia Grey
Assunto: Visita
Data: 6 de setembro de 2011 15:27
Para: Christian Grey

Christian,

Leila está aqui para me ver. Prescott vai ficar comigo durante o encontro.

Se precisar, vou usar minhas recém-adquiridas habilidades de estapeamento, com minha mão agora curada.

Tente, mas tente mesmo, não se preocupar.

Sou uma garota crescida.

Eu ligo depois da nossa conversa.

Bj,

A.

Anastasia Grey
Editora, SIP

Escondo meu BlackBerry apressadamente na gaveta da mesa. Depois me levanto, aliso minha saia lápis cinza no quadril, belisco as bochechas para lhes dar alguma cor e abro o primeiro botão da minha blusa de seda cinza. Pronto, vamos lá. Após respirar profundamente, saio da minha sala para encontrar a infame Leila, ignorando o som baixinho de “Your Love Is King” tocando dentro da gaveta.

Leila parece bem melhor. Mais do que melhor — ela está muito bonita. Há um tom rosado nas suas faces, seus olhos castanhos estão iluminados, e seu cabelo está limpo e brilhante. Ela veste uma blusa cor-de-rosa e uma calça branca. Levanta-se assim que entro na sala de reuniões, bem como sua amiga — outra jovem de cabelo escuro e suaves olhos castanhos, cor de conhaque. Prescott está de pé no canto, sem tirar os olhos de Leila.

— Sra. Grey, muito obrigada por me receber. — A voz de Leila é suave, mas firme.

— Hmm… Desculpe pela segurança — murmuro, porque não consigo pensar em outra coisa para falar. Aceno vagamente na direção de Prescott.

— Esta é minha amiga Susi.

— Olá.

Cumprimento Susi com a cabeça. Ela se parece com Leila; se parece comigo. *Ah, não. Mais uma.*

— Sim — diz Leila, como se lesse meus pensamentos. — Susi também conhece o Sr. Grey.

Que diabo eu devo responder? Dou um sorriso educado.

— Por favor, sentem-se — murmuro.

Alguém bate à porta. É Hannah. Eu a mando entrar com um gesto, sabendo muito bem o que ela veio fazer.

— Desculpe interromper, Ana. O Sr. Grey está na linha.

— Diga que estou ocupada.

— Ele foi bem insistente — diz ela, amedrontada.

— Não tenho dúvida. Você poderia pedir desculpas a ele e dizer que ligo daqui a pouquinho?

Hannah hesita.

— Hannah, por favor.

Ela aquiesce e vai embora apressada. Eu me volto para as duas mulheres sentadas à minha frente. Ambas estão me encarando perplexas. É desconfortável.

— O que posso fazer por você? — pergunto.

Susi fala:

— Sei que isso é meio estranho, mas eu queria conhecer você também. A mulher que conseguiu prender o Chris…

Levanto a mão, fazendo com que ela pare no meio da frase. Não quero ouvir isso.

— Hmm… Já entendi — balbucio.

— Somos o clube das submissas. — Ela sorri para mim, os olhos brilhando de alegria.

Ai, meu Deus.

Leila solta uma exclamação e olha pasma para Susi, assustada mas também achando graça. Susi se retrai subitamente. Suspeito que Leila tenha lhe dado um chute por baixo da mesa.

O que eu devo dizer quanto a isso? Lanço um rápido olhar nervoso para Prescott, que permanece impassível, sem desviar os olhos de Leila.

Susi parece se recompor. Ela fica vermelha, depois faz um sinal afirmativo com a cabeça e se levanta.

— Vou esperar na recepção. Esse é o momento da Lulu. — Dá para ver que ela está constrangida.

Lulu?

— Você vai ficar bem? — pergunta ela a Leila, que sorri para a amiga.

Susi abre um largo sorriso, franco e genuíno, em minha direção e sai da sala.

Susi e Christian... Não é algo que eu queira imaginar. Prescott pega no bolso seu telefone e atende. Eu não ouvi tocar.

— Sr. Grey — diz ela.

Leila e eu nos viramos para olhá-la. Prescott fecha os olhos como se sentisse dor.

— Sim, senhor — diz ela, dando um passo para a frente e me entregando o telefone.

Reviro os olhos.

— Christian — murmuro, tentando conter minha irritação.

Levanto-me e saio da sala a passos largos e rápidos.

— Que porra de brincadeira é essa? — grita ele, colérico.

— Não grite comigo.

— Como assim não gritar com você? — berra ele, ainda mais alto do que antes. — Eu dei instruções específicas, que você desacatou completamente; de novo. Que merda, Ana, estou furioso.

— Quando você estiver mais calmo, a gente conversa.

— Não ouse desligar na minha cara — fala ele, entre os dentes.

— Tchau, Christian.

Encerro a chamada e desligo o telefone de Prescott.

Puta merda. Não tenho muito tempo com Leila. Tomando fôlego, entro de novo na sala de reuniões. Sou recebida por olhares de expectativa, tanto de Leila quanto de Prescott, a quem devolvo o telefone.

— Onde estávamos? — pergunto a Leila ao me sentar em frente a ela na mesa.

Seus olhos se arregalam de leve.

Sim. Aparentemente, eu *controlo* ele, quero dizer a ela. Mas não acho que Leila queira ouvir isso.

Ela mexe nervosamente nas pontas do cabelo.

— Primeiro, eu queria me desculpar — começa ela, com suavidade.

Puxa...

Ela ergue o olhar para mim e registra minha surpresa.

— É verdade — apressa-se a dizer. — E obrigada por não dar queixa. Você sabe... pelo que eu fiz com seu carro e pelo que aconteceu no seu apartamento.

— Eu sei que você não estava... hmm, bem — murmuro, vacilante. Eu não esperava um pedido de desculpas.

— Não, eu não estava bem.

— Está melhor agora? — pergunto gentilmente.

— Muito melhor. Obrigada.

— Seu médico sabe que você está aqui?

Ela balança a cabeça em negativa.

Ah.

Ela parece culpada, e com razão.

— Sei que vou ter que arcar com as consequências disso depois. Mas eu tinha que pegar algumas coisas, e queria ver a Susi, e você, e… o Sr. Grey.

— Você quer ver o Christian?

Meu estômago cai em queda livre até o chão. *É por isso que ela está aqui.*

— Quero. Eu queria perguntar a você se teria algum problema.

Puta merda. Olho pasma para ela, e quero responder que sim, teria problema. Não quero ver esta mulher chegar nem perto do meu marido. Por que ela está aqui? Para avaliar a concorrência? Para me desestabilizar? Ou será que precisa disso para alguma espécie de conclusão em sua vida?

— Leila — balbucio, irritada. — Isso não depende de mim, depende do Christian. Você vai ter que perguntar a ele. Ele não precisa da minha permissão. É um homem adulto… na maior parte do tempo.

Ela me encara por uma fração de segundo, como se estivesse surpresa com a minha reação, e depois ri suavemente, sem largar o tique nervoso de enrolar as pontas do cabelo.

— Ele vem recusando repetidamente todos os meus pedidos para vê-lo — diz ela, baixinho.

Ah, merda. Fiz uma besteira maior do que eu pensava.

— Por que é tão importante para você se encontrar com ele? — pergunto com gentileza.

— Para agradecer. Eu estaria apodrecendo num manicômio judiciário fedorento se não fosse por ele. Sei disso. — Ela olha para baixo e passa o dedo pela borda da mesa. — Sofri uma crise psicótica grave e, sem o Sr. Grey e o John… o Dr. Flynn… — Ela dá de ombros e me olha mais uma vez, o rosto cheio de gratidão.

Novamente, fico sem palavras. O que ela espera que eu diga? Ela deveria dizer essas coisas para Christian, não para mim, com certeza.

— E pelas aulas de artes. Não tenho como agradecer o suficiente por isso a ele.

Eu sabia! Christian *está* financiando as aulas dela. Permaneço sem expressão, tentando avaliar meus sentimentos a respeito desta mulher agora que ela confirmou minha desconfiança em relação à generosidade de Christian. Para minha surpresa, não sinto raiva dela. É uma revelação, e fico contente por ver que está melhor. Agora, espero que ela possa seguir em frente com sua vida e sair da nossa.

— Você está faltando às aulas para estar aqui? — pergunto, porque estou interessada.

— Só duas. Volto para casa amanhã.

Ah, que bom.

— Quais são os seus planos enquanto estiver aqui?

— Pegar meus pertences com a Susi e voltar a Hamden. Continuar pintando e aprendendo. O Sr. Grey já tem uns dois quadros meus.

Que porra é essa? Meu estômago mergulha em queda livre mais uma vez. *Estão pendurados na minha sala?* Eu me arrepio só de pensar.

— Que tipo de quadros você pinta?

— Na maioria abstratos.

— Entendo.

Minha mente rememora os quadros, agora familiares, em nossa sala de estar. Dois deles são obras da ex-submissa de Christian... talvez.

— Sra. Grey, posso ser franca? — pergunta ela, completamente alheia às minhas emoções beligerantes.

— Por favor — murmuro, olhando para Prescott, que parece ter relaxado um pouco.

Leila se inclina para a frente como se fosse revelar um segredo antigo.

— Eu amei o Geoff, o meu namorado que morreu este ano. — Sua voz se transforma num mísero sussurro triste.

Merda, essa conversa está ficando muito pessoal.

— Sinto muito — digo automaticamente, mas ela continua como se não tivesse me ouvido:

— Eu amei o meu marido... e mais um outro homem — balbucia ela.

— Meu marido. — As palavras saem da minha boca antes que eu possa impedi-las.

— Isso. — Ela mal emite o som da palavra.

Isso não é novidade para mim. Quando ela ergue os olhos castanhos e fita os meus, vejo que estão bem abertos, deixando transparecer emoções conflitantes, das quais a que parece sobressair é o receio... da minha reação, talvez? Mas o meu principal sentimento com relação a essa pobre jovem é o de compaixão. Mentalmente, percorro toda a literatura clássica que conheço que aborde o tema do amor não correspondido. Engolindo em seco com força, mantenho o nível:

— Eu sei. É muito fácil amá-lo — sussurro.

Seus olhos já grandes se abrem ainda mais, expressando surpresa, e ela sorri.

— É verdade. Ele é... era.

Ela se corrige rapidamente e fica vermelha. Então, ri de maneira tão doce que não consigo evitar: rio também. Sim, Christian Grey nos faz rir. Meu inconsciente revira os olhos para mim, incrédulo, e volta a ler seu exemplar bastante manuseado de *Jane Eyre*. Olho para o relógio. Bem no fundo, sei que Christian logo estará aqui.

— Você vai ter a oportunidade de ver o Christian.

— Imaginei. Sei como ele pode ser protetor. — Ela sorri.

Então esse era o plano. Ela é muito sagaz. *Ou manipuladora*, sussurra meu inconsciente.

— Então foi por isso que você veio me ver?

— Foi.

— Entendo.

E Christian está fazendo exatamente o jogo dela. Tenho que admitir, embora com relutância, que ela o conhece bem.

— Ele parecia muito feliz. Com você — diz ela.

O quê?

— Como é que você sabe?

— Das vezes em que eu estive no apartamento — acrescenta ela, cautelosamente.

Ah, droga... Como eu pude esquecer aquilo?

— Você ia muito lá?

— Não. Mas ele era bem diferente com você.

Será que eu quero ouvir isso? Um arrepio me percorre. Meu couro cabeludo começa a formigar quando me recordo do medo que senti quando ela era uma sombra invisível no nosso apartamento.

— Você sabe que isso é crime. Invadir uma residência.

Ela concorda, baixando o olhar para a mesa, e passa a ponta do dedo pela borda.

— Foram só algumas vezes, e eu tive sorte de não ter sido pega. Mais uma vez, eu gostaria de agradecer ao Sr. Grey por isso. Ele podia ter me colocado na cadeia.

— Acho que ele não faria isso — murmuro.

De repente há um alvoroço fora da sala, e instintivamente sei que Christian chegou. Um instante depois ele irrompe pela porta, e, antes de fechá-la, capto o olhar de Taylor, que espera pacientemente do lado de fora. A boca de Taylor está contraída, e ele não retribui meu sorriso contido. Ah, droga, até ele está bravo comigo.

O fulminante olhar cinzento de Christian se volta primeiro para mim, depois para Leila. Sua atitude é de calma determinação, mas eu sei que é só fachada, e suspeito de que Leila também saiba. O brilho frio e ameaçador nos seus olhos revela a verdade: Christian está exalando raiva, embora a esconda bem. De terno cinza, com a gravata escura afrouxada e o primeiro botão da camisa branca aberto, ele exibe um ar tanto profissional como informal... e sensual. Seu cabelo está desalinhado — sem dúvida passou as mãos por ele várias vezes, em sua irritação.

Leila baixa os olhos nervosamente para a mesa e mais uma vez passa o dedo indicador pela borda; o olhar de Christian vai de mim para ela, e depois para Prescott.

— Você — diz ele para Prescott, em um tom suave. — Está despedida. Saia.

Fico branca. Ah, não — isso não é justo.

— Christian... — Faço menção de me erguer.

Ele ergue o dedo indicador em alerta.

— Não — diz ele, numa voz tão ameaçadoramente baixa que na mesma hora faz com que eu me cale e fique grudada na cadeira.

Curvando a cabeça, Prescott sai rápido da sala para se juntar a Taylor. Christian fecha a porta depois que ela sai e vai até a ponta da mesa. *Droga! Droga! Droga!* Foi culpa minha. Christian se põe em frente a Leila e, pousando as mãos sobre a superfície de madeira, inclina-se para a frente.

— O que é que você quer aqui? — rosna ele para ela.

— Christian! — exclamo. Ele me ignora.

— E então? — insiste ele.

Leila ergue um olhar temeroso, ainda de cabeça baixa, os olhos bem abertos, o rosto pálido — o brilho rosado se foi.

— Eu queria vê-la, mas você não deixava — sussurra ela.

— E aí você veio aqui assediar a minha esposa? — Sua voz é calma. Calma demais.

Leila baixa os olhos para a mesa de novo.

Ele se levanta, olhando furioso para ela.

— Leila, se você chegar perto da minha mulher mais uma vez, vou cortar toda a assistência que eu lhe dou. Médicos, aulas de artes, seguro-saúde: tudo. Pode dar adeus. Você entendeu?

— Christian... — tento de novo.

Mas ele me silencia com um olhar gelado. Por que está sendo tão irracional? Minha compaixão por essa triste mulher aumenta.

— Entendi — responde ela, a voz quase inaudível.

— O que a Susannah está fazendo na recepção?

— Ela veio comigo.

Ele passa a mão pelo cabelo, fulminando-a com o olhar.

— Christian, por favor — imploro. — A Leila só veio agradecer. Só isso.

Ele me ignora, concentrando toda a sua ira em Leila.

— Você ficou na casa da Susannah enquanto estava doente?

— Fiquei.

— Ela sabia o que você estava fazendo na época?

— Não. Ela estava de férias, viajando.

Ele passa o dedo indicador pelo lábio inferior.

— Por que precisava me ver? Você sabe que qualquer pedido deve ser encaminhado ao Flynn. Está precisando de alguma coisa? — Seu tom ficou mais ameno, talvez por uma fração de segundo.

Leila passa o dedo pela borda da mesa mais uma vez.

Pare de atormentá-la, Christian!

— Eu precisava saber. — E pela primeira vez ela olha diretamente para ele.

— Precisava saber o quê? — pergunta ele, ríspido.

— Que você estava bem.

Ele a olha pasmo.

— Que eu estava bem? — debocha ele, sem acreditar.

— É.

— Estou ótimo. Pronto, pergunta respondida. Agora Taylor vai levá-la até o aeroporto para que você volte para a Costa Leste. E se você der um passo a oeste do Mississippi, está tudo acabado. Entendeu?

Puta merda... Christian! Olho-o boquiaberta. O que foi que deu nesse homem, cacete? Ele não pode confiná-la a um lado do país.

— Entendi — responde Leila calmamente.

— Ótimo. — Seu tom de voz agora é mais conciliatório.

— Talvez não seja conveniente para a Leila voltar agora. Ela tem outros planos — oponho-me, tomando as dores dela.

Christian me encara com raiva.

— Anastasia — avisa ele, a voz gelada —, isso não é da sua conta.

Olho para ele de cara feia. Claro que é da minha conta. Ela veio ao meu trabalho. Deve haver algo mais que eu não saiba. Ele não está sendo racional.

Cinquenta Tons, meu inconsciente sussurra acidamente para mim.

— A Leila veio ver a mim, não a você — murmuro petulante.

Ela se vira na minha direção, os olhos mais arregalados que nunca.

— Eu recebi instruções, Sra. Grey. E desobedeci. — Ela olha de soslaio para o meu marido, e depois para mim de novo. — Esse é o Christian Grey que eu conheço — diz ela, num tom de voz triste e melancólico.

Christian franze o cenho para ela, e todo o ar evapora dos meus pulmões. Não consigo respirar. Christian era assim com ela o tempo todo? Ele era assim comigo no princípio? Não consigo me lembrar. Dirigindo-me um sorriso desolado, Leila se levanta da mesa.

— Eu gostaria de ficar até amanhã. Meu voo é ao meio-dia — diz ela calmamente a Christian.

— Vou pedir para alguém pegar você às dez para levá-la ao aeroporto.

— Obrigada.

— Você está na casa da Susannah?

— Estou.

— Ok.

Lanço um olhar de reprimenda para Christian. Ele não pode dar ordens assim para ela... e como ele sabe onde a Susannah mora?

— Tchau, Sra. Grey. Obrigada por me receber.

Eu me levanto e estendo a mão. Ela aceita agradecida e nos cumprimentamos.

— Hã... tchau. Boa sorte — murmuro, porque não sei direito qual é o protocolo para me despedir da ex-submissa do meu marido.

Ela acena com a cabeça e se vira para ele.

— Tchau, Christian.

Os olhos dele se desanuviam um pouco.

— Tchau, Leila. — Sua voz é baixa. — Dr. Flynn, lembre-se.

— Sim, senhor.

Ele abre a porta para fazê-la sair logo, mas ela para na frente dele e o encara. Ele permanece imóvel, observando-a com cautela.

— Fico contente por vê-lo feliz. Você merece — diz ela, e sai antes que ele possa responder.

Christian franze o cenho e então faz um gesto de cabeça para Taylor, que acompanha Leila até a recepção. Fechando a porta, Christian me encara hesitante.

— Nem pense em ficar bravo comigo — sibilo. — Chame o Claude Bastille e arranque o couro dele ou marque uma consulta com o Flynn.

Ele fica boquiaberto, surpreso com o meu rompante, e sua sobrancelha se franze mais uma vez.

— Você prometeu que não faria isso. — Agora seu tom é acusatório.

— Isso o quê?

— Me desafiar.

— Não prometi. Eu disse que teria mais consideração. Avisei a você que ela estava aqui. A Prescott a revistou, e revistou também aquela sua outra amiguinha. Além disso, Prescott ficou aqui comigo o tempo todo. E agora você demitiu a pobre coitada, quando ela só estava fazendo o que eu pedi. Eu falei para você não se preocupar, e veja só você. Não me lembro de ter recebido uma bula papal sua decretando que eu não podia ver a Leila. Não sabia que as minhas visitas estavam sujeitas a uma lista de proibições. — Minha voz aumenta de indignação à medida que eu me empolgo, advogando pela minha causa. Christian perscruta meu rosto, sua expressão indecifrável. Depois de um momento, sua boca se contorce.

— Bula papal? — repete ele, achando engraçado, e relaxa visivelmente.

Não era minha intenção amenizar o tom da nossa conversa; no entanto, Christian está sorrindo ironicamente para mim, o que me deixa com ainda mais raiva. Testemunhar a troca de palavras entre ele e sua ex foi penoso. Como ele pôde ser tão frio com ela?

— O que foi? — pergunta ele, irritado, ao ver que meu rosto permanece completamente sério.

— Você. Por que foi tão duro com ela?

Ele suspira e dá um passo na minha direção, apoiando-se na mesa.

— Anastasia — diz, como se falasse com uma criança —, você não entende. A Leila, a Susannah, todas elas eram só um passatempo divertido, prazeroso. Mas só isso. Você é o centro do meu universo. E da última vez que vocês estiveram juntas em um mesmo cômodo, ela estava apontando uma arma para você. Não quero que ela chegue nem perto de você.

— Mas, Christian, ela estava doente.

— Eu sei disso, e sei que está melhor agora, mas não quero mais dar a ela o benefício da dúvida. O que a Leila fez foi imperdoável.

— Mas você fez exatamente o jogo dela. Ela queria vê-lo de novo, e sabia que você viria correndo se ela viesse até mim.

Christian dá de ombros, como se não se importasse.

— Não quero que você seja maculada pela minha antiga vida.

O quê?

— Christian... você é quem você é por causa da sua antiga vida, sua nova vida, o que for. O que afeta você me afeta também. Eu aceitei isso quando aceitei seu pedido de casamento, porque eu amo você.

Christian fica imóvel. Sei que ele tem dificuldade de ouvir isso.

— Ela não queria me machucar. Ela também ama você.

— Não dou a mínima.

Olho para ele boquiaberta devido ao choque. E me sinto surpresa também ao constatar que ele ainda consegue me chocar. *Esse é o Christian Grey que eu conheço.* As palavras de Leila ficam martelando na minha cabeça. A atitude de Christian com ela foi tão fria, tão em desacordo com o homem que eu conheço e amo... É estranho, pois me recordo do remorso que ele sentiu quando Leila sofreu aquele colapso nervoso, quando ele pensou que talvez fosse, de alguma maneira, responsável pela dor dela. Engulo em seco, lembrando-me também de que ele lhe deu banho. Meu estômago se retorce de dor com essa lembrança, e a bile sobe até a minha garganta. Como ele pode dizer que não se importa com ela? Ele se importava naquele momento. O que mudou? Às vezes, como agora, eu simplesmente não o entendo. Ele opera em um nível muito, muito distante do meu.

— Por que de repente você resolveu tomar as dores dela? — pergunta ele, confuso e irritado.

— Escute, Christian, não é que eu vá trocar receitas com a Leila, nem vamos tricotar juntas. Mas eu também não imaginei que você seria tão insensível com ela.

Seus olhos ficam gelados.

— Eu já lhe disse que não tenho coração — murmura ele.

Reviro os olhos. Ah, agora ele *está* agindo como um adolescente.

— Isso não é verdade, Christian. Você está sendo ridículo. Você se importa com ela, sim. Não estaria pagando pelas aulas de artes e pelas outras coisas se não se importasse.

De repente, minha maior ambição na vida é fazê-lo perceber isso. É absurdamente óbvio que ele se importa. Por que, então, ele nega? É a mesma coisa quanto aos seus sentimentos pela sua mãe biológica. *Ah, merda — mas é claro.* Os sentimentos de Christian por Leila e pelas suas outras submissas estão entrelaçados com os sentimentos que ele tem pela mãe. *Eu gosto de chicotear garotas morenas feito você porque todas vocês se parecem com a prostituta viciada.* Não é de admirar que ele esteja tão zangado. Suspiro e balanço a cabeça em lamentação. Alguém chame o Dr. Flynn, por favor. Como é que ele consegue não ver isso?

Imediatamente meu coração se enche de amor por ele. Meu garotinho perdido... Por que é tão difícil para ele recuperar a bondade, a compaixão que demonstrou em relação a Leila quando ela teve aquele surto?

Ele me encara, os olhos fumegando de raiva.

— Essa discussão acabou. Vamos para casa.

Olho para o relógio. São quatro e vinte e três. Tenho trabalho a fazer.

— Ainda está cedo — balbucio.

— Vamos — insiste ele.

— Christian. — Minha voz denota cansaço. — Estou cansada de discutir sempre a mesma coisa com você.

Ele franze a testa como se não entendesse.

— Você sabe — esclareço —, eu faço algo que o desagrada, e você pensa em alguma maneira de se vingar. Geralmente envolve alguma das suas sacanagens, que podem ser magníficas ou cruéis. — Dou de ombros, resignada. Isso é exaustivo e confuso.

— Magníficas? — repete ele.

Hã?

— Geralmente sim.

— O quê, por exemplo? — pergunta, os olhos agora brilhando de divertida e sensual curiosidade. E sei que ele está tentando me distrair.

Droga! Não quero discutir isso na sala de reuniões da SIP. Meu inconsciente examina suas unhas bem-feitas com desdém. *Então não deveria ter começado.*

— Você sabe.

Fico vermelha, irritada tanto comigo quanto com ele.

— Posso adivinhar — sussurra ele.

Mas que saco. Estou tentando repreendê-lo e ele está me confundindo.

— Christian, eu…

— Eu gosto de satisfazer você.

Ele delicadamente passa o polegar pelo meu lábio inferior.

— É o que você faz — admito, minha voz é um suspiro.

— Eu sei — diz ele suavemente. Então curva-se para a frente e sussurra no meu ouvido: — É a única coisa que eu realmente sei fazer.

Ah, como seu cheiro é bom. Ele se inclina para trás e me encara, os lábios retorcidos em um sorriso arrogante, do tipo você-é-tão-minha.

Apertando os lábios, tento com muito esforço não demonstrar como ele mexe comigo. Ele é tão hábil em me desviar de qualquer assunto doloroso ou qualquer assunto que não lhe interesse discutir… *E você deixa*, intromete-se em vão meu inconsciente, erguendo os olhos de seu exemplar de *Jane Eyre*.

— O que foi magnífico, Anastasia? — instiga-me Christian, com um brilho malicioso no olhar.

— Você quer uma lista? — pergunto.

— Existe uma lista? — Ele está se deliciando.

Ah, esse homem é exaustivo.

— Bem, as algemas — murmuro, minha mente me levando de volta para a nossa lua de mel.

Ele franze o cenho e pega minha mão, passando o polegar no meu pulso.

— Eu não quero deixar você marcada.

Ah…

Seus lábios se curvam em um sorriso lascivo que se abre lentamente.

— Vamos para casa. — Seu tom é sedutor.

— Preciso trabalhar.

— Vamos — repete ele, mais insistente.

Fitamos um ao outro, cinza-chumbo em azul desconcertado, um testando o outro, testando nossos limites e nossas vontades. Procuro algum esclarecimento em seus olhos, tentando decifrar como este homem pode ir do maníaco por controle irado para o amante sedutor em um segundo. Seus olhos se arregalam e escurecem: sua intenção é clara. Ele acaricia meu rosto suavemente.

— Podíamos ficar aqui. — Sua voz é baixa e rouca.

Ah, não. Não. Não. Não. Não no meu trabalho.

— Christian, eu não quero fazer sexo aqui. Sua amante acabou de sair desta sala.

— Ela nunca foi minha amante — resmunga ele, sua boca se apertando.

— É só forma de falar, Christian.

Ele franze o cenho, a expressão confusa. O Christian sedutor foi embora.

— Não pense muito nisso, Ana. Ela é passado — diz com desdém.

Suspiro... Talvez ele tenha razão. Só quero que ele admita para si mesmo que se importa com ela. Um frio toma meu coração. *Ah, não.* Já sei por que isso é tão importante para mim. E se *eu* fizer algo imperdoável? E se eu não me ajustar? Vou virar passado também? Se ele pode se transformar assim, apesar de ter ficado tão preocupado e aborrecido quando Leila esteve doente... será que ele poderia se virar contra mim também? Solto uma exclamação, lembrando-me de fragmentos de um sonho: espelhos dourados e o som dos seus calcanhares soando no chão de mármore enquanto ele vai embora, deixando-me sozinha em um esplendor de opulência.

— Não... — A palavra sai da minha boca num suspiro de horror, antes que eu consiga impedir.

— Sim — diz ele, e, segurando meu queixo, inclina-se e me dá um beijo terno na boca.

— Ah, Christian, às vezes você me assusta.

Seguro sua cabeça com as mãos, enfio os dedos no seu cabelo e puxo sua boca para a minha. Ele permanece imóvel por um momento e então me envolve em seus braços.

— Por quê?

— Foi tão fácil para você dar as costas para ela...

Ele franze a testa.

— E você acha que eu posso um dia dar as costas para você, Ana? Por que diabo acha isso? O que faz você pensar assim?

— Nada. Me beije. Me leve para casa — imploro.

E quando seus lábios tocam os meus, eu me perco.

— Ah, por favor — suplico, enquanto Christian chupa meu sexo com delicadeza.

— Tudo a seu tempo — murmura ele.

Puxo meus membros presos e solto um gemido alto em protesto ao seu ataque carnal. Estou presa por algemas de couro macias, cada cotovelo amarrado a um joelho, e a cabeça de Christian se agita e avança por entre minhas pernas, sua língua habilidosa me provocando, incansável. Abro os olhos e fito distraidamente o teto do nosso quarto, banhado pela suave luz da tardinha. A língua de Christian se move em círculos, dançando e girando sobre o centro do meu universo e em volta. Quero esticar as pernas e luto, numa tentativa vã de controlar o prazer. Mas não consigo. Meus dedos agarram seu cabelo e puxo com força para resistir a essa sublime tortura.

— Não goze — murmura ele contra o meu sexo, sua respiração suave na minha pele quente e molhada, enquanto ele resiste aos meus dedos. — Vou bater em você se você gozar.

Solto um gemido.

— Controle, Ana. É só controlar.

E sua língua renova sua incursão erótica.

Ah, ele sabe o que está fazendo. Não posso resistir ou interromper minha reação irrefreável; eu tento — realmente tento —, mas meu corpo explode sob a ação implacável de Christian, cuja língua não para, arrancando cada centímetro de prazer de dentro mim.

— Ah, Ana — reclama ele. — Você gozou. — Sua voz é suave; sua repreensão, triunfante. Ele me vira, e me apoio trêmula nos braços. Recebo uma palmada forte...

— Ah! — grito.

— Controle — adverte ele, e, agarrando meu quadril, me penetra.

Grito de novo, minha carne ainda tremendo com as convulsões provocadas pelo orgasmo. Ele para quando está bem dentro de mim e, inclinando-se para a frente, abre as algemas, uma de cada vez. Ele me envolve em seus braços e me puxa para o seu colo, minhas costas coladas à frente do seu corpo, e suas mãos envolvem meu pescoço, abaixo do meu queixo. Eu me deleito nessa sensação de plenitude.

— Mexa-se — ordena ele.

Dou um gemido e começo a subir e descer no seu colo.

— Mais rápido — sussurra.

E eu acelero. Ele geme e, com a mão, puxa minha cabeça para trás enquanto mordisca meu pescoço. Sua outra mão viaja prazerosamente pelo meu corpo, indo do meu quadril até o meu sexo, meu clitóris... que ainda está sensível graças à generosa atenção recebida antes. Solto um gemido quando seus dedos se fecham em volta de mim, provocando-me mais uma vez.

— Isso mesmo, Ana — fala ele no meu ouvido, sua voz suave e em tom estridente. — Você é minha. Só você.

— Sou — sussurro à medida que meu corpo se enrijece, fechando-se em volta dele, encaixando-se nele da maneira mais íntima possível.

— Goze para mim — exige ele.

E eu me entrego, meu corpo seguindo obedientemente seu comando. Ele me segura, imobilizando-me enquanto o clímax percorre meu corpo e eu grito seu nome.

— Ah, Ana, eu amo você — geme ele, e segue meu exemplo, metendo em mim para encontrar também seu alívio.

Ele beija meu ombro e afasta o cabelo do meu rosto.

— Isso vai para a lista, Sra. Grey? — murmura ele.

Estou deitada de bruços na nossa cama, quase inconsciente. Christian faz uma massagem suave na minha bunda. Ele está ao meu lado, apoiado em um cotovelo.

— Hmm.

— Isso é um sim?

— Hmm. — Sorrio.

Ele sorri também e me beija de novo; relutante, viro de lado para ficar de frente para ele.

— E então? — insiste.

— Sim. Vai para a lista. Mas é uma lista bem comprida.

Ele abre um sorriso maior que seu próprio rosto, e me beija delicadamente.

— Ótimo. Vamos jantar? — Seus olhos brilham de amor e boa disposição.

Concordo com a cabeça. Estou faminta. Começo a puxar de leve os pelos do peito dele.

— Quero que você diga uma coisa — sussurro.

— O quê?

— Não fique bravo.

— O quê, Ana?

— Eu sei que você se importa.

Ele arregala os olhos, e qualquer traço de bom humor some.

— Quero que você admita que se importa. Porque o Christian que eu conheço e amo se importaria.

Ele fica imóvel, sem tirar os olhos dos meus, e testemunho sua luta interna, como se ele estivesse prestes a fazer o julgamento de Salomão. Ele abre a boca para dizer alguma coisa, mas depois a fecha de novo; de relance, seu rosto deixa transparecer uma expressão... de dor, talvez.

Diga, eu o instigo.

— Sim. Sim, eu me importo. Satisfeita? — diz ele, num fiapo de voz.

Ah, como fico agradecida. É um puta alívio.

— Sim. Muito.

Ele franze o cenho.

— Não acredito que estou aqui, agora, na nossa cama, falando com você sobre...

Encosto o dedo nos seus lábios.
— Não estamos falando sobre isso. Vamos comer. Estou com fome.
Ele suspira e balança a cabeça.
— Você me encanta e me confunde, Sra. Grey.
— Que bom.
Eu ergo o corpo para beijá-lo.

De: Anastasia Grey
Assunto: A lista
Data: 9 de setembro de 2011 09:33
Para: Christian Grey

Essa com certeza entrou para as primeiras posições.

:D

Bj,

A.

Anastasia Grey
Editora, SIP

De: Christian Grey
Assunto: Conte uma novidade
Data: 9 de setembro de 2011 09:42
Para: Anastasia Grey

Você disse a mesma coisa nos últimos três dias.

Decida-se.

Ou... podemos tentar algo diferente.

;)

Christian Grey
CEO Gostando Desse Jogo, Grey Enterprises Holdings, Inc.

Abro um sorriso para a tela do computador. As últimas noites têm sido... divertidas. Relaxamos de novo, e a breve interrupção de Leila foi esquecida. Ainda não tive coragem de perguntar se tem algum quadro dela na nossa parede — e, francamente, não me importo. Meu BlackBerry toca e eu atendo esperando que seja Christian.

— Ana?

— Sim?

— Ana, meu bem. Aqui é o pai do José.

— Sr. Rodriguez! Olá!

Meu couro cabeludo começa a formigar. O que o pai do José quer comigo?

— Querida, me desculpe por ligar para você no trabalho. É sobre o Ray. — Sua voz vacila.

— O que foi? O que aconteceu? — Meu coração parece que vai saltar pela boca.

— Ele sofreu um acidente.

Ah, não. Meu pai. Prendo a respiração.

— Ele está no hospital. É melhor você vir logo.

CAPÍTULO DEZESSETE

— Sr. Rodriguez, o que aconteceu? — Minha voz soa rouca e pesada devido às lágrimas contidas. *Ray. O querido Ray. Meu pai.*

— Ele sofreu um acidente de carro.

— Ok, estou indo... já estou indo.

A adrenalina invade minha corrente sanguínea, deixando um rastro de pânico. Não consigo respirar direito.

— Ele foi transferido para Portland.

Portland? O que ele está fazendo em Portland?

— Ele foi transportado via aérea, Ana. Estou indo para lá agora. Para o hospital universitário. Ah, Ana, eu não vi o carro. Simplesmente não consegui ver... — Sua voz falha.

Sr. Rodriguez — não!

— Vejo você lá. — O Sr. Rodriguez reprime um soluço e a ligação é encerrada.

Uma sensação sombria de terror aperta meu pescoço, deixando-me sem ar. Ray. Não. Não. Respiro fundo para me acalmar, apanho o telefone e ligo para Roach. Ele atende no segundo toque.

— Ana?

— Jerry. É o meu pai.

— Ana, o que aconteceu?

Explico, mal conseguindo parar para respirar.

— Vá, sim. Claro, você deve ir. Espero que o seu pai esteja bem.

— Obrigada. Eu mando notícias.

Sem querer, bato o telefone na cara dele, mas, no momento, essa é a última das minhas preocupações.

— Hannah! — grito, consciente da ansiedade em minha voz.

Minutos depois ela enfia a cabeça pela porta e me encontra arrumando a bolsa e apanhando alguns papéis para colocar na pasta.

— Sim? — Ela franze o cenho.

— Meu pai sofreu um acidente. Tenho que ir.

— Ah, meu Deus...

— Cancele todos os meus compromissos de hoje. E de segunda-feira. Você vai ter que terminar de preparar a apresentação sobre o livro digital; minhas anotações estão no arquivo da rede. Peça ajuda a Courtney, se precisar.

— Claro — murmura Hannah. — Tomara que ele esteja bem. Não se preocupe com nada aqui. A gente se vira.

— Estou com o BlackBerry.

A inquietação estampada em seu rosto pálido e aflito quase me deixa devastada.

Meu pai.

Apanho o casaco, a bolsa e a pasta.

— Eu ligo se precisar de alguma coisa.

— Claro, ligue mesmo. Boa sorte, Ana. Espero que ele esteja bem.

Dou-lhe um sorriso breve e tenso, lutando para manter a compostura, e deixo a minha sala. Tenho que me segurar para não sair correndo. Sawyer fica de pé num salto quando me vê.

— Sra. Grey? — pergunta ele, intrigado por eu surgir tão de repente.

— Vamos para Portland. Agora.

— Certo, madame — diz ele, franzindo o cenho, mas abre a porta.

Faz bem me movimentar.

— Sra. Grey — pergunta Sawyer enquanto corremos em direção ao estacionamento —, importa-se se eu perguntar por que vamos fazer essa viagem imprevista?

— Meu pai. Ele sofreu um acidente.

— Entendo. O Sr. Grey já sabe?

— Vou ligar para ele do carro.

Sawyer faz um gesto de concordância e abre a porta traseira do Audi SUV para que eu possa entrar. Com dedos trêmulos, pego o BlackBerry e disco o número do celular de Christian.

— Sra. Grey. — A voz de Andrea soa clara e eficiente.

— O Christian está por aí? — murmuro.

— Hmm... Ele está em algum lugar da empresa, madame. Deixou o BlackBerry aqui para carregar.

Resmungo por dentro, frustrada.

— Você pode lhe dizer que eu liguei e que preciso falar com ele? É urgente.

— Eu posso tentar descobrir onde ele se encontra. Ele tem esse costume de andar por aí às vezes.

— Por favor, basta pedir que ele retorne minha ligação — imploro, lutando contra as lágrimas.

— Claro, Sra. Grey. — Ela hesita. — Está tudo bem?

— Não — sussurro, insegura quanto à minha própria voz. — Por favor, peça para ele me ligar.

— Sim, senhora.

Desligo. Não consigo mais conter minha angústia. Puxando os joelhos para o peito, eu me encolho toda no banco traseiro e as indesejáveis lágrimas descem pela minha face.

— Para onde vamos em Portland, Sra. Grey? — pergunta Sawyer, com delicadeza.

— Hospital universitário — falo entre um soluço e outro. — Aquele grande.

Sawyer pega a rua e rumamos para a Interestadual 5. No banco traseiro, fico choramingando baixinho, balbuciando orações. *Por favor, que ele esteja bem. Por favor, que ele esteja bem.*

Meu celular toca, e "Your Love Is King" interrompe bruscamente meu mantra.

— Christian — exclamo, sem ar.

— Por Deus, Ana. O que aconteceu?

— Foi o Ray... ele sofreu um acidente.

— Merda!

— É. Estou indo para Portland.

— Portland? Por favor, me diga que o Sawyer está com você.

— Sim, ele está dirigindo.

— Onde está o Ray?

— No hospital universitário.

Ouço uma voz abafada ao fundo.

— Sim, Ros — diz Christian, ríspido. — Eu sei! Desculpe, querida: só poderei estar lá daqui a umas três horas. Tenho um assunto a resolver aqui. Posso ir voando.

Ah, merda. O *Charlie Tango* está de volta, e a última vez que Christian voou nele...

— Tenho uma reunião com uns caras de Taiwan. Não posso cancelar agora. É uma transação que estamos negociando há meses.

Como é que eu não sei nada sobre isso?

— Assim que puder eu vou.

— Certo — sussurro. E quero dizer que não tem problema, fique aqui em Seattle e conclua essa negociação, mas a verdade é que eu o quero ao meu lado.

— Ah, baby — diz ele, baixinho.

— Vou ficar bem, Christian. Vá quando puder. Não corra. Não quero me preocupar com você também. E faça uma boa viagem.

— Pode deixar.

— Amo você.

— Também amo você, baby. Vou encontrá-la assim que der. Mantenha o Luke por perto.

— Está bem.

— Até mais tarde.

— Tchau.

Depois de desligar, abraço novamente os joelhos. Não sei nada sobre o trabalho de Christian. Que diabo ele está fazendo com esse pessoal de Taiwan? Olho pela janela quando passamos pelo Aeroporto Internacional de King County. Ele precisa viajar em segurança. Meu estômago dá um nó e começo a ficar enjoada. Ray *e* Christian. Acho que meu coração não aguentaria. Eu me recosto e recomeço meu mantra: *Por favor, que ele esteja bem. Por favor, que ele esteja bem.*

— Sra. Grey — a voz de Sawyer me desperta —, já chegamos ao hospital. Agora tenho que encontrar a Emergência.

— Eu sei onde é.

Minha mente me leva de volta à minha última visita ao hospital universitário. Foi no meu segundo dia de trabalho na Clayton's, quando caí de uma escada de mão e torci o tornozelo. Lembro-me de Paul Clayton se inclinando sobre mim e estremeço com a recordação desagradável.

Sawyer para no local de desembarque de passageiros e salta para abrir a porta para mim.

— Vou estacionar, madame, e volto para encontrar a senhora. Pode deixar que eu levo a sua pasta, deixe no carro.

— Obrigada, Luke.

Ele aquiesce, e eu caminho resoluta até à barulhenta recepção da Emergência. A recepcionista no balcão sorri polidamente; após alguns minutos, ela localiza Ray e me encaminha para o centro cirúrgico, no terceiro andar.

Centro cirúrgico? Droga!

— Obrigada — balbucio, tentando me concentrar no caminho indicado por ela para os elevadores. Sinto um frio na barriga e quase bato com a cara na porta de um deles.

Por favor, que ele esteja bem. Por favor, que ele esteja bem.

É uma agonia a lentidão do elevador, parando em todos os andares. *Anda logo… Anda logo!* Fico torcendo para que vá mais rápido e fecho a cara para as pessoas que entram e saem, impedindo-me de chegar até o meu pai.

Finalmente as portas se abrem no terceiro andar, e corro para mais um balcão de recepção. Neste, as enfermeiras trajam uniformes azul-marinho.

— Posso ajudar? — pergunta uma prestativa enfermeira de olhar míope.

— Meu pai, Raymond Steele. Ele acabou de dar entrada. Está no centro cirúrgico 4, acho. — Digo as palavras desejando ardentemente que não sejam verdadeiras.

— Vou verificar, Srta. Steele.

Aquiesço, sem me dar o trabalho de corrigi-la, e aguardo enquanto ela procura as informações na tela do computador.

— Certo. Ele chegou há umas duas horas. Se a senhora puder esperar, vou avisar da sua presença. A sala de espera é ali. — Ela indica uma grande porta branca com os dizeres SALA DE ESPERA pintados em grossas letras azuis.

— Ele está bem? — pergunto, tentando manter minha voz calma.

— A senhora vai ter que esperar um dos médicos para ter informações sobre ele.

— Obrigada — balbucio, mas por dentro estou gritando: *Quero saber agora!*

Abro a porta e me vejo em uma sala de espera austera e funcional, onde estão sentados o Sr. Rodriguez e José.

— Ana! — exclama o Sr. Rodriguez.

Ele tem o braço engessado e o rosto machucado em um dos lados. Está sentado em uma cadeira de rodas com uma das pernas também engessada. Abraço-o energicamente.

— Ah, Sr. Rodriguez — digo, soluçando.

— Ana, querida. — Ele me dá tapinhas nas costas com o braço livre. — Eu lamento muito — balbucia, sua voz rouca quase falhando.

Ah, não.

— Não, Papá — diz José suavemente atrás de mim, em tom de reprimenda. Quando me viro, ele me puxa e me abraça.

— José — balbucio.

E não consigo mais me controlar... as lágrimas caem, liberando toda a tensão, o medo e a dor que estavam presos em meu coração nas últimas três horas.

— Ei, Ana, não chore.

José acaricia meu cabelo suavemente. Enrosco meus braços em volta do seu pescoço e choro baixinho. Ficamos assim por uma eternidade, e me sinto aliviada por ter meu amigo por perto. Afastamo-nos quando Sawyer aparece na sala de espera. O Sr. Rodriguez me passa um lenço de papel, que ele pega de uma caixa deixada convenientemente à mão, e eu enxugo as lágrimas.

— Este é o Sr. Sawyer. Segurança — murmuro.

Sawyer acena educadamente para José e o Sr. Rodriguez e depois vai se acomodar em uma cadeira no canto.

— Sente-se, Ana. — José me conduz para uma poltrona estofada em vinil.

— O que aconteceu? Dá para saber como ele está? O que estão fazendo com ele?

José levanta as mãos para interromper minha avalanche de perguntas e se senta ao meu lado.

— Não tivemos notícias ainda. Ray, meu pai e eu estávamos indo pescar em Astoria. Fomos atingidos por um maldito bêbado idiota…

O Sr. Rodriguez tenta interromper, gaguejando uma frase de desculpas.

— *Cálmate*, Papá! — diz José, rispidamente. — Eu quase não me machuquei, só estou com umas costelas doloridas e um galo na cabeça. Meu pai… bom, meu pai quebrou o pulso e o tornozelo. Mas o carro atingiu o lado do carona… e Ray.

Ah, não, *não*… O pânico começa a inundar meu cérebro novamente. Não, não, não. Meu corpo é invadido por estremecimentos e calafrios quando imagino o que estará acontecendo com Ray no centro cirúrgico.

— Ele está sendo operado. Fomos levados para o hospital comunitário em Astoria, mas transferiram o Ray de helicóptero para cá. Não sabemos o que estão fazendo. Estamos esperando por notícias.

Começo a tremer.

— Ei, Ana, está com frio?

Faço que sim com a cabeça. Estou usando uma camisa branca sem manga e um casaco preto leve, e nenhum dos dois me aquece o suficiente. José tira a própria jaqueta de couro na mesma hora e a coloca nos meus ombros.

— Quer um pouco de chá, madame?

Sawyer está ao meu lado. Aceito agradecida, e ele sai da sala.

— Por que vocês estavam indo pescar em Astoria? — pergunto.

José dá de ombros.

— Dizem que lá é um bom lugar para a pesca. Era um encontro só dos homens. Eu queria passar um tempo com o meu velho antes que os estudos ficassem puxados demais no meu último ano.

Os olhos escuros de José estão bem abertos e deixam transparecer medo e arrependimento.

— Você podia ter se ferido também. E o Sr. Rodriguez… poderia ter sido pior.

Engulo em seco ao pensar na possibilidade. A temperatura do meu corpo cai ainda mais, e tremo novamente. José pega minha mão.

— Caramba, Ana, você está gelada.

O Sr. Rodriguez aproxima-se lentamente e apoia minha outra mão na sua ilesa.

— Ana, eu lamento muito.

— Sr. Rodriguez, por favor. Foi um acidente… — Minha voz se reduz até um sussurro.

— Por favor, pode me chamar de José — ele me corrige.

Dirijo-lhe um sorriso débil, porque é o máximo que consigo. Estremeço uma vez mais.

— A polícia prendeu o filho da mãe. Sete da manhã e o sujeito já tinha enchido a cara — diz José, num tom baixo e cheio de desprezo.

Sawyer retorna trazendo um copo descartável com água quente e um saquinho de chá separado. *Ele sabe como eu gosto do meu chá!* Fico surpresa e satisfeita com a interrupção. O Sr. Rodriguez e José soltam minhas mãos, e eu, agradecida, pego o copo que Sawyer me oferece.

— Os senhores querem alguma coisa? — pergunta Sawyer, dirigindo-se ao Sr. Rodriguez e a José. Ambos recusam a oferta, e Sawyer volta a se sentar no canto. Mergulho o saquinho de chá na água e, depois de balançar um pouco, jogo-o na pequena lata de lixo.

— Por que estão demorando tanto? — murmuro para ninguém especificamente, e tomo um gole.

Papai... Por favor, que ele esteja bem. Por favor, que ele esteja bem.

— Logo vamos saber, Ana — diz José, amável.

Aceno positivamente com a cabeça e tomo mais um gole. Sento-me ao lado dele outra vez. Esperamos... e esperamos. O Sr. Rodriguez mantém os olhos fechados — rezando, eu acho — e José segura minha mão, apertando-a de vez em quando. Tomo o chá aos poucos. Não é Twinings, mas uma marca barata e ruim, e o gosto é horrível.

Lembro-me da última vez que fiquei esperando por alguma notícia. Da última vez que pensei que tudo estava perdido, quando o *Charlie Tango* desapareceu. Fechando os olhos, rezo mentalmente para que meu marido faça uma boa viagem. Dou uma olhada no relógio: duas e quinze. Ele já deve estar chegando. Meu chá esfriou... Argh!

Eu me levanto e ando um pouco de um lado para o outro, depois volto a me sentar. Por que os médicos não vieram falar comigo? Pego a mão de José, e ele aperta a minha para me tranquilizar. *Por favor, que ele esteja bem. Por favor, que ele esteja bem.*

O tempo se arrasta de tão devagar.

De súbito a porta se abre, e todos erguemos o olhar, ansiosos. Sinto um nó na barriga. *Será agora?*

Christian entra apressado. Seu rosto escurece por um instante quando ele me vê de mãos dadas com José.

— Christian! — exclamo, e fico de pé em um salto, agradecendo a Deus por ele ter chegado são e salvo.

Depois estou em seus braços, seu nariz no meu cabelo, e eu sinto seu cheiro, seu carinho, seu amor. Uma pequena porção de mim se acalma, ficando mais forte e mais animada simplesmente porque ele está aqui. Ah, a diferença que sua presença faz para minha paz de espírito.

— Alguma notícia?

Balanço negativamente a cabeça, incapaz de falar.

— José. — Ele o cumprimenta com a cabeça.

— Christian, este é o meu pai, José.

— Sr. Rodriguez. Nós nos conhecemos no casamento. Deduzo que o senhor também estava no acidente.

José conta a história de maneira breve.

— E vocês dois se sentem bem o suficiente para estarem aqui? — indaga Christian.

— Não queremos ir para nenhum outro lugar — responde o Sr. Rodriguez, com a voz baixa e cheia de dor.

Christian aquiesce; depois, pegando na minha mão, me faz sentar e se instala ao meu lado.

— Você já comeu? — pergunta ele.

Nego com a cabeça.

— Está com fome?

Balanço a cabeça novamente.

— Mas está com frio? — continua ele, olhando para a jaqueta de José.

Admito que sim. Ele se mexe desconfortável na cadeira, mas, sensatamente, não diz nada.

A porta se abre mais uma vez, e entra um jovem médico de uniforme azul-claro. Ele parece exausto e aflito.

Todo o sangue se esvai da minha cabeça quando me levanto, cambaleante.

— Ray Steele — sussurro. Christian está ao meu lado, com o braço em volta da minha cintura.

— É parente próxima? — pergunta o médico.

Seus olhos azuis brilhantes são quase da mesma cor do jaleco, e, em outras circunstâncias, eu o teria achado atraente.

— Sou Ana, filha dele.

— Srta. Steele...

— Sra. Grey — corrige Christian.

— Perdão — gagueja o médico, e por um minuto tenho vontade de dar um chute em Christian. — Sou o Dr. Crowe. Seu pai está estável, mas em condição crítica.

O que isso significa? Meus joelhos vacilam sob o peso do meu corpo, e só o braço de Christian em volta de mim me impede de cair no chão.

— Ele sofreu diversos traumas internos — explica o Dr. Crowe —, principalmente no diafragma, mas conseguimos reconstituir os tecidos e também salvar o baço. Infelizmente, ele sofreu um ataque cardíaco durante a cirurgia por causa da perda de sangue. Reestabilizamos o coração, mas isso ainda nos preocupa. Nossa maior preocupação, porém, é com a cabeça, que teve contusões graves, e a ressonância magnética mostra inchaço no cérebro. Ele está em coma induzido para permanecer imóvel enquanto controlamos o edema no cérebro.

Dano cerebral? Não.

— Trata-se do procedimento padrão nesses casos. Por enquanto, só nos resta esperar e ver como a condição dele progride.

— Qual é o prognóstico? — pergunta Christian friamente.

— Sr. Grey, é difícil dizer no momento. É possível que ele consiga se recuperar por completo, mas isso agora está nas mãos de Deus.

— Quanto tempo ele vai ser mantido em coma?

— Depende de como o cérebro vai reagir. Em geral, são de setenta e duas a noventa e seis horas.

Ai, tanto tempo!

— Eu posso ver o meu pai? — murmuro.

— Pode, sim. Dentro de mais ou menos meia hora. Ele foi levado para a UTI, no sexto andar.

— Obrigada, doutor.

O Dr. Crowe faz um cumprimento com a cabeça, dá meia-volta e vai embora.

— Bom, ele está vivo — sussurro para Christian. E as lágrimas começam a rolar novamente pelo meu rosto.

— Sente-se — ordena Christian, com gentileza.

— Papá, acho que devemos ir embora. Você precisa descansar. Não vamos ter outra notícia tão cedo — murmura José para o Sr. Rodriguez, que olha para o filho com uma expressão vazia no rosto. — Podemos voltar de noite, depois que você descansar. Tudo bem por você, Ana? — pergunta ele em tom suplicante, virando-se para mim.

— É claro.

— Vocês vão ficar em Portland? — pergunta Christian.

José confirma.

— Querem uma carona para casa?

José franze o cenho.

— Eu ia chamar um táxi.

— O Luke pode levar vocês.

Sawyer se levanta, e José parece confuso.

— Luke Sawyer — esclareço.

— Ah... Claro. Acho que seria bom mesmo. Obrigado, Christian.

Levantando-me, abraço rapidamente pai e filho.

— Seja forte, Ana — sussurra José em meu ouvido. — O Ray é um homem saudável e que se cuida. Isso conta a favor dele.

— Espero que sim.

Dou-lhe um abraço apertado. Depois, tiro a sua jaqueta e a devolvo a ele.

— Pode ficar, você ainda está com frio.

— Não, já estou bem. Obrigada.

Olhando nervosa para Christian, vejo que ele nos observa impassível. Christian pega minha mão.

— Se houver alguma mudança no quadro dele, eu aviso vocês na hora — digo para José, que empurra a cadeira de rodas do pai até a porta que Sawyer mantém aberta.

O Sr. Rodriguez levanta a mão, e os dois param à porta.

— Vou incluir seu pai nas minhas orações, Ana — diz ele, a voz vacilante. — Foi tão bom retomar o contato com o Ray depois de todos esses anos... Ele se tornou um bom amigo.

— Eu sei.

E então eles vão embora. Christian e eu ficamos sozinhos. Ele acaricia meu rosto.

— Você está pálida. Venha cá.

Ele senta-se na cadeira e me coloca no colo, abraçando-me mais uma vez, e eu me deixo levar de boa vontade; aconchego-me nele, sentindo-me aflita com o infortúnio do meu padrasto mas grata por ter meu marido aqui, para me consolar. Ele faz um suave carinho no meu cabelo e segura minha mão.

— Como estava o *Charlie Tango*? — pergunto.

Ele sorri.

— Ah, ele estava *yar* — responde ele, com certo orgulho na voz, o que me faz rir pela primeira vez em muitas horas. Eu o fito, intrigada.

— *Yar*?

— É um trecho de *Núpcias de escândalo*. O filme favorito da Grace.

— Não conheço.

— Acho que eu tenho em casa, em blu-ray. Podemos assistir e dar uns amassos. — Ele beija meu cabelo e eu sorrio novamente.

— Será que eu consigo convencer você a comer alguma coisa? — pergunta ele.

Meu sorriso desaparece.

— Agora não. Quero ver o Ray primeiro.

Seus ombros se curvam em desânimo, mas ele não insiste.

— E os taiwaneses?

— Foram afáveis — responde ele.

— Afáveis como?

— Aceitaram me vender o estaleiro deles por menos do que eu estava disposto a pagar.

Ele comprou um estaleiro?

— E isso é bom?

— É bom, sim.

— Mas eu pensei que você já tivesse um estaleiro. Aqui na cidade.

— Eu tenho. Vamos usar o daqui para o acabamento. E construir os cascos no Extremo Oriente. Sai mais barato.

Ah.

— E quanto aos funcionários do estaleiro daqui?

— Vamos realocar. Acho que conseguiremos fazer com que o número de demissões seja mínimo. — Ele beija meu cabelo. — Vamos ver como está o Ray? — pergunta, em voz baixa e suave.

A UTI, no sexto andar, é uma ala austera, estéril e funcional, com vozes sussurradas e sons estridentes dos equipamentos. Quatro pacientes estão internados, cada um em uma área high-tech separada. Ray está na última.

Papai.

Ele parece tão pequeno na imensa cama, cercado por toda aquela aparelhagem. É um choque. Meu pai nunca me pareceu tão diminuído. Há um tubo na sua boca, e em cada braço uma agulha recebe as gotas vindas de diversas ramificações. Uma espécie de pinça está presa a um dos seus dedos. Fico me perguntando vagamente para que será que serve. A perna dele está apoiada em travesseiros, envolta em uma bota azul. Um monitor mostra o batimento cardíaco: *bip, bip, bip*. É um ritmo forte e regular. Isso eu posso perceber. Eu me aproximo lentamente. Seu peito está coberto por uma enorme e recente atadura, que desaparece por baixo do fino lençol que protege seu corpo.

Percebo que o tubo que sai do canto direito de sua boca segue até um respirador mecânico, cujo barulho se combina com o *bip, bip, bip* do monitor cardíaco e forma uma batida percussiva rítmica. Sugando, expelindo, sugando, expelindo, sugando, expelindo no tempo marcado pelos bips. Há quatro linhas na tela do monitor cardíaco, cada uma delas se movendo de um lado ao outro, demonstrando claramente que Ray ainda está conosco.

Ah, papai.

Mesmo com a boca repuxada pelo tubo do respirador, sua aparência é tranquila, como se ele estivesse dormindo.

Uma enfermeira jovem e baixinha está de pé ao lado da cama, verificando os monitores.

— Posso tocá-lo? — pergunto, buscando hesitante a mão dele.

— Pode.

Ela sorri amigavelmente. O crachá diz "ENFERMEIRA KELLIE". Ela é loura e tem olhos muito, muito escuros; deve estar na casa dos vinte anos.

Christian está aos pés da cama, observando-me com atenção. Ao pegar a mão de Ray, sinto-a surpreendentemente quente, e isso me faz desabar. Afundo na cadeira próxima da cama, encosto a cabeça de leve no braço de Ray e começo a chorar.

— Ah, pai. Por favor, melhore logo — sussurro. — Por favor.

Christian coloca a mão no meu ombro e aperta ligeiramente, com a intenção de me tranquilizar.

— Todos os sinais vitais do Sr. Steele estão se mantendo bons — diz a enfermeira Kellie, baixinho.

— Obrigado — murmura Christian.

Ergo o olhar para ela a tempo de vê-la ficar boquiaberta. Finalmente ela deu uma boa olhada no meu marido. Não ligo. Pode admirá-lo o quanto quiser, contanto que faça meu pai melhorar.

— Ele consegue me ouvir? — pergunto.

— Está em um sono profundo. Mas nunca se sabe...

— Posso ficar aqui por um instante?

— Claro.

A enfermeira sorri para mim, suas faces rosadas denunciando-a. Incongruentemente, me pego pensando que ela deve ser loura falsa.

Christian se vira para mim, ignorando-a.

— Preciso dar um telefonema. Vou estar aqui fora. Fique um tempo a sós com o seu pai.

Faço que sim com a cabeça, ele beija meu cabelo e sai da sala. Pego a mão de Ray, impressionada com a ironia de que só agora que ele está inconsciente e não pode me ouvir é que eu realmente quero lhe dizer o quanto o amo. Esse homem tem sido um porto seguro para mim. Minha rocha. E eu nunca tinha pensado nisso até agora. Não sou sangue do seu sangue, mas ele é o meu pai e eu o amo muito. As lágrimas escorrem pelas minhas faces. *Por favor, por favor, fique bom.*

Bem baixinho, para não perturbar ninguém, conto para ele sobre o fim de semana em Aspen e sobre o fim de semana anterior, quando velejamos e viajamos a bordo do *Grace*. Conto também sobre a casa nova, os projetos, nossa expectativa de torná-la ecologicamente sustentável. Prometo que vamos levá-lo conosco para Aspen, para que ele possa pescar com Christian, e garanto-lhe que o Sr. Rodriguez e José também serão bem-vindos. *Por favor, esteja aqui para fazer tudo isso, pai. Por favor.*

Ray permanece imóvel, o sugar e expelir do respirador mecânico e o monótono mas tranquilizador *bip, bip, bip* do monitor cardíaco são sua única resposta.

Quando levanto o olhar, vejo Christian sentado quieto ao pé da cama. Não sei há quanto tempo ele está ali.

— Oi — diz ele, seus olhos transbordando compaixão e preocupação.

— Oi.

— Quer dizer que eu vou pescar com o seu pai, o Sr. Rodriguez e o José? — pergunta ele.

Confirmo com a cabeça.

— Tudo bem. Vamos comer. Deixe o Ray dormir.

Franzo o cenho. Não quero deixá-lo.

— Ana, ele está em coma. Eu dei os números dos nossos celulares para as enfermeiras daqui. Se alguma coisa mudar no quadro dele, elas ligam. Vamos comer, arranjar um hotel, descansar um pouco, e à noite voltamos para cá.

A suíte no Heathman está exatamente como eu me lembro. Quantas vezes eu já pensei naquela primeira noite e naquela manhã que passei com Christian Grey? Paro na entrada do quarto, paralisada. Nossa, tudo começou aqui.

— O lar quando estamos longe do lar — diz Christian, a voz suave, colocando minha pasta no chão ao lado de um dos sofás confortáveis. — Quer tomar um banho? Ficar um pouco na banheira? Do que você precisa, Ana?

Christian me fita, e eu sei que ele está desnorteado: meu garotinho perdido lidando com acontecimentos que estão além do seu controle. Ele ficou fechado e contemplativo a tarde toda. Trata-se de uma situação que ele não pode manipular nem prever. Essa é a vida real em sua essência, e ele se manteve por tanto tempo afastado dela que agora se sente vulnerável e impotente. Meu querido e protegido Cinquenta Tons.

— Um banho de banheira. É o que eu quero agora — murmuro, ciente de que lhe dar uma ocupação vai fazê-lo se sentir melhor, até mesmo útil. *Ah, Christian... estou entorpecida e sinto frio e medo, mas que bom que você está aqui comigo.*

— Banheira. Ótimo. Tudo bem.

Ele cruza o quarto a passos largos e desaparece no suntuoso banheiro. Alguns momentos depois, ecoa na sala o barulho da água correndo para encher a banheira.

Finalmente, reúno minhas forças ante de ir para o quarto. Fico espantada ao ver diversas sacolas da Nordstrom em cima da cama. Christian volta ao quarto, sem gravata nem paletó, as mangas da camisa arregaçadas.

— Mandei o Taylor fazer umas compras. Camisola, essas coisas — diz ele, me observando com certo temor.

Mas é claro que ele fez isso. Sinalizo minha aprovação de modo a fazê-lo sentir-se melhor. *Cadê o Taylor?*

— Ah, Ana — murmura Christian. — Nunca vi você assim. Normalmente você é tão forte e corajosa...

Não sei o que dizer. Apenas olho para ele, com os olhos bem abertos. Não tenho nada a lhe oferecer no momento. Acho que estou em choque. Abraço a mim mesma, tentando controlar o frio insistente, mas sei que é em vão, já que o frio vem de dentro de mim. Christian me envolve em seus braços.

— Baby, ele está vivo. Os sinais vitais estão bons. Só temos que ser pacientes — murmura. — Venha.

E, pegando-me pela mão, ele me leva até o banheiro. Com delicadeza, faz meu casaco deslizar pelos ombros e o coloca na cadeira do banheiro; depois, vira-se de novo e desabotoa minha camisa.

A ÁGUA ESTÁ deliciosamente morna e perfumada, o aroma de flor de lótus invadindo o ar quente e abafado do banheiro. Estou recostada entre as pernas de Christian, minhas costas de encontro ao seu corpo, meus pés descansando sobre os dele. Estamos ambos calados e introspectivos, e finalmente sinto-me mais aquecida. Christian, com o braço ao redor dos meus ombros, beija meu cabelo de vez em quando; eu apenas estouro as bolhas de espuma, sem pensar em nada.

— Você não ficava na banheira com a Leila, ficava? Naquela época você dava banho nela? — pergunto.

Ele se retesa, solta um barulho rouco, e a mão que descansa no meu ombro se contrai.

— Hmm… não. — Seu tom de voz indica surpresa.

— Imaginei. Que bom.

Ele puxa de leve meu cabelo, preso em um coque improvisado, fazendo minha cabeça se inclinar para trás de forma a poder ver meu rosto.

— Por que a pergunta?

Dou de ombros.

— Curiosidade mórbida. Não sei… ver a Leila essa semana…

A expressão em seu rosto endurece.

— Entendo. Menos dessa morbidez, por favor. — Seu tom de voz transmite uma reprimenda.

— Até quando você vai sustentá-la?

— Até ela conseguir andar com as próprias pernas. Não sei. — Ele dá de ombros. — Por quê?

— Existem outras?

— Outras?

— Alguma outra ex que você sustente.

— Havia outra, sim. Mas acabou.

— Ah, é?

— Ela estava estudando medicina. Já se formou e arranjou outra pessoa.

— Outro Dominador?

— É.

— A Leila disse que você tem dois quadros dela — murmuro.

— Eu tinha, mas não gostava muito. Apresentavam certa qualidade técnica, mas eram muito coloridos para o meu gosto. Acho que estão com o Elliot. Como você bem sabe, ele não tem bom gosto.

Dou uma risadinha, e ele passa o outro braço ao redor do meu corpo, entornando água pela lateral da banheira.

— Assim está melhor — sussurra ele, e me dá um beijo na têmpora.

— Ele vai se casar com a minha melhor amiga.

— Então é melhor eu calar a boca.

Sinto-me mais relaxada depois do banho. Enrolada no roupão macio do Heathman, dou uma olhada nas várias sacolas em cima da cama. Nossa, deve ter muito mais do que roupa de dormir aí. Hesitante, espreito uma delas. Uma calça jeans e um suéter azul-claro, com capuz, do meu tamanho. Caramba... Taylor comprou um enxoval completo para um fim de semana — e ele conhece o meu gosto. Sorrio, lembrando que não foi a primeira vez que ele comprou roupas para mim enquanto eu estava hospedada no Heathman.

— Tirando aquela vez que você foi me assediar na Clayton's, algum dia você efetivamente entrou em uma loja para comprar alguma coisa?

— Assediar você?

— Exato, me assediar.

— Você ficou toda nervosa, se bem me lembro. E aquele rapaz estava sempre rodeando você. Como era mesmo o nome dele?

— Paul.

— Um dos seus muitos admiradores.

Reviro os olhos, e ele sorri — um sorriso genuíno, aliviado — e me beija.

— Essa é a minha garota — sussurra ele. — Vá se vestir. Não quero que fique com frio de novo.

— Estou pronta — murmuro.

Christian está trabalhando no seu Mac. Ele veste uma calça jeans preta e um suéter cinza de tricô; eu coloquei a calça, o casaco com capuz e camiseta branca.

— Você parece tão jovem — diz Christian, baixinho, os olhos brilhando ao me fitar. — E pensar que vai ficar um ano inteiro mais velha amanhã.

Sua voz soa melancólica. Abro um sorriso triste.

— Não estou muito a fim de celebrações. Podemos ir ver o Ray agora?

— Claro. Eu queria que você comesse alguma coisa. Você mal tocou na comida.

— Christian, por favor. Não estou com fome. Talvez depois de ver o Ray. Quero dar boa-noite a ele.

Quando chegamos à UTI, encontramos José saindo. Ele está sozinho.

— Ana, Christian, oi.

— Cadê seu pai?

— Estava cansado demais para vir. Afinal de contas, ele também sofreu um acidente de carro hoje de manhã. — José força um sorriso triste. — E os analgésicos contribuíram. Ele capotou. Tive que brigar para poder entrar e ver o Ray, já que eu não sou da família.

— E aí? — pergunto, ansiosa.

— Ele está bem, Ana. Na mesma... mas bem.

Sinto uma onda de alívio. Falta de notícia é boa notícia.

— Vejo você amanhã, aniversariante?

— Claro. Vamos ficar por aqui.

José olha Christian de esguelha rapidamente e depois me dá um breve abraço.

— *Mañana*.

— Boa noite, José.

— Boa noite, José — repete Christian.

José acena e segue pelo corredor.

— Ele ainda é louco por você — diz Christian calmamente.

— Não é não. E mesmo que fosse... — Dou de ombros, porque, no momento, não me importo nem um pouco.

Christian me dá um sorriso contido, e meu coração se derrete.

— Meus parabéns — murmuro.

Ele franze a testa.

— Por não espumar pela boca.

Ele me olha boquiaberto, e vejo que ficou magoado — mas também achou graça.

— Eu nunca fiz isso. Vamos ver o seu pai. Tenho uma surpresa para você.

— Surpresa? — Arregalo os olhos, temerosa.

— Venha.

Christian me pega pela mão, e juntos abrimos as portas duplas da UTI.

Ao pé da cama está Grace, entretida numa conversa com Crowe e uma mulher que eu ainda não tinha visto, também médica. Ao nos ver, Grace sorri.

Ah, graças a Deus.

— Christian.

Ela o beija no rosto, depois se volta para mim e me envolve em um abraço afetuoso.

— Ana. Como você está se aguentando?

— Estou bem. É com o meu pai que eu estou preocupada.

— Ele está em boas mãos. A Dra. Sluder é especialista nessa área. Estudamos juntas em Yale.

Ah...

— Sra. Grey — cumprimenta muito formalmente a Dra. Sluder. Ela tem um porte franzino, cabelo curto, um sorriso tímido e um leve sotaque do sul. — Como a principal médica do seu pai nesse momento, fico feliz em dizer que tudo está correndo conforme o previsto. Os sinais vitais dele estão fortes e estáveis. Temos muita fé em que ele vai se recuperar plenamente. O edema cerebral cessou e mostra sinais de que está diminuindo. Isso é muito promissor depois de tão pouco tempo.

— Que boa notícia — murmuro.

Ela sorri afetuosamente.

— É mesmo, Sra. Grey. Estamos cuidando muito bem dele. — Ela se volta para Grace. — Foi bom ver você de novo.

Grace sorri.

— Digo o mesmo, Lorraina.

— Dr. Crowe, vamos deixar a família fazer uma visita ao Sr. Steele. — E Crowe segue junto com a Dra. Sluder até a saída.

Volto minhas atenções para Ray, e pela primeira vez desde o acidente me sinto mais esperançosa. As palavras gentis de Grace e da Dra. Sluder renovaram minha fé.

Grace pega minha mão e a aperta ligeiramente.

— Ana, querida, fique sentada ao lado dele. Fale com ele. Isso só faz bem. Ficarei com o Christian na sala de espera.

Aquiesço, e Christian sorri, transmitindo tranquilidade. Ele e a mãe me deixam com meu querido pai dormindo em paz ao som da canção de ninar do respirador mecânico e do monitor cardíaco.

Visto a camiseta branca de Christian e me enfio na cama.

— Você parece mais animada — diz ele cautelosamente ao vestir o pijama.

— É verdade. Acho que conversar com a Dra. Sluder e com a sua mãe fez uma grande diferença. Foi você que pediu à Grace para vir até aqui?

Christian desliza para debaixo dos lençóis e me puxa para seus braços, virando-me de costas para si.

— Não. Ela quis vir e verificar pessoalmente como estava o seu pai.

— Como ela soube?

— Liguei para ela hoje de manhã.

Ah.

— Baby, você está exausta. Durma um pouco.

— Aham — murmuro.

Ele tem razão. Estou tão cansada! Foi um dia cheio de emoções. Viro a cabeça e o observo por um breve momento. *Não vamos fazer amor?* E fico aliviada. Na verdade, durante todo o dia ele se comportou como se não devesse me tocar muito. Fico pensando se devo ficar preocupada com isso; porém, como a minha deusa interior deu uma saída, levando minha libido consigo, resolvo pensar no assunto amanhã de manhã. Eu me viro e me aconchego em Christian, enroscando minha perna na dele.

— Quero que me prometa uma coisa — diz ele suavemente.

— Hmm? — É uma pergunta, já que estou cansada demais para articular qualquer palavra.

— Prometa que vai se alimentar amanhã. Posso até tolerar ver você usando a jaqueta de outro homem sem espumar pela boca, mas, Ana... você tem que comer. Por favor.

— Hmm — concordo. Ele beija meu cabelo. — Obrigada por estar aqui — balbucio, e, já meio dormindo, beijo seu peito.

— E onde mais eu estaria? Quero estar onde você estiver, Ana. Estar aqui me faz pensar em como chegamos tão longe. E na primeira noite que dormimos juntos. Que noite! Fiquei observando você por horas e horas. Você era simplesmente... *yar* — sussurra ele.

Abro um sorriso com o rosto encostado em seu peito.

— Durma — murmura ele, e é uma ordem.

Fecho os olhos e me entrego.

CAPÍTULO DEZOITO

Eu me mexo, abrindo os olhos para uma clara manhã de setembro. Quente e confortável sob lençóis novos e limpos, levo um tempo para me orientar e me surpreendo com uma sensação de *déjà vu*. É claro, estou no Heathman.

— Merda! Meu pai! — exclamo alto, e, sentindo uma crise de aflição que faz meu coração se apertar e começar a bater acelerado, recordo o motivo que me trouxe a Portland.

— Ei. — Christian está sentado na beira da cama. Ele afaga minha face com os nós dos dedos, o que me acalma instantaneamente. — Liguei para a UTI agora de manhã. Ray passou bem a noite. Está tudo certo — diz ele, para me tranquilizar.

— Ah, que bom. Obrigada — murmuro, me sentando.

Ele se inclina e pressiona os lábios contra a minha testa.

— Bom dia, Ana — sussurra, e beija minha têmpora.

— Oi — murmuro.

Ele já está desperto e vestido com camiseta preta e calça jeans.

— Oi — responde ele, os olhos cheios de suavidade e afeto. — Queria desejar um feliz aniversário. Posso?

Esboço um sorriso e acaricio seu rosto.

— Sim, claro. Obrigada. Por tudo.

Ele franze a testa.

— Tudo?

— Tudo.

Por um instante ele parece confuso, mas passa rápido, e então seus olhos se arregalam, ansiosos.

— Aqui.

Ele me entrega uma caixinha delicadamente embalada, com um pequenino cartão de presente.

Apesar da aflição que sinto por causa de meu pai, posso perceber a ansiedade e a empolgação de Christian — e é contagioso. Leio o cartão.

Por todas as nossas primeiras vezes, no seu primeiro aniversário
como minha amada esposa.
Amo você
Bj,
C.

Ah, meu Deus, tem coisa mais fofa?

— Também amo você — murmuro, sorrindo para ele.

Ele sorri de volta.

— Abra.

Desembrulho o papel com cuidado para não rasgar e encontro uma linda caixa de couro vermelho. *Cartier.* A embalagem já me é familiar, graças ao relógio e aos brincos que ele me deu ao pedir uma segunda chance. Abro a caixa cautelosamente. Dentro, há uma pulseira de pingentes, feita de prata, platina ou ouro branco — não sei dizer, mas é simplesmente linda. Possui vários pingentes: a Torre Eiffel; um táxi preto de Londres; um helicóptero — o *Charlie Tango*; um planador, um catamarã — *The Grace*; uma cama; e uma casquinha de sorvete? Olho para ele, intrigada.

— Baunilha?

Ele dá de ombros como se pedisse desculpas, e não consigo deixar de dar uma risada. É óbvio.

— Christian, é maravilhosa. Obrigada. É *yar.*

Ele abre um sorriso.

O que eu mais gostei foi do coração. É um relicário.

— Você pode colocar uma foto ou o que quiser.

— Uma foto sua. — Ergo os olhos para ele. — Em meu coração para todo o sempre.

Ele sorri, seu belo e tímido sorriso de cortar o coração.

Acaricio os dois últimos pingentes: uma letra C — ah, sim, eu fui a única namorada a usar seu primeiro nome. Sorrio ao pensar nisso. E, finalmente, uma chave.

— Do meu coração e da minha alma — sussurra ele.

Meus olhos ficam marejados. Eu me jogo em seus braços, me enroscando no pescoço dele e me sentando em seu colo.

— É um presente tão atencioso... Adorei. Muito obrigada — murmuro no ouvido dele.

Ah, ele está tão cheiroso — um cheiro de limpeza, de linho puro, de sabonete e de Christian. Como um lar, o meu lar. As lágrimas que ameaçavam cair afinal rolam pelo meu rosto.

Ele emite um som baixo e rouco e me aperta em seu abraço.

— Não sei o que eu faria sem você. — Minha voz falha, pois tento conter uma esmagadora onda de emoções.

Ele engole em seco e me abraça ainda mais apertado.

— Por favor, não chore.

Dou uma fungada nada educada para uma moça.

— Desculpe. É que eu estou tão feliz e triste e nervosa, tudo ao mesmo tempo. É um doce amargo.

— Ei. — Sua voz é leve como uma pluma. Erguendo meu queixo, ele me dá um selinho. — Eu entendo.

— Eu sei — murmuro, e recebo em troca o seu sorriso tímido.

— Queria que estivéssemos em circunstâncias mais felizes e em casa. Mas estamos aqui. — Ele dá de ombros mais uma vez, à guisa de desculpas. — Venha, levante-se. Depois do café, vamos ver como está o Ray.

Depois de vestir a camiseta e a calça jeans novas, afinal meu apetite faz uma aparição, breve mas bem-vinda, durante o café da manhã na suíte. Sei que Christian fica contente de me ver comer granola com iogurte grego.

— Obrigada por pedir meu café da manhã preferido.

— É seu aniversário — diz ele docemente. — E você tem que parar de ficar me agradecendo. — Ele revira os olhos em irritação, mas de uma maneira afetuosa, eu acho.

— Só quero que você saiba que me agrada.

— Anastasia, é essa a minha função.

A expressão em seu rosto é séria — é claro, Christian no comando e no controle. Como pude esquecer… Será que eu ia gostar dele se fosse diferente?

— É verdade. — Sorrio.

Ele me lança um olhar intrigado, mas depois balança a cabeça.

— Vamos?

— Só vou escovar os dentes.

— Tudo bem. — E ele abre um sorriso irônico.

Por que a ironia? Essa ideia persiste em minha cabeça enquanto me dirijo para o banheiro. Uma recordação surge repentina em minha mente. Eu usei a escova de dentes dele depois da primeira noite que passamos juntos. Também sorrio ironicamente e pego a escova dele em homenagem àquela primeira vez. Ao me olhar escovando os dentes, percebo que estou pálida, muito pálida. Se bem que eu estou sempre pálida. Da última vez que estive aqui, eu era solteira, e agora estou casada, aos vinte e dois anos! Estou ficando velha. Cuspo a pasta de dente.

Levanto o punho e balanço: os penduricalhos da pulseira produzem um chacoalhar gostoso. Como o meu doce Christian consegue sempre saber exatamente a coisa certa para me dar de presente? Respiro fundo, tentando abafar as emoções ainda presentes em meu organismo, e admiro a pulseira mais uma vez. Aposto que custou uma fortuna. *Ah... bem.* Ele tem dinheiro para isso.

Quando nos dirigimos para o elevador, Christian pega minha mão e beija os nós dos dedos, seu polegar roçando o *Charlie Tango* na minha pulseira.

— Você gostou?

— Gostar é pouco. Eu adorei. Adorei mesmo. Assim como eu adoro você.

Ele sorri e beija os nós dos meus dedos novamente. Sinto-me mais leve do que ontem. Talvez por ser de manhã, quando o mundo sempre parece mais promissor do que no meio da noite. Ou talvez seja o doce despertar providenciado pelo meu marido. Ou então por saber que Ray não piorou.

Quando entramos no elevador vazio, ergo os olhos para Christian por um momento. Ele rapidamente encontra meu olhar e sorri daquele jeito meio irônico novamente.

— Não faça isso — sussurra ele quando as portas se fecham.

— Isso o quê?

— Não me olhe assim.

— Foda-se a papelada — balbucio, sorrindo.

Ele ri, um som despreocupado e infantil. Depois me puxa para seus braços e ergue meu queixo.

— Um dia vou alugar este elevador por uma tarde inteira.

— Só pela tarde? — Levanto a sobrancelha.

— Sra. Grey, mas que ambiciosa.

— Quando se trata de você, sou mesmo.

— Fico muito feliz em ouvir isso. — Ele me beija suavemente.

E não sei se é porque estamos *neste* elevador ou porque ele não me tocou nas últimas vinte e quatro horas ou apenas porque ele é meu inebriante marido, mas o desejo se solta e se instala preguiçosamente no meu ventre. Passo os dedos pelo cabelo dele e intensifico o beijo, empurrando-o contra a parede e pressionando meu corpo contra o dele.

Ele geme, sua boca ainda na minha, e segura minha cabeça, me embalando enquanto nos beijamos — um beijo de verdade, nossas línguas explorando um território tão conhecido e ao mesmo tempo novo e excitante que é a boca do outro. Minha deusa interior entra em êxtase, trazendo minha libido de volta. Acaricio seu rosto tão querido, em minhas mãos.

— Ana — sussurra ele.

— Eu amo você, Christian Grey. Nunca se esqueça disso — sussurro, fitando seus olhos cinza cada vez mais escuros.

O elevador para suavemente e as portas se abrem.

— Vamos lá visitar seu pai antes que eu decida alugar esse elevador hoje mesmo.

Ele me beija rapidamente, pega minha mão e me conduz até a entrada.

Quando passamos pela recepção, Christian faz um discreto sinal para o amável senhor de meia-idade atrás do balcão. Ele aquiesce e pega o telefone. Fito Christian com ar inquisidor e ele me responde com um sorriso cheio de segredos. Franzo a testa, e, por um instante, ele aparenta nervosismo.

— Cadê o Taylor? — pergunto.

— Ele deve chegar daqui a pouco.

É óbvio, provavelmente está pegando o carro.

— E o Sawyer?

— Resolvendo uns assuntos.

Que assuntos?

Christian evita a porta giratória, e sei que é para não ter que soltar minha mão. Isso aquece meu coração. Lá fora está uma agradável manhã de final de verão, mas o aroma do outono vindouro paira na brisa do ar. Olho em volta, procurando o Audi SUV e Taylor. Nenhum sinal dos dois. Christian aperta minha mão ainda mais, e eu olho para ele. Parece ansioso.

— O que foi?

Ele dá de ombros. O barulho do motor de um automóvel que se aproxima me distrai. É um ronco... e familiar. Quando me volto para procurar de onde vem o barulho, ele cessa repentinamente. Taylor está saindo de um carro esportivo branco e lustroso estacionado na nossa frente.

Ah, merda! É um R8. Viro bruscamente a cabeça para Christian, que me examina com um olhar cauteloso. "*Você pode me dar um de aniversário... branco, acho.*"

— Feliz aniversário — diz ele, e sei que está avaliando minha reação. Fico boquiaberta, pois é o máximo que consigo fazer. Ele estende uma chave para mim.

— Agora você passou totalmente dos limites — murmuro.

Ele me deu um Audi R8! Puta merda. Exatamente como eu pedi! Meu rosto se abre num sorriso enorme, e dou pulinhos sem sair do lugar, sem conseguir esconder ou refrear minha superempolgação. A expressão de Christian reflete a minha, e eu avanço dançando até cair em seus braços. Ele me gira no ar.

— Você tem mais dinheiro do que bom senso! — grito de alegria. — Adorei! Obrigada mesmo!

Ele para e subitamente me inclina para baixo, o que me assusta e me obriga a agarrar seus braços.

— Tudo para você, Sra. Grey. — Ele abre um grande sorriso. *Minha nossa.* Que grande demonstração pública de amor. E me beija. — Venha. Vamos ver seu pai.

— Claro. Posso dirigir?

Ele ri.

— Pode. É seu.

Ele me levanta e me solta. Corro para o lado do motorista.

Taylor abre a porta para mim, com um grande sorriso.

— Feliz aniversário, Sra. Grey.

— Obrigada, Taylor.

Eu o surpreendo ao lhe dar um rápido abraço, que ele retribui meio sem graça. Ainda há rubor em seu rosto quando entro no carro e ele fecha a porta assim que me instalo no banco.

— Dirija com cuidado, Sra. Grey — diz, todo bronco. Olho radiante para ele, mal conseguindo conter minha empolgação.

— Pode deixar — prometo, enfiando a chave na ignição depois que Christian se acomoda ao meu lado.

— Vá com calma. Não tem ninguém nos perseguindo agora — avisa ele.

Quando viro a chave, o motor ganha vida com um ronco. Verifico o espelho retrovisor e os laterais e, percebendo um raro momento de tráfego livre, executo uma perfeita curva em U e saio rugindo em direção ao hospital universitário.

— Uau! — exclama Christian, tenso.

— O que foi?

— Não quero ver você internada na UTI junto com o seu pai. Vá devagar — ordena ele, sem chance de discussão.

Piso mais leve no acelerador e sorrio para ele.

— Melhor assim?

— Bem melhor — balbucia, tentando parecer austero… mas falhando totalmente.

A CONDIÇÃO DE Ray permanece inalterada. Vê-lo faz meus pés fincarem novamente no chão, após a emocionante viagem de carro até aqui. *Eu realmente deveria dirigir com mais cuidado.* Não dá para controlar todo motorista embriagado que existe no mundo. Preciso perguntar a Christian o que aconteceu com o babaca que provocou o acidente com Ray — tenho certeza de que ele sabe. Apesar dos tubos, meu pai parece confortável, e acho que vejo um pouco mais de cor nas suas faces. Enquanto converso com ele, contando como foi minha manhã, Christian vai até a sala de espera para dar uns telefonemas.

A enfermeira Kellie se aproxima, verificando o estado de Ray e fazendo anotações no prontuário dele.

— Todos os sinais estão bons, Sra. Grey. — Ela sorri amavelmente.

— Isso é bem animador.

Um pouco mais tarde, o Dr. Crowe aparece com dois assistentes de enfermagem e diz cordialmente:

— Sra. Grey, está na hora de levar o seu pai para a radiologia. Vamos fazer uma tomografia computadorizada. Para ver como anda o cérebro dele.

— Vai demorar?

— No máximo uma hora.

— Vou esperar. Quero saber o resultado.

— É claro, Sra. Grey.

Vou caminhando lentamente até a sala de espera — felizmente vazia a essa hora —, onde Christian está falando ao telefone, andando de um lado para o outro. Enquanto fala, contempla pela janela a vista panorâmica de Portland. Ele se volta para mim quando fecho a porta, e parece zangado.

— Excedeu em quanto a velocidade?... Entendo... Todas as acusações, tudo. O pai da Ana está na UTI. Quero que você use tudo que puder contra esse filho da puta... Ótimo, pai. Mantenha-me informado. — Ele desliga.

— O outro motorista?

Ele faz que sim com a cabeça.

— Um babaca de um bêbado de merda que mora num trailer na parte sul de Portland — zomba ele, e fico chocada com a terminologia e com o tom depreciativo. Seu tom de voz suaviza quando ele continua, vindo na minha direção: — Já viu o Ray? Quer ir embora?

— Hmm... não.

Olho para ele, ainda incomodada com o desprezo que ele manifestou.

— O que aconteceu?

— Nada de mais. Ele está sendo levado para a radiologia. Vão fazer uma tomografia computadorizada para ver como está o edema no cérebro. Eu queria esperar o resultado.

— Tudo bem. Vamos esperar. — Ele se senta e estica os braços para mim. Como estamos sozinhos, aceito o convite e me aconchego feliz em seu colo. — Não foi assim que eu imaginei passar o dia de hoje — murmura Christian, com a boca no meu cabelo.

— Eu também não, mas estou mais otimista agora. Sua mãe me tranquilizou bastante. Foi muito gentil da parte dela ter aparecido ontem à noite.

Christian acaricia minhas costas e repousa o queixo na minha cabeça.

— Minha mãe é uma mulher extraordinária.

— É verdade. Você tem muita sorte de tê-la por perto.

Ele concorda.

— Eu deveria ligar para a minha mãe. Avisar sobre o Ray — murmuro, e Christian se enrijece. — Estou surpresa de ela não ter me ligado.

Franzo a testa ao pensar nisso. Na realidade, estou magoada. Afinal de contas, é meu aniversário, e ela estava lá no momento em que nasci. Por que ela não telefonou?

— Talvez ela tenha ligado — diz Christian.

Pego meu BlackBerry do bolso. Não há chamadas perdidas, mas algumas poucas mensagens de texto: feliz aniversário de Kate, José, Mia e Ethan. Nada da minha mãe. Balanço a cabeça, desanimada.

— Ligue logo para ela — diz ele ternamente.

Eu ligo, mas ninguém atende, só a secretária eletrônica. Não deixo recado. Como minha própria mãe pode esquecer o meu aniversário?

— Ela não está. Tento de novo mais tarde, depois que eu souber o resultado da tomografia.

Christian me aperta mais em seus braços, cheirando meu cabelo de novo, e sabiamente não tece nenhum comentário acerca da falta de interesse por parte da minha mãe. Eu sinto mais do que ouço o zumbido do BlackBerry dele. Ele não me deixa levantar, e fisga o aparelho do bolso com certo esforço.

— Andrea — atende, seco, reassumindo o tom profissional.

Faço outra tentativa de me levantar, mas ele me detém, franzindo o cenho e apertando minha cintura. Eu volto a me aninhar em seu peito e ouço a conversa parcial.

— Ótimo... Qual é o horário previsto para a chegada?... E os outros, hã... pacotes? — Ele consulta o relógio. — O Heathman tem todos os detalhes?... Ótimo... Sim. Pode esperar até segunda de manhã, mas me mande um e-mail, em todo caso: eu imprimo, assino e escaneio para enviar de volta para você... Eles podem esperar. Vá para casa, Andrea... Não, estamos bem, obrigado. — E desliga.

— Está tudo bem?

— Sim.

— É o lance dos taiwaneses?

— É.

Christian muda de posição embaixo de mim, desconfortável.

— Estou muito pesada?

Ele emite um som de desdém.

— Não, baby.

— Está preocupado com o lance dos taiwaneses?

— Não.

— Pensei que fosse importante.

— E é. O estaleiro daqui depende disso. Tem muitos empregos em jogo.

Ah!

— Só temos que vender a ideia para os sindicatos. É aí que entram Sam e Ros. Mas pelo rumo que está tomando a economia, nenhum de nós tem muitas opções.

Bocejo.

— Estou aborrecendo você, Sra. Grey? — Ele roça o nariz no meu cabelo de novo, achando graça.

— Não! De jeito nenhum... É só que está muito confortável aqui no seu colo. Eu gosto de ouvir sobre o seu trabalho.

— Ah, é? — Ele parece surpreso.

— Claro. — Eu me inclino para trás, para poder fitá-lo melhor. — Gosto de ouvir qualquer informação que você se digne a compartilhar comigo. — Forço um sorriso, ao que ele me observa com ar divertido e balança a cabeça.

— Sempre ávida por mais informação, Sra. Grey.

— Conte para mim — peço, aconchegando-me mais no peito dele.

— Contar o quê?

— Por que você faz isso.

— Isso o quê?

— Por que você trabalha desse jeito.

— Todo mundo tem que ganhar o seu sustento. — Ele está achando graça no meu comentário.

— Christian, o que você ganha é mais do que o seu sustento — retruco, minha voz cheia de ironia.

Ele franze a testa e fica quieto por um momento. Penso que ele não vai revelar nenhum segredo, mas ele me surpreende:

— Não quero ficar pobre — diz, em voz baixa. — Já passei por isso. Não vou passar de novo. Além do mais... é um jogo — murmura ele. — O objetivo é ganhar. Um jogo que eu sempre achei muito fácil.

— Ao contrário da vida — murmuro para mim mesma. Depois percebo que pensei em voz alta.

— É, acho que sim. — Ele franze o cenho. — Embora seja mais fácil estando com você.

Mais fácil comigo? Eu o abraço forte.

— Não pode ser só um jogo. Você é tão filantrópico!

Ele dá de ombros, e sei que está ficando pouco à vontade.

— Em relação a algumas coisas, talvez — diz ele, com tranquilidade.

— Eu adoro o Christian filantrópico — murmuro.

— Só ele?

— Ah, adoro o Christian megalomaníaco também, e o Christian maníaco por controle, o Christian especialista em sexo, o Christian pervertido, o Christian romântico, o Christian tímido… a lista é interminável.

— É uma porção de Christians.

— Eu diria que são pelo menos cinquenta.

Ele ri.

— Cinquenta tons — murmura ele, o rosto enfiado no meu cabelo.

— Meu Cinquenta Tons.

Ele muda de posição, puxa minha cabeça para trás e me beija.

— Bem, Sra. Tons, vamos ver como está seu pai.

— Isso mesmo.

— Podemos dar uma volta?

Christian e eu retornamos ao R8, e me sinto andando nas nuvens. O cérebro de Ray voltou ao normal: todo o inchaço regrediu. A Dra. Sluder decidiu despertá-lo do coma amanhã. Ela diz estar satisfeita com o progresso dele.

— Claro. — Christian abre um enorme sorriso. — É seu aniversário… podemos fazer o que você quiser.

Opa! Seu tom de voz me faz virar para fitá-lo. Seus olhos estão escuros.

— Qualquer coisa?

— Qualquer coisa.

Como duas palavras podem carregar tantas promessas?

— Bom, eu quero dirigir.

— Então dirija, baby. — Ele sorri novamente, e eu retribuo o sorriso.

É um sonho dirigir um carro como esse, e, quando atingimos a Interestadual 5, piso sutilmente mais fundo no acelerador, jogando nossas costas contra o encosto dos assentos.

— Devagar — aconselha Christian.

Estamos voltando para Portland quando eu tenho uma ideia.

— Tem alguma coisa em mente para o almoço? — pergunto, hesitante.

— Não. Está com fome? — Ele parece torcer por um sim.

— Estou.

— Aonde você quer ir? Hoje é o seu dia, Ana.

— Conheço um lugar perfeito.

Paro o carro perto da galeria onde José expôs seu trabalho e estaciono em frente ao restaurante Le Picotin, aonde fomos após a exposição do meu amigo.

Christian abre um sorriso.

— Por um minuto eu pensei que você ia me levar para aquele bar horroroso de onde você me ligou bêbada.

— Por que eu faria isso?

— Para ver se as azaleias ainda estão vivas. — Ele arqueia uma sobrancelha, cheio de ironia.

Fico ruborizada.

— Nem me lembre! Além do mais... você depois me levou para o seu quarto de hotel. — Dou um sorriso.

— A melhor decisão que eu já tomei — diz ele, os olhos cálidos e afetuosos.

— É. Foi sim. — Eu me inclino e o beijo.

— Você acha que aquele filho da puta arrogante ainda é garçom lá? — pergunta Christian.

— Arrogante? Achei ele simpático.

— Ele estava tentando impressionar você.

— Bom, ele conseguiu.

De brincadeira, Christian retorce a boca em desprezo.

— Vamos entrar? — digo.

— Primeiro as damas.

DEPOIS DO ALMOÇO e de um rápido desvio até o hotel para pegar o notebook de Christian, voltamos ao hospital. Passo a tarde com Ray, lendo em voz alta um original que recebi. Meu único companheiro é o som dos aparelhos que o mantêm vivo, que o mantêm comigo. Agora que sei que ele está evoluindo bem, posso relaxar. Estou esperançosa. Ele só precisa de tempo para se recuperar. Tempo, eu tenho; posso dar a ele. Fico pensando distraidamente se não deveria ligar para a minha mãe de novo, mas resolvo adiar isso. Seguro a mão de Ray de leve enquanto leio para ele. De vez em quando aperto sua mão, desejando que fique bom logo. Sinto seus dedos macios e quentes. O anular ainda tem uma depressão no lugar onde ele usava a aliança — mesmo depois de tanto tempo.

Uma ou duas horas depois, não sei bem quanto tempo, ergo o olhar e vejo Christian, laptop na mão, junto com a enfermeira Kellie ao pé da cama de Ray.

— Hora de ir, Ana.

Ah. Aperto com força a mão de Ray. Não quero deixá-lo.

— Você precisa comer. Venha. Já é tarde. — Christian parece insistente.

— Agora vou fazer a higiene do Sr. Steele — diz a enfermeira Kellie.

— Está bem — consinto. — A gente volta amanhã de manhã.

Dou um beijo no rosto de Ray, sentindo uma barba por fazer que não lhe é habitual. Não gostei disso. *Continue melhorando, papai. Eu amo você.*

* * *

— Achei que podíamos jantar lá embaixo. Numa mesa isolada — diz Christian, com um brilho nos olhos, ao abrir a porta da nossa suíte.

— Sério? Terminar o que você começou meses atrás?

Ele sorri.

— Só se você tiver muita sorte, Sra. Grey.

Dou uma risada.

— Christian, eu não tenho nada mais arrumado para vestir.

Ele sorri, estende a mão e me conduz até o quarto, onde abre o guarda-roupa para me mostrar uma enorme capa branca para roupas pendurada.

— Taylor? — pergunto.

— Christian — responde ele, veemente e magoado ao mesmo tempo.

Seu tom de voz me faz rir. Abro a capa e tiro um vestido de cetim azul-marinho. É deslumbrante — justo, com alças finas. Parece pequeno.

— É lindo. Obrigada. Espero que caiba.

— Vai caber — diz ele, confiante. — E tem isso aqui — ele pega uma caixa de sapatos —, para usar com o vestido. — E me dá um sorriso malicioso.

— Você pensa em tudo. Obrigada. — Estico o corpo para beijá-lo.

— Penso mesmo. — E me entrega mais uma sacola.

Olho para ele intrigada. De dentro tiro um corpete preto sem alças, com o meio rendado. Ele acaricia meu rosto, pega meu queixo e me beija.

— Estou ansioso para tirar isso de você mais tarde.

Recém-saída do banho, depilada, limpa e me sentindo paparicada, sento-me na beira da cama e ligo o secador de cabelo. Christian entra no quarto. Acho que ele estava trabalhando.

— Deixa que eu faço isso — diz apontando para a cadeira em frente à penteadeira.

— Secar o meu cabelo?

Ele faz que sim. Fico sem reação.

— Venha — insiste ele, me olhando intensamente.

Conheço essa expressão, e sei que é melhor obedecer. Ele então seca meu cabelo, lenta e metodicamente, uma mecha de cada vez, com sua costumeira habilidade.

— Você já fez isso antes — murmuro.

Seu sorriso se reflete no espelho, mas ele não diz nada e continua a escovar meu cabelo. Hmm… é tão relaxante.

Não estamos sozinhos no elevador ao descermos para jantar. Christian está apetitoso com a combinação que é sua marca registrada: camisa de linho branco, calça jeans preta e blazer. Sem gravata. As duas mulheres dentro do elevador lançam olhares de admiração para ele e outros menos bondosos para mim. Disfarço um sorriso. *Sim, senhoras, ele é meu.* Christian pega minha mão e me puxa para junto de si. Descemos em silêncio até o mezanino.

O andar está repleto, cheio de pessoas arrumadas para a noite, sentadas pelo local batendo papo e bebendo, esquentando para a noite de sábado. Estou feliz por me adequar ao ambiente. Meu vestido é justo, destacando minhas curvas e mantendo meu corpo todo no lugar. Tenho que admitir que me sinto... atraente. E sei que Christian aprova.

A princípio, penso que estamos nos encaminhando para a sala de jantar privada onde discutimos o contrato pela primeira vez, mas, ao me conduzir, ele passa direto por aquela porta e segue até o extremo oposto, onde abre uma porta para outra sala revestida em madeira.

— *Surpresa!*

Meu Deus. Kate e Elliot, Mia e Ethan, Carrick e Grace, o Sr. Rodriguez e José e minha mãe e Bob estão todos ali, erguendo suas taças para um brinde. Fico parada olhando pasma para eles, sem palavras. *Como? Quando?* Viro-me em choque para Christian, que aperta minha mão. Minha mãe dá um passo para a frente e me abraça. *Ah, mãe!*

— Querida, você está linda. Feliz aniversário.

— Mãe! — soluço, abraçando-a.

Ah, mamãe. As lágrimas descem pelas minhas faces apesar da plateia, e enterro o rosto no pescoço dela.

— Minha querida. Não chore. O Ray vai ficar bom. Ele é um homem muito forte. Não chore. Não no seu aniversário.

Sua voz falha de tanta emoção, mas ela mantém a postura. Segurando meu rosto entre as mãos, ela enxuga minhas lágrimas com os polegares.

— Pensei que você tinha esquecido.

— Ah, Ana! Como eu ia esquecer? Não dá para esquecer assim tão fácil dezessete horas de trabalho de parto.

Dou uma risada por entre as lágrimas, e ela sorri.

— Enxugue os olhos, querida. Tem um monte de gente aqui para comemorar esse dia especial.

Eu fungo, sem querer olhar para mais ninguém na sala, envergonhada e emocionada por todos terem feito tanto esforço para vir me ver.

— Como você veio? Quando?

— Seu marido mandou o avião, querida. — Ela sorri, impressionada.

E eu rio.

— Obrigada por vir, mãe. — Ela limpa meu nariz com um lenço de papel, como só uma mãe faria. — Mãe! — repreendo-a, recompondo-me.

— Assim está melhor. Feliz aniversário, querida.

Ela então se coloca de lado, e todo mundo faz uma fila para me abraçar e me desejar feliz aniversário.

— Ele está se saindo bem, Ana. A Dra. Sluder é uma das melhores do país. Feliz aniversário, meu anjo. — Grace me abraça apertado.

— Chore o quanto quiser, Ana: a festa é sua. — José me dá um abraço.

— Feliz aniversário, minha querida. — Carrick sorri, com a mão no meu rosto.

— E aí, garota? Seu velho vai ficar bem. — Elliot me envolve em seus braços. — Feliz aniversário.

— Já chega. — Pegando minha mão, Christian me separa de Elliot. — Pode parar de se esfregar na minha mulher. Vá se esfregar na sua noiva.

Elliot ri com malícia para ele e dá uma piscadela para Kate.

Um garçom que eu ainda não tinha notado oferece taças de champanhe rosé para mim e meu marido.

Christian pigarreia.

— Este seria um dia perfeito se Ray estivesse aqui conosco, mas ele não está longe. Está se recuperando, e eu sei que ele gostaria que você se divertisse, Ana. Agradeço a todos vocês por terem vindo participar do aniversário de minha bela esposa, o primeiro de muitos que passaremos juntos. Felicidades, meu amor.

Christian ergue a taça em minha homenagem em meio a um coro de "feliz aniversário", e tenho que conter novamente as lágrimas que teimam em surgir.

OBSERVO AS CONVERSAS animadas em volta da mesa de jantar. É estranho estar cercada pelos meus familiares mais chegados, sabendo que o homem que considero meu pai está ligado a uma máquina que sustenta suas funções vitais, no ambiente frio da UTI. Estou um pouco alheia às comemorações, embora muito grata por tê-los todos aqui. Observo as disputas entre Elliot e Christian, a sagacidade refinada e célere de José, a animação de Mia, bem como seu entusiasmo com a comida, tendo Ethan como um observador disfarçado. Acho que ele gosta dela... ainda que seja difícil dizer com certeza. O Sr. Rodriguez permanece sentado, como eu, aproveitando as conversas ao redor. Ele parece melhor. Mais descansado. José é muito atencioso com o pai, corta a comida dele e mantém seu copo cheio. Ele não tem mais mãe, então o fato de ter visto o pai chegar tão perto da morte o fez valorizar mais o Sr. Rodriguez... sei disso.

Olho para minha mãe. Ela está muito à vontade, charmosa, espirituosa e animada. Eu a amo muito. Tenho que me lembrar de dizer-lhe isso. Percebo agora como a vida é preciosa.

— Está tudo bem? — pergunta Kate, numa voz atipicamente baixa.

Aquiesço e pego sua mão.

— Sim. Obrigada por ter vindo.

— E você acha que o Sr. Cheio da Grana ia me deixar longe de você no seu aniversário? A gente andou de helicóptero! — Ela sorri.

— Sério?

— Aham. Nós todos. Incrível o Christian saber pilotar.

Concordo com um gesto de cabeça.

— Isso é um tanto sexy.

— Também acho.

Nós rimos.

— Você vai passar a noite aqui? — indago.

— Vou. Todos nós, eu acho. Você não sabia de nada?

Balanço a cabeça em negativa.

— Legal, hein?

Concordo.

— O que ele lhe deu de aniversário?

— Isso. — Mostro minha pulseira nova.

— Ah, que graça!

— É mesmo.

— Londres, Paris... sorvete?

— Nem queira saber.

— Eu posso imaginar.

Rimos, e fico vermelha ao me lembrar de Ben & Jerry's e Ana.

— Ah... e um R8.

Kate cospe o vinho, que escorre pelo seu queixo; é uma cena nem um pouco bonita, o que nos faz rir ainda mais.

— O filho da puta sabe fazer um agrado, hein? — Ela dá uma risada.

De sobremesa, ganho um magnífico bolo de chocolate com vinte e duas velas prateadas luzindo em cima e um animado coro cantando "Parabéns para você". Grace observa Christian cantar junto com meus amigos e minha família, e seus olhos reluzem de amor. Captando meu olhar, ela me sopra um beijo.

— Faça um pedido — sussurra Christian.

Apago todas as velas de uma só vez, desejando ardorosamente que meu pai melhore. *Papai, fique bom. Por favor, fique bom. Amo muito você.*

À meia-noite, o Sr. Rodriguez e José se despedem.

— Muito obrigada por terem vindo. — Dou um abraço apertado em José.

— Eu não perderia essa festa por nada neste mundo. Estou contente por Ray estar melhorando.

— É verdade. O senhor e o Ray têm que ir pescar com Christian em Aspen.

— Mesmo? Parece ótimo.

José sorri antes de se afastar para ir buscar o casaco do pai, e me abaixo para me despedir do Sr. Rodriguez.

— Você sabe, Ana, teve uma época em que... bem, eu pensei que você e o José... — Sua voz vai desaparecendo, e ele me fita, seus olhos escuros intensos mas amorosos.

Ah, não.

— Gosto muito do seu filho, Sr. Rodriguez, mas ele é como um irmão para mim.

— Você teria sido uma excelente nora. E você é. Para os Grey. — Ele sorri melancolicamente, e eu fico vermelha.

— Espero que o senhor aceite uma amiga.

— É claro. Seu marido é um bom homem. Você escolheu bem, Ana.

— Também acho — murmuro. — Amo muito o meu marido. — Abraço o Sr. Rodriguez.

— Cuide bem dele, Ana.

— Pode deixar — prometo.

CHRISTIAN FECHA A porta de nossa suíte.

— Enfim sós — murmura ele, recostando-se contra a porta para me observar.

Dou um passo em sua direção e afago a lapela do seu casaco.

— Obrigada pelo aniversário maravilhoso. Você é realmente o mais adorável, atencioso e generoso dos maridos.

— Ao seu dispor.

— Sim... ao meu dispor. Agora eu quero desembrulhar meu presente — sussurro.

E, apertando as mãos em volta da sua lapela, puxo sua boca para a minha.

Após um café da manhã com os nossos convidados, abro os meus presentes e depois me dedico a uma série de bem-humoradas despedidas de todos os Grey e Kavanagh que vão retornar para Seattle no *Charlie Tango*. Minha mãe, Christian e eu nos dirigimos ao hospital com Taylor na direção, já que nós três não caberíamos no meu R8. Bob preferiu não nos acompanhar na visita, e fiquei secretamente feliz. Seria bastante estranho, e tenho certeza de que Ray não ia gostar que Bob o visse naquela condição.

Ray parece basicamente igual. Com mais cabelo. Minha mãe fica chocada quando o vê, e juntas choramos um pouco mais.

— Ah, Ray.

Ela aperta a mão dele e carinhosamente afaga seu rosto. Fico emocionada ao ver o amor dela pelo ex-marido. Que bom que tenho lenços de papel na bolsa. Sentamo-nos junto a ele, eu segurando a mão dela e ela, a mão de meu pai.

— Ana, houve uma época em que este homem era o centro do meu mundo. Tudo girava em torno dele. Eu sempre vou amar o Ray. Ele cuidou tão bem de você...

— Mãe...

Eu engasgo; ela acaricia meu rosto e põe uma mecha de cabelo atrás da minha orelha.

— Você sabe que sempre vou amá-lo. Nossos caminhos se afastaram, só isso. — Ela solta um suspiro. — E eu simplesmente não conseguia viver com ele.

Ela olha para os próprios dedos, e imagino se estará pensando em Steve, o Marido Número Três, sobre quem não conversamos.

— Eu sei que você o ama — murmuro, secando os olhos. — Vão tirá-lo do coma hoje.

— Ótimo. Tenho certeza de que ele vai ficar bem. Ele é tão teimoso. Acho que você aprendeu isso com ele.

Sorrio.

— Você andou conversando com o Christian?

— Ele acha você teimosa?

— Acredito que sim.

— Vou dizer a ele que é de família. Vocês parecem tão bem juntos, Ana. Tão felizes.

— Nós somos felizes, eu acho. Caminhando para isso, pelo menos. Eu amo o Christian. Ele é o centro do meu mundo. Tudo gira em torno dele também, para mim.

— Ele obviamente adora você, querida.

— E eu o adoro.

— Não deixe de dizer isso a ele. Os homens precisam ouvir essas coisas tanto quanto nós.

Insisto em ir ao aeroporto com mamãe e Bob para me despedir. Taylor nos segue no R8, e Christian dirige o SUV. Fico triste por eles não poderem ficar mais tempo, mas ambos têm que voltar para Savannah. É uma despedida chorosa.

— Tome conta dela, Bob — murmuro quando ele me abraça.

— Pode deixar, Ana. E você se cuide também.

— Pode deixar. — Eu me viro para minha mãe. — Tchau, mãe. Obrigada por ter vindo — sussurro, com a voz rouca. — Amo muito você.

— Ah, minha garotinha linda, também amo você. E o Ray vai ficar bom. Ele ainda não está pronto para se aposentar dessa vida. Deve ter algum jogo dos Mariners que ele não pode perder.

Dou uma risada. Ela tem razão. Decido ler as páginas esportivas do jornal de domingo para Ray esta noite. Fico vendo minha mãe e Bob subirem as escadas para o jatinho de Christian. Ela acena para mim, toda chorosa, e desaparece. Christian passa o braço em volta do meu ombro.

— Vamos embora, querida — murmura ele.

— Você dirige?

— Claro.

QUANDO VOLTAMOS PARA o hospital, à noite, Ray parece diferente. Custo um pouco a perceber que o barulho de sugar e soprar do respirador mecânico desapareceu. Ray está respirando por conta própria. Sinto uma onda de alívio. Acaricio seu rosto já um pouco barbado e pego um lenço de papel para limpar com cuidado a saliva que escorre de sua boca.

Christian vai à procura da Dra. Sluder ou do Dr. Crowe, para saber das notícias, e eu assumo meu já costumeiro lugar ao lado da cama, para ficar de vigília.

Abro a edição de domingo do *Oregonian* na seção de esportes e começo a ler meticulosamente a matéria sobre o jogo de futebol dos Sounders contra o Real Salt Lake. Pelo que dizem, foi uma partida disputada, mas os Sounders perderam com um gol contra de Kasey Keller. Seguro firme na mão de Ray enquanto leio.

— E o placar final foi Sounders um, Real Salt Lake dois.

— Ei, Annie, perdemos? Ah, não! — exclama Ray com a voz rouca, e aperta minha mão.

Papai!

CAPÍTULO DEZENOVE

As lágrimas escorrem pelo meu rosto. Ele voltou. Meu pai voltou.

— Não chore, Annie. — A voz de Ray soa rouca. — O que está acontecendo?

Seguro sua mão entre as minhas e a encosto em meu rosto.

— Você sofreu um acidente e está no hospital, em Portland.

Ray franze o cenho, e não sei dizer se é porque ele se sente desconfortável com a minha demonstração de afeto incomum ou porque não consegue se lembrar do acidente.

— Quer um pouco d'água? — pergunto, embora eu não tenha certeza se posso realmente lhe dar de beber.

Ele aceita, um pouco desorientado. Meu coração infla de emoção. Levanto-me e me inclino por sobre ele, beijando-lhe a testa.

— Amo você, papai. Bem-vindo de volta.

Ele acena com a mão, desconcertado.

— Eu também, Annie. Água.

Embora o posto de enfermagem fique bem próximo, vou correndo até lá.

— Meu pai... ele acordou! — digo radiante para a enfermeira Kellie, que retribui meu sorriso.

— Avise a Dra. Sluder — pede ela ao seu colega, e sai apressada de trás do balcão.

— Ele quer água.

— Vou levar.

Volto correndo para perto da cama do meu pai, sentindo-me no sétimo céu. Encontrando-o de olhos fechados, imediatamente temo que ele tenha entrado em coma novamente.

— Pai?

— Estou aqui — balbucia ele, e seus olhos se abrem devagar quando a enfermeira Kellie aparece com um copo e uma jarra de cubos de gelo.

— Olá, Sr. Steele. Eu sou a Kellie, sua enfermeira. Sua filha me disse que o senhor está com sede.

NA SALA DE ESPERA, Christian olha fixo para o notebook, totalmente concentrado. Ele ergue o olhar quando fecho a porta.

— Ele acordou — anuncio.

Ele sorri, fazendo desaparecer a tensão ao redor de seus olhos. Ah... eu não tinha notado antes. Será que estava assim tão tenso esse tempo todo? Ele coloca o notebook de lado, fica de pé e me abraça.

— Como ele está? — pergunta quando retribuo seu abraço.

— Falante, desorientado, com sede. Não se lembra de nada do acidente.

— É compreensível. Agora que ele acordou, quero transferi-lo para Seattle. Assim podemos voltar para casa e minha mãe pode dar atenção a ele.

Já?

— Não sei se ele já está em condições de ser transferido.

— Vou falar com a Dra. Sluder, saber a opinião dela.

— Está com saudades de casa?

— Sim.

— Tudo bem.

— VOCÊ SÓ SABE SORRIR — comenta Christian quando paro o carro em frente ao Heathman.

— Estou muito aliviada. E feliz.

— Ótimo. — Ele abre um largo sorriso.

A luz do dia está desaparecendo, e estremeço de frio quando saio do carro e sinto o frescor da noite. Entrego a chave ao manobrista, que observa o R8 com admiração. Não posso culpá-lo. Christian coloca o braço em volta de mim.

— Vamos comemorar? — sugere ele quando entramos na recepção.

— Comemorar?

— Seu pai.

Dou uma risada.

— Ah, tá.

— Senti falta da sua risada. — Ele beija meu cabelo.

— Podemos jantar no quarto mesmo? Sabe, uma noite calma, sem sair?

— Claro. Venha.

E, me pegando pela mão, ele me leva até os elevadores.

* * *

— Estava delicioso — murmuro satisfeita, e afasto o prato, sentindo-me farta pela primeira vez em séculos. — Eles sabem fazer uma *tarte tatin* aqui.

Tomei banho agora há pouco e estou apenas de calcinha e com uma camiseta de Christian. Ao fundo, Dido canta uma música sobre bandeiras brancas; o iPod de Christian está no shuffle.

Christian me olha de maneira contemplativa. Seu cabelo ainda está molhado do banho, e ele está usando apenas uma camiseta preta e calça jeans.

— Desde que chegamos aqui, essa foi a primeira vez que eu vi você comer bem — diz ele.

— Eu estava com fome.

Ele se recosta na cadeira com um sorriso e toma um gole do vinho branco.

— O que você gostaria de fazer agora? — Sua voz é suave.

— O que você quer fazer?

Ele levanta uma sobrancelha, achando graça.

— O que eu sempre quero fazer.

— E o que seria?

— Sra. Grey, não seja recatada.

Estico o braço por sobre a mesa de jantar, pego a mão dele, viro a palma para cima e começo a alisá-la com o indicador.

— Quero que me toque com este aqui. — Levo meu dedo até seu indicador.

Ele muda de posição na cadeira.

— Só isso? — Seus olhos imediatamente ficam escuros e se aquecem.

— Talvez este? — Toco seu dedo médio e depois volto para a palma de sua mão. — E este. — Passo a unha pelo anular dele. — Este aqui, sem dúvida. — Meu dedo para sobre a sua aliança de casamento. — Este é muito sexy.

— Você acha?

— Com certeza. Ele diz *este homem é meu*.

Acaricio o pequenino calo que já se formou por baixo da aliança. Ele se inclina e pega meu queixo com a mão livre.

— Sra. Grey, você está me seduzindo?

— Espero que sim.

— Anastasia, eu já fui fisgado. — Ele fala baixinho. — Venha cá. — Ele puxa minha mão, colocando-me no colo. — Gosto de ter acesso desimpedido.

Correndo a mão pela minha coxa, ele chega à bunda. Agarra minha nuca com a outra mão e me beija, mantendo-me firme no lugar.

Sinto nele o gosto de vinho branco, torta de maçã e Christian. Passo os dedos pelo seu cabelo, abraçando-o enquanto nossas línguas se exploram e se retorcem uma em volta da outra, o sangue ardendo em minhas veias. Estamos sem fôlego quando nos afastamos.

— Vamos para a cama — murmura ele contra meus lábios.

— Cama?

Ele inclina o corpo mais para trás e me puxa pelo cabelo, obrigando-me a olhar em seus olhos.

— Onde você prefere, Sra. Grey?

Dou de ombros, fingindo indiferença.

— Quero ser surpreendida.

— Você hoje está cheia de energia. — Ele roça o nariz no meu.

— Talvez eu precise que alguém me contenha.

— Talvez precise mesmo. A idade está deixando você muito mandona. — Ele aperta os olhos, mas não consegue ocultar o bom humor.

— E o que você vai fazer a respeito? — desafio-o.

Seus olhos brilham.

— Eu sei bem o que eu quero fazer a respeito. Mas não sei se você vai topar.

— Ah, Sr. Grey, você tem sido extremamente gentil comigo nos últimos dias. Eu não sou feita de vidro, sabia?

— Não gosta de gentilezas?

— Com você, é claro que sim. Mas, sabe... é sempre bom variar um pouco. — E faço charme batendo os cílios.

— Está a fim de alguma coisa menos gentil?

— Alguma coisa revigorante.

Ele levanta as sobrancelhas em surpresa.

— Revigorante — repete, com humor e surpresa na voz.

Confirmo. Ele me fita por um momento.

— Não morda o lábio — sussurra ele, e se levanta de repente, ainda comigo nos braços.

Levo um susto e me agarro ao seu bíceps, com medo de que ele me deixe cair. Ele vai até o menor dos três sofás e me joga em cima.

— Espere aqui. Não se mexa.

Com um olhar breve, intenso e ardente, ele se vira, caminhando todo pomposo até o quarto. Ah... Christian descalço. Por que seus pés são tão sensuais? Ele volta em poucos minutos, surpreendendo-me ao se inclinar sobre mim por trás do sofá.

— Acho que não vamos precisar disso aqui.

Ele agarra minha camiseta e tira-a, deixando-me só de calcinha. Depois, puxando meu rabo de cavalo para trás, me beija.

— Fique de pé — ordena ele, falando bem próximo dos meus lábios, e me solta.

Obedeço imediatamente. Ele cobre o sofá com uma toalha.

Toalha?

— Tire a calcinha.

Engulo em seco, mas obedeço novamente, jogando-a sobre o sofá.

— Sente-se. — Mais uma vez ele agarra meu rabo de cavalo e puxa minha cabeça para trás. — Você vai pedir para parar se eu for longe demais, tudo bem?

Faço que sim com a cabeça.

— Diga. — Seu tom é severo.

— Tudo bem — digo, a voz um pouco esganiçada.

Ele sorri com malícia.

— Ótimo. Então, Sra. Grey... atendendo a pedidos, vou prender você.

Sua voz se reduz a um sussurro aflito de excitação. O desejo atravessa meu corpo como um raio apenas por ouvir essas palavras. Ah, meu doce Cinquenta Tons — no sofá?

— Levante os joelhos — ordena ele suavemente. — E sente-se ereta.

Descanso os pés na ponta da almofada do sofá, os joelhos dobrados à minha frente. Ele pega minha perna esquerda e, tirando a faixa de um dos roupões de banho, amarra uma das pontas acima do meu joelho.

— Um roupão?

— Estou improvisando.

Novamente ele sorri com malícia, então aperta o nó sobre o meu joelho e prende a outra ponta da faixa em torno do remate no canto traseiro do sofá, efetivamente separando minhas pernas.

— Não se mexa — adverte ele, e repete o processo com a perna direita, atando a outra faixa ao outro remate do sofá.

Ah, meu Deus... Estou sentada ereta, esparramada no sofá, as pernas escancaradas.

— Tudo bem? — pergunta Christian suavemente, olhando para mim por trás do sofá.

Faço um gesto afirmativo, esperando que ele amarre minhas mãos também. Mas não; ele apenas se inclina e me beija.

— Você não tem ideia de como está sexy neste momento — murmura ele, e esfrega o nariz no meu. — Hora de mudar a música, eu acho. — Ele se levanta e anda despreocupadamente até seu iPod.

Como ele faz isso? Aqui estou eu, toda amarrada e cheia de tesão, ao passo que ele está calmo e impassível. Posso vê-lo daqui, e, enquanto ele escolhe outra música, observo os contornos da musculatura de suas costas por baixo da camiseta. Imediatamente, uma voz feminina suave, quase infantil, começa a cantar algo sobre me observar.

Ah, eu gosto dessa música.

Christian se vira e gruda os olhos nos meus ao contornar o sofá. Ele para na minha frente e cai graciosamente de joelhos.

De súbito, me sinto muito exposta.

— Exposta? Vulnerável? — indaga ele, com sua misteriosa capacidade de dar voz às minhas palavras não proferidas. Ele está com as mãos nos joelhos. Faço que sim.

Por que ele não me toca?

— Ótimo — murmura. — Me dê as mãos.

Obedeço, sem conseguir desviar os olhos de seu olhar hipnotizante. De um pequeno frasco transparente, Christian derrama um líquido oleoso nas palmas das minhas mãos. É perfumado — um odor picante, agradável e almiscarado que não consigo definir o que é.

— Esfregue as mãos. — Eu me contorço sob seu olhar intenso e sensual. — Fique parada — adverte ele.

Ah, nossa.

— Agora, Anastasia, eu quero que você se toque.

Puta merda.

— Comece pelo pescoço e vá descendo.

Hesito.

— Não fique tímida, Ana. Vamos. Faça o que eu pedi. — O humor e o desafio em sua expressão são tão evidentes quanto o seu desejo.

A voz doce canta que ela não é nada doce. Levo as mãos ao pescoço e faço-as deslizar até a parte superior dos meus seios. O óleo as faz escorregar pela minha pele sem esforço. Minhas mãos estão quentes.

— Mais para baixo — murmura Christian, seus olhos escurecendo. Ele não me toca.

Minhas mãos envolvem meus seios.

— Acaricie seu corpo.

Minha nossa. Puxo meus mamilos de leve.

— Mais forte — insiste Christian. Ele continua sentado imóvel entre as minhas coxas, apenas assistindo. — Como eu faria — acrescenta, os olhos escuros reluzindo.

Os músculos se contraem dentro do meu ventre. Solto um gemido em resposta e puxo meus mamilos mais forte, sentindo-os se enrijecerem e se alongarem ao meu toque.

— Isso. Assim mesmo. De novo.

Fechando os olhos, eu puxo forte, girando-os e torcendo-os entre meus dedos. Solto um gemido.

— Abra os olhos.

Vejo-o à minha frente.

— De novo. Quero ver você. Quero ver você aproveitar a sensação.

Ai, cacete. Repito o processo. É tão... erótico.

— As mãos. Mais para baixo.

Eu me contorço.

— Fique parada, Ana. Absorva o prazer. Mais para baixo. — Sua voz é calma e rouca, ao mesmo tempo provocante e sedutora.

— Faça você — sussurro.

— Ah, vou fazer sim... mas só daqui a pouco. Agora é sua vez. Mais para baixo. Agora.

Transpirando sensualidade, ele passa a língua pelos dentes. *Puta merda*... Eu me contorço, puxando as faixas que me prendem.

Ele balança a cabeça, devagar.

— Parada. — Ele coloca as mãos nos meus joelhos, para me manter imóvel. — Vamos lá, Ana... mais para baixo.

Deslizo as mãos pela minha barriga.

— Mais para baixo — balbucia ele, a própria lascívia personificada.

— Christian, por favor.

As mãos dele deslizam dos meus joelhos, passando pelas minhas coxas até chegar ao meu sexo.

— Vamos, Ana. Quero ver você se tocar.

Com a mão esquerda eu roço meu sexo, lentamente desenhando um círculo, minha boca aberta, minha respiração ofegante.

— De novo — sussurra Christian.

Solto um gemido mais forte e repito o movimento ao mesmo tempo que jogo a cabeça para trás, arfando.

— De novo.

Meu gemido fica mais alto, e Christian inspira com força. Pegando minhas mãos, ele se curva e passa o nariz e depois a língua pelo vértice das minhas coxas, de cima abaixo.

— Ah!

Quero tocá-lo, mas quando tento mexer as mãos, ele aperta ainda mais meus punhos.

— Vou amarrar você aqui também. Fique parada.

Dou um gemido. Ele me solta, depois enfia dois dedos em mim, a palma da sua mão apoiada no meu clitóris.

— Vou fazer você gozar bem rápido, Ana. Está pronta?

— Sim — sussurro, quase sem fôlego.

Ele começa a mexer os dedos, a mão, subindo e descendo bem rápido, atingindo tanto aquele local especial dentro de mim quanto meu clitóris, ambos ao mesmo tempo. Ah! Que sensação intensa — realmente intensa. O prazer se intensifica e impregna toda a parte inferior do meu corpo. Tenho vontade de esticar as pernas, mas não posso. Cravo as mãos na toalha embaixo de mim.

— Deixe-se levar — sussurra Christian.

Sinto uma explosão em volta dos dedos dele e grito palavras incoerentes. Ele pressiona a palma da mão contra o meu clitóris enquanto as contrações atravessam meu corpo, prolongando a deliciosa agonia. Quase sem me dar conta, vejo que está soltando as minhas pernas.

— Agora é a minha vez — murmura ele, e me vira, colocando-me com a cabeça apoiada no sofá e os joelhos no chão. Então ele abre minhas pernas e me dá um forte tapa na bunda.

— Ah! — grito, e ele me penetra com força.

— Ah, Ana — murmura ele entre os dentes, e começa a se movimentar.

Seus dedos se cravam no meu quadril e ele se mexe dentro de mim sem parar. Começo a sentir aquilo novamente. *Não... Ah...*

— Vamos, Ana! — grita Christian, e eu me desfaleço mais uma vez, pulsando com ele dentro de mim e gritando no momento do clímax.

— FOI REVIGORANTE como você queria?

Christian beija meu cabelo.

— Ah, sim — murmuro, fitando o teto.

Estamos deitados no chão ao lado do sofá, minhas costas contra o peito dele. Christian ainda está vestido.

— Podíamos repetir a dose. Você sem roupa dessa vez.

— Meu Deus, Ana. Preciso me recuperar.

Dou uma risadinha, e ele ri também.

— Que bom que o Ray recobrou a consciência. Parece que todos os seus apetites voltaram — comenta ele, sem esconder um sorriso na voz.

Eu me viro e faço cara feia para ele.

— Está se esquecendo de ontem à noite e hoje de manhã? — Faço beicinho.

— Não tem como esquecer nem um nem outro. — Christian ri, e parece tão jovem, despreocupado e feliz... Ele segura meu traseiro. — Você tem uma bunda fantástica, Sra. Grey.

— Você também. — Levanto uma sobrancelha. — Só que a sua ainda está coberta.

— E o que vai fazer a respeito, Sra. Grey?

— Ora essa, vou tirar a sua roupa, Sr. Grey. Todinha.

Ele sorri.

— E acho você muito doce — murmuro, referindo-me à música que está tocando repetidamente.

Seu sorriso desaparece.

Ah, não.

— Você é — sussurro.

Dou um beijo no canto da sua boca. Ele fecha os olhos e me aperta mais em seus braços.

— Christian, você é uma pessoa doce. Você tornou este fim de semana tão especial... apesar do que aconteceu com o Ray. Obrigada.

Ele abre os grandes e sérios olhos cinzentos, e sua expressão faz meu coração se apertar.

— Porque eu amo você — murmura ele.

— Eu sei. Também amo você. — Acaricio seu rosto. — E você é precioso para mim, também. Você sabe disso, não sabe?

Ele fica parado, parece perdido.

Ah, Christian... meu doce Cinquenta Tons.

— Acredite em mim — sussurro.

— Não é fácil. — Sua voz é quase inaudível.

— Tente. Tente o máximo que puder, pois é verdade.

Acaricio novamente seu rosto, meus dedos roçando suas costeletas. Seus olhos são oceanos cinzentos de perda, mágoa e dor. Tenho vontade de me colocar em cima dele e abraçá-lo. Qualquer coisa que afaste essa expressão do seu rosto. Quando é que ele vai perceber que é o meu mundo? Que merece muito o meu amor, o amor de seus pais e de seus irmãos? Eu já lhe disse isso muitas e muitas vezes, e no entanto aqui estou eu, novamente testemunhando seu olhar perdido e desamparado. Tempo. Vai levar algum tempo, é só isso.

— Você vai se resfriar. Venha.

Ele se levanta graciosamente e me ajuda a me levantar. Passo o braço ao redor da sua cintura enquanto voltamos para o quarto. Não vou pressioná-lo mais; no entanto, desde o acidente de Ray tornou-se mais importante para mim que ele saiba o quanto o amo.

Quando entramos no quarto, estou desesperada para recuperar sua leveza e descontração de apenas alguns minutos atrás.

— Vamos ver TV? — sugiro.

Christian pigarreia.

— Eu tinha esperanças de começar o segundo round.

E o meu inconstante Cinquenta Tons está de volta. Levanto a sobrancelha e paro perto da cama.

— Bom, nesse caso, acho que eu dito as regras.

Ele me olha perplexo; jogo-o na cama e monto rapidamente sobre ele, imobilizando-lhe as mãos.

Ele sorri com malícia.

— Muito bem, Sra. Grey. Agora que você me pegou, o que vai fazer comigo?

Eu me abaixo e cochicho em seu ouvido:

— Vou foder você com a minha boca.

Ele fecha os olhos, inspirando profundamente, e passo os dentes de leve pelo contorno do seu rosto.

Christian está trabalhando no computador. O dia amanheceu glorioso, ainda é cedo, e ele está digitando um e-mail, eu acho.

— Bom dia — murmuro timidamente da porta.

Ele se vira e sorri para mim.

— Sra. Grey, já de pé tão cedo. — E abre os braços.

Atravesso a suíte como um raio e me aconchego no colo dele.

— Você também.

— Estou só trabalhando. — Ele se ajeita desconfortavelmente na cadeira e beija meu cabelo.

— O que foi? — pergunto, pressentindo algum problema.

— Recebi um e-mail do detetive Clark. Ele quer falar com você sobre aquele filho da puta do Hyde. — Christian solta um suspiro.

— Sério?

Afasto um pouco o corpo para fitá-lo.

— É. Respondi que você deve passar um tempo em Portland e que ele vai ter que esperar. Mas ele disse que viria até aqui para interrogar você.

— Ele vem aqui?

— Acho que sim. — Christian parece perplexo.

Franzo a testa.

— O que será tão importante que não pode esperar?

— Justamente.

— E quando ele vem?

— Hoje. Vou responder o e-mail dele.

— Eu não tenho nada para esconder. O que será que ele quer saber?

— Vamos descobrir quando ele chegar. Também estou intrigado. — Christian muda novamente de posição. — O café da manhã já vai ser servido. Vamos comer para podermos visitar seu pai.

Concordo.

— Você pode ficar aqui, se quiser. Dá para ver que está ocupado.

Ele me olha contrariado.

— Não, quero ir com você.

— Tudo bem.

Sorrio, passo os braços em volta do seu pescoço e o beijo.

Ray está de mau humor. É uma dádiva. Ele está inquieto, irritado, impaciente e desconfortável.

— Pai, você sofreu um grave acidente de carro. Vai demorar um tempo para se recuperar. Christian e eu queremos transferi-lo para Seattle.

— Não sei por que você está se preocupando comigo. Vou ficar bem por aqui, sozinho.

— Não seja ridículo.

Aperto sua mão com ternura, e ele se digna a me dar um sorriso.

— Está precisando de alguma coisa?

— Eu poderia devorar um donut, Annie.

Abro um sorriso indulgente.

— Vou trazer um ou dois para você. Podemos ir à Voodoo.

— Maravilha!

— Quer um café decente também?

— Puxa, é claro!

— Está bem, vou trazer.

Christian está novamente na sala de espera, falando ao telefone. Ele bem poderia instalar um escritório ali. O estranho é que está sozinho na sala de espera, embora os outros leitos da UTI estejam ocupados. Será que ele assustou os outros visitantes? Ele desliga o telefone.

— O Clark chega às quatro.

Franzo a sobrancelha. O que poderá ser tão urgente?

— Tudo bem. Ray quer café e donuts.

Christian dá uma risada.

— Acho que eu ia querer a mesma coisa, se tivesse sofrido um acidente. Peça ao Taylor para comprar.

— Não, eu vou.

— Mas leve o Taylor. — Ele soa inflexível.

— Ok.

Reviro os olhos, e ele me encara com ar de censura. Depois, força um sorriso e inclina a cabeça para o lado.

— Não tem ninguém aqui.

Sua voz soa deliciosamente baixa, e eu sei que ele está ameaçando me bater. Estou a ponto de desafiá-lo quando um jovem casal entra na sala. A mulher está chorando baixinho.

Dou de ombros para Christian, e ele assente. Em seguida, pega o notebook, segura minha mão e me guia para fora da sala.

— Eles precisam de privacidade mais do que nós — murmura Christian. — Nós vamos nos divertir mais tarde.

Lá fora, Taylor está esperando pacientemente.

— Vamos todos comprar café e donuts.

Às quatro horas em ponto alguém bate à porta da suíte. Taylor aparece acompanhado do detetive Clark, que parece mais mal-humorado do que de costume. Na verdade, ele sempre aparenta irritação. Talvez seja o formato do seu rosto.

— Sr. e Sra. Grey, obrigado por atenderem ao meu pedido.

— Detetive Clark — diz Christian, apertando a mão dele, e lhe indica um assento.

Eu me instalo no mesmo sofá onde me diverti tanto ontem à noite. E, ao pensar nisso, fico vermelha.

— É com a Sra. Grey que eu gostaria de conversar — diz Clark, dirigindo-se a Christian e Taylor, que ficou parado ao lado da porta.

Christian olha rapidamente para Taylor e lhe faz um gesto quase imperceptível com a cabeça; Taylor se vira e sai do recinto, fechando a porta atrás de si.

— Tudo o que o senhor quiser falar com a minha mulher, pode falar na minha frente. — A voz de Christian é fria e profissional.

O detetive Clark se volta para mim:

— A senhora tem certeza de que gostaria de ter seu marido presente?

Franzo a testa.

— É claro que sim. Não tenho nada a esconder. O senhor quer apenas me fazer algumas perguntas, não?

— Exatamente, madame.

— Eu gostaria que o meu marido ficasse.

Christian está ao meu lado, irradiando tensão.

— Muito bem — murmura Clark, resignado. Ele pigarreia. — Sra. Grey, o Sr. Hyde sustenta que a senhora o assediou sexualmente e fez várias investidas libidinosas contra ele.

Oh! Quase caio na gargalhada, mas coloco a mão na coxa de Christian de modo a contê-lo quando percebo que ele está se inclinando para a frente.

— Isso é ridículo — gagueja Christian, de tão insultado.

Aperto sua perna para silenciá-lo.

— Isso não aconteceu — afirmo com calma. — Na verdade, foi justamente o oposto. Ele me fez uma proposta de um jeito bastante rude, e foi demitido.

Vejo a boca do detetive Clark se contrair, formando uma linha fina, e então ele continua:

— Hyde alega que a senhora inventou uma história de assédio sexual a fim de provocar a demissão dele. Que fez isso porque ele não cedeu aos seus avanços e porque a senhora queria o emprego dele.

Franzo a testa. *Puta merda.* Jack está ainda mais alucinado do que eu pensava.

— Isso não é verdade. — Balanço a cabeça em negativa.

— Detetive, por favor, não me diga que o senhor veio até aqui só para importunar minha esposa com essas acusações ridículas.

O detetive Clark direciona seu olhar azul metálico para Christian.

— Preciso ouvir isso da boca da sua esposa, senhor — diz ele, calma e moderadamente.

Aperto a perna de Christian mais uma vez, implorando por dentro para que ele fique calmo.

— Você não precisa ouvir essas merdas, Ana.

— Acho que devo relatar ao detetive Clark o que aconteceu.

Christian me fita impassível por um instante e depois balança a mão, num gesto de resignação.

— O que Hyde afirma simplesmente não é verdade. — Minha voz soa calma, embora o que eu sinta seja tudo menos calma. Estou surpresa com essas acusações e com medo de Christian explodir. *O que é que o Jack pretende?* — O Sr. Hyde me acuou na cozinha do escritório uma noite. Ele me disse que eu tinha sido contratada graças a ele e que esperava favores sexuais em troca. Tentou me chantagear, usando e-mails que eu tinha enviado para o Christian, que não era meu marido na época. Eu não sabia que Hyde estava monitorando meu e-mail. Ele estava fora de si; até me acusou de ser uma espiã a mando do Christian, provavelmente para ajudá-lo a tomar a empresa. Ele não sabia que Christian já tinha comprado a SIP. — Balanço a cabeça ao me lembrar do meu encontro tenso e angustiante com Hyde. — No final, e-eu o derrubei no chão.

Clark ergue as sobrancelhas, surpreso.

— A senhora o derrubou?

— Meu pai foi do Exército. O Hyde... ele... hã... me tocou, e eu sei como me defender.

Christian me fita com um breve olhar orgulhoso.

— Entendo.

Clark se recosta no sofá, suspirando pesadamente.

— O senhor falou com alguma das ex-assistentes de Hyde? — É uma pergunta inteligente de Christian.

— Falamos, sim. Mas a verdade é que não conseguimos fazer com que nenhuma delas nos conte nada. Todas dizem que ele era um patrão exemplar, embora nenhuma tenha durado mais do que três meses no cargo.

— Também tivemos esse problema — murmura Christian.

Hein? Olho perplexa para Christian, assim como o detetive Clark.

— O meu chefe de segurança. Ele entrevistou cinco ex-assistentes do Hyde.

— E posso saber por quê?

Christian lhe dirige um olhar glacial.

— Porque minha mulher trabalhou para ele, e eu faço uma verificação de segurança com todo mundo com quem minha mulher trabalha.

O detetive Clark fica vermelho. Dou de ombros, como se pedindo desculpas, e abro um sorriso amarelo do tipo "bem-vindo ao meu mundo".

— Entendo — murmura Clark. — Acho que essa história esconde mais do que parece à primeira vista, Sr. Grey. Amanhã vamos realizar uma busca mais completa no apartamento dele. Talvez surja algo. Embora já faça um tempo que ele não aparece por lá, pelo que nos disseram.

— Vocês já fizeram uma busca?

— Já. Vamos fazer de novo. Nos mínimos detalhes dessa vez.

— Ainda não o acusaram de tentativa de homicídio contra mim e Ros Bailey? — pergunta Christian em voz baixa.

O quê?

— Esperamos encontrar mais provas com relação à sabotagem de sua aeronave, Sr. Grey. Precisamos de mais do que uma impressão digital parcial, e podemos fundamentar o caso enquanto ele está detido.

— Era só isso que o senhor queria conosco?

Clark se irrita.

— Era, Sr. Grey, a não ser que o senhor tenha mais alguma coisa a acrescentar sobre o bilhete.

Bilhete? Que bilhete?

— Não. Já lhe disse. Para mim, não significa nada. — Christian não consegue ocultar sua exasperação. — E não vejo por que não podíamos ter discutido isso por telefone.

— Acho que já lhe disse que prefiro uma abordagem presencial. E aproveito para visitar minha tia-avó, que mora em Portland, então são dois coelhos... com uma cajadada só.

Clark permanece impassível e não se abala com o mau humor do meu marido.

— Bom, então, se isso é tudo, tenho trabalho a fazer.

Christian se levanta e o detetive Clark segue a deixa.

— Perdão por tomar o seu tempo, Sra. Grey — diz ele, educadamente.

Respondo apenas com um aceno de cabeça.

— Sr. Grey.

Christian abre a porta, e Clark sai.

Só então eu relaxo o corpo no sofá.

— Dá para acreditar nesse babaca? — explode Christian.

— O Clark?

— Não. Aquele filho da puta, o Hyde.

— Não, não dá para acreditar.

— O que é que o merdinha pretende? — murmura Christian, rangendo os dentes.

— Não sei. Você acha que o Clark acreditou em mim?

— É claro que sim. Ele sabe que o Hyde é um babaca de merda.

— Você está muito xingão.

— Xingão? — Christian força o riso. — E essa palavra existe?

— Agora existe.

Inesperadamente, ele abre um largo sorriso e senta-se ao meu lado, puxando--me para seus braços.

— Não pense naquele babaca. Vamos ver seu pai e tentar providenciar a transferência amanhã.

— Ele estava inflexível: queria porque queria ficar em Portland e não se tornar um estorvo.

— Vou falar com ele.

— Eu quero ir com ele.

Christian me olha, e, por um momento, acho que vai negar meu pedido.

— Está bem. Vou com vocês. Sawyer e Taylor podem levar os carros. E deixo o Sawyer dirigir o seu R8 hoje à noite.

No dia seguinte, Ray está examinando seu novo ambiente: um quarto claro e arejado no centro de reabilitação do hospital Northwest, em Seattle. É meio-dia, e ele parece sonolento. A viagem de helicóptero o deixou exausto.

— Diga ao Christian que eu agradeço — fala ele, baixinho.

— Pode dizer você mesmo. Ele vem aqui hoje à noite.

— Você não vai trabalhar?

— Provavelmente. Só quero ter certeza de que você está bem instalado aqui.

— Vá cuidar da sua vida. Não precisa se preocupar comigo.

— Eu gosto de me preocupar com você.

Meu BlackBerry vibra. Verifico o número — e não reconheço.

— Não vai atender? — pergunta Ray.

— Não. Não sei quem é. Seja quem for, pode deixar uma mensagem de voz. Eu trouxe umas coisinhas para você ler.

Aponto para a pilha de revistas de esportes na mesinha ao lado da cama.

— Obrigado, Annie.

— Você está cansado, não está?

Ele admite.

— Vou deixar você dormir um pouco. — Beijo sua testa. — Até mais, papai — murmuro.

— Vejo você mais tarde, querida. E obrigado. — Ray pega minha mão e a aperta carinhosamente. — Eu gosto quando você me chama de papai. Me faz voltar no tempo.

Ah, papai. Retribuo seu aperto de mão.

QUANDO ATRAVESSO AS portas da entrada em direção ao SUV onde Sawyer me espera, ouço alguém me chamar:

— Sra. Grey! Sra. Grey!

Ao me virar, vejo a Dra. Greene correndo na minha direção. Ela está, como sempre, impecável, embora um pouco agitada.

— Sra. Grey, como vai? Recebeu minha mensagem? Telefonei hoje mais cedo.

— Não. — Meu couro cabeludo começa a formigar.

— Bom, eu estava me perguntando por que a senhora tinha desmarcado quatro consultas.

Quatro consultas? Olho para ela, perplexa. *Eu faltei a quatro consultas! Como?*

— Talvez seja melhor conversarmos no meu consultório. Eu ia sair para almoçar; a senhora tem um tempinho agora?

Aquiesço sem discutir.

— Claro. Eu...

As palavras não me vêm à cabeça. Faltei quatro consultas? *Atrasei minha injeção de anticoncepcional. Merda.*

Meio entorpecida, sigo-a até o hospital e o consultório. Como fui perder quatro consultas? Eu me lembro vagamente de remarcar uma delas — Hannah mencionou —, mas *quatro*? Como fui me esquecer de quatro?

O consultório da Dra. Greene é espaçoso, minimalista e bem aparelhado.

— Que bom que a senhora me encontrou antes de eu ir embora — gaguejo, ainda chocada. — Meu pai sofreu um acidente de carro, e nós acabamos de providenciar a remoção dele, de Portland para cá.

— Puxa, lamento muito. Como ele está passando?

— Está bem, obrigada. Ainda se recuperando.

— Que bom. E isso explica por que você desmarcou na sexta-feira.

A Dra. Greene mexe com o mouse na sua mesa, e o computador ganha vida.

— Bem... já tem mais de treze semanas. Está bem no limite. Acho melhor fazermos um teste antes de aplicar outra injeção.

— Um teste? — sussurro, sentindo o sangue fugir da minha cabeça.

— Um teste de gravidez.

Ah, não.

Ela pega algo de dentro da gaveta da mesa.

— Você sabe o que fazer com isso. — Ela me entrega um pequeno frasco. — O banheiro fica logo na saída do consultório.

Eu me levanto em transe, meu corpo se movendo como se em piloto automático, e cambaleio até o banheiro.

Merda, merda, merda, merda, *merda*. Como pude deixar isso acontecer... de novo? Subitamente me sinto enjoada e começo a rezar em silêncio. *Por favor, não. Por favor, não. Ainda é cedo demais, cedo demais, cedo demais.*

Quando retorno ao consultório da Dra. Greene, ela me dá um breve sorriso e aponta para a cadeira em frente à sua mesa. Eu me sento e, sem dizer uma palavra, entrego-lhe o frasco. Ela mergulha nele um pequeno bastonete branco e observa. Então levanta as sobrancelhas quando a cor muda para azul-claro.

— O que significa o azul? — A tensão quase me sufoca.

Ela ergue o olhar para mim, um ar sério.

— Bem, Sra. Grey, significa que a senhora está grávida.

O quê? Não. Não. Não. Merda.

CAPÍTULO VINTE

Fito, pasma, a Dra. Greene, o mundo ruindo ao meu redor. Um filho. Um filho. Eu não quero um filho... ainda não. *Merda*. E, bem no fundo, sei que Christian vai pirar.

— A senhora está muito pálida. Quer um copo d'água?

— Sim, por favor.

Mal se ouve minha voz. Minha cabeça está a mil. Grávida? Quando?

— Vejo que a senhora ficou surpresa.

Aquiesço sem pronunciar uma palavra enquanto a médica, atenciosa, me entrega o copo d'água que ela pegou de um bebedouro convenientemente próximo. Tomo um gole aliviador.

— Em choque — balbucio.

— Podemos fazer uma ultrassonografia para ver em que estágio está a sua gravidez. A julgar pela sua reação, suspeito de que seja recente: quatro ou cinco semanas de gravidez. Imagino também que não tenha percebido nenhum sintoma.

Balanço a cabeça em silêncio. *Sintomas?* Acho que não.

— Eu pensei... pensei que esse método anticoncepcional fosse confiável.

A Dra. Green ergue uma sobrancelha.

— Geralmente é, *quando* a pessoa se lembra de tomar a injeção — diz ela friamente.

— Devo ter perdido a noção do tempo.

Christian vai pirar. Tenho certeza disso.

— Teve algum sangramento?

— Não — respondo, franzindo a testa.

— Isso é normal com o Depo-Provera. Vamos fazer uma ultrassonografia, está bem? Eu tenho um tempo agora.

Concordo, desorientada, e a Dra. Greene me conduz até uma mesa de exames forrada de couro preto que fica atrás de um biombo.

— Peço que tire a saia e a roupa íntima e se cubra com o lençol que está sobre a mesa, para podermos começar — diz ela, em tom enérgico e eficiente.

Roupa íntima? Eu esperava uma ultrassonografia sobre a barriga. Por que eu preciso tirar a calcinha? Dou de ombros, consternada, e depois faço rapidamente o que ela mandou, deitando-me sob o macio lençol branco.

— Muito bem.

A Dra. Greene aparece na extremidade da mesa e puxa a máquina de ultrassom para mais perto. É uma pilha de computadores de última geração. Ela se senta, posicionando, a tela de modo que fique visível para nós duas, e move o *trackball* no teclado. A tela se acende.

— Por favor, levante os joelhos, depois flexione e afaste-os. — Ela é objetiva.

Franzo a testa, receosa.

— É uma ultrassonografia transvaginal. Se você estiver grávida há pouco tempo, vamos conseguir encontrar o bebê com isto aqui. — Ela ergue uma sonda comprida e branca.

Ah, a senhora deve estar brincando!

— Tudo bem — balbucio, aflita, e faço o que ela manda.

A médica cobre a sonda com uma camisinha e a lubrifica com gel transparente.

— Sra. Grey, por favor, relaxe.

Relaxar? Eu estou grávida, droga! Como você espera que eu relaxe? Fico vermelha e me esforço para me concentrar no meu local ideal de descanso e felicidade... que foi realocado para algum lugar perto do continente perdido de Atlântida.

Lenta e cuidadosamente, ela insere a sonda.

Puta merda!

Tudo o que enxergo na tela é o equivalente visual a um ruído branco — embora seja mais cor de sépia. A Dra. Green move a sonda dentro de mim, devagar, o que é muito perturbador.

— Olhe ali — murmura ela, pressionando um botão para congelar a imagem na tela e apontando para um pequenino ponto na tempestade sépia.

É só um pontinho. Há um ponto minúsculo dentro da minha barriga. *Uau.* Esqueço o desconforto e o encaro, pasma.

— Ainda é muito cedo para ver o coração, mas isso comprova que a senhora está realmente grávida. Quatro ou cinco semanas, eu diria. — Ela franze o cenho. — Parece que o anticoncepcional perdeu o efeito cedo. Bem, isso às vezes acontece.

Estou aturdida demais para dizer qualquer coisa. O diminuto ponto é um bebê. Um bebê de verdade. O bebê de Christian. O meu bebê. Minha nossa. *Um bebê!*

— Quer que eu imprima a imagem?

Aceito, ainda incapaz de falar, e a Dra. Greene aperta um botão. Depois ela remove a sonda delicadamente e me entrega papel toalha para eu me limpar.

— Parabéns, Sra. Grey — diz ela quando eu me sento. — Precisamos marcar outra consulta. Sugiro que seja daqui a quatro semanas. Aí já vamos poder determinar a idade exata do seu bebê e estabelecer uma data de nascimento provável. Pode se vestir agora.

— Está certo.

Meio cambaleante, visto-me apressada. Eu tenho um ponto pequenino, um pontinho. Quando saio de trás do biombo, a Dra. Greene já está de volta à sua mesa.

— Enquanto isso, gostaria que a senhora começasse a tomar ácido fólico e vitaminas pré-natais. Aqui está uma lista do que fazer e do que não fazer.

Ela me entrega algumas cartelas de comprimidos e um folheto e continua a falar, mas não estou mais ouvindo. Estou em choque. Perplexa. É claro que eu deveria ficar feliz. Mas eu poderia esperar até os trinta... pelo menos. Ainda é cedo — muito cedo. Tento reprimir uma crescente sensação de pânico.

Educadamente, despeço-me da Dra. Greene e me dirijo outra vez à saída, para a fresca tarde de outono. De repente, sou tomada por um frio arrepiante e um profundo mau pressentimento. Christian vai pirar, sei disso, mas não faço ideia de até que ponto nem por quanto tempo. As palavras dele me assombram. *"Ainda não estou pronto para dividir você."* Aperto o casaco em volta do meu corpo, tentando afastar o frio.

Sawyer salta do SUV e abre a porta para mim. Ele franze o cenho quando repara em meu rosto, mas ignoro sua expressão preocupada.

— Para onde, Sra. Grey? — pergunta ele delicadamente.

— SIP.

Eu me acomodo no banco traseiro, fecho os olhos e recosto a cabeça no apoio do assento. Eu deveria estar feliz. Sei que deveria estar feliz. Mas não estou. Ainda é muito cedo. Cedo demais. E o meu trabalho? E a SIP? E minha vida com Christian? Não. Não. *Não.* Nós vamos ficar bem. Ele vai ficar bem. Ele adorava Mia quando ela era bebê — eu me lembro de Carrick contando isso —, e continua mimando a irmã. Talvez eu deva avisar ao Dr. Flynn... Talvez eu não deva contar a Christian. Talvez eu... talvez eu pudesse acabar com isso. Interrompo meus pensamentos quando eles se encaminham para essa estrada sombria, assustada com o rumo que vão tomando. Instintivamente, minha mão desce até a minha barriga, onde descansa de forma protetora. *Não. Meu Pontinho.* Lágrimas brotam nos meus olhos. O que eu vou fazer?

A visão de um menininho de cabelo acobreado e brilhante e olhos cinzentos na campina perto da nossa casa nova invade meus pensamentos, provocando-me e me atormentando com inúmeras possibilidades. Ele dá risadas e gritinhos de felicidade enquanto Christian e eu corremos atrás dele. Christian o balança nos braços, bem alto, e o carrega no colo ao retornarmos para dentro de casa, de mãos dadas.

Minha visão se transforma em Christian me rejeitando, com repulsa. Estou gorda e esquisita, com uma barriga avantajada. Ele caminha pelo longo corredor de espelhos, para longe de mim, os sons de seus passos ecoando no chão, nas paredes e nos espelhos prateados. *Christian...*

Dou uma sacudida para despertar. *Não.* Ele vai ficar fora de si.

Quando Sawyer para o automóvel em frente à SIP, saio rápido e me dirijo ao prédio.

— Ana, que bom ver você. Como está o seu pai? — pergunta Hannah logo que entro.

Eu a fito friamente.

— Melhor, obrigada. Você pode vir à minha sala?

— Claro. — Ela me acompanha, e parece surpresa. — Está tudo bem?

— Preciso saber se você adiou ou desmarcou alguma consulta minha com a Dra. Greene.

— Dra. Greene? Desmarquei sim. Duas ou três. Basicamente porque você estava em outras reuniões ou com o tempo corrido. Por quê?

Porque agora eu estou grávida, porra!, berro com ela na minha imaginação. Respiro fundo para tentar me tranquilizar.

— Se você mudar qualquer um dos meus compromissos, não deixe de me avisar. Nem sempre eu verifico minha agenda.

— Claro — diz Hannah, em voz baixa. — Desculpe. Eu fiz alguma coisa errada?

Balanço a cabeça em negativa e suspiro alto.

— Pode me preparar um chá? Aí então a gente conversa sobre o que aconteceu enquanto eu estive fora.

— Certo. É pra já.

E, novamente animada, ela sai da sala.

Eu a acompanho com o olhar quando ela deixa o recinto.

— Está vendo aquela mulher? — falo bem baixo para o Pontinho. — Talvez ela seja responsável pela sua existência.

Afago o meu ventre, mas depois me sinto uma idiota completa, porque estou falando com um ponto. *Meu* pequenino Pontinho. Balanço a cabeça, irritada comigo e com Hannah... embora, bem lá no fundo, eu saiba que não posso realmente culpá-la. Desolada, ligo o computador. Há um e-mail de Christian.

De: Christian Grey
Assunto: Saudades
Data: 13 de setembro de 2011 13:58
Para: Anastasia Grey

Sra. Grey,

Faz apenas três horas que voltei ao escritório e já estou com saudades.

Espero que Ray tenha se instalado bem em seu novo quarto. Minha mãe vai visitá-lo hoje à tarde para ver como ele está.

Busco você lá pelas seis, e podemos passar lá para vê-lo antes de voltarmos para casa.

Que tal?

Seu apaixonado marido,

Christian Grey
CEO, Grey Enterprises Holdings, Inc.

Digito uma resposta rápida.

De: Anastasia Grey
Assunto: Saudades
Data: 13 de setembro de 2011 14:10
Para: Christian Grey

Claro.

Bj,

Anastasia Grey
Editora, SIP

De: Christian Grey
Assunto: Saudades
Data: 13 de setembro de 2011 14:14
Para: Anastasia Grey

Você está bem?

Christian Grey
CEO, Grey Enterprises Holdings, Inc.

Não, Christian, não estou. Estou pirando só de pensar que você vai pirar. Não sei o que fazer. Mas não vou contar para você por e-mail.

De: Anastasia Grey
Assunto: Saudades
Data: 13 de setembro de 2011 14:17
Para: Christian Grey

Sim. Só muito ocupada.

Vejo você às seis.

Bj,

Anastasia Grey
Editora, SIP

Quando é que eu vou contar a ele? Esta noite? Talvez depois do sexo? Talvez durante o sexo. Não, pode ser perigoso para nós dois. Quando ele estiver dormindo? Descanso a cabeça nas mãos. Droga, o que eu vou fazer?

— Oi — diz Christian cautelosamente quando entro no SUV.

— Oi — murmuro.

— O que houve?

Ele franze o cenho. Balanço a cabeça no mesmo momento em que Taylor parte com o carro rumo ao hospital.

— Nada.

Talvez agora? Eu podia contar a ele logo agora, pois estamos em um local fechado e Taylor está conosco.

— Tudo bem no trabalho? — insiste ele.

— Tudo bem. Ótimo. Obrigada.

— Ana, o que aconteceu? — Seu tom fica um pouco mais insistente, e eu perco a coragem.

— Só estava com saudades de você, só isso. E preocupada com Ray.

Christian relaxa visivelmente.

— Ray está bem. Falei com minha mãe hoje à tarde e ela está impressionada com o progresso dele. — Christian pega minha mão. — Nossa, sua mão está fria. Você comeu hoje?

Fico vermelha.

— Ana — repreende-me Christian, aborrecido.

Bom, eu não comi porque sei que você vai arrancar os cabelos quando souber que estou grávida.

— Vou comer de noite. Não tive tempo.

Ele balança a cabeça, frustrado.

— Quer que eu acrescente "alimentem minha mulher" à lista de tarefas dos seguranças?

— Desculpe. Vou comer alguma coisa. É só que o dia hoje foi meio estranho. Você sabe, a transferência do papai e tudo o mais.

Seus lábios se contraem com força, mas Christian não diz nada. Olho para fora. *Conte a ele!*, meu inconsciente sibila no meu ouvido. Não. Sou uma covarde.

Christian interrompe minha divagação:

— Talvez eu tenha que ir a Taiwan.

— Ah, é? Quando?

— No final da semana. Ou talvez semana que vem.

— Está bem.

— Queria que você fosse comigo.

Engulo em seco.

— Christian, por favor. Eu tenho o meu trabalho. Não vamos voltar a discutir isso.

Ele suspira e faz beicinho como um adolescente contrariado.

— Achei melhor perguntar — murmura ele, petulante.

— Vai ficar quanto tempo?

— Uns dois dias, no máximo. Eu queria que você me dissesse o que está acontecendo.

Como é que ele sabe?

— Bom, agora que meu amado marido está indo viajar...

Christian beija meus dedos.

— Não vou ficar longe muito tempo.

— Ótimo.

E abro um sorriso murcho.

RAY ESTÁ MUITO mais animado e bem menos carrancudo. Fico tocada por sua discreta gratidão a Christian, e por um momento, quando me sento para ouvir os dois conversarem sobre pescaria e sobre os Mariners, esqueço a desagradável notícia que recebi hoje. Mas ele se cansa fácil.

— Papai, vamos deixá-lo dormir.

— Obrigado, Ana querida. Gostei de ver você. Hoje também vi sua mãe, Christian. Ela me tranquilizou bastante. E ainda por cima torce pelos Mariners.

— Mas ela não é muito fã de pesca — diz Christian, com uma careta, ao se levantar.

— Não conheço muitas mulheres que sejam, não é? — Ray abre um sorriso.

— Vejo você amanhã, ok?

Dou-lhe um beijo. Meu inconsciente faz cara de reprovação. *Se Christian não resolver trancar você… ou se não fizer coisa pior.* Meu ânimo vai lá no chão.

— Venha.

Christian estende a mão para mim, franzindo o cenho. Eu aceito sua mão e deixamos juntos o hospital.

MAL TOCO NO JANTAR. A Sra. Jones preparou frango à caçadora, mas simplesmente não estou com fome. A ansiedade dá um nó apertado no meu estômago.

— Droga! Ana, quer fazer o favor de me dizer o que está havendo? — Christian afasta seu prato vazio, irritado. Eu olho para ele. — Por favor. Você está me deixando louco.

Engulo em seco e tento controlar o pânico que cresce na minha garganta. Respiro fundo para me recompor. É agora ou nunca.

— Estou grávida.

Ele fica imóvel, e pouco a pouco toda a cor foge de seu rosto.

— O quê? — murmura ele, pálido.

— Estou grávida.

Surgem vincos de incompreensão entre suas sobrancelhas.

— Como?

Como assim *como*? Que espécie de pergunta ridícula é essa? Eu fico vermelha e lanço-lhe um olhar irônico, como quem diz “Como é que você acha?”.

Imediatamente sua postura se transforma, seus olhos se endurecendo como pedra.

— E a injeção? — rosna ele.

Ah, merda.

— Você esqueceu de tomar a injeção?

Eu apenas o encaro, incapaz de falar. Cacete, ele está com raiva — muita raiva.

— Meu Deus, Ana! — Ele dá um soco na mesa, fazendo-me pular, e se levanta tão bruscamente que quase derruba a cadeira. — Você só precisava se lembrar de uma coisa, uma única coisa. Merda! Eu não acredito. Como é que você pôde ser tão idiota?

Idiota! Engulo em seco. Merda. Quero dizer a ele que o método falhou, mas as palavras me faltam. Olho para os meus dedos.

— Sinto muito — sussurro.

— Sente muito? Porra! — repete.

— Eu sei que não é a melhor hora.

— Não é a melhor hora! — grita ele. — A gente se conhece faz só cinco minutos, porra. Eu queria levar você para conhecer o mundo, mas agora... Puta que pariu. Fralda, vômito e merda!

Ele fecha os olhos. Acho que está tentando se controlar, mas perdendo a batalha.

— Você esqueceu? Diga. Ou fez de propósito?

Seus olhos ardem, e a raiva emana dele como um campo de força.

— Não — sussurro.

Não posso contar sobre Hannah — ele a demitiria.

— Eu achei que tivéssemos concordado sobre isso! — grita ele.

— Eu sei. E tínhamos. Desculpe.

Ele me ignora.

— É por isso. É por isso que eu gosto de controle. Assim não acontece esse tipo de merda, pra foder com tudo.

Não... Pontinho.

— Christian, por favor, não grite comigo.

As lágrimas começam a rolar pelo meu rosto.

— Não venha com a sua choradeira agora — reclama ele. — Puta que pariu. — Ele passa a mão no cabelo, puxando-o como se quisesse arrancá-lo. — Você acha que eu estou preparado para ser pai? — Sua voz está embargada, um misto de raiva e pânico.

E então tudo fica claro, o medo e o lampejo de ódio em seus olhos: sua raiva é como a de um adolescente impotente. *Ah, meu Cinquenta Tons, eu sinto muito mesmo. Também estou em choque.*

— Eu sei que nenhum de nós dois está pronto para isso, mas acho que você vai ser um ótimo pai — falo, contendo as lágrimas. — Vamos dar um jeito.

— Como é que você sabe, porra?! — berra ele, dessa vez mais alto. — Como?

Seus olhos queimam, e muitas emoções cruzam seu rosto, sendo o medo a mais evidente.

— Ah, foda-se! — vocifera ele, numa atitude de rejeição, e joga as mãos para o alto como se admitindo derrota.

Ele vira-se e, a passos largos, dirige-se ao hall, pegando o casaco ao sair da sala. Seus passos ecoam no assoalho de madeira e ele desaparece por trás das portas duplas que dão para o hall, batendo a porta atrás de si e me fazendo novamente dar um pulo.

Fico sozinha com o silêncio — o silêncio total e vazio da sala. Estremeço involuntariamente quando olho entorpecida para as portas fechadas. *Ele se afastou de mim. Merda!* Sua reação foi muito pior do que eu jamais teria imaginado. Empurro meu prato para a frente e dobro os braços sobre a mesa, e então afundo a cabeça e choro.

— Ana, querida. — A Sra. Jones aparece ao meu lado.

Eu me empertigo rápido, esfregando as lágrimas do rosto.

— Eu ouvi tudo. Sinto muito — diz ela gentilmente. — A senhora gostaria de um chá de ervas ou algo assim?

— Quero uma taça de vinho branco.

A Sra. Jones faz uma pausa por uma fração de segundo, e eu me lembro do Pontinho. Agora não posso mais ingerir álcool. Ou será que posso? Tenho que ler a lista de proibições e deveres que a Dra. Greene me deu.

— Vou trazer.

— Na verdade, vou tomar uma xícara de chá, por favor.

Limpo meu nariz. Ela sorri com candura.

— Já está saindo.

Ela tira os pratos e se dirige à cozinha. Vou junto, e me acomodo em um dos bancos, de onde fico vendo-a preparar meu chá.

Ela coloca uma caneca fumegante na minha frente.

— O que mais posso preparar para a senhora?

— Nada, obrigada; assim está bom.

— Tem certeza? Você não comeu muito.

Eu a fito.

— Não estou com fome, só isso.

— Ana, você precisa comer. Agora não está mais sozinha. Por favor, deixe que eu prepare alguma coisa. Do que você gostaria?

Ela me olha ansiosa. Mas é sério: não consigo encarar comida alguma.

Meu marido acabou de me deixar sozinha porque eu engravidei, meu pai sofreu um grave acidente de carro, e ainda tenho que enfrentar o doido do Jack

Hyde inventando que eu o assediei sexualmente. De repente tenho uma vontade incontrolável de rir. *Veja o que você fez comigo, Pontinho!* Acaricio minha barriga.

A Sra. Jones sorri para mim, indulgente.

— Sabe de quanto tempo está? — pergunta ela, com suavidade.

— Bem pouco. Quatro ou cinco semanas, a médica não tem certeza.

— Se não vai comer, deve pelo menos descansar.

Concordo, e, levando meu chá, vou para a biblioteca. É o meu refúgio. Procuro meu BlackBerry na bolsa e penso em ligar para Christian. Sei que é um choque para ele — mas realmente foi uma reação extremada. *E quando é que ele age de forma diferente?* Meu inconsciente ergue para mim uma sobrancelha bem delineada. Solto um suspiro. Cinquenta tons de uma cabeça toda fodida.

— É, é o seu pai, Pontinho. Vamos torcer para que ele esfrie a cabeça e volte para casa... logo.

Pego o folheto que explica o que se deve ou não fazer e me sento para ler.

Não consigo me concentrar. Christian nunca me largou sozinha assim. Ele estava tão atencioso e carinhoso nos últimos dias, tão amável, e agora... E se ele nunca mais voltar? *Merda!* Talvez eu deva telefonar para Flynn. Não sei o que fazer. Estou desorientada. Christian é tão frágil em tantos aspectos, e eu sabia que ele reagiria mal quando soubesse. Ele estava tão doce durante o fim de semana... As circunstâncias estavam fora do seu controle, e mesmo assim ele se saiu bem. Mas essa novidade agora foi demais.

Desde que conheci Christian que minha vida tem sido complicada. Será que é por causa dele? Será que é por estarmos juntos? E se ele não quiser passar por isso? E se quiser o divórcio? A bile sobe à minha boca. Não. Não posso pensar assim. Ele vai voltar. Vai, sim. Eu sei que vai. Apesar dos gritos e das palavras duras, sei que ele me ama... E vai amar você também, Pontinho.

Recostando-me na cadeira, começo a cochilar.

ACORDO DESORIENTADA E com frio. Tremendo, vejo as horas: onze da noite. *Ah, sim... Você.* Acaricio minha barriga. Cadê Christian? Será que já voltou? Levanto-me da cadeira ainda meio dura e vou procurar meu marido.

Cinco minutos depois, percebo que ele não está em casa. Espero que não tenha acontecido nada com ele. As recordações da longa espera quando o *Charlie Tango* desapareceu surgem na minha mente.

Não, não, não. Pare de pensar assim. Ele deve ter ido encontrar... Quem? A quem ele iria recorrer? Elliot? Ou talvez tenha ido se consultar com Flynn. Espero que sim. Volto à biblioteca para pegar meu BlackBerry e digito uma mensagem.

Onde você está?

Vou até o banheiro e preparo um banho de banheira. Estou com tanto frio...

CHRISTIAN AINDA NÃO voltou quando saio do banho. Escolho uma camisola de cetim estilo anos 1930, coloco o robe por cima e vou até a sala. No caminho, dou uma parada diante do quarto vago. Talvez pudesse ser o quarto do Pontinho. Chocada diante dessa ideia, continuo ali parada na porta, contemplando essa realidade. Será que vamos pintar de azul ou cor-de-rosa? Meu doce devaneio azeda quando lembro que meu indócil marido ficou furioso com a minha gravidez. Apanhando o edredom da cama vazia, vou para a sala iniciar minha vigília.

ALGO ME DESPERTA. Um barulho.

— Merda!

É Christian no hall. Ouço novamente o barulho da mesa arrastando no chão.

— Merda! — repete ele, dessa vez um som mais abafado.

Ergo o corpo, meio desajeitada, a tempo de vê-lo passar cambaleando pelas portas duplas. *Ele está bêbado.* Sinto uma comichão no couro cabeludo. *Merda, Christian bêbado?* Ele odeia bêbados. Levanto-me em um salto e corro até ele.

— Christian, você está bem?

Ele se inclina contra o batente das portas.

— Sra. Grey — diz, com a voz pastosa.

Droga. Ele está *muito* bêbado. Não sei o que fazer.

— Ah... Você está extremamente elegante, Anastasia.

— Onde você estava?

— Shh! — Ele leva o dedo aos lábios e abre um sorriso torto.

— Acho que é melhor você ir para a cama.

— Com você... — Ele solta um riso baixo, de escárnio.

Rindo desse jeito! Franzindo a testa, coloco o braço delicadamente em volta da sua cintura, pois ele mal se aguenta em pé — quanto mais andar sozinho. Onde será que ele estava? Como conseguiu voltar para casa?

— Vou ajudar você a chegar até a cama. Apoie-se em mim.

— Você está muito bonita, Ana.

Ele se deixa cair sobre mim e cheira meu cabelo, quase derrubando a nós dois.

— Christian, ande. Vou colocar você na cama.

— Tudo bem — diz, como se tentasse se concentrar.

Cambaleamos pelo corredor até finalmente chegarmos ao quarto.

— Cama — diz ele, com um sorriso.

— Isso mesmo, cama.

Eu o conduzo até a beirada, mas ele não me solta.

— Vem cá, vem — diz.

— Christian, acho que você precisa dormir.

— Ih, já começou. Bem que me falaram.

Franzo o cenho.

— Falaram o quê?

— Que com bebês não existe mais sexo.

— Isso não é verdade. Se fosse assim, todo mundo seria filho único.

Ele me fita.

— Você está engraçada.

— E você está bêbado.

— Aham.

Ele sorri, mas seu sorriso se transforma quando ele começa a pensar no significado disso, e uma expressão atormentada passa pelo seu rosto, uma expressão que me dá calafrios.

— Venha, Christian — digo com ternura. Detesto a expressão dele. Parece trazer consigo lembranças terríveis, que nenhuma criança deveria ter. — Venha para a cama.

Empurro-o com delicadeza, e ele se joga no colchão, todo esparramado e rindo para mim, já sem o semblante atormentado.

— Vem cá — chama ele, enrolando a língua.

— Primeiro, vamos tirar essa sua roupa.

Ele dá um sorriso selvagem e embriagado.

— Agora sim você está falando a minha língua.

Puta merda. O Christian bêbado é fofo e engraçado. Qualquer hora dessas vou substituir o Christian soltando fogo pelas ventas por esse.

— Sente-se. Para eu poder tirar o seu casaco.

— O quarto está rodando.

Droga... será que ele vai vomitar?

— Christian, sente-se!

Ele me lança um sorriso esquisito.

— Mas como você é mandona, Sra. Grey...

— Sou mesmo. Faça o que eu estou mandando: levante o corpo e fique sentado na cama.

Ponho as mãos na cintura. Ele ri novamente, ergue o corpo apoiando-se nos cotovelos e então se senta, de uma maneira desajeitada e totalmente não Christian. Antes que ele caia novamente, agarro sua gravata e tiro o casaco cinza, um braço de cada vez.

— Você está cheirosa.

— E você está cheirando a álcool.

— É... bour-bon.

Ele pronuncia as sílabas com tanto exagero que preciso conter o riso. Jogo seu casaco no chão e começo a tirar a gravata, enquanto ele repousa as mãos no meu quadril.

— Gostoso esse tecido em você, Anasta-shia... — diz ele, pronunciando mal as palavras. — Você devia usar cetim ou seda o tempo todo.

Ele desliza as mãos pelos meus quadris, subindo e descendo, e depois me puxa na sua direção, pressionando a boca contra a minha barriga.

— E tem um intruso aqui.

Paro de respirar. Puta merda. Ele está falando com o Pontinho.

— Você vai me deixar a noite toda acordado, não vai? — pergunta ele à minha barriga.

Ai, meu Deus. Christian ergue o olhar para mim, seus olhos cinzentos embaçados e sombrios. Meu coração se aperta.

— Você vai gostar mais dele do que de mim — diz ele, triste.

— Christian, você não tem ideia do que está falando. Não seja ridículo; não vou preferir ninguém. E ele pode ser ela.

Ele franze a testa.

— Ela... Ah, meu Deus.

Ele cai novamente na cama e cobre os olhos com o braço. Consegui desatar a gravata. Desamarro os cadarços e tiro seus sapatos e meias. Quando me levanto, percebo por que não encontrei nenhuma resistência — Christian simplesmente desmaiou. Está dormindo profundamente e ressona baixinho.

Fico contemplando-o. Ele é lindo de morrer, mesmo bêbado e roncando. Os lábios bem delineados entreabertos, um braço acima da cabeça, bagunçando o cabelo já todo despenteado, o rosto com ar relaxado. Ele parece jovem — quer dizer, ele *é* jovem; meu jovem marido, estressado, embriagado e infeliz. Esse pensamento pesa no meu coração.

Bom, pelo menos ele está em casa. Fico me perguntando aonde ele foi. Não sei se tenho energia ou força suficientes para empurrá-lo ou despi-lo mais. Além disso, ele caiu por cima do edredom. Voltando à sala, pego o edredom que eu estava usando e o levo para o nosso quarto.

Ele continua dormindo profundamente, ainda de gravata e cinto. Subo na cama ao seu lado, tiro a gravata e, com cuidado, abro o primeiro botão da sua camisa. Ele balbucia alguma coisa incoerente, mas não acorda. Abro o cinto com jeitinho, vou puxando-o pelos passadores e, com alguma dificuldade, consigo tirá-lo. A camisa está para fora da calça, revelando um trecho do caminho da felicidade. Não resisto: me abaixo e beijo sua barriga. Ele se mexe, jogando o quadril para a frente, mas continua dormindo.

Volto a erguer o corpo e o contemplo novamente. *Ah, Christian, meu Cinquenta Tons... o que é que eu vou fazer com você?* Passo os dedos pelo cabelo dele — tão macio — e o beijo na têmpora.

— Eu amo você, Christian. Mesmo quando está bêbado e desaparece de casa, indo sabe Deus aonde, eu amo você. Vou amá-lo para sempre.

— Hmm — murmura ele.

Beijo-o na têmpora mais uma vez, depois saio da cama e o cubro com o outro edredom. Posso dormir ao seu lado, atravessada na cama... *É, vou fazer isso.*

Porém, primeiro vou dobrar as roupas dele. Balanço a cabeça, resignada, e então apanho as meias e a gravata e dobro o casaco no braço. Nisso, seu BlackBerry cai no chão. Ao pegá-lo, acabo sem querer desbloqueando-o. Ele mostra a caixa de entrada de mensagens. Vejo a que eu enviei. Mas há uma mais recente.

Puta merda. Sinto uma comichão na cabeça.

> *Foi bom ver você. Agora eu entendo.
> Não fique assim. Você vai ser um pai maravilhoso.*

A mensagem é *dela*. Elena Monstra Filha da Mãe Robinson.

Merda. Então foi isso. Ele foi ver *aquela mulher.*

CAPÍTULO VINTE E UM

Fico pasma quando leio a mensagem, e olho para meu marido dormindo. Ele ficou fora até uma e meia da madrugada, bebendo — com *ela*! Christian ressona suavemente, dormindo o sono de um entorpecido e supostamente inofensivo bêbado. Parece tão sereno.

Ah, não, não, não. Sinto minhas pernas perderem a força e afundo lentamente na cadeira ao lado da cama, incrédula. Uma sensação de traição amarga, desleal e humilhante se abate sobre mim. Como ele pôde fazer isso? Como pôde procurar aquela mulher? Lágrimas de raiva descem queimando minhas faces. O medo e a cólera que ele sentiu, a necessidade de me agredir verbalmente — tudo isso eu posso entender e até perdoar. Mas isso... essa traição é demais para mim. Dobro os joelhos de encontro ao peito e abraço minhas pernas, protegendo a mim e ao meu Pontinho. Balanço o corpo para a frente e para trás, chorando silenciosamente.

O que eu esperava? Eu me casei depressa demais com este homem. Eu sabia... sabia que ia dar nisso. Por quê? Por quê? *Por quê?* Como ele pôde fazer isso comigo? Ele conhece meus sentimentos em relação a essa mulher. Como ele pôde correr logo para ela? Como? Sinto uma adaga se torcer lenta e dolorosamente dentro do meu coração, dilacerando-o. Será que vai ser sempre assim?

Através da cortina das minhas lágrimas, sua silhueta prostrada fica borrada e trêmula. *Ah, Christian.* Eu me casei com ele porque o amo, e lá no fundo sei que ele também me ama. Sei disso. O presente de aniversário que ele me deu, de uma ternura extrema, me vem à mente.

Por todas as nossas primeiras vezes, no seu primeiro aniversário como minha amada esposa. Bj, C.

Não, não, não... não posso acreditar que vai ser sempre assim, dois passos para a frente e três para trás. Mas é assim que tem sido com ele. Após cada obstáculo que nos faz recuar, caminhamos para a frente, centímetro por centímetro. Ele vai dar a volta por cima... sei que vai. Mas e eu? Será que vou me recuperar dessa...

dessa traição? Penso em como ele se comportou nesse último fim de semana, que foi tão horrível quanto maravilhoso. A força silenciosa que ele me transmitiu enquanto meu padrasto jazia ferido e em coma na UTI... minha festa surpresa, a preocupação de trazer os amigos e parentes... a cena em frente ao hotel — me jogando para trás apoiada nos seus braços e me beijando na frente de todos. *Ah, Christian, você leva minha confiança e minha fé ao limite... e eu amo você.*

Agora, porém, não posso pensar só em mim mesma. Coloco a mão na barriga. Não, não vou deixar que ele faça isso comigo e com o nosso Pontinho. O Dr. Flynn disse que eu deveria lhe dar o benefício da dúvida... tudo bem, mas não dessa vez. Seco as lágrimas dos olhos e limpo o nariz com as costas da mão.

Christian se mexe e se vira, puxando as pernas que pendiam pela beirada da cama, e se aconchega debaixo do edredom. Estica uma das mãos, como se estivesse procurando alguma coisa, e depois balbucia algo ininteligível, franzindo as sobrancelhas, mas acaba por dormir novamente, o braço esticado.

Ah, meu Cinquenta Tons. O que é que eu vou fazer com você? E que diabo você estava fazendo com a Monstra Filha da Mãe? Preciso saber.

Olho mais uma vez para a ultrajante mensagem de texto e depressa traço um plano. Inspiro profundamente e encaminho a mensagem para o meu BlackBerry. Primeiro passo concluído. Em seguida, verifico as outras mensagens que ele recebeu recentemente, mas são todas minhas ou de Elliot, Andrea, Taylor e Ros. Nenhuma de Elena. Ótimo, eu acho. Saio da caixa de entrada, aliviada por ver que ele não tem se correspondido com ela, e neste momento meu coração quase sai pela boca. *Meu Deus.* O papel de parede do telefone dele é um conjunto de fotos minhas, um patchwork de pequenas Anastasias em várias poses: em nossa lua de mel, no fim de semana que passamos velejando e viajando, além de algumas tiradas por José. Quando foi que ele montou isso? Deve ter sido há pouquíssimo tempo.

Reparo no ícone do e-mail e sinto-me tentada por uma ideia que se insinua em minha mente... *Eu podia ler os e-mails do Christian.* Ver se ele tem se comunicado com *ela*. Será que devo? Vestida em seda verde-jade, a boca franzida e zangada, minha deusa interior concorda enfaticamente. Antes que eu possa pensar duas vezes, invado a privacidade dele.

Há centenas e centenas de e-mails. Parecem todos desinteressantes e normais... a maioria enviada por mim, por Ros e por Andrea, além de vários executivos da empresa. Nenhum da Monstra Filha da Mãe. Aproveitando, vejo que também não há nenhum de Leila — o que me deixa aliviada.

Um dos e-mails, porém, chama minha atenção. Foi enviado por Barney Sullivan, o sujeito responsável pela TI na empresa, e o assunto da mensagem é: Jack Hyde. Lanço um rápido olhar de culpa para Christian, mas ele continua ressonando suavemente. Eu nunca o tinha visto roncar. Abro o e-mail.

De: Barney Sullivan
Assunto: Jack Hyde
Data: 13 de setembro de 2011 14:09
Para: Christian Grey

O rastreamento da caminhonete branca que conseguimos fazer pelas câmeras de segurança de Seattle só chegam até a Rua South Irving. Antes disso, não consigo encontrar nenhum rastro, então Hyde deve ter partido daquela área.

Como Welch já lhe disse, o carro do elemento foi alugado por uma mulher desconhecida com uma carteira falsa, mas nada liga o veículo à área da South Irving.

No arquivo anexado, seguem detalhes de funcionários conhecidos da GEH e da SIP que moram na área. Enviei o arquivo também para Welch.

No computador que Hyde usava na SIP não havia nada sobre suas ex-assistentes.

Só para lembrar, aqui vai uma lista do que foi obtido no computador de Hyde na SIP.

Endereços de residências dos Grey:
Cinco propriedades em Seattle
Duas propriedades em Detroit

Resumos detalhados das vidas de:
Carrick Grey
Elliot Grey
Christian Grey
Dra. Grace Trevelyan
Anastasia Steele
Mia Grey

Artigos de jornais impressos e digitais relacionados a:
Dra. Grace Trevelyan
Carrick Grey
Christian Grey
Elliot Grey

Fotografias:
Carrick Grey
Dra. Grace Trevelyan

Christian Grey
Elliot Grey
Mia Grey

Vou continuar investigando para ver se encontro mais alguma coisa.

B. Sullivan
Diretor de TI, Grey Enterprises Holdings Inc.

Esse e-mail estranho desvia minha atenção momentaneamente desta noite de infortúnio. Clico no anexo para verificar os nomes da lista, mas obviamente é imensa, extensa demais para ser aberta no BlackBerry.

O que eu estou fazendo? É tarde. Tive um dia desgastante. Não encontrei e-mails da Monstra Filha da Mãe ou de Leila Williams, o que já me deixa um pouco reconfortada. Olho para o relógio: já são pouco mais de duas da madrugada. Hoje foi um dia repleto de revelações. Vou ser mãe, e meu marido andou confraternizando com a inimiga. Bom, ele que arque com as consequências. Não vou ficar dormindo aqui com ele. Ele que acorde sozinho amanhã de manhã. Depois de deixar o BlackBerry dele na mesa de cabeceira, apanho minha bolsa, que está ao lado da cama, e, após um último olhar para o meu angelical Judas adormecido, saio do quarto.

A chave reserva do quarto de jogos está no local costumeiro, no armário da lavanderia. De posse da chave, corro lá para cima. Pego travesseiro, edredom e lençóis do armário de rouparia, depois destranco a porta do quarto de jogos e entro, ajustando a luz para uma iluminação suave. É esquisito eu achar o aroma e o ambiente desse cômodo reconfortantes, considerando que acabei usando a palavra de segurança na última vez que estive aqui. Tranco a porta após entrar, deixando a chave na fechadura. Sei que de manhã Christian vai ficar fora de si tentando me encontrar, e acho que ele não vai me procurar aqui se a porta estiver trancada. Bem-feito para ele.

Eu me aconchego no sofá Chesterfield, enrolo-me no edredom e tiro meu BlackBerry da bolsa. Encontro a mensagem de texto da diabólica Monstra Filha da Mãe que eu encaminhei do telefone de Christian para mim mesma. Aperto "encaminhar" e digito:

*VAI QUERER QUE A SRA. LINCOLN ESTEJA PRESENTE QUANDO DISCUTIRMOS ESTA MENSAGEM QUE ELA MANDOU PARA VOCÊ? ASSIM NÃO VAI PRECISAR CORRER ATÉ ELA DEPOIS.
SUA ESPOSA*

Aperto "enviar" e coloco o celular no modo silencioso. Então me encolho embaixo do edredom. Apesar de minha suposta bravura, sinto-me esmagada pela enormidade da decepção que tive com Christian. Essa deveria ser uma ocasião feliz. Puxa, vamos ser pais. Por breves instantes revivo o momento em que contei a Christian que estou grávida e fantasio que ele cai de joelhos na minha frente de tanta alegria, abraçando-me e me dizendo o quanto ama a mim e ao nosso Pontinho.

No entanto, aqui estou eu, na fria solidão de um quarto de jogos repleto de fantasias BDSM. Subitamente me sinto velha, mais velha do que realmente sou. Lidar com Christian sempre foi um desafio, mas hoje ele se superou.

Onde estava com a cabeça? Bom, se o que ele quer é briga, é o que vou lhe dar. De jeito nenhum vou aceitar que ele se veja no direito de correr para aquela mulher monstruosa sempre que tivermos um problema. Ele vai ter que escolher — ou ela ou eu e nosso Pontinho. Fungo baixo, mas estou tão exausta que logo caio no sono.

ACORDO SOBRESSALTADA, momentaneamente desorientada... *Ah, sim — estou no quarto de jogos.* Como não há janelas, não faço ideia de que horas são. A maçaneta da porta chacoalha.

— Ana! — grita Christian lá de fora.

Congelo onde estou, mas ele não entra. Ouço vozes indistintas, mas depois se afastam. Solto o ar dos pulmões e vejo as horas no BlackBerry. São sete e meia, e há quatro chamadas perdidas e duas mensagens de voz. As chamadas são quase todas de Christian, mas tem também uma de Kate. *Ah, não.* Ele deve ter ligado para ela. Não tenho tempo para ouvir os recados. Não quero chegar atrasada no trabalho.

Eu me enrolo no edredom e pego minha bolsa antes de me dirigir à porta. Destranco-a devagar e espio do lado de fora. Ninguém à vista. *Ah, merda...* Talvez eu esteja sendo meio melodramática. Reviro os olhos para mim mesma, depois respiro fundo e desço as escadas.

Taylor, Sawyer, Ryan, a Sra. Jones e Christian estão todos parados à entrada da sala, Christian dando instruções a toque de caixa. Todos se viram ao mesmo tempo e me olham perplexos. Christian usa as mesmas roupas com que dormiu. Está desalinhado, pálido e lindo de morrer. Seus grandes olhos cinzentos estão arregalados, não sei se por medo ou raiva. É difícil dizer.

— Sawyer, vamos sair em uns vinte minutos — murmuro, enrolando-me mais ainda no edredom, como uma proteção.

Ele faz um gesto de aquiescência, e todos os olhares se viram para Christian, que ainda me fita intensamente.

— Gostaria de alguma coisa para o café, Sra. Grey? — pergunta a Sra. Jones.

Balanço a cabeça em negativa.

— Não estou com fome, obrigada.

Ela aperta os lábios, mas não diz mais nada.

— Onde você estava? — pergunta Christian, numa voz baixa e rouca.

De súbito, como se fossem ratos apavorados em um navio prestes a afundar, Sawyer, Taylor, Ryan e a Sra. Jones se dispersam, desaparecendo na direção do escritório de Taylor, do hall ou da cozinha.

Ignoro Christian e me encaminho para o quarto.

— Ana — ele me chama —, responda.

Ouço seus passos atrás de mim, seguindo-me até o quarto, mas me dirijo ao banheiro da suíte e rapidamente tranco a porta.

— Ana! — Christian começa a esmurrar a porta. Ligo o chuveiro. A porta sacode. — Ana, abra essa porra dessa porta.

— Vá embora!

— Não vou a lugar algum.

— Como quiser.

— Ana, por favor.

Entro no chuveiro, deixando-o lá fora. Ah, tão quentinho... A água revigorante cai sobre mim, lavando minha pele de toda a exaustão da noite passada. *Nossa.* Tão gostoso... Por um momento, por um breve momento, consigo fingir que está tudo bem. Lavo o cabelo e quando termino já me sinto melhor, mais forte, pronta para enfrentar o trator chamado Christian Grey. Enrolo o cabelo em uma toalha, enxugo-me rapidamente com outra e depois a enrolo no corpo.

Destranco a porta e, quando a abro, vejo Christian encostado na parede oposta, as mãos atrás do corpo. Ele tem uma expressão prudente, semelhante à de um predador sendo caçado. Passo rapidamente por ele e entro no closet.

— Você está me ignorando? — pergunta Christian, incrédulo, parado à porta do closet.

— Que perspicaz, você — murmuro distraidamente enquanto escolho o que vestir.

Ah, sim... meu vestido ameixa. Tiro-o do cabide, pego as botas pretas de cano longo e salto agulha e volto para o quarto. Paro por um momento, esperando que Christian saia do meu caminho, o que ele acaba fazendo — suas boas maneiras falam mais alto. Sinto seus olhos me atravessando enquanto cruzo o quarto até a cômoda e, pelo espelho, dou uma espiada nele, estático na porta, examinando-me. Em um ato digno de uma vencedora de Oscar, deixo a toalha cair no chão e finjo não me importar. Ouço seu suspiro contido e ignoro.

— Por que você está fazendo isso? — pergunta ele, em voz baixa.

— O que você acha? — Minha voz é suave como veludo. Enquanto isso vou pegando uma linda calcinha de renda preta da La Perla.

— Ana...

Ele para quando me vê vestir a calcinha.

— Vá perguntar à sua Mrs. Robinson. Tenho certeza de que ela vai lhe dar alguma explicação — sussurro, enquanto procuro o sutiã que forma o conjunto.

— Ana, eu já disse que ela não é minha...

— Não quero ouvir, Christian. — Faço um gesto de desdém com a mão. — A oportunidade de conversar foi ontem, mas, em vez disso, você preferiu se divertir e se embebedar com a mulher que abusou de você durante anos. Ligue para ela. Tenho certeza de que ela vai ter a maior boa vontade em escutar você.

Encontro o sutiã que procurava e o visto lentamente. Christian avança e coloca as mãos na cintura.

— Por que você estava me espionando? — pergunta ele.

Apesar da minha firmeza, fico vermelha.

— Essa não é a questão, Christian — retruco com rispidez. — O fato é que, quando as coisas complicam, você corre para ela.

Ele aperta a boca numa expressão severa.

— Não foi bem assim.

— Não estou interessada.

Pegando um par de meias sete oitavos pretas com barra rendada, vou até a cama. Então me sento, estico a ponta do pé e, delicadamente, cubro minha perna até a coxa com o leve tecido.

— Onde você estava? — pergunta ele, seus olhos seguindo minhas mãos ao longo das minhas pernas, mas continuo a ignorá-lo e passo para a outra meia.

Fico de pé e me curvo para secar meu cabelo com a toalha. Através das minhas coxas entreabertas, posso ver seus pés descalços e sentir seu olhar penetrante. Quando termino, volto a me levantar e vou até a cômoda para pegar o secador de cabelo.

— Responda. — Sua voz é baixa e ríspida.

Ligo o secador e não consigo mais ouvir sua voz. Pelo espelho, olho para ele de cabeça baixa enquanto seco o cabelo com os dedos. Ele me encara com olhos semicerrados e frios, gélidos até. Olho para o outro lado e foco na minha tarefa, tentando reprimir o calafrio que percorre meu corpo. Engulo em seco e me concentro em secar meu cabelo. Ele ainda está bravo. Ele sai com aquela filha da puta e está bravo *comigo*? *Que ousadia!* Quando meu cabelo parece rebelde e volumoso, paro. Sim... gostei. Desligo o secador.

— Onde você estava? — pergunta ele, seu tom de voz agora congelante.

— E você se importa?

— Ana, pare com isso. Agora.

Dou de ombros, e Christian atravessa o quarto rapidamente na minha direção. Dou um giro e um passo para trás quando ele tenta me alcançar.

— Não toque em mim — falo rispidamente, e ele congela no meio do movimento.

— Onde você estava? — pergunta, o punho cerrado pendendo ao longo do corpo.

— Eu não estava enchendo a cara com o meu ex — respondo, ardendo de raiva. — Você dormiu com ela?

Ele leva um susto.

— O *quê?* Não!

Olhando para mim perplexo, ele tem o desplante de parecer ao mesmo tempo magoado e zangado. Meu inconsciente solta um breve e bem-vindo suspiro de alívio.

— Você acha que eu trairia você? — Seu tom de voz sugere um ultraje moral.

— Você traiu — falo com hostilidade. — Abrindo nossa vida particular para aquela mulher e mostrando fraqueza ao contar tudo para ela.

Christian fica boquiaberto.

— Fraqueza. É isso que você pensa? — Seus olhos estão em brasa.

— Christian, eu li a mensagem. Disso eu sei.

— A mensagem não era endereçada a você — rebate ele.

— Bom, o fato é que eu vi a mensagem quando o BlackBerry caiu do seu casaco enquanto eu tentava tirar a sua roupa porque você estava tão bêbado que não conseguia nem se trocar sozinho. Você tem ideia de como me magoou indo ver aquela mulher?

Ele empalidece por um instante, mas eu engatei a primeira e continuo, soltando minha fera interior:

— Você se lembra da noite passada, quando chegou em casa? Lembra-se do que disse?

Ele me encara sem reação, o rosto estático.

— Pois bem: você tinha razão. Tendo que escolher, eu escolho este bebê indefeso em vez de você. É o que faria qualquer mãe ou pai decente. É o que a sua mãe deveria ter feito com você. E eu lamento muito que ela não tenha feito isso, porque não estaríamos nesta discussão agora se ela tivesse agido de outra maneira. Só que você já é um adulto; então cresça, porra, olhe à sua volta e pare de agir como um adolescente petulante.

"Você pode não estar feliz com este filho. Também não estou dando pulos de alegria, por não ser a hora e por causa da sua reação mais que indiferente a este novo ser, sangue do seu sangue, carne da sua carne. Mas você pode encarar essa situação junto comigo, ou eu vou encarar sozinha. A decisão é sua.

"Enquanto você se afunda no seu poço de autopiedade e auto-ódio, eu vou trabalhar. E quando voltar, vou levar minhas coisas para o quarto de cima."

Ele me olha em choque.

— Agora, se me der licença, eu queria terminar de me vestir. — Minha respiração é ofegante.

Muito lentamente, Christian dá um passo para trás, adotando uma atitude mais dura.

— É isso que você quer? — sussurra ele.

— Não sei mais o que eu quero.

Meu tom de voz reflete o dele, e faço um esforço monumental para fingir desinteresse ao molhar as pontas dos dedos com o hidratante e passar suavemente no rosto. Eu me olho no espelho. Enormes olhos azuis, rosto pálido, mas faces rosadas. *Você está se saindo muito bem. Não ceda agora. Não ceda agora.*

— Você não me quer? — murmura ele.

Ah, não... ah, não, nem comece com isso, Grey.

— Ainda estou aqui, não é? — retruco.

Pego o rímel e começo a passar no olho direito.

— Você pensou em me deixar? — Mal ouço suas palavras.

— Quando o seu marido prefere a companhia da ex-amante, não costuma ser um bom sinal.

Lanço o desdém apenas no nível necessário, fugindo da pergunta dele. Agora brilho labial. Com a boca brilhante, faço um biquinho para minha imagem no espelho. *Fique forte, Steele... quer dizer, Grey.* Puta merda, nem consigo me lembrar do meu sobrenome. Apanho as botas, vou até a cama novamente e as calço, puxando-as até a altura dos joelhos. Isso aí. Estou só de calcinha, sutiã e botas, bem sexy. Sei disso. Eu me levanto e olho para ele sem paixão. Ele pisca várias vezes, e seus olhos percorrem meu corpo rápida e avidamente.

— Eu sei o que você está fazendo — murmura ele, e sua voz adota um viés quente e sedutor.

— Sabe, é?

Minha voz falha. *Não, Ana... aguente firme.*

Ele engole em seco e avança. Dou um passo para trás e levanto as mãos.

— Nem pense nisso, Grey — sussurro ameaçadoramente.

— Você é minha esposa — diz ele, suave e ameaçador.

— Sou a mulher grávida que você abandonou ontem, e, se você tocar em mim, vou gritar até arrebentar os vidros.

Ele levanta as sobrancelhas, sem acreditar.

— Vai gritar, é?

— Até morrer. — Estreito os olhos.

— Ninguém iria ouvir você — murmura ele, encarando-me intensamente, e por um breve momento me lembro da nossa manhã em Aspen. *Não. Não. Não.*

— Está tentando me assustar? — balbucio, quase sem fôlego, deliberadamente tentando detê-lo.

Funciona. Ele para e engole em seco.

— Não era minha intenção. — Ele franze a testa.

Mal consigo respirar. Se ele me tocar, não vou resistir. Conheço o poder que ele exerce sobre mim e sobre meu corpo traiçoeiro. Conheço bem. Então me agarro à minha raiva.

— Eu tomei um drinque com uma pessoa que costumava ser próxima de mim. Só para espairecer. Não vou vê-la de novo.

— Você a procurou?

— Não de primeira. Tentei entrar em contato com o Flynn. Mas acabei indo para o salão de beleza.

— E você espera que eu acredite que não vai mais ver aquela mulher? — Não consigo conter minha fúria ao cuspir as palavras. — E da próxima vez que eu cruzar uma linha imaginária? É sempre a mesma briga, toda vez a mesma coisa. Parece até que estamos presos à roda de Íxion. Se eu fizer mais alguma merda, você vai correr para ela outra vez?

— Não vou vê-la de novo — diz ele, com uma determinação desconcertante. — Ela finalmente entendeu como eu me sinto.

Levo um tempo para absorver suas palavras.

— O que isso quer dizer?

Ele se enrijece e passa a mão no cabelo, irritado, bravo e mudo. Tento uma tática diferente:

— Por que você pode falar com ela e não comigo?

— Eu estava zangado com você. Como estou agora.

— Não me diga! — disparo. — Pois bem: *eu* estou zangada com você agora. Por você ter sido tão frio e insensível ontem, quando eu precisava de você. Por me acusar de engravidar deliberadamente, o que não foi o caso. Por me trair.

Consigo engolir um soluço. Ele abre a boca, chocado, e fecha os olhos por um instante, como se eu tivesse lhe dado uma bofetada. Engulo em seco. *Acalme-se, Anastasia.*

— Eu deveria ter sido mais cuidadosa com as aplicações do anticoncepcional. Mas não foi de propósito. Esta gravidez também é um choque para mim — balbucio, tentando um mínimo de civilidade. — Além do mais, o método pode ter falhado.

Ele me encara com ar de reprovação, em silêncio.

— Você fez muita merda ontem — sussurro, a raiva fervendo dentro de mim. — Passei por poucas e boas nas últimas semanas.

— E você fez uma merda das grandes três ou quatro semanas atrás. Ou sei lá quando você esqueceu de tomar a injeção.

— Bom, Deus me ajude a não ser perfeita como você!

Ah, pare, pare, pare. Ficamos ali imóveis, fulminando um ao outro com o olhar.

— Bela performance, Sra. Grey — sussurra ele.

— Fico feliz de saber que mesmo grávida sou uma boa diversão.

Ele me olha sem expressão e murmura:

— Preciso tomar um banho.

— E já chega do meu espetáculo de cabaré.

— É um ótimo espetáculo, aliás — sussurra ele, e dá um passo à frente. Novamente eu dou um passo para trás.

— Não ouse.

— Odeio quando não me deixa tocar em você.

— Que ironia, não?

Seus olhos se estreitam ainda mais.

— Não decidimos muita coisa, não é?

— Eu diria que não. Só decidi me mudar para o outro quarto.

Os olhos dele se arregalam e brilham por um breve instante.

— Ela não significa nada para mim.

— A não ser quando você precisa dela.

— Eu não preciso dela. Preciso de você.

— Você não precisou de mim ontem. Aquela mulher é um limite rígido para mim, Christian.

— Ela não faz mais parte da minha vida.

— Como eu queria acreditar em você.

— Puta que pariu, Ana.

— Por favor, preciso terminar de me vestir.

Ele suspira e passa a mão no cabelo novamente.

— Vejo você à noite — diz, a voz fria e destituída de qualquer emoção.

E por um breve momento tenho vontade de envolvê-lo em meus braços e tranquilizá-lo... mas resisto, porque estou irada demais. Ele se vira e se dirige ao banheiro. Permaneço estática até ouvir a porta se fechar.

Vou cambaleante até a cama e me jogo. Não recorri a lágrimas ou gritos ou homicídio, nem sucumbi a seus encantos de especialista em sexo. Mereço uma medalha de honra; no entanto, me sinto lá no chão. Merda. Não resolvemos nada. Estamos à beira de um precipício. Será que nosso casamento está correndo perigo? Como é que ele não consegue perceber que agiu como um completo babaca quando foi se encontrar com aquela mulher? E o que ele quer dizer ao afirmar que nunca mais vai vê-la de novo? Afinal, como é que eu vou conseguir acreditar nisso? Olho para o relógio: oito e meia. *Droga!* Não quero me atrasar. Inspiro profundamente.

— O segundo assalto terminou em empate técnico, Pontinho — sussurro, afagando a barriga. — O papai talvez seja uma causa perdida, mas espero que não. Por que, Pontinho, por que você veio tão cedo? Agora é que as coisas estavam ficando boas. — Meus lábios tremem, mas respiro fundo para me recuperar e controlar minhas emoções. — Vamos, Pontinho. Vamos lá arrasar no trabalho.

NÃO ME DESPEÇO de Christian. Ele ainda está no chuveiro quando Sawyer e eu saímos. Fico olhando para fora pelos vidros escuros do SUV, e nesse momento minha postura desaba e meus olhos se enchem de lágrimas. Meu estado de espírito se reflete no céu cinzento e lúgubre, e tenho um mau pressentimento. Não chegamos a conversar sobre o bebê. Tive menos de vinte e quatro horas para assimilar a novidade do meu Pontinho. Christian teve ainda menos tempo.

— Ele nem sabe o seu nome.

Acaricio a barriga e limpo as lágrimas que escorrem pelo meu rosto.

— Sra. Grey. — É Sawyer, interrompendo meus devaneios. — Chegamos.

— Ah. Obrigada, Sawyer.

— Vou dar um pulo na confeitaria, madame. A senhora quer alguma coisa?

— Não, obrigada. Não estou com fome.

HANNAH ME RECEBE com meu café com leite já pronto. Tomo um golinho e meu estômago fica embrulhado.

— Hmm... pode me trazer um chá, por favor? — murmuro, constrangida.

Eu sabia que havia uma razão para eu nunca ter gostado muito de café. Nossa, que cheiro ruim.

— Você está bem, Ana?

Faço que sim e corro para a segurança do meu escritório. O BlackBerry toca. É Kate.

— Por que Christian estava procurando você? — pergunta ela, sem preâmbulos.

— Bom dia, Kate. Tudo bem?

— Poupe-me do papo furado, Steele. O que aconteceu? — E assim começa o Interrogatório de Katherine Kavanagh.

— Christian e eu brigamos, só isso.

— Ele machucou você?

Reviro os olhos.

— Sim, mas não do jeito que você está pensando. — Não quero me abrir com Kate agora. Sei que vou chorar, e no momento estou orgulhosa de mim mesma por não ter desabado esta manhã. — Kate, eu tenho uma reunião. Depois eu ligo.

— Ok. Você está bem?

— Sim. — *Não.* — Eu ligo mais tarde.

— Tudo bem, Ana, como quiser. Se precisar, estou aqui.

— Sei disso — sussurro, lutando contra a torrente de emoções que me vêm por causa das palavras amigas de Kate. *Não vou chorar. Não vou chorar.*

— O Ray está bem?

— Está — murmuro.

— Ai, Ana — sussurra ela.

— Não diga nada.

— Tudo bem. A gente se fala mais tarde.

— Certo.

No decorrer da manhã, de vez em quando verifico meu e-mail, na esperança de encontrar alguma palavra de Christian. Mas não há nada. À medida que o dia transcorre, percebo que ele simplesmente não vai entrar em contato comigo e que ainda está zangado. Ora, eu também estou zangada. Entrego-me ao trabalho, fazendo uma pausa apenas para comer um sanduíche de salmão e cream cheese na hora do almoço. É impressionante como me sinto melhor depois de conseguir comer alguma coisa.

Às cinco, Sawyer e eu vamos ao hospital fazer uma visita a Ray. Sawyer está mais vigilante do que o normal, chega a ser exageradamente solícito. É irritante. Quando nos aproximamos do quarto de Ray, ele me interpela:

— A senhora quer um chá enquanto visita seu pai?

— Não, obrigada, Sawyer. Estou bem.

— Vou esperar lá fora.

Ele abre a porta para mim, e fico aliviada ao me ver livre dele por alguns instantes. Ray está sentado na cama, lendo uma revista. Está barbeado e usa uma camisa de pijama — parece novamente o Ray que eu conheço.

— Oi, Annie. — Ele sorri. E seu rosto murcha.

— Ah, papai…

Corro para ele e, em um gesto pouco usual de sua parte, ele abre os braços e me acolhe.

— Annie? — sussurra. — O que aconteceu?

Ele me abraça apertado e beija meu cabelo. Enquanto estou assim aninhada em seus braços, percebo como são raros esses momentos entre nós dois. *Por que será?* E será que é por isso que gosto de ficar no colo de Christian? Depois de um minuto, solto-o e me sento na cadeira ao lado da cama. Ele tem o cenho franzido em uma expressão de preocupação.

— Conte ao seu velho.

Balanço a cabeça. Ele não precisa dos meus problemas nesse momento.

— Não é nada, pai. Você está com uma aparência boa. — Aperto sua mão.

— Já estou me sentindo recuperado, apesar dessa perna engessada me acossando.

— Acossando? — A palavra me faz sorrir.

Ele retribui o sorriso.

— "Acossar" soa melhor que "coçar".

— Ah, pai, fico tão feliz de ver você bem.

— Eu também, Annie. Ainda vou querer colocar meus netinhos sentados nesse joelho acossado um dia. Não ia perder isso por nada no mundo.

Olho para ele receosa. *Merda*. Será que ele sabe? E luto contra as lágrimas que teimam em surgir nos cantos dos meus olhos.

— Você e o Christian estão bem?

— Tivemos uma briga — murmuro, tentando falar mesmo com o nó que aperta minha garganta. — Mas a gente supera.

Ray aquiesce.

— Ele é um homem bom, o seu marido — diz ele, para me reconfortar.

— Ele tem seus momentos. O que os médicos disseram?

Não quero continuar a falar sobre o meu marido agora; é um assunto doloroso.

QUANDO CHEGO EM casa, Christian ainda não voltou.

— Christian ligou e disse que ficaria trabalhando até tarde — informa-me Sra. Jones, em tom de quem pede desculpas.

— Ah. Obrigada por me avisar.

Por que ele próprio não me avisou? Puxa, ele realmente está levando sua pirraça para um patamar acima. Por breves instantes me recordo da briga que tivemos sobre nossos votos de casamento e sobre a fúria que se apoderou dele na ocasião. Mas dessa vez eu é que fui magoada.

— O que gostaria de comer? — A Sra. Jones tem um brilho forte e determinado no olhar.

— Massa.

— Espaguete, penne, fusilli? — Ela sorri.

— Espaguete, com o seu molho à bolonhesa.

— É pra já. E, Ana... você deveria ter visto como o Sr. Grey ficou transtornado hoje de manhã, quando ele achou que você tinha ido embora. Ficou fora de si. — Ela sorri amigavelmente.

Ah...

Às nove horas, ainda nada de Christian. Sentada à minha mesa na biblioteca, fico matutando onde ele pode estar. Telefono para ele.

— Ana — atende ele, a voz fria.

— Oi.

Ele inspira suavemente.

— Oi — diz ele, mais baixo.

— Você vem para casa?

— Mais tarde.

— Está no escritório?

— Claro. Onde mais eu estaria?

Com ela.

— Vou deixar você trabalhar, então.

Ambos continuamos na linha, o silêncio entre nós se alongando e se avolumando.

— Boa noite, Ana — diz ele, afinal.

— Boa noite, Christian.

Ele desliga.

Ah, merda. Fico olhando para o BlackBerry. Não sei o que ele espera que eu faça. Não vou deixar que passe por cima dos meus sentimentos. Sim, ele está zangado, ok. Eu também estou. Mas estamos neste barco juntos. Não fui eu que saí correndo com a língua solta atrás da minha ex-amante pedófila. Quero que ele reconheça que essa atitude não é aceitável.

Eu me recosto na cadeira, olhando para a mesa de sinuca da biblioteca, e me lembro de tempos divertidos jogando isso. Ponho a mão na barriga. Talvez ainda seja muito cedo. Talvez isso não deva acontecer... E, logo que penso nisso, meu inconsciente grita *Não!* Se eu interromper esta gravidez, nunca vou me perdoar — ou a Christian.

— Ah, Pontinho, o que você fez com a gente?

Não tenho ânimo para ligar para Kate. Não tenho ânimo para ligar para ninguém. Mando uma mensagem para ela, prometendo telefonar em breve.

Lá pelas onze horas, não consigo mais manter as pálpebras abertas. Resignada, vou para o meu antigo quarto. Encolho-me embaixo do edredom e não me contenho mais: soluço com a cabeça enfiada no travesseiro, grandes soluços de tristeza, sacudindo-me toda sem a menor classe feminina...

* * *

QUANDO ACORDO, sinto a cabeça pesada. Pelas grandes vidraças do quarto brilha a luz clara do outono. Olho para o radiorrelógio e descubro que já são sete e meia. Meu pensamento imediato é: *Onde está Christian?* Sento-me e jogo as pernas para fora da cama. Vejo jogada no chão a gravata prateada de Christian, a minha preferida. Isso não estava aqui quando fui dormir. Apanho-a e fico olhando para a gravata, acariciando o tecido sedoso entre o polegar e o indicador; depois a aperto contra o meu rosto. Ele esteve aqui, observando-me enquanto eu dormia. E um lampejo de esperança se acende dentro de mim.

QUANDO DESÇO, a Sra. Jones está ocupada em seus afazeres na cozinha.

— Bom dia — diz ela, radiante.

— Bom dia. E o Christian? — pergunto.

O rosto dela perde a vivacidade.

— Já saiu.

— Então ele veio para casa?

Preciso ter certeza, apesar da evidência da gravata.

— Veio, sim. — Ela faz uma pausa. — Ana, por favor, me perdoe por me intrometer, mas não desista dele. Ele é muito teimoso.

Faço um gesto de concordância e ela não insiste. Tenho certeza de que minha expressão deixa claro que não quero conversar sobre o meu malcomportado marido neste momento.

LOGO QUE CHEGO ao trabalho, verifico os e-mails. Meu coração quase salta do peito quando vejo uma mensagem de Christian.

De: Christian Grey
Assunto: Portland
Data: 15 de setembro de 2011 06:45
Para: Anastasia Grey

Ana,

Vou a Portland hoje.

Tenho alguns negócios a fechar com a WSU.

Achei que você fosse querer saber.

Christian Grey
CEO, Grey Enterprises Holdings, Inc.

Ah. As lágrimas brotam nos meus olhos. Só isso? Sinto um nó no estômago. Merda! Vou vomitar. Corro para o banheiro e chego justo a tempo de pôr todo o meu café da manhã para fora. Deixo-me cair no chão do cubículo e coloco as mãos na cabeça. Será que esse é o fundo do poço? Depois de um tempo, alguém bate delicadamente à porta.

— Ana? — É Hannah.

Merda.

— Sim?

— Você está bem?

— Já vou sair.

— Boyce Fox está aqui para falar com você.

Merda.

— Leve-o para a sala de reuniões. Chego lá em um minuto.

— Você quer chá?

— Sim, por favor.

Depois do almoço — mais um sanduíche de salmão com cream cheese, só que dessa vez consigo manter a comida no estômago —, fico sentada olhando distraída para o computador, procurando inspiração e matutando sobre como Christian e eu vamos resolver nosso imenso problema.

Dou um pulo de susto quando meu BlackBerry toca. Olho para a tela: é Mia. Minha nossa, é tudo o que eu queria agora: o entusiasmo desmedido de Mia. Hesito, considerando simplesmente ignorar, mas a boa educação prevalece.

— Mia — atendo com animação.

— Ora, ora, olá, Ana… há quanto tempo não nos falamos.

É uma voz masculina que me soa familiar. *Puta que pariu!*

Meu couro cabeludo começa a pinicar, e todos os pelos do meu corpo se eriçam — a adrenalina flui nas minhas veias e o mundo para de girar.

É Jack Hyde.

CAPÍTULO VINTE E DOIS

— Jack.

Minha voz desapareceu, sufocada pelo medo. Como ele saiu da prisão? Como está com o telefone da Mia? O sangue se esvai do meu rosto, e me sinto tonta.

— Ah, então você se lembra de mim — diz ele, a voz suave. Posso imaginar seu sorriso amargo.

— É evidente. — Minha resposta é automática; minha cabeça está a mil.

— Você deve estar se perguntando por que resolvi telefonar.

— E estou.

Desligue.

— Não desligue. Eu andei batendo um papo com a sua cunhadinha.

O quê? Mia! Não!

— O que você fez? — murmuro, tentando conter meu pavor.

— Escute aqui, sua puta vendida e safada. Você fodeu com a minha vida. O Grey fodeu com a minha vida. Você me *deve muito.* Eu estou com a putinha aqui comigo agora. E você, aquele filho da puta do seu marido e toda a maldita família dele vão me pagar.

O desprezo e a cólera de Jack me chocam. *A família dele?* Que merda é essa?

— O que você quer?

— Eu quero o dinheiro dele. Quero a porra do dinheiro dele, ah, se quero. Se as coisas tivessem sido diferentes, podia ter sido eu. Então, *você* vai conseguir essa grana para mim. Quero cinco milhões de dólares, hoje.

— Jack, eu não tenho acesso a tanto dinheiro assim.

Jack destila seu menosprezo:

— Você tem duas horas para arrumar a grana. Só isso: duas horas. Não conte para ninguém, ou essa putinha aqui já era. Nem polícia, nem o sacana do seu marido. Nem o pessoal da segurança. Eu vou saber, está entendendo? — Ele faz uma pausa, e tento responder, mas o pânico e o temor fecharam minha garganta. — Você entendeu? — grita ele.

— Entendi — sussurro.

— Senão eu mato a putinha.

Minha respiração falha.

— Mantenha o telefone por perto. Não conte para ninguém, ou antes de matar a sua cunhadinha eu dou uma canseira nela. Você tem duas horas.

— Jack, eu preciso de mais tempo. Três horas. E como vou saber que ela está mesmo com você?

A ligação cai. Olho aterrorizada para o telefone, os lábios crispados com medo e, na boca, um horrível gosto metálico de pavor. *Mia, ele está com a Mia.* Será mesmo? Minha mente ferve diante da obscena possibilidade, e meu estômago fica embrulhado de novo. Acho que vou vomitar, mas respiro fundo, tentando apaziguar o pânico, e o enjoo passa. Rapidamente, considero as possibilidades. *Contar a Christian? Contar a Taylor? Chamar a polícia? Como Jack vai saber? Será que ele realmente sequestrou Mia?* Preciso de tempo, tempo para pensar — mas só vou conseguir isso se seguir as instruções dele. Pego a bolsa e corro até a porta.

— Hannah, vou ter que sair. Não sei ao certo quanto tempo vou demorar. Cancele todos os meus compromissos desta tarde. Avise à Elizabeth que precisei resolver um assunto urgente.

— Claro, Ana. Está tudo bem? — Ela franze a testa, sua fisionomia demonstrando preocupação ao me ver sair correndo.

— Sim — respondo distraidamente, dirigindo-me às pressas para a recepção, onde Sawyer me espera. — Sawyer.

Ele salta da poltrona ao som da minha voz e franze o cenho ao notar a expressão no meu rosto.

— Não estou me sentindo bem. Por favor, me leve para casa.

— Claro, madame. Quer esperar aqui enquanto pego o carro?

— Não, vou com você. Estou com muita pressa de chegar em casa.

OLHO PELA JANELA em completo terror enquanto repasso meu plano. Chegar em casa. Trocar de roupa. Pegar o talão de cheques. Dar um jeito de me livrar de Ryan e Sawyer. Ir ao banco. Droga, quanto espaço será que ocupam cinco milhões de dólares? Será que pesa muito? Vou precisar de uma mala? Será que tenho que telefonar para o banco com antecedência? Mia. *Mia.* E se ele não estiver com a Mia? Como posso ter certeza? Se eu telefonar para Grace, ela vai desconfiar, e isso pode colocar a vida de Mia em risco. Ele disse que tinha como saber. Olho pelo vidro escuro do SUV. Será que estou sendo seguida? Examino os carros atrás de nós, meu coração disparado. Parecem inofensivos. *Ah, Sawyer, mais rápido. Por favor.* Meus olhos encontram os dele pelo retrovisor, e sua expressão preocupada se acentua.

Sawyer pressiona um botão do seu headset de bluetooth para atender a uma chamada.

— T... só queria que você soubesse que a Sra. Grey está comigo. — Seus olhos encontram os meus mais uma vez antes de ele voltar sua atenção novamente para o tráfego e continuar com a ligação: — Ela não está se sentindo bem e pediu para ir para casa. Estamos a caminho do Escala... Entendi... senhor. — Mais uma vez Sawyer tira os olhos da rua para me fitar pelo espelho. — Tudo bem — concorda ele, e desliga.

— Taylor? — murmuro.

Ele anui com a cabeça.

— Ele está com o Sr. Grey?

— Sim, madame. — Sua expressão se suaviza, mostrando solidariedade.

— Eles ainda estão em Portland?

— Estão, madame.

Ótimo. Tenho que proteger Christian. Levo a mão à barriga e a esfrego conscientemente. E você também, Pontinho. Proteger vocês dois.

— Podemos ir mais depressa, por favor? Não estou me sentindo bem.

— Certo, madame.

Sawyer pisa no acelerador, e nosso carro avança pelo trânsito.

A Sra. Jones não se encontra em nenhum lugar à vista quando Sawyer e eu entramos no apartamento. Já que o carro dela não está na garagem, presumo que tenha saído com Ryan para resolver alguma coisa qualquer. Sawyer se dirige ao escritório de Taylor enquanto eu disparo para o de Christian. Fico tateando em pânico sobre a mesa dele e arrombo a gaveta para pegar o talão de cheques. O revólver de Leila escorrega para a frente. Sinto uma pontada inconveniente de aborrecimento por Christian não ter guardado a arma em local mais seguro. Ele não entende nada de armas. *Céus, vai acabar se machucando.*

Depois de hesitar por um minuto, pego o revólver, verifico se está carregado e o enfio no cós da minha calça preta folgada. Talvez eu venha a precisar. Engulo em seco. Até hoje eu só pratiquei em alvos. Nunca apontei uma arma para ninguém; espero que Ray me perdoe. Concentro-me, então, em descobrir o talão de cheques correto. Há cinco deles, e apenas um nos nomes de C. Grey e Sra. A. Grey. Tenho cerca de cinquenta e quatro mil dólares na minha conta particular. Não faço ideia de quanto há na conta conjunta. Mas é bem capaz de que Christian tenha cinco milhões. Será que há dinheiro no cofre? Droga. Não faço ideia do segredo. Acho que uma vez ele mencionou que o segredo estava no armário de arquivos. Tento abrir o armário, mas está trancado. *Merda*. Vou ter que voltar ao plano A.

Respiro fundo e, mais calma, porém ainda determinada, vou até o nosso quarto. A cama foi arrumada, e por um minuto sinto certa angústia. Talvez eu devesse ter dormido aqui na noite passada. De que adianta discutir com alguém que admite, ele próprio, ter cinquenta tons? Ele não está nem falando comigo. Não; não tenho tempo para pensar nisso agora.

Rapidamente troco de roupa: visto uma calça jeans e um suéter com capuz e calço um tênis. Coloco a arma no cós da calça, na parte de trás. Apanho uma enorme bolsa de lona macia. Será que cabem cinco milhões de dólares aqui? A bolsa de ginástica de Christian está ali jogada num canto. Eu a abro, esperando encontrar um monte de roupa suja, mas não... está tudo limpo e cheiroso. A Sra. Jones cuida mesmo de tudo. Despejo o conteúdo todo no chão e a coloco dentro da minha bolsa de lona. Bom, acho que isso vai ser suficiente. Verifico se estou com minh carteira de motorista para apresentar no banco e olho as horas. Faz trinta e um minutos que Jack ligou. Agora eu só tenho que sair do Escala sem Sawyer me ver.

Caminho lenta e silenciosamente até o hall, ciente da câmera de vigilância, que fica acoplada no elevador. Acho que Sawyer ainda está no escritório de Taylor. Abro com cuidado a porta do hall, fazendo o mínimo de ruído possível. Fecho-a atrás de mim em silêncio e fico embaixo da soleira, apoiada na porta, longe do campo de visão das lentes da câmera. Pego o celular da bolsa e ligo para Sawyer.

— Pronto, Sra. Grey.

— Sawyer, estou no quarto de cima; você pode vir aqui me ajudar? — digo em voz baixa, pois sei que ele está aqui perto, poucos metros depois desta porta.

— Já estou indo, madame — responde ele, e percebo que ficou confuso.

Eu nunca tinha telefonado para ele pedindo ajuda. Meu coração parece que vai sair pela boca, batendo num ritmo instável e frenético. Será que isso vai dar certo? Desligo, e então ouço os passos dele atravessando a entrada e subindo as escadas. Respiro fundo mais uma vez, tentando me tranquilizar, enquanto, por um momento, penso em como é irônico ter que fugir da minha própria casa como um marginal.

Logo que Sawyer chega ao segundo andar, corro até a porta do elevador e pressiono o botão para chamá-lo. As portas se abrem com um *plim!* alto demais, anunciando que o elevador chegou. Entro e aperto furiosamente o botão da garagem. Após uma pausa agonizante, as portas começam a se fechar devagar, e é então que ouço Sawyer gritar.

— Sra. Grey! — Assim que as portas do elevador se fecham, eu o vejo despontar no hall. — Ana! — chama ele, sem acreditar no que está acontecendo. Mas já é tarde demais, e sua figura desaparece de vista.

O elevador desce suavemente até o nível da garagem. Tenho alguns minutos de vantagem sobre Sawyer, e sei que ele vai tentar me deter. Olho desejosa para meu R8, mas corro para o Saab, abro a porta, jogo a bolsa de lona no banco do carona e me sento ao volante.

Ligo o carro e saio cantando pneu até a entrada, onde fico esperando onze intermináveis segundos até a cancela se abrir. Assim que posso, acelero, a tempo de ver, pelo espelho retrovisor, Sawyer saindo em disparada do elevador de serviço. Sua expressão desnorteada e injuriada me persegue quando viro para pegar a Quarta Avenida.

Solto finalmente o ar, preso esse tempo todo. Sei que Sawyer vai ligar para Christian ou Taylor, mas depois eu vejo o que fazer — não tenho tempo para pensar nisso agora. Eu me mexo desconfortável no banco do carro, sabendo no fundo do coração que Sawyer provavelmente perdeu o emprego. *Não pense*. Tenho que salvar Mia. Preciso chegar ao banco e sacar cinco milhões de dólares. Olho pelo retrovisor, esperando ver o SUV saindo desvairado da garagem, mas vou me distanciando sem o menor sinal de Sawyer.

O banco é moderno, agradável e de bom gosto. Há burburinho de vozes baixas, pisos que ecoam os passos das pessoas e vidro verde jateado para todo lado. Vou até o balcão de informações.

— Posso ajudá-la, madame?

A jovem me dá um sorriso largo e falso, e por um instante eu me arrependo de ter vestido calça jeans.

— Eu gostaria de retirar uma quantia considerável de dinheiro.

A Srta. Sorriso Falso arqueia uma sobrancelha ainda mais falsa.

— A senhora tem conta conosco? — Ela não consegue ocultar o sarcasmo.

— Tenho — falo rispidamente. — Meu marido e eu temos diversas contas aqui. O nome dele é Christian Grey.

Os olhos da moça se ampliam quase imperceptivelmente, e sua falsidade dá lugar ao choque. Ela me olha de alto a baixo mais uma vez, agora numa mistura de descrença e admiração.

— Por aqui, madame — murmura, e me conduz até uma sala pequena, com poucos móveis e paredes do mesmo vidro verde jateado. — Por favor, sente-se. — Ela aponta para uma cadeira de couro preto perto de uma mesa de vidro onde estão um computador de última geração e um telefone. — Quanto a senhora gostaria de sacar hoje, Sra. Grey? — pergunta ela amavelmente.

— Cinco milhões de dólares. — Eu a fito nos olhos, como se fosse uma quantia que eu retirasse diariamente.

Ela empalidece.

— Muito bem. Vou chamar o gerente. Ah, desculpe perguntar, mas a senhora trouxe algum documento de identificação?

— É claro. Mas eu gostaria de falar com o gerente.

— Certamente, Sra. Grey.

Ela sai depressa da saleta. Eu afundo na cadeira, com uma onda de enjoo ao sentir a arma pressionando a base das minhas costas. *Agora não. Não posso vomitar aqui.* Respiro fundo, e o enjoo passa. Consulto o relógio, nervosa. Duas e vinte e cinco.

Um senhor de meia-idade entra na saleta. Seu cabelo é escasso e ele veste um terno cor de carvão, caro e bem-cortado, e uma gravata do mesmo tom. Ele estende a mão.

— Sra. Grey. Meu nome é Troy Whelan. — Ele sorri, apertamos as mãos, e ele se senta do outro lado da mesa. — Fui informado de que a senhora gostaria de retirar uma grande quantia de dinheiro.

— É verdade. Cinco milhões de dólares.

Ele se vira para o impecável computador e digita alguns números.

— Normalmente solicitamos que nos avisem com antecedência em casos de retirada de valores tão altos. — Ele faz uma pausa e me lança um sorriso tranquilizar mas arrogante. — Felizmente, porém, nós dispomos da reserva de caixa para toda a região do noroeste do Pacífico — vangloria-se.

Meu Deus, será que ele está tentando me impressionar?

— Sr. Whelan, eu estou com pressa. O que preciso fazer? Trouxe minha carteira de motorista e o talão de cheques da nossa conta conjunta. É só eu preencher um cheque?

— Uma coisa de cada vez, Sra. Grey. Posso ver sua identidade? — Ele se transforma de jovial exibido para bancário eficiente.

— Aqui está. — Entrego-lhe o documento.

— Sra. Grey... aqui diz Anastasia Steele.

Ah, merda.

— Ah... é mesmo. Hmm.

— Vou ligar para o Sr. Grey.

— Ah, não, não vai ser necessário. — *Merda!* — Devo ter algum documento com o nome de casada. — Procuro dentro da bolsa. Que documento tem o meu nome de casada? Pego a carteira, abro-a e vejo uma fotografia minha e de Christian na cama, na cabine do *Fair Lady*. *Não posso mostrar isso a ele!* Pego o meu Amex preto. — Aqui está.

— Sra. Anastasia Grey — Whelan lê o nome impresso. — Acho que isso vai ser suficiente. — Ele franze o cenho. — Esse procedimento é bastante irregular, Sra. Grey.

— O senhor quer que eu diga ao meu marido que o seu banco não foi muito solícito comigo? — Empertigo os ombros e lanço-lhe meu olhar mais ameaçador.

Ele para por um instante, reavaliando-me, acho.

— A senhora vai ter que preencher um cheque, Sra. Grey.

— Claro. Desta conta? — Mostro o talão de cheques a ele, tentando controlar meu coração acelerado.

— Sim, está ótimo. Também vou precisar que a senhora preencha alguns papéis. Pode me dar licença um instante?

Faço um gesto de anuência, e ele se levanta e sai da sala com um porte arrogante. Novamente, solto o ar preso. Não imaginei que isso seria tão difícil. Desajeitada, abro o talão e tiro uma caneta da bolsa. Coloco ao portador? Não faço ideia. Com dedos trêmulos, escrevo: *Cinco milhões de dólares. US$ 5.000.000,00.*

Ah, meu Deus, tomara que eu esteja fazendo a coisa certa. Mia, pense em Mia. Não posso contar para ninguém.

As repugnantes e ameaçadoras palavras de Jack me assombram: "Não conte para ninguém, ou antes de matar a sua cunhadinha eu dou uma canseira nela."

O Sr. Whelan retorna, o rosto pálido e encabulado.

— Sra. Grey? Seu marido quer falar com a senhora — murmura ele, e aponta para o telefone sobre a mesa de vidro.

O quê? Não.

— Ele está na linha um. É só apertar o botão. Vou esperar lá fora.

Ele pelo menos tem a dignidade de parecer constrangido. Judas perde para Whelan. Sinto o sangue fugir do meu rosto e fecho a cara para Whelan depois que ele sai da sala.

Merda! Merda! *Merda!* O que eu vou dizer a Christian? Ele vai saber. Vai intervir. Ele é um perigo para a irmã. Minha mão treme ao pegar o telefone. Levo-o à orelha, tentando acalmar minha respiração instável, e pressiono o botão para a linha um.

— Oi — murmuro, tentando inutilmente acalmar os nervos.

— Você está me deixando? — Suas palavras não passam de um sussurro ofegante e cheio de angústia.

O quê?

— Não!

Minha voz não parece muito diferente da dele. *Ah, não. Ah, não. Ah, não — como ele pode pensar uma coisa dessas?* Será o dinheiro? Ele acha que eu estou indo embora por causa do *dinheiro*? E, em um lampejo de terrível clareza, percebo que a única maneira de manter Christian afastado e longe do perigo, e também a única forma de salvar a irmã dele... é mentir.

— Sim — murmuro.

E uma dor lancinante me acomete, as lágrimas brotando nos olhos.

Ele engole em seco, quase um soluço.

— Ana, eu… — Ele não consegue terminar a frase.

Não! Aperto a boca com a mão na tentativa de conter as emoções.

— Christian, por favor. Não faça isso. — Luto contra as lágrimas.

— Você vai embora? — pergunta ele.

— Vou.

— Mas por que o dinheiro? Esse tempo todo foi só pelo dinheiro? — Sua voz angustiada é quase inaudível.

Não! As lágrimas descem pelo meu rosto.

— Não — sussurro.

— Cinco milhões de dólares basta?

Ah, por favor, pare!

— Basta.

— E o bebê? — Sua voz soa como um eco ofegante.

O quê? Minha mão desce da boca para a barriga.

— Vou tomar conta do bebê — murmuro. *Meu Pontinho… nosso Pontinho.*

— É isso o que você quer?

Não!

— É.

Ele inspira profundamente.

— Pode tirar tudo — fala com rispidez.

— Christian — digo entre soluços. — É para você. Para a sua família. Por favor. Não faça isso.

— Pegue tudo, Anastasia.

— Christian…

E quase volto atrás. Quase conto tudo para ele: sobre Jack, sobre Mia, sobre o resgate. *Por favor, confie em mim!*, imploro internamente a ele.

— Vou amar você para sempre. — Sua voz soa rouca. Ele desliga.

— Christian! Não… Eu também amo você.

E toda a estupidez daquilo por que passamos nos últimos dias, todo o mal que fizemos um ao outro, tudo perde completamente a importância. Eu prometi que nunca o deixaria. Não estou deixando você, Christian. Estou salvando a sua irmã. Afundo na poltrona, chorando copiosamente com as mãos no rosto.

Sou interrompida por uma tímida batida na porta. Whelan entra, embora eu não tenha respondido. Ele olha para todos os lados, menos para mim. Está mortificado.

Você ligou para ele, seu filho da mãe! Eu o fuzilo com o olhar.

— Seu marido concordou em resgatar cinco milhões de dólares dos investimentos, Sra. Grey. Isso é bastante irregular, mas, como nosso principal cliente… ele insistiu na transação… insistiu muito.

Ele faz uma pausa e cora. Depois franze o cenho ao olhar para mim, e não sei se é por Christian estar agindo de forma bastante incomum ou porque Whelan não sabe o que fazer com uma mulher aos prantos em sua sala.

— A senhora está bem? — pergunta ele.

— Eu pareço bem? — retruco.

— Sinto muito, madame. Quer um copo d'água?

Aquiesço, com expressão emburrada. Acabo de abandonar meu marido. Bom, pelo menos é o que Christian acha. Meu inconsciente torce os lábios. *Porque você disse isso a ele.*

— Vou pedir que lhe tragam água enquanto eu providencio o dinheiro. Se a senhora puder assinar aqui, madame... e preencher o cheque e assinar também.

Whelan coloca um formulário em cima da mesa. Rabisco minha assinatura na linha pontilhada do cheque e do formulário. *Anastasia Grey.* As lágrimas caem na mesa, quase molhando a papelada.

— Vou levar os documentos, madame. Será preciso cerca de meia hora para levantar todo o montante.

Dou uma rápida olhada no relógio. Jack pediu duas horas — tudo deve acabar no tempo previsto. Faço que sim com a cabeça, e Whelan sai do escritório pé ante pé, deixando-me sozinha com a minha dor.

Alguns segundos, minutos, horas depois — não sei dizer —, a Srta. Sorriso Falso retorna com uma jarra de água e um copo.

— Sra. Grey — diz ela suavemente ao colocar o copo em cima da mesa e enchê-lo.

— Obrigada.

Pego o copo e bebo com alívio. Ela se retira, deixando-me ali com meus pensamentos confusos e aterradores. Vou encontrar algum modo de me acertar com Christian... se não for tarde demais. Pelo menos ele está fora de cena. Neste exato momento, tenho que me concentrar em Mia. E se Jack estiver mentindo? E se não a tiver sequestrado? Eu realmente deveria avisar à polícia.

"Não conte para ninguém, ou antes de matar a sua cunhadinha eu dou uma canseira nela." Não posso. Eu me recosto na cadeira, sentindo a presença reconfortante do revólver de Leila preso à minha cintura, cravado às minhas costas. Quem diria que algum dia eu seria grata a Leila por ter apontado uma arma para mim? Ah, Ray, estou tão feliz que você tenha me ensinado a atirar.

Ray! Engulo em seco. Eu combinei de visitá-lo hoje à noite. Talvez eu possa simplesmente deixar o dinheiro com Jack. Ele pode fugir enquanto eu levo Mia para casa. *Ah, isso parece absurdo!*

Meu BlackBerry toca, "Your Love Is King" preenchendo o recinto. *Ah, não!* O que Christian quer? Torcer a faca que cravou nas minhas feridas?

"Esse tempo todo foi só pelo dinheiro?"

Ah, Christian... como você pôde pensar isso? A raiva me consome. Isso mesmo, raiva. Isso vai ajudar. Deixo a chamada cair na caixa postal. Vou ver o que faço com meu marido mais tarde.

Alguém bate à porta.

— Sra. Grey. — É Whelan. — A quantia já está pronta.

— Obrigada.

Eu me levanto, e o escritório parece rodar; apoio-me na cadeira.

— Sra. Grey, está se sentindo bem?

Aquiesço, e lanço para ele um olhar do tipo saia-da-minha-frente-agora-mesmo. Inspiro profundamente de novo, para me acalmar. *Tenho que fazer isso. Tenho que fazer isso. Preciso salvar a Mia.* Puxo a bainha do suéter para baixo, de modo a esconder o cano do revólver nas minhas costas.

O Sr. Whelan franze a testa, mas mantém a porta aberta, e eu me forço a sair, caminhando sobre minhas pernas trêmulas.

Sawyer está esperando na entrada, olhando em volta. *Merda!* Nossos olhares se cruzam, e ele franze as sobrancelhas, avaliando minha reação. Ah, ele está possesso. Levanto o indicador como se dissesse "já vou falar com você". Ele concorda com um aceno de cabeça e atende a uma chamada no celular. *Merda! Aposto que é Christian.* Bruscamente dou meia-volta, quase colidindo com Whelan logo atrás de mim, e me precipito novamente para dentro da sala.

— Sra. Grey? — diz Whelan, e parece confuso ao ir atrás de mim até a saleta.

Sawyer poderia estragar todo o plano. Ergo o olhar para Whelan.

— Tem uma pessoa ali fora com quem eu não quero falar. Ele está me seguindo.

Os olhos de Whelan se arregalam.

— A senhora quer que eu chame a polícia?

— Não!

Puta merda, não. O que eu vou fazer? Verifico as horas. São quase três e quinze. Jack vai telefonar a qualquer momento. *Pense, Ana, pense!* Whelan me fita com crescente desespero e perplexidade. Ele deve achar que eu sou louca. *Você é louca*, retruca meu inconsciente.

— Preciso dar um telefonema. O senhor poderia me dar licença, por favor?

— É claro — responde Whelan, e acho que ele fica aliviado ao sair da sala. Quando ele fecha a porta, ligo para o celular de Mia com dedos trêmulos.

— Ora, ora, se não é o meu bilhete de loteria — atende Jack, com escárnio.

Não tenho tempo para a conversa mole dele.

— Estou com um problema.

— Eu sei. O seu segurança seguiu você até o banco.

O *quê?* Como ele sabe?

— Você vai ter que se livrar dele. Eu tenho um carro esperando atrás do banco. Um SUV preto, um Dodge. Você tem três minutos para chegar lá. — *O Dodge!*

— Talvez leve mais do que três minutos.

Meu coração quase sai pela boca de novo.

— Você é bem esperta para uma puta vendida, Grey. Vai dar um jeito. E jogue fora seu celular assim que alcançar o veículo. Entendeu, piranha?

— Entendi.

— Repita! — ordena ele rispidamente.

— Entendi!

Ele desliga.

Merda! Abro a porta e vejo Whelan esperando-me pacientemente.

— Sr. Whelan, preciso de ajuda para levar as sacolas para o carro. Está estacionado lá fora, atrás do banco. Existe alguma saída nos fundos?

Ele franze o cenho.

— Existe, sim. Para os funcionários.

— Podemos sair por ali? Assim eu evito a atenção indesejada na porta principal.

— Como preferir, Sra. Grey. Vou pedir a dois funcionários para ajudarem com as sacolas e dois seguranças. Venha comigo, por favor.

— Vou pedir mais um favor ao senhor.

— Às suas ordens, Sra. Grey.

Dois minutos depois, eu e minha comitiva estamos na rua, nos dirigindo para o Dodge. Os vidros são escuros, e não consigo distinguir quem está na direção. Porém, quando estamos nos aproximando, a porta do motorista se abre e uma mulher vestida de preto, com um boné também preto puxado de forma a cobrir os olhos, desce graciosamente do carro. *Elizabeth, da SIP! Como assim?* Ela vai até a traseira do SUV e abre o porta-malas. Os dois jovens funcionários do banco que estão carregando o dinheiro depositam as pesadas sacolas ali dentro.

— Sra. Grey. — Ela tem a audácia de sorrir como se estivéssemos em um passeio amigável.

— Elizabeth. — Meu cumprimento é glacial. — Que bom ver você fora do escritório.

O Sr. Whelan limpa a garganta.

— Bem, foi uma tarde interessante, Sra. Grey — diz ele.

E sou forçada a realizar as formalidades sociais de cumprimentá-lo e agradecer-lhe enquanto minha mente está a mil. *Elizabeth?* Por que ela se juntou a Jack? Whelan e seu grupo retornam para o banco, deixando-me sozinha com a chefe de recursos humanos da SIP, que está envolvida em sequestro, extorsão e, muito possivelmente, outros crimes. Por quê?

Elizabeth abre a porta de trás e faz sinal para eu entrar.

— Seu telefone, Sra. Grey? — pede ela, observando-me com desconfiança. Eu o entrego nas suas mãos, e ela o joga numa lata de lixo próxima.

— Isso vai dar uma despistada — diz, presunçosa.

Afinal, quem *é* esta mulher? Ela fecha minha porta com violência e se senta ao volante. Olho para trás, tensa, à medida que ela dá partida e sai com o carro, seguindo na direção leste. Não vejo Sawyer em lugar algum.

— Elizabeth, você já está com o dinheiro. Ligue para o Jack. Diga a ele para soltar a Mia.

— Acho que ele quer agradecer pessoalmente.

Merda! Encaro-a com um olhar pétreo pelo retrovisor.

Ela empalidece, e uma careta ansiosa desfigura seu rosto tão bonito.

— Por que está fazendo isso, Elizabeth? Achei que você não gostasse do Jack.

Novamente ela me olha de relance pelo espelho, e percebo um lampejo de dor cruzar seu rosto.

— Ana, vamos nos dar muito bem se você ficar de boca fechada.

— Mas você não pode fazer isso. É tão errado...

— Calada — diz ela, mas noto seu desconforto.

— Ele está coagindo você de alguma maneira? — pergunto.

Ela me fuzila com o olhar, e então pisa no freio bruscamente, fazendo-me cair para a frente com tanta força que bato com o rosto no apoio de cabeça do assento diante de mim.

— Eu mandei ficar calada — fala ela, rispidamente. — E sugiro que coloque o cinto de segurança.

E neste momento eu vejo que sim, ele tem algum meio de coagi-la. Algo tão terrível que ela está disposta a fazer isso. Fico pensando por um instante o que poderia ser. Desfalque na companhia? Algo da vida pessoal dela? Algo sexual? Estremeço só de pensar. Christian disse que nenhuma das ex-assistentes pessoais de Jack quis falar. Talvez seja a mesma história com todas elas. *É por isso que ele quis transar comigo também.* Sinto a bile subir à boca, enojada ante esse pensamento.

Elizabeth se afasta do centro de Seattle e começa a subir rumo às colinas que ficam a leste. Logo estamos passando por ruas residenciais. Avisto uma das placas: Rua South Irving. Ela vira abruptamente para a esquerda em uma rua deserta onde, de um lado, há um parque infantil decadente, e, do outro, um amplo estacionamento em concreto, ladeado por uma fileira de prédios baixos e vazios feitos de tijolinhos vermelhos. Ela entra no estacionamento e para diante do último prédio.

Então se vira para mim.

— Hora do show — murmura.

Meu couro cabeludo começa a pinicar, a adrenalina e o medo fluindo no meu organismo.

— Você não precisa fazer isso — sussurro em resposta.

Elizabeth aperta os lábios, sua boca formando uma linha severa, e ela desce do carro.

Isso é pela Mia. Isso é pela Mia. Rezo rapidamente: *Por favor, que ela esteja bem; por favor, que ela esteja bem.*

— Saia — ordena Elizabeth rispidamente, abrindo a porta de trás com um puxão.

Merda. Quando desço do carro, minhas pernas tremem tanto que não sei se vou conseguir me manter de pé. A brisa fresca do fim de tarde traz o aroma do outono vindouro, assim como o cheiro de poeira e cal vindo dos prédios abandonados.

— Ora, ora, vejam só.

Jack emerge de uma porta pequena e coberta de tábuas à esquerda do prédio. Ele cortou o cabelo, tirou os brincos e está usando um terno. Um *terno*? Ele se aproxima a passos lentos, destilando arrogância e ódio. As batidas do meu coração chegam ao máximo.

— Onde está a Mia? — gaguejo, minha boca tão seca que mal consigo articular as palavras.

— Existem prioridades, piranha — zomba ele, parando bem na minha frente. Quase consigo sentir o gosto do seu desprezo. — Cadê o dinheiro?

Elizabeth está examinando as sacolas no porta-malas.

— Tem uma montanha de dinheiro aqui — diz ela, estupefata, abrindo e fechando cada sacola.

— E o celular?

— No lixo.

— Ótimo — diz Jack, quase rosnando, e do nada ele me dá um tapa, batendo as costas da mão contra o meu rosto com força.

O golpe violento e gratuito me joga no chão, e minha cabeça resvala no concreto com uma pancada nauseante. Minha cabeça explode de dor, meus olhos se enchem de lágrimas e minha visão fica embaçada, o choque do impacto ressoando e liberando uma agonia que lateja no meu crânio.

Solto um grito baixo de pavor, choque e sofrimento. Ah, não... *Pontinho.* Jack não perde tempo e desfere um chute rápido e cruel nas minhas costelas; o ar foge dos meus pulmões com a força do golpe. Aperto os olhos ao máximo, tentando reprimir o enjoo e a dor, buscando o precioso ar. *Pontinho, Pontinho, ah, meu Pontinho...*

— Isso é pela SIP, sua piranha filha da puta! — grita Jack.

Puxo as pernas para cima, encolhendo-me como uma bola e esperando o próximo golpe. *Não. Não. Não.*

— Jack! — berra Elizabeth. — Aqui não. Não em plena luz do dia, porra!

Ele faz uma pausa.

— Mas ela merece, essa puta! — exulta ele.

E isso me dá um precioso segundo para me virar e puxar o revólver. Tremendo, miro em Jack, aperto o gatilho e atiro. A bala o atinge logo acima do joelho, e ele cai na minha frente, gritando de agonia, agarrando a coxa, seus dedos cada vez mais vermelhos de sangue.

— *Puta que pariu!* — urra Jack.

Viro o rosto para Elizabeth, que me fita boquiaberta, apavorada, e levanta as mãos acima da cabeça. Sua imagem fica borrada... a escuridão me cerca. *Merda...* Ela está no fim de um túnel. A escuridão se apossa dela. De mim. Ao longe, vejo o caos irromper. Pneus de carros cantando... freadas... portas... gritaria... correria... passos. A arma cai da minha mão.

— Ana!

É a voz de Christian... a voz de Christian... a voz de Christian em agonia. Mia... *salvar* Mia.

— ANA!

Escuridão... paz.

CAPÍTULO VINTE E TRÊS

Só existe dor. Minha cabeça, meu peito... uma dor lancinante. A lateral do meu corpo, meu braço. Dor. Dor e palavras sussurradas na penumbra. *Onde estou?* Embora eu tente, não consigo abrir os olhos. As palavras sussurradas ficam mais claras... um farol na escuridão.

— Ela sofreu uma contusão nas costelas, Sr. Grey, e uma fratura no crânio, fina como um fio de cabelo, mas os sinais vitais estão fortes e estáveis.

— Por que ela continua inconsciente?

— A Sra. Grey sofreu um grave trauma na cabeça. Mas sua atividade cerebral está normal, e não há nenhum edema. Ela vai despertar quando estiver pronta. Basta esperar.

— E o bebê? — As palavras são ofegantes, angustiadas.

— O bebê está bem, Sr. Grey.

— Ah, graças a Deus. — As palavras soam como uma súplica... uma oração. — Graças a Deus.

Ah, meu Deus. Ele está preocupado com o bebê... o bebê?... *Pontinho.* Claro. Meu Pontinho. Tento mover a mão até a barriga, mas é em vão. Nada se move, nada reage.

"E o bebê?.. Ah, graças a Deus."

O Pontinho está a salvo.

"E o bebê?.. Ah, graças a Deus."

Ele se importa com o bebê.

"E o bebê?.. Ah, graças a Deus."

Ele quer o bebê. Ah, graças a Deus. Eu relaxo, e a inconsciência novamente toma conta de mim, arrancando-me da dor.

TUDO PESA E DÓI: membros, cabeça, pálpebras, nada se mexe. Meus olhos e minha boca estão resolutamente fechados, negando-se a abrir, deixando-me cega, muda e dolorida. À medida que emerjo das névoas, a consciência começa a pairar sobre mim, como uma sirene sedutora mas fora de alcance. Os sons se transformam em vozes.

— Não vou sair de perto dela.

Christian! Ele está aqui... Tenho que acordar — sua voz é um sussurro tenso e angustiado.

— Christian, você precisa dormir.

— Não, pai. Quero estar aqui quando ela acordar.

— Eu fico com a Ana. É o mínimo que posso fazer depois que ela salvou a vida da minha filha.

Mia!

— Como está a Mia?

— Está toda grogue... com medo e com raiva. Ainda vai levar algumas horas até o Rohypnol sair totalmente do organismo dela.

— Meu Deus do céu.

— É, eu sei. Estou me sentindo o mais idiota do mundo por ter relaxado na segurança dela. Você me avisou, mas Mia é teimosa. Se não fosse pela Ana aqui...

— Todo mundo achava que o Hyde estava fora do caminho. E a louca da minha esposa... Por que ela não me contou? — A voz de Christian é um poço de angústia.

— Christian, acalme-se. Ana é uma jovem incrível. Ela foi de uma coragem surpreendente.

— Corajosa, cabeça-dura, teimosa e burra. — Sua voz falha.

— Ei — murmura Carrick —, não seja tão duro com ela, nem com você, filho... Acho que é melhor eu voltar para ficar com a sua mãe. Já são mais de três da madrugada, Christian. Você realmente deveria tentar dormir um pouco.

A névoa me encobre.

A NÉVOA SE DISPERSA, mas não tenho nenhuma noção de tempo.

— Se você não der uma bronca nessa menina, juro que eu mesmo vou dar. Que diabo ela estava pensando?

— Pode acreditar, Ray. Vou brigar com ela sim.

Pai! Ele está aqui. Luto contra a névoa... tento... Mas mergulho novamente na inconsciência. *Não...*

* * *

— DETETIVE, COMO O SENHOR pode ver, minha esposa não está em condições de responder a pergunta alguma. — Christian está zangado.

— Ela é uma jovem teimosa, Sr. Grey.

— Ela devia era ter matado o filho da puta.

— Isso significaria mais papelada para mim, Sr. Grey...

— A Srta. Morgan está abrindo o jogo todo. O Hyde é realmente um filho da puta de um pervertido. Ele tem um enorme ressentimento contra o senhor e o seu pai...

A escuridão me envolve mais uma vez, e sou sugada para baixo... *Não!*

— COMO ASSIM VOCÊS não estavam se falando?

É a voz de Grace. Ela parece zangada. Tento mexer a cabeça, mas do meu corpo só recebo um silêncio indiferente e retumbante.

— O que você fez?

— Mãe...

— Christian! O que você fez?

— Eu estava com tanta raiva... — É quase um soluço... Não.

— Ei...

O mundo afunda, escurece e eu apago.

OUÇO VOZES BAIXAS e indistintas.

— Você me disse que tinha cortado todos os laços. — É Grace falando. Sua voz transparece calma, mas é uma reprimenda.

— Eu sei. — Christian parece resignado. — Mas me encontrar com ela finalmente colocou tudo numa nova perspectiva para mim. Você sabe... com relação à criança. Pela primeira vez eu senti... O que nós dois fizemos... foi errado.

— O que *ela* fez, querido... Os filhos vão fazer isso por você. Vão fazê-lo ver o mundo sob uma ótica diferente.

— Finalmente ela entendeu... e eu também... Eu magoei a Ana — murmura ele.

— Nós sempre magoamos as pessoas que amamos, querido. Você tem que pedir desculpas a ela. E fazer isso de coração, dando tempo ao tempo.

— Ela disse que estava me deixando.

Não. Não. Não!

— E você acreditou?

— No início, sim.

— Querido, você sempre acredita no pior em relação a todo mundo, inclusive a você mesmo. Sempre foi assim. A Ana ama você demais, e é óbvio que você também a ama.

— Ela ficou bem brava.

— É claro que ficou. Eu mesma estou muito zangada com você agora. Mas acho que a gente só consegue ficar realmente zangada com quem a gente ama de verdade.

— Eu pensei sobre isso, e ela já me mostrou várias e várias vezes como me ama... ao ponto de colocar a própria vida em perigo.

— É verdade, meu filho.

— Ah, mãe, por que ela não acorda? — Sua voz fica embargada. — Eu quase a perdi.

Christian! Ouço soluços contidos. Não...

Ah... A escuridão me envolve. *Não...*

— Você levou vinte e quatro anos para me deixar abraçá-lo assim...

— Eu sei, mãe... E fico contente de termos conversado.

— Eu também, querido. Vou estar sempre ao seu lado. Nem acredito que vou ser avó.

Avó!

A doce inconsciência me chama.

Hmm. Sua barba por fazer arranha as costas da minha mão quando ele aperta meus dedos contra seu rosto.

— Ah, meu amor, por favor, volte para mim. Eu sinto muito. Por tudo. Acorde. Estou com saudades. Eu amo você...

Eu tento. Tento. Quero vê-lo. Mas meu corpo não me obedece, e caio no sono mais uma vez.

Sinto uma necessidade enorme de fazer xixi. Abro os olhos. Estou no ambiente limpo e estéril de um quarto de hospital. Está escuro, a não ser por uma janela, e tudo quieto. Minha cabeça e meu peito doem, mas o pior é a bexiga prestes a estourar. Preciso fazer xixi. Testo meus membros. Meu braço direito dói, e reparo no soro preso na parte interna do cotovelo. Fecho os olhos rapidamente. Girando a cabeça — e fico satisfeita ao ver que ela responde à minha vontade —, abro novamente os olhos. Christian está dormindo sentado ao meu lado, debruçado na cama com a cabeça sobre os braços dobrados. Levanto a mão, mais uma vez feliz em ver que meu corpo reage, e passo os dedos pelo seu cabelo macio.

Ele acorda assustado, e levanta a cabeça tão bruscamente que minha mão cai fraca na cama.

— Oi — falo, num arremedo de voz.

— Ah, Ana. — Sua voz parece contida e carregada de alívio. Ele pega minha mão e a aperta com força, encostando-a em sua face áspera.

— Preciso ir ao banheiro — murmuro.

Ele fica perplexo, depois enruga a testa por um instante.

— Tudo bem.

Tento me colocar sentada.

— Ana, não se mexa. Vou chamar a enfermeira.

Levantando-se rapidamente, ele aperta uma campainha ao lado da cama, alarmado.

— Por favor — murmuro. *Por que será que está tudo doendo?* — Preciso levantar. — *Caramba, eu me sinto tão fraca.*

— Pelo menos uma vez você podia obedecer — reclama ele, exaltado.

— Eu preciso muito fazer xixi. — Minha voz continua fraca e aguda. Minha garganta e minha boca estão tão secas...

Uma enfermeira irrompe no quarto. Ela deve ter uns cinquenta anos, apesar do cabelo preto retinto. Está usando imensos brincos de pérolas.

— Sra. Grey, bem-vinda de volta. Vou avisar à Dra. Bartley que a senhora acordou. — Ela se aproxima da cama. — Meu nome é Nora. A senhora sabe onde está?

— Sei. Hospital. Preciso fazer xixi.

— A senhora está com um cateter.

O quê? Ai, que nojo. Olho tensa para Christian, depois me volto para a enfermeira.

— Por favor. Eu quero me levantar.

— Sra. Grey...

— Por favor.

— Ana — adverte Christian.

Novamente faço esforço para me levantar.

— Vou retirar o cateter. Sr. Grey, tenho certeza de que a sua esposa vai querer um pouco de privacidade. — Ela olha incisivamente para Christian.

— Não vou a lugar nenhum. — Ele a encara.

— Christian, por favor — murmuro, pegando sua mão. Ele aperta minha mão por um segundo e depois me fita exasperado. — Por favor — suplico.

— Tá bom! — Ele passa a mão pelo cabelo. — Você tem dois minutos — diz, ríspido, à enfermeira, depois se abaixa e beija minha testa antes de se virar e deixar o quarto.

Christian irrompe de volta no quarto dois minutos depois, no momento em que a enfermeira Nora está me ajudando a sair da cama. Estou vestindo uma fina camisola hospitalar. Não me lembro de terem tirado minha roupa.

— Deixe que eu a levo — diz ele, e vem apressado até nós.

— Sr. Grey, eu posso fazer isso — repreende-o a enfermeira Nora.

Ele lança um olhar hostil para ela.

— Mas que droga, ela é minha mulher. Eu é que vou levá-la — diz ele entredentes, e afasta do seu caminho o suporte para soro.

— Sr. Grey! — protesta a enfermeira.

Ele a ignora, abaixa-se e gentilmente me levanta da cama. Passo os braços ao redor do pescoço dele, sob protestos do meu corpo. *Nossa, está doendo em tudo quanto é lugar.* Ele me carrega até o banheiro enquanto a enfermeira Nora nos acompanha, empurrando o suporte do soro.

— Sra. Grey, você está muito leve — murmura ele em tom de reprovação, e me coloca de pé com cuidado.

Eu me desequilibro. Minhas pernas parecem gelatina. Christian aperta o interruptor e fico momentaneamente cega pela luz fluorescente que estala e treme, ganhando vida.

— Sente-se para não cair — diz ele como se me desse bronca, ainda me segurando.

Hesitante, sento-me no vaso sanitário.

— Saia. — Tento enxotá-lo.

— Não. Faça logo, Ana.

Que coisa mais constrangedora!

— Não consigo; não com você aqui.

— Você pode cair.

— Sr. Grey!

Ambos ignoramos a enfermeira.

— Por favor — suplico.

Ele levanta a mão, aceitando a derrota.

— Estou aqui fora, de porta aberta.

Ele dá alguns passos até se postar de pé logo após a porta, junto com a enfermeira irada.

— Vire de costas, por favor — peço.

Por que me sinto tão ridiculamente tímida com este homem? Ele revira os olhos, mas obedece. E quando ele me dá as costas... eu solto a bexiga, e me alivio.

Verifico meus ferimentos. A cabeça dói, o peito dói no lugar onde Jack me chutou, e a lateral do corpo lateja, no ponto em que caí no chão ao ser empurrada. Além disso, estou com sede e com fome. *Minha nossa, muita fome.* Eu termino, feliz de não ter que levantar para lavar as mãos, já que a pia é bem próxima. Simplesmente não tenho forças para me levantar.

— Pronto — chamo, secando as mãos na toalha.

Christian retorna, e, antes que eu possa perceber, estou em seus braços novamente. Como senti falta destes braços. Ele faz uma pausa e enterra o nariz no meu cabelo.

— Ah, eu estava com saudades, Sra. Grey — murmura ele, e, com a enfermeira Nora na sua cola, me deita de novo na cama e me solta; relutantemente, eu acho.

— Se o senhor já acabou, Sr. Grey, eu gostaria de verificar a condição da Sra. Grey agora. — A enfermeira Nora está irritadíssima.

Ele se afasta.

— Ela é toda sua — diz, em tom mais contido.

Ela olha irada para Christian e depois volta sua atenção para mim.

Ele é irritante, não é?

— Como se sente? — pergunta-me, a voz entremeada de afabilidade e um traço de irritação; provavelmente devido ao comportamento de Christian.

— Dolorida e com sede. Muita sede — murmuro.

— Vou buscar água depois que verificar seus sinais vitais e que a Dra. Bartley examinar a senhora.

Ela apanha um aparelho de medir a pressão e o envolve em meu braço. Olho ansiosa para Christian. Sua aparência é horrível — parece até um fantasma —, como se ele não dormisse há dias. O cabelo está desgrenhado, a barba não é feita há muito tempo e a camisa está toda amarrotada. Franzo a sobrancelha.

— Como você está se sentindo?

Ele ignora a enfermeira e se senta na ponta da cama.

— Confusa. Dolorida. Faminta.

— Faminta? — Ele pisca, surpreso.

Aquiesço.

— O que quer comer?

— Qualquer coisa. Sopa.

— Sr. Grey, precisamos ter o consentimento da médica antes de a Sra. Grey começar a se alimentar.

Ele a fita impassível por um minuto, depois tira o BlackBerry do bolso da calça e pressiona um número.

— Ana quer canja de galinha... Ótimo... Obrigado. — E desliga.

Dou uma espiada em Nora, que estreita os olhos para Christian.

— Taylor? — pergunto logo.

Christian confirma.

— Sua pressão está normal, Sra. Grey. Vou chamar a médica.

Ela retira a braçadeira e, sem mais nenhuma palavra, sai a passos largos do quarto, irradiando reprovação.

— Acho que você deixou a enfermeira Nora zangada.

— Eu tenho esse efeito sobre as mulheres. — Ele ri com sarcasmo.

Dou uma risada, mas paro subitamente porque a dor se propaga no meu peito.

— É verdade.

— Ah, Ana, adoro ouvir você rir.

Nora volta com uma jarra d'água. Ambos ficamos em silêncio, olhando um ao outro, enquanto ela enche um copo e me oferece.

— Pequenos goles por enquanto — avisa ela.

— Sim, senhora — murmuro, e tomo um delicioso gole de água fresca.

Meu Deus. Que delícia. Tomo outro gole, e Christian me observa intensamente.

— E a Mia? — pergunto.

— Sã e salva. Graças a você.

— Ela estava mesmo com eles?

— Estava.

Toda aquela loucura teve sua razão de ser. Sinto uma onda de alívio invadir meu corpo. *Graças a Deus, graças a Deus, graças a Deus ela está bem*. Franzo a testa.

— Como eles a capturaram?

— Elizabeth Morgan — responde ele, e diz apenas isso.

— Não!

Ele confirma.

— Ela pegou a Mia na academia.

Continuo sem entender.

— Ana, eu conto os detalhes mais tarde. Mia está bem, apesar de tudo. Ela foi dopada. Ainda está grogue e abalada, mas, por um milagre, não se machucou. — Christian retesa o queixo. — O que você fez — ele passa a mão no cabelo — foi incrivelmente corajoso e incrivelmente estúpido. Você podia ter morrido.

Seus olhos brilham num tom cinzento metálico, frio, e sei que ele está contendo a cólera.

— Eu não sabia mais o que fazer — murmuro.

— Você podia ter me contado! — diz ele com veemência, fechando os punhos no colo.

— Ele disse que mataria a Mia se eu contasse para alguém. Eu não podia correr esse risco.

Christian fecha os olhos, deixando transparecer o terror no rosto.

— Eu morri mil vezes desde quinta-feira.

Quinta-feira?

— Que dia é hoje?

— Quase sábado — diz ele, olhando o relógio de pulso. — Você ficou inconsciente por mais de vinte e quatro horas.

Ah.

— E quanto a Jack e Elizabeth?

— Sob custódia da polícia. Se bem que Hyde está aqui no hospital, sob escolta. Tiveram que remover a bala que você enfiou nele — diz Christian em tom amargo. — Felizmente não sei em que ala ele se encontra, ou era provável que eu mesmo matasse o canalha. — Seu rosto escurece.

Ah, merda. Jack está aqui?

Empalideço ao me lembrar de suas palavras: "*Isso é pela SIP, sua piranha filha da puta!*" Meu estômago vazio dá um nó, as lágrimas brotam nos meus olhos e um estremecimento percorre meu corpo.

— Ei. — Christian se aproxima, a voz cheia de preocupação. Ele tira o copo da minha mão e me envolve ternamente nos braços. — Agora você está a salvo — murmura ele por entre o meu cabelo, a voz embargada.

— Christian, me perdoe. — As lágrimas começam a cair.

— Shhh. — Ele acaricia meu cabelo e eu choro agarrada ao seu pescoço.

— Pelo que eu disse. Eu jamais ia abandonar você.

— Shhh, baby, eu sei.

— Você sabe? — Minhas lágrimas cessam.

— Eu deduzi. Depois de um tempo. Francamente, Ana, onde você estava com a cabeça? — Sua voz soa tensa.

— Você me pegou de surpresa — murmuro contra seu colarinho. — Quando a gente se falou no banco. Achando que eu ia deixar você. Pensei que você me conhecesse melhor. Eu já disse milhares de vezes que nunca vou deixar você.

— Mas depois da maneira horrível como eu me comportei... — Quase não consigo ouvi-lo, e seus braços me estreitam mais. — Por um curto tempo, cheguei a pensar que tinha perdido você.

— Não, Christian. Nunca. Eu não queria que você interferisse, para não pôr a vida da Mia em perigo.

Ele solta um suspiro, que não sei se vem da raiva, da irritação ou da mágoa.

— Como você deduziu? — apresso-me a perguntar, para desviá-lo para outros pensamentos.

Ele coloca meu cabelo atrás da orelha.

— Eu tinha acabado de aterrissar em Seattle quando o banco ligou. A última notícia que eu tinha era de que você estava doente e indo para casa.

— Então você estava em Portland quando o Sawyer telefonou do carro?

— Estávamos prestes a levantar voo. Fiquei preocupado com você — diz ele suavemente.

— Ficou?

Ele franze a testa.

— É claro que fiquei. — Ele passa o polegar no meu lábio inferior. — Eu só faço me preocupar com você. E você sabe muito bem disso.

Ah, Christian!

— Jack me ligou quando eu estava no trabalho — murmuro. — Ele me deu duas horas para conseguir o dinheiro. — Dou de ombros. — Eu tinha que ir embora, e essa me pareceu a melhor desculpa.

Christian comprime os lábios, que formam uma linha reta.

— E você passou a perna no Sawyer. Ele também está bravo com você.

— Também?

— Também; assim como eu.

Hesitante, toco seu rosto e passo os dedos pela sua barba por fazer. Ele fecha os olhos, inclinando-se na direção dos meus dedos.

— Por favor, não fique bravo comigo — sussurro.

— Estou muito bravo com você. O que você fez foi de uma estupidez monumental. No limite da insanidade.

— Já falei, eu não sabia o que fazer.

— Você não parece ter nenhuma consideração com a sua segurança pessoal. E agora não é só você — acrescenta, irritado.

Meus lábios tremem. Ele está pensando no nosso Pontinho.

A porta se abre, e levamos um susto. Uma jovem negra vestindo um jaleco branco sobre um traje cinza de médico entra no quarto.

— Boa noite, Sra. Grey. Sou a Dra. Bartley.

Ela começa a me examinar minuciosamente, acendendo uma lanterna nos meus olhos, me fazendo tocar seus dedos e depois meu nariz com um dos olhos fechados, primeiro o esquerdo e depois o direito, verificando todos os meus reflexos. Mas sua voz é suave e seu toque, agradável; ela é gentil. A enfermeira Nora a assiste, e Christian vai para um canto do quarto e dá alguns telefonemas enquanto as duas cuidam de mim. É difícil me concentrar na Dra. Bartley, na enfermeira Nora e em Christian simultaneamente, mas noto que ele ligou para o pai dele, para minha mãe e para Kate, com o intuito de contar que acordei. Finalmente, ele deixa uma mensagem para Ray.

Ray. Ah, merda... Tenho uma vaga lembrança de ouvir a voz dele. Ele esteve aqui... sim, enquanto eu ainda estava inconsciente.

A Dra. Bartley examina minhas costelas, apertando delicada mas firmemente. Eu me retraio.

— A senhora bateu com as costelas, mas não vejo sinais de fissura ou fratura. Teve muita sorte, Sra. Grey.

Faço uma careta. *Sorte?* Não é exatamente a palavra que eu usaria. Christian também faz cara feia para a médica. Ele mexe os lábios, dizendo-me alguma coisa em silêncio. Acho que é *bobagem*, mas não tenho certeza.

— Vou lhe receitar alguns analgésicos. A senhora vai precisar tomar não só para a dor nas costelas, mas também para a dor de cabeça que deve estar sentindo. Mas parece estar tudo no lugar, Sra. Grey. Sugiro que durma um pouco. Dependendo de como se sentir amanhã de manhã, podemos tentar lhe dar alta. A Dra. Singh vai examinar a senhora amanhã.

— Obrigada.

Alguém bate à porta, e Taylor entra trazendo uma caixa de papelão com a marca *Fairmont Olympic* escrita em cor creme.

Puta merda!

— Comida? — pergunta a Dra. Bartley, surpresa.

— A Sra. Grey está com fome — retruca Christian. — É canja de galinha.

A Dra. Bartley sorri.

— Pode tomar, mas só o caldo. Nada pesado. — Ela olha fixamente para nós dois e sai do quarto com a enfermeira Nora.

Christian empurra a bandeja com rodinhas na minha direção e Taylor coloca a caixa em cima.

— Bem-vinda de volta, Sra. Grey.

— Olá, Taylor. Obrigada.

— A senhora é muito bem-vinda, madame. — Acho que ele quer dizer mais alguma coisa, mas se contém.

Christian abre a caixa e retira de dentro uma garrafa térmica, uma tigela para sopa, um prato auxiliar, guardanapo de linho, colher de sopa, uma pequena cesta com pãezinhos, saleiro e pimenteira de prata... O Olympic veio inteiro ao hospital.

— Isso está maravilhoso, Taylor.

Meu estômago ronca. Estou faminta.

— Mais alguma coisa? — pergunta ele.

— Não, obrigado — responde Christian, liberando-o.

Taylor faz um gesto de aquiescência.

— Obrigada, Taylor.

— A senhora não quer mais nada, Sra. Grey?

Olho para Christian.

— Apenas roupa limpa para o meu marido.

Taylor sorri.

— Sim, senhora.

Christian olha para a própria camisa, confuso.

— Há quanto tempo você está com essa camisa? — pergunto.

— Desde quinta de manhã. — Ele me dá um sorriso meio torto.

Taylor sai do quarto.

— Ele também está bravo com você — acrescenta Christian, amuado, desenroscando a tampa da garrafa térmica e vertendo uma cremosa canja de galinha na tigela.

Taylor também! Mas não penso nisso, pois estou concentrada na minha sopa. O cheiro é delicioso, e uma fumaça sobe da tigela convidativamente. Provo um pouco: o sabor é exatamente o que prometia ser.

— Está bom? — pergunta Christian, empoleirando-se novamente na cama.

Confirmo com entusiasmo e não paro de comer. Estou com uma fome de leão. Só interrompo para limpar a boca com o guardanapo.

— Conte o que aconteceu depois que você percebeu o que estava havendo.

Christian passa a mão pelo cabelo e balança a cabeça.

— Ah, Ana, como é bom ver você comer.

— Estou com fome. Conte.

Ele franze o cenho.

— Bom, depois que me ligaram do banco, e que eu pensei que o mundo inteiro tinha desmoronado... — Ele não consegue ocultar a dor na voz.

Paro de comer. *Ah, merda.*

— Não pare de comer, ou eu vou parar de falar — sussurra ele, num tom de voz bem rígido, encarando-me com censura.

Continuo a tomar a sopa. *Certo, certo... Caramba, que gostoso.* Christian suaviza o olhar e, após um instante, continua o relato:

— Enfim: depois que falei com você e desliguei, Taylor me informou que o Hyde tinha sido solto sob fiança. Como ele conseguiu, eu não sei, pois achei que tivéssemos impedido qualquer tentativa nesse sentido. Mas isso me fez parar para pensar no que você tinha dito... e então eu percebi que havia alguma coisa muito errada.

— Nunca foi pelo dinheiro — disparo repentinamente, sentindo uma onda inesperada de raiva atravessar meu ventre. Minha voz se eleva. — Como você pôde pensar isso? Nunca me interessei pelo seu maldito dinheiro de merda!

Minha cabeça começa a latejar. Christian me olha pasmo por um átimo, surpreso com minha veemência. Ele estreita os olhos.

— Olha essa língua — vocifera. — Acalme-se e coma.

Olho para ele com ar hostil.

— Ana — repreende-me.

— Isso me magoou mais do que qualquer outra coisa, Christian — sussurro. — Quase tanto quanto você ter ido ver aquela mulher.

Ele inspira com força, como se eu tivesse lhe dado um tapa, e subitamente parece exausto. Fechando os olhos por um instante, balança a cabeça, resignado.

— Eu sei. — Ele solta um suspiro. — E estou muito arrependido. Mais do que você possa imaginar. — Seus olhos irradiam contrição. — Por favor, continue comendo. Enquanto a sopa ainda está quente. — Sua voz é suave, impelindo-me a comer, e faço o que ele pede. Ele suspira de alívio.

— Continue — murmuro, entre uma mordida e outra no ilícito pãozinho branco e fresco.

— Não sabíamos que a Mia tinha sido sequestrada. Achei que talvez ele estivesse chantageando você ou coisa parecida. Liguei para o seu celular, mas você não atendia. — Ele assume um ar zangado. — Deixei uma mensagem e liguei para o Sawyer. Taylor começou a rastrear o seu celular. Eu sabia que você estava no banco, então fomos direto para lá.

— Eu não sei como o Sawyer me encontrou. Ele também estava rastreando o meu celular?

— O Saab tem um dispositivo de rastreamento. Todos os nossos carros têm. Quando chegamos ao banco, você já estava partindo, e nós seguimos. Por que está rindo?

— No fundo eu sabia que você estaria me seguindo.

— E por que isso é engraçado? — pergunta ele.

— Jack me instruiu a me livrar do celular. Então, eu peguei o do Whelan emprestado, e foi esse que eu joguei fora. O meu, eu coloquei dentro de uma das sacolas de lona, para que você pudesse rastrear o seu dinheiro.

Christian suspira.

— Nosso dinheiro, Ana — diz ele com suavidade. — Coma.

Raspo a tigela de sopa com o último pedaço de pão e o enfio na boca. Pela primeira vez em muito tempo me sinto satisfeita, apesar de nossa conversa.

— Acabei.

— Boa menina.

Alguém bate à porta, e a enfermeira Nora entra novamente, trazendo um pequenino copo de papel. Christian retira meu prato e começa a pôr todos os itens de volta na caixa.

— Analgésico. — Nora sorri, mostrando-me o comprimido branco dentro do copo.

— Não tem problema tomar isso? Sabe... por causa do bebê?

— Não, Sra. Grey. É paracetamol com hidrocona; não vai afetar o bebê.

Aquiesço, aliviada. Minha cabeça está latejando. Engulo o comprimido com um gole d'água.

— A senhora deveria repousar, Sra. Grey. — A enfermeira olha incisivamente para Christian.

Ele concorda.

Não!

— Você vai embora? — exclamo, entrando em pânico. *Não vá... mal começamos a conversar!*

Christian bufa:

— Sra. Grey, se você pensou por um minuto que vou deixar você fora da minha vista, está muito enganada.

Nora parece ofendida, mas se aproxima de mim e arruma meus travesseiros para que eu possa me deitar.

— Boa noite, Sra. Grey — diz ela, e, lançando mais um olhar de censura para Christian, sai do quarto.

Ele levanta uma sobrancelha quando ela fecha a porta.

— Acho que a enfermeira Nora não gosta de mim.

Ele está de pé ao lado da cama, com aparência cansada, e, apesar de eu querer que ele fique, sei que preciso tentar convencê-lo a ir para casa.

— Você precisa descansar também, Christian. Vá para casa. Você parece exausto.

— Não vou deixar você. Posso dormir na poltrona.

Faço uma cara brava e então me viro de lado.

— Durma comigo.

Ele franze a testa.

— Não. Não posso.

— Por que não?

— Não quero machucar você.

— Você não vai me machucar. Por favor, Christian.

— Você está com o soro.

— Christian. Por favor.

Ele me fita, e percebo que está tentado.

— Por favor.

Levanto os cobertores, como um convite para que ele suba na cama.

— Que se foda.

Ele tira os sapatos e as meias e cautelosamente se acomoda ao meu lado. Ele me abraça com cuidado, e descanso a cabeça em seu peito. Ele beija meu cabelo.

— Acho que a enfermeira Nora não vai ficar muito feliz com isso — sussurra em tom conspiratório.

Dou uma risada, mas tenho que parar por causa da dor que atravessa meu peito.

— Não me faça rir, porque dói.

— Ah, mas eu adoro ouvir você rindo — diz ele com certa tristeza, em voz baixa. — Eu sinto muito, baby, sinto muito mesmo.

Ele beija meu cabelo de novo e inspira profundamente. Não sei por que está pedindo desculpas… por me fazer rir? Ou pela confusão em que nos metemos? Descanso a mão sobre seu coração e ele delicadamente a cobre com a sua. Ficamos ambos em silêncio por um momento.

— Por que você foi se encontrar com aquela mulher?

— Ah, Ana. — Ele solta um gemido. — Você quer discutir isso agora? Não podemos simplesmente esquecer? Eu me arrependi, caramba!

— Eu preciso saber.

— Amanhã eu explico — balbucia ele, irritado. — Ah, e o detetive Clark quer falar com você. Apenas rotina. Agora vá dormir.

Ele beija meu cabelo e eu suspiro alto. Preciso saber por quê. Pelo menos ele diz estar arrependido. Já é alguma coisa, admite meu inconsciente, que aparentemente está de bom humor hoje. Argh, o detetive Clark. Estremeço só de pensar em reviver os eventos de quinta-feira.

— Já descobriram por que o Jack estava fazendo isso tudo?

— Hmm — murmura Christian.

O movimento do seu peito, subindo e descendo devagar, me acalma, balançando minha cabeça de leve, me ninando à medida que sua respiração fica mais lenta. E, enquanto vou caindo no sono, tento dar sentido aos fragmentos de conversa que ouvi quando estava no limiar da consciência, mas eles fogem da minha mente, permanecendo completamente indefinidos, zombando de mim nos recônditos da minha memória. Ah, é tão frustrante e cansativo... e...

A ENFERMEIRA NORA tem a boca franzida e os braços cruzados em hostilidade. Levo o dedo aos lábios.

— Por favor, deixe-o dormir — sussurro, apertando os olhos ante a luz do início da manhã.

— Esta cama é da senhora, não dele — fala ela baixinho, mas num tom ríspido e severo.

— Eu dormi melhor porque ele estava aqui — insisto, em defesa do meu marido. Além do mais, é verdade. Christian se mexe, e tanto a enfermeira Nora quanto eu ficamos imóveis.

Ele resmunga adormecido.

— Não me toque. Nunca mais. Só a Ana.

Franzo a testa. Raramente ouço Christian falar durante o sono. É verdade que talvez seja porque ele dorme menos do que eu. Só ouvia algo quando ele tinha pesadelos. Seus braços em volta de mim me apertam com mais força, e eu estremeço.

— Sra. Grey... — A enfermeira me olha furiosa.

— Por favor — suplico.

Ela balança a cabeça, vira-se e sai; e eu me aconchego em Christian novamente.

QUANDO ACORDO, NÃO vejo Christian por perto. O sol brilha forte através da vidraça, e agora realmente me sinto bem no quarto. *Ganhei flores!* Não tinha reparado isso ontem à noite. Vários buquês. Quem será que enviou?

Uma leve batida à porta me distrai, e Carrick espia para dentro do quarto. Ele sorri feliz quando me vê acordada.

— Posso entrar? — pergunta ele.

— Claro.

Carrick entra no quarto a passos largos e se aproxima da cama, seus suaves e gentis olhos azuis me avaliando intensamente. Ele veste um terno escuro — deve estar no meio do expediente. E me surpreende ao se inclinar e beijar minha testa.

— Posso me sentar?

Faço um gesto de consentimento, ao que ele se acomoda na beirada da cama e pega minha não.

— Minha querida maluca corajosa, não sei como agradecer pelo que você fez pela minha filha. Você salvou a vida de Mia. Minha dívida será eterna. — Sua voz vacila, repleta de gratidão e compaixão.

Ah... Não sei o que dizer. Aperto sua mão, mas permaneço muda.

— Como está se sentindo?

— Melhor. Dolorida. — Opto pela sinceridade.

— Eles lhe deram alguma coisa para a dor?

— Hidro... alguma coisa.

— Ótimo. Cadê o Christian?

— Não sei. Quando acordei, ele já tinha saído.

— Não deve estar longe, aposto. Ele não saiu do seu lado enquanto você esteve inconsciente.

— Eu sei.

— Ele está um pouco bravo com você, o que é compreensível.

Carrick dá um sorriso irônico. Ah, então foi com ele que Christian aprendeu.

— Ele vive bravo comigo.

— É mesmo?

Carrick sorri, satisfeito — como se fosse uma coisa boa. Seu sorriso é contagioso.

— Como vai a Mia?

Seus olhos então se anuviam, e o sorriso desaparece.

— Melhor. Com raiva de Deus e do mundo. Acho que a raiva é uma reação saudável para o que ela passou.

— Ela está internada aqui?

— Não, já voltou para casa. Acho que a Grace não vai tirar os olhos dela nunca mais.

— Sei como é.

— Você também precisa de vigilância — repreende-me ele. — Não quero nunca mais vê-la colocar em risco a sua vida e a do meu neto por bobagem.

Fico vermelha. *Ele sabe!*

— Grace leu o seu prontuário. Ela me contou. Parabéns.

— Hmm... obrigada.

Ele me fita e seus olhos tornam-se mais suaves, embora franza a testa ao notar minha expressão.

— O Christian vai se acostumar — diz gentilmente. — Vai ser ótimo para ele. É só... lhe dar um pouco de tempo.

Aquiesço. *Ah... Eles conversaram.*

— Acho que é melhor eu ir. Estão me esperando no tribunal. — Ele sorri e se levanta. — Venho ver você mais tarde. Grace fala muito bem da Dra. Singh e da Dra. Bartley. Elas sabem o que estão fazendo.

Ele se curva para me beijar novamente.

— Eu falei de coração, Ana. Não tenho como retribuir o que você fez por nós. Muito obrigado.

Ergo o olhar para ele, piscando bastante para segurar as lágrimas, pois subitamente me sinto emocionada, e ele afaga minha face com ternura. Depois se vira e sai.

Puxa vida. Fico tocada com a gratidão dele. Talvez agora eu consiga parar de pensar no fiasco do acordo pré-nupcial. Meu inconsciente sabiamente faz um gesto de anuência, mais uma vez concordando comigo. Balanço a cabeça e saio da cama com cautela. É um alívio ver que estou muito mais firme sobre as pernas do que ontem. Apesar de Christian ter dividido a pequena cama comigo, dormi bem e me sinto revigorada. Minha cabeça ainda dói, porém é mais um incômodo, nada comparado ao latejar de ontem. Estou meio dura e dolorida, mas preciso apenas de um banho: sinto-me encardida. Então, me dirijo ao banheiro.

— Ana! — grita Christian.

— Estou no banheiro — respondo enquanto termino de escovar os dentes.

Bem melhor. Ignoro meu reflexo no espelho. *Droga, estou horrível.* Quando abro a porta, Christian está junto à cama segurando uma bandeja de comida. Ele é outra pessoa. Inteiramente de preto, está barbeado, limpo e com ar descansado.

— Bom dia, Sra. Grey — diz ele com vivacidade. — Trouxe o café da manhã. — Ele parece um garotinho, e tão feliz!

Uau. Ao subir na cama, dou um imenso sorriso. Ele puxa a bandeja com rodinhas e abre a tampa para mostrar o café da manhã: mingau de aveia com frutas secas, panquecas com calda de bordo, bacon, suco de laranja e chá Twinings. Fico com água na boca; estou morrendo de fome. Acabo com o suco de laranja em apenas alguns goles e devoro o mingau. Christian se senta na beirada da cama para observar. Ele ri.

— O que foi? — pergunto, de boca cheia.

— Gosto de ver você comer — responde ele. Mas não creio que seja por isso. — Como está se sentindo hoje?

— Melhor — murmuro entre uma garfada e outra.

— Nunca vi você comer assim.

Olho para ele, e meu coração se contrai. Temos que parar de ignorar esse minúsculo elefante branco.

— É porque eu estou grávida, Christian.

Ele solta um resmungo e torce a boca num sorriso irônico.

— Se eu soubesse que assim você ia comer, eu a teria engravidado antes.

— Christian Grey! — exclamo, e largo o prato de mingau.

— Não pare de comer — adverte ele.

— Christian, precisamos falar sobre isso.

Ele fica imóvel.

— Falar o quê? Vamos ser pais.

Ele dá de ombros, tentando desesperadamente parecer indiferente, mas tudo que vejo é o seu medo. Afastando a bandeja, desço da cama e pego as mãos dele entre as minhas.

— Você está com medo — sussurro. — Eu sei disso.

Ele me fita impassível, os olhos bem abertos; sua expressão de menino se foi.

— Eu também estou. É normal — digo.

— Que tipo de pai eu posso pensar em ser? — Sua voz está rouca, quase inaudível.

— Ah, Christian. — Contenho um soluço. — Um pai que dá o melhor de si. É tudo o que podemos fazer.

— Ana... Não sei se eu consigo...

— É claro que consegue. Você é amoroso, é engraçado, é forte, você vai estabelecer os limites. Não vai faltar nada ao nosso filho.

Ele permanece estático, me olhando, a dúvida estampada em seu lindo rosto.

— Sim, o ideal teria sido esperar mais. Ter mais tempo só para nós dois. Mas agora vamos ser nós três, e vamos todos crescer juntos. Seremos uma família. Nossa própria família. E o seu filho vai amar você incondicionalmente, como eu. — Sinto as lágrimas brotando nos olhos.

— Ah, Ana — sussurra Christian, a voz angustiada e aflita. — Eu pensei que tinha perdido você. Depois pensei que tinha perdido você de novo. Vê-la caída no chão, pálida, fria, inconsciente... vi meus piores medos transformados em realidade. E agora você está aqui, forte e corajosa... me transmitindo esperança. E me amando depois de tudo o que eu fiz.

— É verdade, eu amo você, Christian, desesperadamente. Vou amar você para sempre.

Ele segura minha cabeça com delicadeza e limpa minhas lágrimas com os polegares. Nossos olhares se encontram, e capto seu medo, sua admiração, seu amor.

— Eu também amo você — fala ele, baixinho. E me beija com ternura e afeição, como um homem que adora a esposa. — Vou tentar ser um bom pai — acrescenta, seus lábios contra os meus.

— Vai tentar, vai conseguir. E verdade seja dita: você não tem opção, porque o Pontinho e eu não vamos a lugar algum.

— Pontinho?

— Pontinho.

Ele levanta as sobrancelhas.

— Eu tinha pensado em Júnior.

— Que seja Júnior, então.

— Mas eu gostei de Pontinho.

Ele sorri timidamente e me beija mais uma vez.

CAPÍTULO VINTE E QUATRO

— Por mais que eu queira passar o dia todo beijando você, o seu café da manhã está esfriando — murmura Christian, com os lábios grudados nos meus. Ele me fita, achando graça, mas seus olhos ficam mais escuros e sensuais. Puta merda, ele mudou de novo. Meu Sr. Instável. — Coma — ordena ele, com voz suave.

Engulo em seco diante do seu olhar provocante, e volto para a cama, com cuidado para não puxar o tubo do soro. Ele empurra a bandeja para mim. O mingau de aveia esfriou, mas as panquecas, ainda cobertas, estão boas — na verdade, são de dar água na boca.

— Você sabe — falo entre uma garfada e outra — que o Pontinho pode ser uma menina, não sabe?

Christian passa a mão no cabelo.

— Duas mulheres, hein? — Seu rosto revela sobressalto, e o olhar sedutor desaparece.

Ah, merda.

— Você tem preferência?

— Preferência?

— Menino ou menina.

Ele franze a testa.

— Prefiro com saúde — diz ele baixinho, evidentemente desconcertado com a pergunta. — Coma — acrescenta bem rápido, e sei que está tentando mudar de assunto.

— Estou comendo, estou comendo... Nossa, relaxe um pouco, Grey.

Observo-o com cuidado. Os cantos dos seus olhos estão enrugados de preocupação. Ele disse que vai tentar, mas sei que ainda está apavorado com a ideia do bebê. *Ah, Christian, eu também estou.* Ele se senta na cadeira ao meu lado e pega o *Seattle Times.*

— Você saiu no jornal de novo, Sra. Grey — diz ele, em tom amargo.

— De novo?

— Os picaretas estão só repetindo a história de ontem, mas parece correta quanto aos fatos. Quer ler?

Balanço a cabeça em negativa.

— Leia para mim. Estou comendo.

Ele dá um sorriso e começa a ler em voz alta. É um relato sobre Jack e Elizabeth, pintando o casal como uma versão moderna de Bonnie e Clyde. Em poucas palavras cobre o sequestro de Mia, meu envolvimento no resgate dela, e o fato de Jack e eu estarmos internados no mesmo hospital. Como é que a imprensa consegue toda essa informação? Preciso perguntar isso a Kate.

Quando Christian termina, peço:

— Por favor, leia mais alguma coisa; gosto de ouvir você.

Ele concorda e pega uma reportagem sobre a expansão de uma padaria especializada em bagels e uma outra relatando que a Boeing foi obrigada a cancelar o lançamento de uma aeronave. Christian franze a testa ao ler. Porém, ao ouvir sua voz suave enquanto como, e tendo a certeza de que estou bem, que Mia está bem e que meu Pontinho está bem, sinto um precioso momento de paz apesar de tudo o que aconteceu nos últimos dias.

Eu entendo que Christian esteja assustado com a minha gravidez, mas não entendo a intensidade do seu medo. Decido falar mais com ele sobre isso. Ver se consigo deixá-lo mais à vontade. O que me intriga é que ele não pode sentir falta de modelos positivos de pai e mãe. Tanto Grace quanto Carrick são exemplares, ou pelo menos assim parece. Talvez tenha sido a interferência da Monstra Filha da Mãe que o afetou tanto. Gosto de pensar assim. Na realidade, porém, acho que tudo remonta à sua mãe biológica, embora eu tenha certeza de que a Mrs. Robinson não ajudou muito. Interrompo meus pensamentos quando me recordo vagamente de uma conversa sussurrada. *Droga!* É uma conversa que está guardada em um canto da minha memória, quando eu ainda estava inconsciente. Era Christian conversando com Grace. Tudo se dissolve nas sombras da minha mente. *Ah, é tão frustrante.*

Fico pensando se Christian algum dia vai dizer voluntariamente por que foi procurá-la ou se terei que extrair dele essa informação. Estou prestes a perguntar-lhe quando alguém bate à porta.

O detetive Clark entra no quarto já se desculpando. E ele tem toda razão em pedir desculpas, pois meu coração se aperta quando o vejo.

— Sr. e Sra. Grey. Estou atrapalhando?

— Sim — dispara Christian.

Clark o ignora.

— Fico contente por vê-la acordada, Sra. Grey. Preciso lhe fazer algumas perguntas sobre os acontecimentos da tarde de quinta-feira. Apenas rotina. Agora seria conveniente?

— Claro — balbucio, embora não queira reviver esses acontecimentos.

— Minha mulher deveria estar descansando — reclama Christian.

— Não vou demorar, Sr. Grey. Além do mais, assim eu já deixo o casal em paz.

Christian se levanta e oferece a cadeira para Clark, depois se senta ao meu lado na cama, pega minha mão e a aperta, para me tranquilizar.

Meia hora depois, Clark já acabou suas perguntas. Não acrescentou nenhuma novidade, mas recontei os eventos de quinta-feira em voz baixa e entrecortada, observando como Christian ficava pálido e angustiado em algumas partes.

— Eu queria era que você tivesse mirado mais em cima — balbucia Christian.

— Teria feito um bem às mulheres — concorda Clark.

O *quê?*

— Obrigado, Sra. Grey. É tudo por enquanto.

— O senhor não vai deixar o Hyde livre novamente, vai?

— Acho difícil que ele consiga fiança dessa vez, madame.

— Aliás, quem pagou para soltá-lo? — pergunta Christian.

— Isso é informação sigilosa.

Christian franze a testa, mas acho que ele suspeita de alguém. Clark se levanta para sair no momento que a Dra. Singh e dois médicos residentes entram no quarto.

Após um exame minucioso, a Dra. Singh me declara apta a voltar para casa. Christian relaxa de alívio visivelmente.

— Sra. Grey, fique atenta caso as dores de cabeça piorem ou a sua visão fique embaçada. Se isso ocorrer, retorne ao hospital imediatamente.

Aquiesço, tentando conter minha imensa satisfação por voltar para casa.

Quando a Dra. Singh está saindo do quarto, Christian pede para ter uma conversa rápida com ela no corredor. Ele mantém a porta aberta enquanto faz uma pergunta. Ela sorri.

— Sim, Sr. Grey, sem problema.

Ele sorri e volta para o quarto bem mais feliz.

— Sobre o que vocês estavam falando?

— Sexo — responde ele, com um sorriso libidinoso.

Ah. Fico vermelha.

— E então?

— Você está liberada. — Ele sorri maliciosamente.

Ah, Christian!

— Estou com dor de cabeça. — E também abro um sorriso.

— Eu sei. Você vai estar fora de combate por um tempo. Só quis verificar.

Fora de combate? Tenho uma súbita sensação de decepção. Não sei se quero ficar fora de combate.

A enfermeira Nora vem retirar o soro. Ela encara Christian com hostilidade. Acho que é uma das poucas mulheres que conheço que ignora o charme do meu marido. Digo uma palavra de agradecimento quando ela sai com o suporte do soro.

— Vamos para casa? — indaga Christian.

— Eu queria ver o Ray primeiro.

— Claro.

— Ele já sabe sobre o bebê?

— Achei que você mesma ia querer contar. Também não disse nada à sua mãe.

— Obrigada. — Sorrio, grata por ele não ter roubado minha novidade.

— Minha mãe sabe — acrescenta Christian. — Ela viu no prontuário. Contei para o meu pai, mas só ele. Minha mãe diz que os casais em geral esperam umas doze semanas... para ter certeza. — Ele dá de ombros.

— Não sei se estou preparada para contar ao Ray.

— Tenho que avisar: ele está bravo à beça. Disse que eu deveria dar umas palmadas em você.

O quê? Christian ri da minha expressão horrorizada.

— Eu disse que ficaria bem feliz em fazer isso.

— Você não disse isso! — exclamo, apesar de a minha memória estar sendo assombrada pelos ecos de uma conversa sussurrada. Sim, Ray passou aqui quando eu estava inconsciente...

Christian me dá uma piscadela.

— Olhe aqui, o Taylor trouxe roupas limpas. Eu ajudo você a se vestir.

Como Christian previu, Ray está enfurecido. Não me lembro de algum dia tê-lo visto assim. Christian teve a sensatez de nos deixar sozinhos. Taciturno como ele só, Ray enche seu quarto de hospital com críticas severas, repreendendo-me por meu comportamento irresponsável. Voltei a ter doze anos.

Ah, papai, por favor, acalme-se. Sua pressão não vai aguentar isso.

— E ainda tive que aturar a sua mãe — resmunga ele, acenando com as mãos em irritação.

— Pai, desculpe.

— E o pobre do Christian? Nunca vi o rapaz assim. Ele até envelheceu. Nós dois envelhecemos várias décadas nos últimos dias.

— Ray, desculpe.

— Sua mãe está esperando um telefonema seu. — Seu tom de voz agora é mais moderado.

Beijo-o no rosto, e finalmente ele ameniza o discurso.

— Vou ligar para ela. Eu sinto muito, sinto mesmo. Mas agradeço por você ter me ensinado a atirar.

Por um instante ele me observa com um orgulho paterno mal disfarçado.

— Ainda bem que você sabe atirar direito — diz ele, com a voz áspera. — Agora, vá para casa e descanse um pouco.

— Você está com uma aparência boa, pai. — Tento mudar de assunto.

— Você está pálida.

O medo está estampado em seu rosto. Sua expressão é a mesma de Christian ontem à noite. Seguro sua mão.

— Eu estou bem. Prometo que não vou mais fazer uma coisa dessas.

Ele aperta minha mão e me puxa para um abraço.

— Se acontecesse alguma coisa com você… — sussurra ele, numa voz rouca e baixa.

Meus olhos se enchem de lágrimas. Não estou habituada a ver meu padrasto fazendo demonstrações abertas de afeto.

— Pai, eu estou bem. Nada que um bom banho quente não cure.

SAÍMOS PELA PORTA dos fundos do hospital, para de evitar os paparazzi amontoados na entrada principal. Taylor nos conduz ao SUV que está à nossa espera.

Christian fica calado durante o caminho para casa. Constrangida, procuro evitar o olhar de Sawyer pelo retrovisor, já que a última vez que o vi foi quando o despistei no banco. Ligo para minha mãe, que está aos prantos. Durante todo o percurso do hospital para casa eu tento acalmá-la, mas afinal acabo conseguindo, sob a promessa de que vou visitá-la em breve. Enquanto estou ao telefone, Christian fica segurando minha mão, acariciando-a com o polegar. Ele está nervoso… aconteceu alguma coisa.

— O que foi? — pergunto quando finalmente me livro da minha mãe.

— O Welch quer me ver.

— O Welch? Por quê?

— Ele descobriu alguma coisa sobre aquele filho da mãe do Hyde. — Seus lábios se dobram em fúria; uma onda de medo atravessa meu corpo. — Não quis me contar o que era pelo telefone.

— Ah.

— Ele vem de Detroit hoje à tarde.

— Você acha que ele descobriu alguma ligação?

Ele assente.

— O que acha que é?

— Não faço ideia. — E suas sobrancelhas se enrugam em perplexidade.

Taylor entra na garagem do Escala e, antes de estacionar, para junto ao elevador para sairmos. Ali dentro podemos evitar a atenção dos fotógrafos de plantão. Christian me ajuda a descer. Com o braço em volta da minha cintura, me leva até o elevador.

— Feliz de chegar em casa? — pergunta ele.

— Sim — sussurro.

Porém, quando me vejo no ambiente familiar do elevador, a enormidade daquilo por que passei me faz desabar e começo a tremer.

— Ei… — Christian me envolve em seus braços e me puxa para si. — Você está em casa. Está tudo bem — diz, beijando meu cabelo.

— Ah, Christian.

Começo a soluçar, liberando uma represa de lágrimas que eu nem sabia que estava prestes a se romper.

— Shhh — sussurra Christian, aninhando minha cabeça contra seu peito.

Mas é tarde demais. Completamente abalada pelas minhas emoções, choro na camiseta dele, lembrando-me do ataque cruel de Jack ("Isso é pela SIP, sua piranha filha da puta!"), das minhas palavras ao dizer a Christian que o estava deixando ("Você vai embora?") e de meu temor, meu temor visceral por Mia, por mim mesma e pelo meu Pontinho.

Quando as portas do elevador se abrem, Christian me pega como se eu fosse uma criança e me carrega pelo hall. Enrosco as mãos em seu pescoço e me agarro nele, chorando em silêncio.

Ele me carrega até o banheiro e me coloca delicadamente na cadeira.

— Quer tomar um banho de banheira? — pergunta.

Balanço a cabeça. Não… não… não como a Leila.

— Uma chuveirada? — Sua voz está engasgada de preocupação.

Por entre as lágrimas, faço um gesto de anuência. Quero me lavar da sensação de sujeira dos últimos dias, me livrar da lembrança da agressão de Jack. "*Sua puta vendida.*" Continuo a soluçar, o rosto entre as mãos, enquanto o som da água caindo do chuveiro ecoa nas paredes.

— Ei — sussurra Christian, ajoelhando-se na minha frente.

Ele tira as minhas mãos do meu rosto banhado de lágrimas e o segura em suas mãos. Eu o fito, piscando para afastar as lágrimas.

— Você está a salvo. Vocês dois — murmura ele.

Eu e o Pontinho. Meus olhos novamente se enchem de lágrimas.

— Agora pare. Não suporto ver você chorar. — Sua voz está rouca. Seus polegares limpam minha face, mas as lágrimas teimam em cair.

— Eu sinto muito, Christian. Por tudo. Por fazer você ficar preocupado, por arriscar tudo... pelo que eu disse.

— Não fale mais, querida, por favor. — Ele beija minha testa. — Também sinto muito. Também errei muito, Ana. — Ele me dá um sorriso torto. — Eu disse e fiz coisas das quais não me orgulho. — Seus olhos cinzentos estão desolados, arrependidos. — Vou tirar sua roupa — diz ele, com a voz suave. Limpo o nariz com as costas da mão, e ele beija minha testa mais uma vez.

Christian tira minha roupa com agilidade, sendo especialmente cuidadoso ao passar a camiseta pela minha cabeça. Mas já não sinto tanta dor de cabeça. Ele me conduz até o chuveiro e tira a própria roupa em tempo recorde, para então entrar comigo embaixo da água tão quente e agradável. Christian me puxa para si e me abraça por um longo tempo, enquanto a água cai sobre nós dois, confortando-nos.

Ele me deixa chorar colada ao seu peito. De vez em quando beija minha cabeça, mas não me solta, apenas me balança suavemente sob a água morna. É tão bom sentir sua pele contra a minha, os pelos do seu peito no meu rosto... o homem que amo, este homem belo e inseguro, o homem que eu poderia ter perdido por causa da minha irresponsabilidade. Sinto-me vazia e angustiada diante desse pensamento, mas ao mesmo tempo aliviada por ele estar aqui, ainda aqui — apesar de tudo o que aconteceu.

Ainda me deve explicações, mas no momento quero aproveitar a sensação dos seus braços protetores e reconfortantes ao redor do meu corpo. E é então que me ocorre: quaisquer explicações têm que vir dele próprio. Não posso forçá-lo a nada... é preciso que ele queira me contar. Não vou passar pela esposa resmungona, que vive tentando adular o marido em troca de informações. É exaustivo. Eu sei que ele me ama. Sei que ele me ama mais do que jamais amou qualquer outra pessoa; por enquanto, isso basta. Essas conclusões me trazem uma sensação de libertação. Paro de chorar e dou um passo para trás.

— Está melhor? — pergunta ele.

Faço que sim.

— Ótimo. Agora me deixe dar uma olhada em você — diz ele, e por um segundo não entendo o que quer.

Mas ele pega minha mão e examina o braço sobre o qual caí quando Jack me bateu. Há hematomas no meu ombro e arranhões no cotovelo e no pulso. Ele beija cada uma dessas partes. Então, pegando uma esponja e gel de banho, o doce e conhecido aroma de jasmim chega até as minhas narinas.

— Vire-se.

Delicadamente, ele começa a lavar meu braço machucado, meu pescoço, meus ombros, minhas costas e meu outro braço. Ele me gira de lado e passa os dedos compridos pela lateral do meu corpo, e quando alcança o enorme hematoma no meu quadril, eu me retraio. Seus olhos se endurecem, seus lábios se estreitam. É perceptível sua raiva quando ele assobia por entre os dentes.

— Não está doendo — murmuro, para tranquilizá-lo.

Olhos cinzentos em brasas encontram os meus.

— Quero matar aquele homem. Quase o matei — murmura ele misteriosamente.

Franzo o cenho e estremeço diante de sua expressão sombria. Ele derrama mais gel de banho na esponja e, com gestos suaves e extremamente ternos, lava a lateral do meu corpo e a parte de trás. Depois, se ajoelha e passa para as minhas pernas. Faz uma pausa para examinar meu joelho. Roça os lábios sobre o machucado antes de voltar a me lavar, dessa vez meus pés e pernas. Abaixando-me um pouco, acaricio sua cabeça, passando os dedos pelo seu cabelo molhado. Ele se põe de pé e, com os dedos, traça o contorno do hematoma sobre as minhas costelas, onde Jack me chutou.

— Ah, querida — geme ele, sua voz revelando angústia e seus olhos destilando fúria.

— Eu estou bem.

Puxo sua cabeça e o beijo na boca. Ele hesita em retribuir o beijo, mas quando minha língua encontra a dele, seu corpo se mexe contra o meu.

— Não — murmura ele, ainda com os lábios próximos dos meus, e se afasta. — Vamos acabar o banho.

Seu rosto está sério. *Droga...* Ele realmente quer assim. Faço beicinho, e a atmosfera se desanuvia logo. Ele ri e me dá um beijo rápido.

— Quero você limpinha — diz ele. — Não suja.

— Eu gosto de coisas sujas.

— Eu também, Sra. Grey. Mas não agora, nem aqui.

Ele apanha o xampu e, antes que eu possa convencê-lo do contrário, começa a lavar meu cabelo.

TAMBÉM GOSTO DE coisas limpas. Sinto-me renovada e revigorada, e não sei se é por causa do banho, do choro ou da minha decisão de parar de discutir com Christian por qualquer coisa. Ele me envolve em uma enorme toalha e enrola uma outra no próprio quadril enquanto enxugo o cabelo com cuidado. Minha cabeça dói — uma dor maçante e persistente, porém perfeitamente suportável. A Dra. Singh me deu alguns analgésicos, mas pediu que eu só os tomasse em caso de real necessidade.

Quando estou penteando o cabelo, penso em Elizabeth.

— Ainda não entendo por que a Elizabeth se envolveu com o Jack.

— Eu entendo — balbucia Christian, numa voz sombria.

Isso é novidade. Franzo a testa para ele, mas me distraio: ele está secando o cabelo com uma toalha, o peito e os ombros ainda com gotas de água brilhando sob as lâmpadas halógenas. Ele faz uma pausa e abre um sorriso malicioso.

— Apreciando a vista?

— Como você sabe? — pergunto, tentando ignorar que fui flagrada admirando o meu próprio marido.

— Que você está apreciando a vista? — provoca ele.

— Não — retruco em tom de reprimenda. — Sobre a Elizabeth.

— O detetive Clark me deu uma pista.

Olho para ele com minha expressão de me-conte-mais, e me vem outra recordação desagradável do tempo em que fiquei inconsciente. Clark esteve no meu quarto. Queria me lembrar do que ele disse.

— Hyde tinha vídeos. Vídeos delas todas. Em diversos pen drives.

O *quê?* Arregalo os olhos, minha testa se enrugando toda.

— Vídeos dele trepando com ela e com todas as outras assistentes.

Ah!

— Exatamente. Material para chantagem. Ele gosta de sexo violento.

Christian franze o cenho, e percebo a confusão, depois o nojo, passarem pelo seu rosto. Ele empalidece à medida que o nojo se transforma em auto-ódio. É claro: ele também gosta de sexo violento.

— Não faça isso — falo antes de pensar duas vezes.

Sua testa se franze ainda mais.

— Isso o quê? — Ele fica parado e me olha apreensivo.

— Você não se parece *em nada* com ele.

Seu olhar endurece, mas ele não diz uma palavra, o que confirma que era exatamente isso o que ele estava pensando.

— Em nada mesmo. — Minha voz soa inflexível.

— Somos farinha do mesmo saco.

— Não são, não — retruco incisivamente, apesar de entender por que ele pensaria dessa forma.

"O pai dele morreu numa briga de bar. A mãe bebeu até perder a consciência. Ele passou a infância pulando de orfanato em orfanato... e de confusão em confusão também. A maioria por roubo de carros. Passou um tempo no reformatório." Lembro-me das informações que Christian me revelou no avião para Aspen.

— Você dois têm passados atribulados e os dois nasceram em Detroit. A semelhança acaba aí, Christian. — Ponho as mãos na cintura.

— Ana, sua fé em mim é tocante, ainda mais diante do que aconteceu nos últimos dias. Vamos saber de mais coisas quando o Welch chegar. — Ele está fugindo do assunto.

— Christian…

Ele me interrompe com um beijo.

— Chega — diz ele baixinho, e eu me lembro da promessa que fiz a mim mesma de não pressioná-lo por informações. — E não faça beicinho — acrescenta. — Venha. Vou secar o seu cabelo.

E percebo que o assunto está encerrado.

DEPOIS DE VESTIR uma camiseta e uma calça de moletom, eu me sento entre as pernas de Christian e deixo que ele seque meu cabelo.

— Então o Clark disse algo mais enquanto eu estava inconsciente?

— Não que eu me lembre.

— Eu ouvi algumas conversas suas.

O secador de cabelos para de se mover.

— Ah, é? — pergunta ele, num tom indiferente.

— Sim. Com meu pai, seu pai, o detetive Clark… sua mãe.

— E a Kate?

— Kate esteve lá?

— Sim, rapidamente. Ela também está uma fera com você.

Eu me viro no colo dele.

— Vamos parar com essa chatice de *Ana, todo mundo está bravo com você?*

— Só estou dizendo a verdade — rebate Christian, confuso com a minha explosão.

— Eu sei, foi insensato, mas poxa, a sua irmã estava em perigo.

Seu rosto adquire um ar abatido.

— É verdade.

Ele desliga o secador e o coloca ao seu lado na cama. Então pega meu queixo.

— Obrigado — diz, para minha surpresa. — Mas chega de insensatez. Porque, da próxima vez, eu vou encher você de porrada.

Solto uma exclamação.

— Você não se atreveria!

— Atreveria, sim. — Ele fala sério. Puta merda. Sério mesmo. — Eu tenho a permissão do seu padrasto.

Ele sorri. Está me provocando! Ou será que não? Eu me jogo em cima dele, e ele se torce de modo que caio sobre a cama, em seus braços. Quando aterrisso, sinto uma forte dor nas costelas e estremeço.

Christian empalidece.

— Comporte-se! — ralha ele comigo, e por um momento fica irritado.

— Desculpe — balbucio, acariciando seu rosto.

Ele afaga minha mão e a beija com delicadeza.

— Francamente, Ana, você não tem nenhuma consideração com a sua própria segurança. — Ele levanta a minha camiseta e descansa os dedos na minha barriga. Paro de respirar. — Não se trata mais só de você — murmura ele, fazendo uma trilha com os dedos ao longo da cintura da minha calça, acariciando minha pele.

O desejo explode inesperadamente, surgindo quente e intenso no meu sangue. Solto um suspiro, e Christian enrijece o corpo, deixando os dedos descansarem sobre mim e me olhando fixamente. Ele levanta a mão e coloca uma mecha de cabelo atrás da minha orelha.

— Não — murmura.

O quê?

— Não olhe para mim dessa forma. Eu vi os hematomas. E a resposta é não. — Sua voz é firme, e ele me beija na testa.

Eu me contorço.

— Christian... — gemo.

— Não. Já para a cama. — Ele se senta.

— Cama?

— Você precisa descansar.

— Eu preciso de você.

Ele fecha os olhos e balança a cabeça como se fizesse um grande esforço. Quando os abre novamente, percebo que seus olhos brilham, e ele está firme em sua resolução.

— Faça o que eu mandei, Ana.

Fico tentada a tirar a roupa, mas me lembro dos hematomas e vejo que não vou ganhá-lo por esse caminho.

Aquiesço relutante.

— Tudo bem — e deliberadamente faço um bico bem exagerado.

Ele sorri, achando graça.

— Vou lhe trazer o almoço.

— Você vai cozinhar? — Quase tenho uma síncope.

Ele se digna a rir.

— Vou esquentar alguma coisa. A Sra. Jones tem andado ocupada.

— Christian, eu faço. Estou bem. Puxa, se eu quero fazer sexo, com certeza posso cozinhar.

Eu me sento de uma maneira esquisita, tentando esconder o desconforto causado pelas minhas costelas doloridas.

— Cama! — Os olhos de Christian faíscam, e ele aponta para o travesseiro.

— Deite comigo — murmuro, desejando estar usando algo mais atraente do que calça de moletom e camiseta.

— Ana, vá para a cama. Agora.

Assumindo uma expressão zangada, eu me levanto e deixo minha calça cair no chão sem cerimônia, encarando-o emburrada o tempo todo. Sua boca se torce enquanto ele puxa o edredom, achando graça.

— Você ouviu a Dra. Singh. Ela disse para você descansar. — Sua voz soa mais suave. Deito na cama e cruzo os braços, frustrada. — Não saia daqui — diz ele, sem dúvida se divertindo.

E fico ainda mais zangada.

O ENSOPADO DE galinha da Sra. Jones é com certeza um dos meus pratos prediletos. Christian come comigo, sentado de pernas cruzadas no meio da cama.

— Essa comida foi muito bem aquecida. — Dou um riso forçado e ele sorri. Estou satisfeita e sonolenta. Será que era esse o plano dele?

— Você parece cansada. — Ele pega minha bandeja.

— E estou.

— Ótimo. Durma, então. — Ele me beija. — Tenho que trabalhar. Vou fazer isso aqui, se não se importar.

Faço que sim... lutando em vão contra minhas pálpebras. Eu não fazia ideia de que um ensopado de galinha podia ser tão cansativo.

JÁ ESTÁ ANOITECENDO quando acordo. Uma luz rosada e pálida inunda o quarto. Christian está sentado na poltrona, observando-me, os olhos cinzentos brilhando na luz ambiente. Ele segura alguns papéis, o rosto sem cor.

Puta merda!

— O que aconteceu? — pergunto imediatamente, sentando-me e ignorando as costelas doloridas.

— Welch acabou de sair.

Ah, merda.

— E então?

— Eu morei com o filho da puta — murmura ele.

— Morou? Com o Jack?

Ele confirma, os olhos bem abertos.

— Vocês são parentes?

— Não. Por Deus, não.

Eu me arrasto para um lado da cama e puxo o edredom, convidando-o a vir para mais perto de mim. Para minha surpresa, ele não hesita. Chuta os sapatos para fora dos pés e desliza para dentro do edredom. Passando um braço ao meu redor, ele se encolhe, descansando a cabeça no meu colo. Fico pasma. *O que é isso?*

— Não entendo — murmuro, fitando-o e passando os dedos pelo seu cabelo. Christian fecha os olhos e franze as sobrancelhas como se tentasse com muito esforço se lembrar de algo.

— Depois que me encontraram com a prostituta drogada, antes de eu ir morar com o Carrick e a Grace, eu fiquei aos cuidados do estado de Michigan. Morei com uma família adotiva provisória, mas não consigo me lembrar nada daquela época.

Minha mente agora está a mil. Família provisória? Isso é novidade para nós dois.

— Por quanto tempo? — murmuro.

— Uns dois meses. Não me lembro de nada.

— Você falou com os seus pais sobre isso?

— Não.

— Pois deveria, eu acho. Talvez eles o ajudem a preencher algumas lacunas.

Ele me abraça apertado.

— Olhe.

Ele me entrega os papéis que estava segurando: duas fotografias. Acendo a luz da cabeceira para poder examinar melhor as imagens. A primeira delas mostra uma casa velha com a porta da frente amarela e uma enorme janela no telhado. Tem uma varanda e um pequeno quintal na frente. Uma casa totalmente comum.

A segunda é de uma família; à primeira vista, uma família de operários normal: um homem e sua esposa, eu acho, e os filhos. Os dois adultos vestem camisetas azuis desbotadas e deselegantes. Devem ter uns quarenta anos. A mulher tem o cabelo louro esticado para trás e o homem usa o cabelo bem curto e austero, mas ambos sorriem calorosamente para a câmera. O homem está com um braço em volta dos ombros de uma adolescente mal-humorada. Dou uma olhada nas crianças: dois meninos — gêmeos idênticos, de cerca de doze anos —, ambos com cabelo cor de areia, rindo largamente para a câmera; um outro menino, menor, de cabelo louro arruivado e olhar carrancudo; e atrás dele, mais um menino, pequeno, com cabelo cor de cobre e olhos cinzentos. O menorzinho, com os olhos arregalados e amedrontados, veste roupas descombinadas e está agarrado a um cobertorzinho sujo.

Cacete.

— Este aqui é você — murmuro, o coração quase saindo pela boca.

Sei que Christian tinha quatro anos quando a mãe morreu, mas essa criança parece bem mais nova. Ele devia estar muito malnutrido. Abafo um soluço quando as lágrimas brotam nos meus olhos. *Ah, meu amor.*

— Sou eu. — Ele confirma com um aceno de cabeça.

— Welch trouxe essas fotografias?

— Sim. Eu não me lembro de nada disso. — Sua voz parece sem entonação, sem vida.

— De um lar adotivo provisório? E por que você iria se lembrar disso? Christian, foi há muito tempo. É isso que está preocupando você?

— Eu me lembro de outras coisas, de antes e depois. Quando conheci minha mãe e meu pai. Mas isso... é como se fosse um gigantesco hiato.

Meu coração se retorce, e começo a compreender. Meu querido maníaco por controle gosta de tudo em seu devido lugar, e agora soube que há peças faltando no quebra-cabeça.

— Jack aparece na foto?

— Sim, é o menino mais velho.

Os olhos de Christian continuam bem fechados, e ele se agarra a mim como se eu fosse um bote salva-vidas. Deslizo os dedos pelo cabelo dele e presto mais atenção ao menino mais velho, que encara a câmera com ar desafiador e arrogante. Dá para perceber que é Jack. Porém, ele não passa de uma criança, um menino triste de oito ou nove anos, ocultando seu medo por trás da atitude hostil. De repente me lembro de algo.

— Quando o Jack me telefonou para dizer que estava com a Mia, ele disse que, se as coisas tivessem sido diferentes, ele poderia ser você.

Christian fecha os olhos e estremece.

— Aquele filho da puta!

— Você acha que ele agiu assim porque os Grey adotaram você em vez dele?

— Quem sabe? — Seu tom de voz traz amargura. — Não dou a mínima para ele.

— Talvez ele soubesse que a gente estava junto quando eu fui para aquela entrevista de emprego. Talvez ele estivesse o tempo todo planejando me seduzir. — Sinto um gosto de fel na boca.

— Acho que não — murmura Christian, abrindo os olhos. — As pesquisas que ele fez sobre a minha família só começaram pelo menos uma semana depois de você começar a trabalhar na SIP. Barney sabe as datas exatas. E, Ana, ele trepou com todas as assistentes que teve, e filmou tudo. — Christian fecha os olhos e se aconchega mais em mim.

Reprimindo o pavor que as lembranças me trazem, tento me recordar das várias conversas que tive com Jack logo que comecei a trabalhar na SIP. No fundo eu sabia que ele não prestava, mas assim mesmo ignorei todos os meus instintos. Christian tem razão: não me importo muito com minha própria segurança. Eu me lembro da briga que tivemos por causa da minha viagem a Nova York com Jack. Minha nossa... eu poderia ter ido parar em algum sórdido vídeo pornográfico. Só de pensar, fico enjoada. E então me lembro das fotos que Christian guardava de suas submissas.

Ah, merda. "*Somos farinha do mesmo saco.*" Não, Christian, não são, você não se parece em nada, nadinha com ele. Christian continua enroscado em mim como uma criancinha.

— Acho que você deveria falar com os seus pais.

Não quero que ele se mexa; por isso, deslizo para trás na cama de modo a encará-lo.

Um olhar cinzento e desnorteado encontra o meu, fazendo-me lembrar a criança da fotografia.

— Eu ligo para eles, ok? — murmuro. Ele balança a cabeça. — Por favor — suplico.

Ele me fita, e em seu olhar vejo a dor e a insegurança que o afligem, enquanto ele considera meu pedido. *Ah, Christian, por favor!*

— Eu ligo — diz ele, em voz baixa.

— Que bom. Podemos ir juntos visitá-los, ou você vai sozinho. O que preferir.

— Não. Eles podem vir aqui.

— Por quê?

— Não quero que você vá a lugar algum.

— Christian, eu posso muito bem sair de carro.

— Não. — Sua voz é firme, mas ele me dá um sorriso irônico. — Além do mais, é sábado à noite, eles devem ter saído.

— Ligue para eles. Essa história perturbou você, sem dúvida. Talvez eles possam esclarecer alguma coisa.

Olho para o relógio. São quase sete da noite. Ele me observa impassível por um momento.

— Tudo bem — diz afinal, como se eu estivesse lhe propondo um desafio. Então senta-se e pega o telefone que fica ao lado da cama.

Passo os braços em volta dele e descanso a cabeça em seu peito enquanto faz a ligação.

— Pai? — Noto que ele fica surpreso de Carrick ter atendido o telefone. — Ana está bem. Estamos em casa. O Welch acabou de sair daqui. Ele descobriu a conexão... a casa de adoção provisória em Detroit... Não me lembro de nada disso. — Sua voz é quase inaudível quando ele profere a última frase. Meu coração se comprime de novo. Eu o abraço, e ele aperta meu ombro. — É... Vocês vêm?... Ótimo. — Ele desliga. — Estão vindo para cá. — Ele parece surpreso, e percebo que nunca deve ter pedido a ajuda dos pais antes.

— Muito bem. Tenho que me vestir.

Seu braço se aperta ao meu redor.

— Não vá.

— Tudo bem.

Eu me aconchego nele outra vez, surpresa por ter me contado tanta coisa a seu respeito — e de forma inteiramente voluntária.

Quando nos encontramos, à porta da sala, Grace me acolhe ternamente nos braços.

— Ana, Ana, minha querida Ana — murmura ela. — Você salvou dois dos meus filhos. Como posso algum dia lhe agradecer?

Fico vermelha, ao mesmo tempo emocionada e constrangida pelas suas palavras. Carrick me abraça também e beija minha testa.

Em seguida, Mia me agarra, apertando minhas costelas. Eu estremeço e solto uma exclamação de dor, mas ela não percebe.

— Obrigada por me livrar daqueles babacas.

Christian olha bravo para ela:

— Mia! Cuidado! Ela está dolorida.

— Ah! Desculpe.

— Estou bem — balbucio, aliviada quando ela me solta.

Ela parece bem. Impecavelmente vestida numa calça jeans preta e numa blusa de um cor-de-rosa claro com babados. Que bom que troquei de roupa, tendo colocado um confortável vestido transpassado e sapatos sem salto. Pelo menos tenho uma aparência apresentável.

Correndo para Christian, Mia passa o braço pela cintura dele.

Sem dizer nada, ele entrega a fotografia a Grace. Ela solta uma exclamação de surpresa e cobre a boca com a mão, tentando reprimir a emoção ao reconhecer Christian instantaneamente. Carrick passa o braço em volta dos ombros de Grace e também se põe a examinar a foto.

— Ah, querido. — Grace acaricia o rosto de Christian.

Taylor aparece, dizendo:

— Sr. Grey? A Srta. Kavanagh, o irmão dela e o seu irmão estão subindo, senhor.

Christian franze o cenho.

— Obrigado, Taylor — balbucia, confuso.

— Liguei para o Elliot e disse que estávamos vindo para cá. — Mia sorri. — É uma festa de boas-vindas.

Rapidamente lanço um olhar de solidariedade para meu pobre marido; tanto Grace quanto Carrick encaram Mia exasperados.

— Acho melhor providenciar algo para comermos — digo. — Mia, você pode me ajudar?

— Ah, eu adoraria.

Eu a levo rapidamente para a área da cozinha, enquanto Christian conduz os pais até seu escritório.

KATE ESTÁ APOPLÉTICA de indignação direcionada a mim e a Christian, mas principalmente a Jack e Elizabeth.

— O que é que você estava *pensando*, Ana? — grita ela quando me encontra na cozinha, atraindo os olhares de todas as pessoas presentes.

— Kate, por favor. Já ouvi esse mesmo sermão de todo mundo! — retruco rispidamente.

Ela me encara com ar de censura, e por um minuto tenho a impressão de que vou ter que me submeter a um sermão Kavanagh sobre como não sucumbir a sequestradores, mas, em vez disso, ela me abraça.

— Caramba, Steele... às vezes você esquece que tem cérebro — sussurra ela. E, quando me beija no rosto, vejo que seus olhos estão marejados. *Kate!* — Fiquei tão preocupada com você!

— Não chore. Senão eu choro junto.

Ela se afasta e enxuga os olhos, envergonhada; depois, inspira profundamente e se recompõe.

— Agora aos assuntos felizes: marcamos a data do casamento. Pensamos em maio. E claro que queremos você como madrinha.

— Ah... Kate... Uau. Parabéns! — *Droga... Pontinho... Júnior!*

— O que foi? — pergunta ela, interpretando mal a minha expressão preocupada.

— Hã... Estou muito feliz por você. Alguma notícia boa, afinal.

Passo os braços em volta de Kate e a puxo para um abraço. Merda, merda, *merda*. Quando o Pontinho deve nascer? Mentalmente calculo a data provável. A Dra. Greene disse que eu estava de quatro ou cinco semanas. Então... em algum momento de maio? *Merda*.

Elliot me passa uma taça de champanhe.

Ah. Merda.

Christian sai do escritório de tez pálida, e acompanha os pais até a sala. Seus olhos se arregalam quando ele vê a taça em minha mão.

— Kate — ele a cumprimenta, com frieza.

— Christian. — Ela é igualmente fria. Solto um suspiro.

— Seus remédios, Sra. Grey. — Ele está olhando para a taça em minha mão.

Estreito os olhos. *Droga. Eu queria beber.* Grace chega na cozinha sorrindo e pega uma taça oferecida por Elliot.

— Um golinho só não tem importância — sussurra ela, com uma piscadela conspiratória, e ergue a taça para brindar.

Christian encara a nós duas com expressão carrancuda, até que Elliot o distrai com as novidades sobre o último jogo entre os Mariners e os Rangers.

Carrick também se junta a nós e coloca os braços em volta dos nossos ombros. Grace beija seu rosto antes de sentar-se perto de Mia no sofá.

— Como ele está? — sussurro para Carrick enquanto nós estamos na cozinha observando a família recostada no sofá. Surpresa, noto que Mia e Ethan estão de mãos dadas.

— Abalado — sussurra Carrick, sua testa se enrugando e seu rosto sério. — Ele se lembra tanto da vida que levava com a mãe biológica... muitas coisas que eu até gostaria que ele esquecesse. Mas isso... — Ele faz uma pausa. — Espero que a gente tenha dado uma ajuda. Fico feliz de ele ter nos chamado. Ele disse que foi você que sugeriu. — Seu olhar se suaviza. Dou de ombros e tomo um gole bem pequeno de champanhe. — Você é muito boa para ele. Ele não ouve mais ninguém.

Franzo a testa. Não acho que isso seja verdade. O espectro inoportuno da Monstra Filha da Mãe ainda me assombra constantemente. Sei que Christian fala com Grace também. Eu ouvi. Mais uma vez, sinto uma breve frustração quando tento decifrar a conversa que eles tiveram no hospital, mas a lembrança me foge.

— Venha se sentar, Ana. Você parece cansada. Tenho certeza de que não esperava tanta gente aqui esta noite.

— É ótimo ver todo mundo.

Sorrio. Porque é verdade, *é* ótimo. Sou uma filha única que se agregou a uma família grande e gregária, e adoro isso. Eu me aconchego junto a Christian.

— Um gole só — diz ele, baixinho, e tira a taça da minha mão.

— Sim, senhor.

Pisco os cílios, desarmando-o completamente. Ele coloca o braço em volta dos meus ombros e volta à sua conversa sobre beisebol com Elliot e Ethan.

— MEUS PAIS PENSAM que você pode até caminhar sobre a água — murmura Christian enquanto tira a camiseta.

Estou aconchegada na cama assistindo ao espetáculo.

— Ainda bem que você sabe que não é verdade.

— Ah, não sei não. — Ele tira a calça jeans.

— Eles falaram algo de útil?

— Algumas coisas. Eu morei com os Collier durante dois meses, enquanto meus pais esperavam a papelada ficar pronta. Eles já tinham sido aprovados para adoção, por causa do Elliot, mas a lei exige um tempo de espera para ver se algum parente vivo quer reivindicar a guarda.

— Como você se sente a respeito disso? — murmuro.

Ele franze a testa.

— O fato de não ter parentes vivos? Que se foda. Se fossem parecidos com a prostituta drogada... — Ele balança a cabeça com repugnância.

Ah, Christian! Você era uma criança e amava a sua mãe.

Ele veste o pijama, sobe na cama e delicadamente me puxa para seus braços.

— Minha memória está voltando. Eu me lembro da comida. A Sra. Collier sabia cozinhar. E pelo menos sabemos agora por que aquele filho da puta é tão cismado com a minha família. — Ele passa a mão livre pelo cabelo. — Cacete! — diz, repentinamente se virando para mim, perplexo.

— O que foi?

— Agora faz sentido. — Seus olhos revelam que ele se recordou de algo.

— O quê?

— Passarinho. A Sra. Collier me chamava de Passarinho.

Franzo o cenho, sem entender.

— E isso faz sentido?

— O bilhete — explica ele, olhando-me fixamente. — O bilhete de resgate que o filho da puta me deixou. Era algo parecido com "Você sabe quem eu sou? Porque eu sei quem você é, Passarinho".

Para mim, não faz nenhum sentido.

— É de um livro infantil. Meu Deus. Tinha esse livro na casa dos Collier. Chamava-se... *Você é a minha mãe?* Merda. — Seus olhos se arregalam. — Eu adorava aquele livro.

Ah. Eu conheço o livro. Meu coração fica em pedaços... *Christian!*

— A Sra. Collier lia essa história para mim.

Fico perdida, sem saber o que dizer.

— Meu Deus. Ele sabia... o filho da puta sabia.

— Você vai contar isso à polícia?

— Vou. Vou, sim. Só Deus sabe o que o Clark vai fazer com essa informação. — Ele balança a cabeça, como se tentasse clarear os pensamentos. — Bom, obrigado por esta noite.

Uau. Mudança total.

— Pelo quê?

— Por fazer uma refeição para a minha família num piscar de olhos.

— Não me agradeça, agradeça à Mia. E à Sra. Jones, que mantém a despensa cheia.

Ele balança a cabeça parecendo irritado. Comigo? Por quê?

— Como está se sentindo, Sra. Grey?

— Bem. E você? Como está se sentindo?

— Estou bem. — Ele franze o cenho... sem entender minha preocupação.

Ah… Nesse caso… Faço meus dedos descerem do seu peito até onde começam seus pelos pubianos.

Ele ri e agarra minha mão.

— Ah, não. Não comece com essas ideias.

Faço um beicinho triste, e ele suspira.

— Ana, Ana, Ana, o que eu vou fazer com você? — Ele beija meu cabelo.

— Tenho algumas sugestões.

Eu me contorço por baixo dele e estremeço quando a dor se irradia das minhas costelas machucadas para todo o meu tronco.

— Baby, você já passou por problemas suficientes. Além disso, eu tenho uma história para lhe contar.

Hã?

— Você queria saber… — Ele não termina a frase; fecha os olhos e engole em seco.

Todos os pelos do meu corpo se eriçam. *Merda.*

Ele começa, numa voz suave:

— Imagine a cena: um adolescente louco para ganhar um dinheirinho extra para poder continuar com seu hábito secreto de beber.

Ele se vira de lado e ficamos cara a cara, ele olhando bem nos meus olhos.

— Então eu me vi no quintal dos Lincoln, limpando pedregulhos e entulho da ampliação que o Sr. Lincoln tinha acabado de concluir na casa…

Puta merda… ele está falando.

CAPÍTULO VINTE E CINCO

Mal consigo respirar. Será que eu quero mesmo ouvir isso? Christian fecha os olhos e engole em seco. Quando os abre novamente, estão brilhantes e acanhados, cheios de lembranças inquietantes.

— Era um dia quente de verão. Eu estava trabalhando bastante — diz ele, com a voz rouca, e balança a cabeça, repentinamente achando graça. — Era bem puxado, retirar entulho. Eu estava sozinho, e a Elen... a Sra. Lincoln apareceu do nada me trazendo limonada. Batemos um papo, coisas banais, até que eu fiz um comentário debochado... e ela me deu um tapa. Um tapa bem forte.

Inconscientemente, sua mão vai ao rosto e ele acaricia a própria face, seus olhos se anuviando por causa da recordação. *Puta merda!*

— Mas aí ela me beijou. E, quando acabou, me deu outro tapa. — Ele pisca várias vezes, aparentemente ainda confuso mesmo depois desse tempo todo. — Eu nunca tinha sido beijado antes, nem nunca tinha levado um tapa daquele jeito.

Ah! Ela partiu para cima dele. Um menino.

— Você quer ouvir isso? — pergunta Christian.

Sim... Não...

— Só se você quiser me contar. — Estou deitada fitando-o, e minha voz sai bem baixa, minha mente a mil.

— Estou tentando contextualizar.

Faço um gesto com a cabeça, anuindo e — espero — incentivando-o a prosseguir. Porém, suspeito de que eu talvez esteja parecendo uma estátua, imóvel, em choque, os olhos arregalados.

Ele franze o cenho, seu olhar procurando o meu, tentando avaliar minha reação. Depois se deita de costas e fica mirando o teto.

— Bem, naturalmente eu fiquei confuso, irado e cheio de tesão. Quer dizer, uma mulher mais velha, toda gostosa, aparece e se atira em cima de você daquela maneira... — Ele balança a cabeça como se ainda não conseguisse acreditar.

Gostosa? Fico enojada.

— Ela voltou para dentro da casa, deixando-me sozinho no quintal. Agiu como se nada tivesse acontecido. Fiquei completamente perdido. Então voltei ao meu trabalho, despejando o entulho na caçamba. Quando saí de lá, à noite, ela me pediu para voltar no dia seguinte. Nem mencionou o que tinha acontecido. E no outro dia, quando eu voltei, mal podia esperar para ver a Sra. Lincoln de novo. — Ele fala num murmúrio, como se fosse uma confissão sombria; e, francamente, é mesmo.

— Ela não me tocou quando me beijou — continua ele, e vira o rosto para mim. — Você tem que entender... minha vida era o inferno na terra. Eu tinha quinze anos, era alto para a minha idade, vivia com tesão o tempo todo, os hormônios ensandecidos. As garotas da escola...

Ele para por um momento, mas eu imagino o quadro: um adolescente amedrontado e solitário, mas atraente. Meu coração se contorce.

— Eu vivia com raiva, uma raiva tão grande, irado com todo mundo, eu mesmo, minha família. Não tinha amigos. Meu analista na época era um babaca completo. E os meus pais... eles me mantinham com rédea curta, não conseguiam entender.

Ele volta a olhar para o teto e passa a mão no cabelo. Minha mão está coçando de vontade de fazer o mesmo, mas fico no meu lugar.

— Eu simplesmente não suportava que ninguém me tocasse. Não suportava. Não suportava ninguém perto de mim. Eu me metia em brigas... porra, muitas brigas. E umas bem pesadas. Fui expulso de algumas escolas. Mas era uma maneira de extravasar. De tolerar algum tipo de contato físico. — Ele interrompe o relato novamente. — Bom, você já tem uma ideia. E quando ela me beijou, só segurou o meu rosto. Não tocou em mim. — Quase não ouço sua voz.

Ela devia saber. Talvez Grace tivesse lhe contado. *Ah, meu pobre Cinquenta Tons.* Preciso dobrar as mãos embaixo do travesseiro e deitar a cabeça por cima para resistir à necessidade que sinto de abraçá-lo.

— Bom, no dia seguinte eu voltei até a casa, sem saber o que esperar. Vou poupar você dos detalhes sórdidos, mas a coisa toda se repetiu. E foi assim que o nosso relacionamento começou.

Puta merda, é doloroso ouvir isso.

Ele deita de lado novamente, para me olhar.

— E sabe de uma coisa, Ana? Meu mundo achou um foco. Claro e nítido. Em tudo. Era exatamente daquilo que eu precisava. Ela era um sopro de ar fresco. Tomava as decisões todas, me afastava daquela merda, me deixava respirar.

Puta merda.

— E mesmo quando acabou, meu mundo continuou em foco por causa dela. E assim permaneceu até que eu encontrei você.

Que espécie de comentário devo fazer depois disso? Hesitante, ele põe uma mecha do meu cabelo atrás da minha orelha.

— Você fez meu mundo virar de cabeça para baixo. — Ele fecha os olhos, e, quando os abre novamente, vejo que estão tomados pela emoção. — Meu mundo era organizado, calmo e controlado. Aí você entrou na minha vida, com essa sua boca afiada, a sua inocência, a sua beleza e a sua coragem discreta... e todo o resto, tudo antes de você simplesmente ficou bobo, vazio, medíocre... nada.

Ai, meu Deus.

— Eu me apaixonei — sussurra ele.

Paro de respirar. Ele acaricia minha face.

— E eu também — murmuro, com o fio de respiração que ainda me resta.

Seus olhos se suavizam.

— Eu sei — diz ele sem produzir som, só mexendo os lábios.

— Você sabe?

— Sei.

Aleluia! Sorrio tímida.

— Finalmente — sussurro.

Ele aquiesce.

— E isso colocou tudo em perspectiva para mim. Quando eu era mais jovem, a Elena era o centro do meu mundo. Não havia nada que eu não fizesse por ela. E ela também fazia muito por mim. Ela me fez parar de beber. Fez com que eu me empenhasse nos estudos... Você sabe, ela me forneceu uma forma de lidar com o que acontecia à minha volta, algo que eu não tinha antes, e me permitiu experimentar coisas que eu nunca tinha imaginado fazer.

— Contato físico — digo.

Ele aquiesce.

— Em certo sentido.

Franzo o cenho, sem entender.

Ele hesita diante da minha reação.

Conte!, peço-lhe.

— Se você cresce com uma autoimagem inteiramente negativa, pensando que é algum tipo de rejeitado, um selvagem incapaz de ser amado, você acha que merece apanhar.

Christian... você não é nada disso.

Ele faz uma pausa e passa a mão no cabelo.

— Ana, é muito mais fácil lidar com a dor do lado de fora... — Novamente, trata-se de uma confissão.

Ah.

— Ela canalizou minha raiva. — Seus lábios se apertam em uma expressão triste. — Principalmente por dentro; agora eu percebo isso. O Dr. Flynn tem tocado nesse ponto já faz algum tempo. Mas há pouco eu enxerguei nossa relação pelo que era. Você sabe... no meu aniversário.

Estremeço quando me vem à mente a desagradável lembrança de Elena e Christian se digladiando verbalmente na festa de aniversário dele.

— Para ela, aquela parte do nosso relacionamento era uma questão de sexo e controle, uma mulher solitária encontrando algum tipo de conforto em seu menino de estimação.

— Mas você gosta de controle — murmuro.

— É. Eu gosto. Sempre vou gostar, Ana. Eu sou assim. Abri mão disso por um curto espaço de tempo. Deixei outra pessoa tomar as decisões por mim. Eu mesmo não conseguia fazer isso; não estava em condições. Mas, com a minha submissão a ela, eu me reencontrei, e descobri a força de que precisava para tomar as rédeas da minha vida... ter o controle e tomar minhas próprias decisões.

— Tornar-se um Dominador?

— Sim.

— Decisão sua?

— Sim.

— Abandonar Harvard?

— Foi decisão minha, e a melhor que já tomei na vida. Até conhecer você.

— Eu?

— É. — Seus lábios desenham um sorriso suave. — A melhor decisão que eu já tomei na vida foi me casar com você.

Ai, meu Deus.

— Não foi começar a sua empresa?

Ele balança a cabeça em negativa.

— Nem aprender a pilotar?

Ele balança a cabeça.

— Você — diz ele sem emitir som. Ele acaricia minha face com os nós dos dedos. — Ela sabia — murmura ele.

Franzo a testa.

— Sabia o quê?

— Que eu estava completamente apaixonado. Ela me incentivou a ir para a Geórgia ver você, e que bom que fez isso. Ela achou que você entraria em pânico e se afastaria. O que realmente aconteceu.

Empalideço. Prefiro não pensar no assunto.

— Ela achava que eu precisava de todos os subterfúgios do estilo de vida de que eu gostava.

— O Dominador? — murmuro.

Ele admite.

— Dessa forma eu podia evitar me relacionar de verdade com quem quer que fosse, e isso me dava controle e me mantinha livre: ou pelo menos eu pensava assim. Tenho certeza de que você já imaginou por quê — acrescenta suavemente.

— Sua mãe biológica?

— Eu não queria sofrer de novo. E foi aí que você me deixou. — Mal ouço suas palavras. — E eu fiquei um trapo.

Ah, não.

— Eu fugi da intimidade por tanto tempo... não sei como fazer isso.

— Você está se saindo muito bem — murmuro.

Desenho o contorno dos seus lábios com o indicador. Ele os franze na forma de um beijo. *Você está me contando.*

— Você sente falta? — sussurro.

— Falta de quê?

— Daquele estilo de vida.

— Sinto, sim.

Ah!

— Mas só na medida em que sinto falta do controle que aquilo me dava. E sinceramente, a sua façanha estúpida — ele faz uma pausa — que salvou a minha irmã — murmura, suas palavras irradiando alívio, admiração e descrença. — É assim que eu sei.

— Sabe o quê?

— Realmente sei que você me ama.

Franzo a testa.

— Sabe mesmo?

— Sim, porque você arriscou tanto... por mim, pela minha família.

Enrugo ainda mais a testa. Ele se aproxima e passa o dedo entre as minhas sobrancelhas, acima do nariz.

— Aparece um *V* aqui quando você franze a testa. É bem gostoso de beijar. Eu às vezes me comporto tão mal... e ainda assim você continua aqui.

— Por que está surpreso de eu continuar aqui? Eu disse que não ia abandonar você.

— Por causa da minha reação quando você me contou que estava grávida. — Ele desce o dedo pelo meu rosto. — Você tinha razão. Eu sou um adolescente.

Ah, merda... Eu realmente disse isso. Meu inconsciente me olha com ar de censura. *O médico dele disse isso!*

— Christian, eu disse coisas horríveis.

Ele encosta o indicador nos meus lábios.

— Shh. Eu merecia ouvir. Além disso, estou lhe contando uma história. — Ele gira, deitando de costas novamente. — Quando você me disse que estava grávida... — Ele faz uma pausa. — Eu tinha pensado que seria só você e eu por um tempo. Eu tinha considerado a hipótese de uma criança, mas só de maneira abstrata. Eu tinha uma vaga ideia de um filho em algum momento no futuro.

Só um? Não... Não um filho único. Não como eu. Talvez não seja a melhor hora para eu tocar nesse assunto.

— Você ainda é tão jovem, e sei que é discretamente ambiciosa.

Ambiciosa? Eu?

— Bom, você me deixou sem chão. Nossa, aquilo me pegou de surpresa. Quando perguntei o que havia de errado, jamais, nem em um milhão de anos, eu imaginaria que você pudesse estar grávida. — Ele solta um suspiro. — Eu fiquei com tanta raiva... Raiva de você. De mim. De todo mundo. E isso me trouxe de volta aquela sensação de não ter nada sob o meu controle. Eu tinha que sair. Fui procurar o Flynn, mas ele estava ocupado, em um evento de associação de pais na escola. — Christian faz uma pausa e ergue uma sobrancelha.

— Que ironia — sussurro. Ele dá um sorriso, concordando.

— Então eu andei e andei e andei, e aí... me vi em frente ao salão. A Elena estava saindo. Ela ficou surpresa em me ver. E, verdade seja dita, também fiquei surpreso de estar naquele lugar. Ela percebeu que eu estava irritado e me convidou para beber alguma coisa.

Ah, merda. Direto ao ponto. Meu coração dispara. *Será que eu realmente quero saber o que aconteceu?* Meu inconsciente me censura com o olhar novamente, uma sobrancelha bem delineada erguida em sinal de alerta.

— Fomos a um bar tranquilo que eu conheço e tomamos uma garrafa de vinho. Ela se desculpou pelo modo como tinha se comportado da última vez que nos viu. Ficou magoada porque a minha mãe não quer mais saber dela, o que restringiu o círculo social que ela frequentava, mas compreende. Falamos sobre o negócio, que está indo bem apesar da recessão... E eu mencionei que você gostaria de ter filhos.

Franzo o cenho.

— Pensei que você tinha contado a ela que eu estava grávida.

Ele me observa, o rosto com uma expressão sincera.

— Não, não contei.

— Por que não me disse isso antes?

Ele dá de ombros.

— Não tive oportunidade.

— Teve sim.

— Não consegui encontrar você na manhã seguinte, Ana. E quando encontrei, você estava tão furiosa comigo...

Ah, sim.

— Estava mesmo.

— Enfim, em algum momento daquela noite, já no meio da segunda garrafa de vinho, ela se inclinou para me tocar. E eu fiquei paralisado — murmura ele, jogando o braço por cima dos olhos.

Meu couro cabeludo começa a pinicar. O *que é isso?*

— Ela viu que eu me retraí com o seu toque. Nós dois ficamos chocados. — A voz dele está baixa, muito baixa.

Christian, olhe para mim! Eu puxo seu braço, e ele se vira para me encarar. Merda. Seu rosto está pálido, os olhos arregalados.

— E aí? — falo baixinho.

Ele franze a testa e engole em seco.

Ah... O que ele não está me contando? Será que eu quero saber?

— Ela me passou uma cantada. — Ele está chocado, dá para perceber.

Todo o ar se esvai do meu corpo. Sinto-me exaurida e acho que meu coração parou de bater. *Aquela Monstra Filha da Mãe!*

— Foi só um instante, suspenso no tempo. Ela viu minha expressão e percebeu que tinha ido longe demais. Eu disse... não. Não penso nela naqueles termos há anos, e além do mais — ele engole em seco —, eu amo você. Eu disse a ela que eu amo a minha mulher.

Eu o fito. Não sei o que dizer.

— Ela recuou imediatamente. Pediu desculpas mais uma vez, fez parecer que tinha sido uma brincadeira. Sabe, ela disse que estava feliz com o Isaac e com o negócio, e que não queria causar mal a nós dois. Disse que sentia falta da minha amizade, mas que entendia que minha vida agora era com você. E foi muito estranho, tendo em vista o que aconteceu na última vez que estivemos no mesmo ambiente. Concordei inteiramente com ela. Então nos despedimos, dissemos um adeus definitivo. Eu disse que nunca mais iria procurá-la, e ela foi embora.

Engulo em seco, o medo trespassando meu coração.

— Vocês se beijaram?

— Não! — grunhe ele. — Eu não conseguiria ficar assim tão perto dela.

Ah, bem.

— Eu me sentia horrível e queria vir para casa, para perto de você. Mas... eu sabia que tinha agido muito mal. Então fiquei no bar e acabei com a garrafa, e depois comecei a tomar bourbon. Enquanto eu estava bebendo, me lembrei do que você me disse um tempo atrás: "Se fosse meu filho..." E comecei a pensar no

Júnior e em como tinha começado a minha relação com Elena. E isso me deixou... desconfortável. Eu nunca tinha pensado nisso dessa forma.

Uma lembrança surge em minha mente: uma conversa sussurrada quando eu estava semiconsciente — a voz de Christian: "*Mas me encontrar com ela finalmente colocou tudo numa nova perspectiva para mim. Você sabe... com relação à criança. Pela primeira vez eu senti... O que nós dois fizemos... foi errado.*" Ele estava falando com Grace.

— E foi só isso?

— Basicamente.

— Ah.

— Ah?

— Acabou?

— Acabou. Acabou desde que eu pus os olhos em você. Finalmente eu percebi naquela noite, e ela também.

— Desculpe — balbucio.

Ele franze a testa.

— Pelo quê?

— Por ter ficado tão furiosa no dia seguinte.

Ele solta um gemido rouco.

— Baby, eu entendo a fúria. — Ele faz uma pausa e suspira. — Sabe, Ana, eu quero você só para mim. Não quero dividir você. O que nós temos... eu nunca tive antes. Quero ser o centro do seu universo, pelo menos por um tempo.

Ah, Christian.

— E você é. Isso não vai mudar.

Ele me dá um sorriso triste, indulgente e resignado.

— Ana — murmura ele. — Isso simplesmente não é verdade.

Fico com os olhos marejados.

— Como é possível? — continua ele.

Ah, não.

— Merda... não chore, Ana. Por favor, não chore. — Ele acaricia meu rosto.

— Sinto muito. — Meu lábio inferior treme, e ele esfrega o polegar na minha boca, tranquilizando-me.

— Não, Ana, não. Não fique assim. Você vai ter alguém mais para amar também. E você tem razão. É assim que deve ser.

— O Pontinho também vai amar você. Você vai ser o centro do mundo do Pontinho... do Júnior — murmuro. — Os filhos amam os pais incondicionalmente, Christian. É assim que eles vêm ao mundo. Programados para amar. Todos os bebês... até você. Pense naquele livro infantil de que você gostava quando era criança. Você ainda queria a sua mãe. Você a amava.

Ele franze o cenho e puxa a mão, fechando-a e apoiando-a no queixo.

— Não — sussurra ele.

— Sim. Você a amava. — Minhas lágrimas agora descem livremente. — É claro que amava. Você não tinha escolha. É por isso que é tão doloroso.

Ele me olha fixamente, com uma expressão inflamada.

— É por isso que você é capaz de me amar — murmuro. — Perdoe a sua mãe. Ela tinha a própria dor para suportar. Ela foi uma péssima mãe, mas você a amava.

Ele me olha sem dizer uma palavra, os olhos assombrados — por lembranças que não posso nem sonhar em desvendar.

Ah, por favor, não pare de falar.

Após um tempo, ele diz:

— Eu costumava escovar o cabelo dela. Ela era bonita.

— Basta olhar para você que ninguém duvida.

— Ela foi uma péssima mãe. — Sua voz está quase inaudível.

Concordo, e ele fecha os olhos.

— Tenho medo de ser um péssimo pai.

Acaricio seu querido rosto. *Ah, meu amor, meu amor.*

— Christian, como você pode pensar que eu deixaria você ser um péssimo pai?

Ele abre os olhos e me encara por um tempo que parece uma eternidade. E começa a sorrir quando o alívio pouco a pouco ilumina seu rosto.

— É mesmo, você não deixaria. — Ele acaricia meu rosto com as costas da mão, olhando-me com admiração. — Meu Deus, você é tão forte, Sra. Grey. Eu amo tanto você. — Ele beija minha testa. — Nunca pensei que fosse capaz.

— Ah, Christian — murmuro, tentando conter minha emoção.

— Bom, e esse é o fim da minha história.

— Foi uma história e tanto...

Ele sorri melancolicamente, mas acho que está aliviado.

— Como está a sua cabeça?

— Minha cabeça? — *Na verdade, está a ponto de explodir, com tudo o que você me contou!*

— Ainda dói?

— Não.

— Ótimo. Acho que é bom você dormir agora.

Dormir! Como vou conseguir dormir depois de tudo isso?

— Durma — ordena ele, severo. — Você precisa.

Faço beicinho.

— Tenho uma pergunta.

— Ah, é? Qual? — Ele me olha com cautela.

— Por que você de repente ficou tão... comunicativo, por falta de palavra melhor?

Ele enruga a testa.

— Está me contando tudo isso, quando normalmente extrair informação de você é uma tarefa bastante difícil e cansativa.

— É?

— Você sabe que é.

— Por que estou sendo comunicativo? Não sei dizer. Talvez por ter visto você praticamente morta no chão frio de concreto. Ou porque vou ser pai. Não sei. Você disse que queria saber, e eu não desejo que a Elena se torne um problema entre nós. Ela não pode. Ela agora é passado, e eu já lhe disse isso muitas e muitas vezes.

— Se ela não tivesse dado em cima de você... vocês ainda seriam amigos?

— Isso é mais do que uma pergunta.

— Desculpe. Não precisa me responder. — Fico vermelha. — Você já se dispôs a contar muito mais do que eu jamais imaginei.

Seu olhar se suaviza.

— Não, acho que não, mas ela era uma questão não resolvida para mim desde o meu aniversário. Agora ela cruzou a linha, e acabou. Por favor, acredite. Não vou mais me encontrar com ela. Você disse que ela era um limite rígido para você. Esse é um termo que eu compreendo — responde ele, com sinceridade.

Tudo bem. Vou deixar esse assunto para trás. Meu inconsciente relaxa na cadeira. *Finalmente!*

— Boa noite, Christian. Obrigada pela história tão esclarecedora.

Eu me inclino para beijá-lo, e nossos lábios se tocam brevemente, mas ele recua quando tento intensificar o beijo.

— Não — murmura. — Estou desesperado para fazer amor com você.

— Então faça.

— Não, você precisa descansar, e está tarde. Vá dormir.

Ele apaga a luz da cabeceira, nos fazendo mergulhar na escuridão.

— Eu amo você incondicionalmente, Christian — murmuro, e me aconchego ao seu lado.

— Eu sei — sussurra ele, e posso sentir seu sorriso tímido.

Acordo com um sobressalto. A luz inunda o quarto, e Christian não está na cama. Olho para o relógio e vejo que são sete e cinquenta e três. Inspiro profundamente e estremeço, pois minhas costelas doem muito — embora não tanto quanto ontem. Acho que posso voltar ao trabalho. *Trabalho — sim.* Quero ir trabalhar.

Hoje é segunda-feira, e ontem passei o dia todo de preguiça na cama. Christian me deixou sair apenas por pouco tempo, para ver Ray. Francamente, ele ainda é maníaco por controle. Sorrio com ternura. *O meu maníaco por controle.* Ele anda atencioso, amoroso e falante... e não me toca desde que voltei para casa. Faço cara feia. Vou ter que tomar uma atitude quanto a isso. Minha cabeça não incomoda mais, a dor em torno das costelas já aliviou — embora eu tenha que admitir que preciso tomar cuidado ao rir —, mas estou frustrada. Acho que nunca fiquei tanto tempo sem sexo desde... bem, desde a primeira vez.

Acho que nós dois recuperamos nosso equilíbrio. Christian está muito mais relaxado; a longa história que ele me contou parece ter servido para apaziguar alguns fantasmas, para ele *e* para mim. Vamos ver.

Tomo um banho rápido e, após me secar, passo a escolher cuidadosamente uma roupa. Procuro algo sensual. Algo que excite Christian a ponto de fazê-lo entrar em ação. Quem diria que um homem tão insaciável pudesse efetivamente exercer tanto autocontrole? Não faço questão de saber como Christian aprendeu a ter tanta disciplina em relação ao próprio corpo. Nós não falamos da Monstra Filha da Mãe nem mais uma vez depois da sua explosão confessional. Espero não voltar ao assunto. Para mim, ela está morta e enterrada.

Escolho uma saia preta quase indecente de tão curta e uma blusa branca de seda com babados. Visto meias sete oitavos com renda e meus scarpins pretos de salto alto Louboutin. Um pouco de rímel e brilho nos lábios para manter uma aparência natural e, após umas escovadas vigorosas, deixo meu cabelo solto. Pronto. Acho que assim está bom.

Christian está tomando o café da manhã no balcão. Sua garfada de omelete para a caminho da boca quando me vê. Ele franze o cenho.

— Bom dia, Sra. Grey. Vai a algum lugar?

— Trabalhar. — Sorrio docemente.

— Pois eu acho que não — diz Christian, com um deboche bem-humorado. — A Dra. Singh disse uma semana de descanso.

— Christian, eu não vou passar o dia inteiro deitada na cama sozinha. Então é melhor eu ir trabalhar. Bom dia, Gail.

— Sra. Grey. — A Sra. Jones tenta esconder o sorriso. — Gostaria de tomar o café da manhã?

— Sim, por favor.

— Granola?

— Prefiro ovos mexidos com torrada de pão integral.

Ela sorri, e a expressão de Christian deixa transparecer sua surpresa.

— Pois não, Sra. Grey — diz a Sra. Jones.

— Ana, você não vai trabalhar.

— Mas...

— Não. É simples assim. Não discuta.

Christian está inflexível. Eu o fuzilo com o olhar, e só então reparo que ele ainda está com a calça do pijama e a camiseta que usou para dormir.

— Você não vai trabalhar? — pergunto.

— Não.

Será que estou ficando maluca?

— Hoje é segunda-feira, não é?

Ele sorri.

— Da última vez que eu olhei, era.

Eu semicerro os olhos.

— Vai fugir do trabalho hoje?

— Não vou deixar você aqui sozinha para se meter em alguma enrascada. E a Dra. Singh disse que só daqui a uma semana você poderia voltar ao trabalho. Lembra?

Sento-me num banco ao lado dele e levanto a saia um pouco. A Sra. Jones coloca uma xícara de chá na minha frente.

— Você está com uma aparência boa — diz Christian. Cruzo as pernas. — Muito boa. Principalmente aqui. — Com o dedo, ele traça uma linha sobre a faixa de pele que aparece acima da minha meia. Minha pulsação acelera quando o sinto tocar minha pele. — Essa saia é muito curta — murmura ele, os olhos seguindo seu dedo, a voz denotando uma leve reprovação.

— É mesmo? Não tinha reparado.

Christian me fita com a boca retorcida num riso de irritação e divertimento ao mesmo tempo.

— Verdade, Sra. Grey?

Fico vermelha.

— Não sei se esse traje é adequado para o ambiente de trabalho — murmura ele.

— Bom, já que eu não vou trabalhar, isso é discutível.

— Discutível?

— Discutível. — Articulo as sílabas em silêncio.

Ele sorri novamente e volta a comer sua omelete.

— Tenho uma ideia melhor.

— Você tem?

Ele me fita com os olhos semicerrados, seu olhar cinzento escurecendo. Eu inspiro com força. *Ah, meu Deus. Já não era sem tempo.*

— Podemos ir ver o que o Elliot está aprontando na reforma da casa.

O quê? Ah! Que sacanagem! Lembro vagamente que estávamos para fazer isso antes de Ray sofrer o acidente.

— Eu adoraria.

— Ótimo. — Ele ri.

— Você não tem que ir trabalhar?

— Não. Ros já voltou de Taiwan. Tudo correu bem. Hoje está tudo em seus devidos lugares.

— Pensei que *você* é que iria a Taiwan.

Ele emite um som rouco.

— Ana, você estava no hospital.

— Ah.

— Isso mesmo: ah. Então hoje eu vou aproveitar e passar um tempo com a minha esposa. — Ele estala os lábios após tomar um gole de café.

— Aproveitar... comigo? — Não consigo disfarçar a esperança na voz.

A Sra. Jones coloca os ovos mexidos na minha frente, novamente mal disfarçando o sorriso.

Christian sorri.

— Aproveitar com você — anui ele.

Estou com tanta fome que paro de flertar com o meu marido.

— É bom ver você comer — murmura ele. Então se levanta e se inclina para beijar minha cabeça. — Vou tomar um banho.

— Hmm... posso ir junto para esfregar as suas costas? — pergunto, com a boca cheia de torrada e ovos mexidos.

— Não. Coma.

Ao se afastar do balcão, Christian tira a camiseta, oferecendo-me uma bela visão de seus ombros esculpidos e de suas costas nuas enquanto sai tranquilamente do salão. Paro de mastigar por um instante. Ele está fazendo isso de propósito. *Por quê?*

Christian está relaxado na Drive North. Acabamos de deixar Ray e o Sr. Rodriguez assistindo a um jogo de futebol na nova televisão de tela plana que desconfio ter sido comprada por Christian para o quarto de Ray no hospital.

Christian tem andado mais calmo desde "a conversa". É como se ele tivesse tirado um grande peso de cima dos próprios ombros. A sombra da Mrs. Robinson não está mais tão presente entre nós; talvez por eu ter decidido não me preocupar mais... ou então por ele ter decidido assim — não sei dizer. Eu agora me sinto mais próxima dele do que jamais me senti. Talvez porque ele finalmente confiou em mim. Espero que continue a confiar. Além disso, ele está aceitando melhor a vinda do bebê. Ainda não saiu para comprar um berço, mas tenho grandes expectativas.

Eu o contemplo, devorando-o com os olhos enquanto ele dirige. Ele tem o ar descontraído, tranquilo… e sensual, com o cabelo despenteado, óculos Ray-ban, paletó listrado, camisa de linho branco e calça jeans.

Ele me olha e aperta minha perna logo acima do joelho, seus dedos me acariciando delicadamente.

— Que bom que você não mudou de roupa.

Na verdade, eu vesti uma jaqueta jeans e troquei os sapatos por outros sem saltos, mas continuo de minissaia. Seus dedos descansam sobre meu joelho. Coloco a mão sobre a dele.

— Você vai continuar me provocando?

— Talvez. — Christian sorri.

— Por quê?

— Porque sim. — Ele alarga o sorriso, mais infantil do que nunca.

— Olhe que eu posso pagar na mesma moeda — murmuro.

Seus dedos se movem provocativamente por cima da minha coxa.

— Vá em frente, Sra. Grey. — Seu sorriso se amplia ainda mais.

Pego sua mão e a coloco de volta sobre seu joelho.

— Bom, segure essas mãos nervosas.

Ele ri.

— Como quiser, Sra. Grey.

Droga. Desse jeito, meu tiro vai sair pela culatra.

CHRISTIAN PARA NA entrada para carros da nossa casa nova. Ele estaciona junto ao teclado numérico e digita um número; os portões de ferro branco trabalhado se abrem. Subimos a alameda ladeada de árvores, sob uma cobertura de folhas mescladas de verde, amarelo e cobre. A grama alta da campina já está ficando com tons dourados, mas ainda há algumas flores silvestres amarelas pincelando a relva. O dia está bonito. O sol brilha no céu e o cheiro acre e salgado do canal se mistura com o aroma do outono vindouro no ar. É um lugar tranquilo. E pensar que vamos construir nosso lar aqui!

A alameda faz uma curva e adiante surge nossa casa. Estacionados na frente estão vários grandes caminhões com o logotipo da GREY CONSTRUCTION gravado nas laterais. A casa está coberta de andaimes, onde trabalham diversos operários com capacetes de obra.

Christian para o carro em frente ao pórtico e desliga o motor. Posso sentir seu entusiasmo.

— Vamos procurar o Elliot.

— Ele está aqui?

— Espero que sim. Pelo que ele está recebendo...

Solto um resmungo de desdém, e Christian ri ao sairmos do carro.

— E aí, mano! — grita Elliot de algum lugar desconhecido. Ambos olhamos em volta. — Aqui em cima! — Ele está no telhado, acenando para nós e sorrindo de orelha a orelha. — Já era hora de vocês darem uma passada por aqui. Fiquem aí mesmo. Estou descendo.

Dou uma olhada para Christian, que dá de ombros. Alguns minutos depois, Elliot aparece na porta da frente.

— E aí, mano. — Ele aperta a mão de Christian. — E como vai você, senhorinha? — Ele me levanta e me gira no ar.

— Melhor, obrigada. — Dou uma risadinha sem ar, minhas costelas protestando. Christian olha zangado para o irmão, mas Elliot o ignora.

— Vamos para o escritório. Vocês vão precisar disso aqui. — E dá tapinhas no capacete.

A CASA É APENAS o esqueleto. O piso está coberto com um material duro e fibroso que parece aniagem; algumas das paredes originais desapareceram, substituídas por outras. Elliot nos conduz pelo local, explicando o que está acontecendo, enquanto os operários — e algumas operárias — trabalham por toda parte ao nosso redor. Fico aliviada ao ver que a escada de pedra, com sua intricada balaustrada de ferro, permanece no mesmo lugar, inteiramente coberta por capas de proteção brancas.

Na sala de estar principal, a parede dos fundos foi removida para dar lugar à parede de vidro proposta por Gia, e o terraço está começando a ser alterado. Apesar da bagunça, a vista ainda é estonteante. O novo visual da reforma é harmonioso, combinando com o charme antigo da casa... Gia fez um bom trabalho. Elliot explica pacientemente os passos da obra e nos dá uma estimativa de tempo para cada parte. Ele espera que possamos estar instalados até o Natal, embora Christian considere esse prazo excessivamente otimista.

Puxa vida — passar o Natal com vista para o Canal. Mal posso esperar. Uma onda de entusiasmo se forma dentro de mim. Vejo a nós dois enfeitando uma árvore enorme, enquanto um menininho de cabelo acobreado nos observa maravilhado.

Elliot termina a excursão pela cozinha.

— Vou deixar vocês dois livres para andar por aí. Cuidado. Estamos num canteiro de obras.

— Claro. Obrigado, Elliot — murmura Christian, pegando a minha mão. — Feliz? — ele me pergunta quando nos vemos sozinhos. Estou olhando para a estrutura do cômodo e imaginando onde vou pendurar os quadros de pimenta que compramos na França.

— Muito. Adorei. E você?

— Idem. — Ele sorri.

— Ótimo. Eu estava pensando nos quadros de pimenta aqui.

Christian aquiesce.

— Quero colocar nesta casa as suas fotos que o José tirou. Você tem que decidir onde.

Fico vermelha.

— Em algum lugar onde eu não precise vê-las sempre.

— Não fale assim — repreende-me ele, esfregando o polegar no meu lábio inferior. — São os meus quadros prediletos. Adoro o que está no meu escritório.

— Não sei por quê — murmuro, e beijo seu polegar.

— Tem coisas piores para se fazer do que ficar olhando o seu lindo rosto sorridente o dia inteiro. Está com fome?

— Fome de quê? — sussurro.

Ele dá um sorriso malicioso, seus olhos escurecendo. Desejo e esperança começam a correr em minhas veias.

— De comida, Sra. Grey. — E ele pousa um beijo suave na minha boca.

Faço cara de zangada e solto um suspiro.

— Estou. Ultimamente eu ando sempre com fome.

— Podemos fazer um piquenique, nós três.

— Nós três? Alguém mais está vindo?

Christian inclina a cabeça para o lado.

— Daqui a uns sete ou oito meses.

Ah... Pontinho. Abro um sorriso bobo para ele.

— Achei que você fosse gostar de comer ao ar livre.

— Na campina? — indago.

Ele faz que sim.

— Claro. — Sorrio.

— Este vai ser um excelente lugar para se criar uma família — murmura ele, me olhando.

Família! Mais de um? Será que me atrevo a mencionar isso agora?

Christian estende os dedos sobre a minha barriga. *Puta merda*. Prendo a respiração e coloco minha mão sobre a dele.

— É difícil de acreditar — sussurra ele, e pela primeira vez percebo fascinação em sua voz.

— Eu sei. Ah! Aqui. Tenho uma prova. Uma foto.

— Você tem? O primeiro sorriso do bebê?

Tiro da carteira a ultrassonografia do Pontinho.

— Está vendo?

Christian examina a imagem atentamente, olhando por vários segundos.

— Ah... Pontinho. Claro, estou vendo. — Ele parece distante, admirado.

— Seu filho — sussurro.

— Nosso filho — corrige-me ele.

— O primeiro de muitos.

— Muitos? — Ele arregala os olhos de susto.

— Pelo menos dois.

— Dois? — Ele pronuncia a palavra com cautela. — Não podemos pensar em uma criança de cada vez?

Eu sorrio.

— Claro.

Saímos novamente, voltando à quente tarde de outono.

— Quando você vai contar para os seus pais?

— Logo — murmuro. — Pensei em contar ao Ray hoje de manhã, mas o Sr. Rodriguez estava lá. — Dou de ombros.

Christian aquiesce e abre a capota do R8. Lá dentro há uma cesta de piquenique e a toalha xadrez que compramos em Londres.

— Venha — diz ele, segurando a cesta e a toalha com uma das mãos e estendendo a outra na minha direção. Juntos caminhamos até a campina.

— Claro, Ros, pode providenciar.

Christian desliga. É o terceiro telefonema durante o nosso piquenique. Ele chutou para longe os sapatos e as meias e agora está me observando, os braços sobre os joelhos dobrados. Seu paletó está jogado sobre a minha jaqueta, por causa do sol quente. Estou deitada a seu lado, estirada na toalha de piquenique, nós dois rodeados pela grama alta verde e dourada, longe do barulho da casa e fora do alcance dos olhos curiosos dos operários. Estamos em nosso refúgio bucólico. Ele me dá na boca mais um morango, que eu mastigo com prazer, fitando seus olhos, que começam a escurecer.

— Gostoso? — sussurra ele.

— Muito.

— Saciada?

— De morangos, já.

Seus olhos reluzem perigosamente, e ele sorri com malícia.

— A Sra. Jones prepara um piquenique de primeira — diz.

— Ah, isso é — sussurro.

Subitamente mudando de posição, ele se deita de forma a descansar a cabeça na minha barriga. Fecha os olhos e parece satisfeito. Enfio os dedos no seu cabelo.

Ele solta um suspiro pesado, depois franze o rosto e verifica o número que aparece na tela do seu BlackBerry. Revirando os olhos, atende a ligação.

— Welch — fala rápido. Ele se enrijece, ouve por um ou dois segundos e de repente se ergue de um salto.

— Dia e noite... Obrigado — diz entre os dentes, e desliga.

A metamorfose em seu estado de espírito é instantânea. Adeus ao meu marido provocante e galanteador, que foi substituído por um frio e calculista mestre do universo. Ele estreita os olhos por um momento e depois me dirige um sorriso frio e assustador. Sinto um calafrio na espinha. Christian pega o BlackBerry e pressiona um número de discagem rápida.

— Ros, quantas ações da Madeireira Lincoln nós temos? — Ele se ajoelha.

Meu couro cabeludo começa a pinicar. *Ah, não, o que é isso?*

— Então, incorpore as ações à GEH e demita a diretoria... menos o CEO... Não me interessa... Já ouvi você, agora faça o que estou mandando... Obrigado... Mantenha-me informado. — Ele desliga e me olha impassível por um instante.

Puta merda! Christian está furioso.

— O que aconteceu?

— Linc — murmura ele.

— Linc? O ex da Elena?

— Ele mesmo. Foi ele quem pagou a fiança do Hyde.

Olho para ele boquiaberta; estou chocada. Ele pressiona com força os lábios.

— Bom... ele vai parecer um idiota — murmuro, abismada. — Afinal, o Hyde cometeu outro crime depois que foi solto.

Os olhos de Christian se estreitam, e ele sorri.

— Muito bem colocado, Sra. Grey.

— O que você acabou de fazer? — Eu me ajoelho, encarando-o.

— Acabei de foder com ele.

Ah!

— Hmm... isso parece um pouco impulsivo — murmuro.

— Sou um cara que age na empolgação do momento.

— Sei bem disso.

Seus olhos se estreitam e seus lábios se apertam.

— Eu tinha esse plano na manga já faz algum tempo — diz ele secamente.

Franzo a testa.

— É?

Ele faz uma pausa, parecendo pesar algo mentalmente, e depois respira fundo.

— Um tempo atrás, quando eu tinha vinte e um anos, Linc encheu a mulher de porrada. Quebrou o maxilar dela, o braço esquerdo e quatro costelas, porque ela estava transando comigo. — Seus olhos endurecem. — E agora eu descobri que ele pagou a fiança de um homem que tentou me matar, sequestrou a minha irmã e fraturou o crânio da minha esposa. Já chega. Acho que é hora de dar o troco.

Fico lívida. *Puta merda.*

— Muito bem colocado, Sr. Grey — sussurro.

— Ana, é assim que eu ajo. Normalmente não sou vingativo, mas não posso deixar o Linc se safar dessa vez. O que ele fez com a Elena... Bom, ela devia ter dado queixa, mas não. Preferiu assim.

Ele continua: Mas ele realmente ultrapassou todos os limites com o Hyde. O Linc tornou tudo isso pessoal quando começou a perseguir a minha família. Vou acabar com ele, fazer a sua empresa quebrar bem debaixo do nariz dele e vender as partes para quem der a maior oferta. Vou fazer com que ele peça falência.

Puxa...

— Além disso — Christian ri afetadamente —, vamos faturar um bom dinheiro com o negócio.

Os olhos que eu encaro são cinzentos e estão em chamas, mas subitamente se suavizam.

— Eu não queria assustar você — sussurra ele.

— Você não me assustou — minto.

Ele levanta uma sobrancelha, achando graça.

— Você só me pegou de surpresa — murmuro, e depois engulo em seco. Christian às vezes é bem assustador.

Ele roça os lábios nos meus.

— Vou fazer tudo o que estiver ao meu alcance para manter você segura. Para manter a minha família segura. Para deixar este menininho em segurança — murmura ele, e estende a mão sobre a minha barriga, acariciando delicadamente.

Ah... Minha respiração fica suspensa. Christian me encara, os olhos escurecendo. Seus lábios se abrem quando ele inspira e, em um movimento deliberado, as pontas dos seus dedos roçam meu sexo.

Puta merda. O desejo detona como um dispositivo incendiário, ardendo nas minhas veias. Agarro sua cabeça, meus dedos se enfiando no seu cabelo, e o puxo forte até minha boca encontrar a dele. Ele leva um susto, surpreso com meu ataque, e dá livre acesso à minha língua dentro de sua boca. Ele geme e retribui meu beijo, seus lábios e sua língua famintos pelos meus, e durante um instante nós consumimos um ao outro, perdidos em línguas, lábios e respirações e a sensação mais do que doce de redescobrir um ao outro.

Ah, eu quero esse homem. Já faz muito tempo. E o quero aqui, agora, ao ar livre, na nossa campina.

— Ana — fala ele, sem fôlego, em êxtase, e sua mão desliza pela lateral do meu corpo até a bainha da minha saia. Eu me contorço para desabotoar a camisa dele, e sou só dedos e polegares. — Uau, Ana... pare. — Ele se afasta, o maxilar contraído, e agarra as minhas mãos.

— Não. — Meus dentes prendem seu lábio inferior, e eu puxo. — Não — murmuro novamente, encarando-o. Eu o solto. — Quero você.

Ele inspira profundamente. Está dividido, a indecisão estampada em seus luminosos olhos cinzentos.

— Por favor, eu preciso de você. — Todos os poros do meu ser suplicam. *É isso o que fazemos.*

Ele geme, capitulando, e sua boca encontra a minha, moldando meus lábios junto aos seus. Uma das mãos agarra a minha cabeça enquanto a outra desliza pelo meu corpo até a minha cintura, e cuidadosamente ele me faz deitar de costas e se deita também, ao meu lado, sem jamais desfazer o contato com a minha boca.

Ele se afasta e ergue o torso, olhando-me fixamente de cima.

— Você é tão linda, Sra. Grey.

Acaricio seu lindo rosto.

— Você também, Sr. Grey. Por dentro e por fora.

Ele franze o cenho, e meus dedos traçam uma linha nas rugas formadas em sua testa.

— Não faça essa cara. Para mim, você é lindo sim, mesmo quando está zangado — sussurro.

Ele geme mais uma vez, e sua boca se prende à minha, empurrando-me para o gramado macio por baixo da toalha.

— Senti sua falta — murmura ele, e seus dentes arranham de leve o meu queixo. Meu coração dispara.

— Também senti sua falta. Ah, Christian.

Seguro seu cabelo com força, e com a outra mão aperto seu ombro.

Seus lábios descem até o meu pescoço, deixando beijos doces no caminho, e seus dedos também agem, desabotoando minha blusa com destreza, de cima a baixo. Abrindo-a com avidez, Christian beija a curva macia dos meus seios. Ele solta murmúrios de apreciação, sons baixos e guturais, que ecoam dentro do meu corpo até os locais mais íntimos e profundos.

— Seu corpo está mudando — sussurra ele. Seu polegar brinca com o meu mamilo até torná-lo ereto, duro contra o sutiã. — Gostei — acrescenta.

Observo sua língua contornar a linha do sutiã, saboreando a pele dos meus seios, provocando-me. Agarrando o bojo do meu sutiã delicadamente com os dentes, ele o abaixa, liberando meu seio. No processo, seu nariz roça meu mamilo, que se contrai com o toque e o frescor da suave brisa de outono. Seus lábios se fecham em volta do bico do meu seio; Christian chupa demorada e intensamente.

— Ah! — gemo, inspirando com força, e depois estremeço, pois a dor se irradia para além das minhas costelas machucadas.

— Ana! — exclama Christian, e me fita com censura e preocupação. — Era disso que eu estava falando — adverte. — Sua falta de instinto de autopreservação. Não quero machucar você.

— Não... não pare — choramingo. Ele me encara, travando uma batalha consigo mesmo. — Por favor.

— Aqui.

Subitamente ele muda de posição, fazendo-me montar nele, minha minissaia agora enrolada ao redor do meu quadril. Suas mãos deslizam para as minhas coxas, até encontrar minhas meias.

— Pronto. Assim está melhor, e eu ainda posso apreciar a vista.

Ele enfia o indicador no outro bojo do sutiã, liberando também meu outro seio. Então agarra os dois, e jogo a cabeça para trás, empurrando-os para suas mãos habilidosas e convidativas. Ele me provoca, puxando e girando meus mamilos até eu gritar, e depois se senta para ficarmos com os narizes colados, seus olhos gulosos pregados nos meus. Ele me beija, seus dedos ainda me provocando. Eu agarro sua camisa e abro os dois primeiros botões, e isso funciona como uma sobrecarga de sensações: quero beijá-lo em todas as partes, despi-lo, fazer amor com ele agora mesmo.

— Ei... — Ele segura minha cabeça delicadamente e a puxa para trás, seus olhos escuros cheios de promessas sensuais. — Não temos pressa. Vá devagar. Quero saborear você.

— Christian, faz tanto tempo... — Estou ofegante.

— Devagar — sussurra ele, e é uma ordem. Ele beija o canto direito da minha boca. — Devagar. — Agora o esquerdo. — Sem pressa, baby. — Puxa meu lábio inferior com os dentes. — Vamos bem devagar. — Enfia os dedos no meu cabelo, mantendo-me imóvel quando sua língua invade minha boca, buscando, provando, acalmando... inflamando. Ah, meu homem sabe beijar.

Acaricio seu rosto, depois levo as mãos hesitantemente para seu queixo e seu pescoço, e então recomeço a desabotoar sua camisa, lentamente, enquanto ele continua me beijando. Abro sua camisa devagar, passando os dedos pelas suas clavículas, sentindo sua pele quente e sedosa. Empurro-o delicadamente de costas, até que fique deitado por baixo de mim. Estou sentada sobre ele e o encaro, ciente de que estou me contorcendo sobre sua ereção cada vez maior. *Hmm.* Com os dedos, desenho uma linha imaginária dos seus lábios até o queixo, depois até o pescoço, passando pelo pomo de adão, até chegar à pequenina cavidade na base da garganta. *Meu homem lindo.* Então me abaixo, e deposito beijos no mesmo caminho traçado pelos meus dedos. Agarro seu queixo com os dentes e beijo seu pescoço. Ele fecha os olhos.

— Ah.

Christian geme e joga a cabeça para trás, dando-me acesso mais livre para a base do seu pescoço, a boca relaxada e aberta em silenciosa veneração. O Sr. Grey entregue e excitado é uma visão tão estimulante... e me deixa excitada também.

Com a língua, traço uma trilha pelo esterno dele, enrolando os pelos do seu peito. *Hmm.* Que gosto bom. Que cheiro bom. Inebriante. Beijo duas das suas pequenas cicatrizes redondas, uma de cada vez, e quando ele me agarra pelo quadril, deixo meus dedos sobre seu tórax e o encaro. Sua respiração está ofegante.

— Você quer isso? Aqui? — pergunta ele, quase sem ar, os olhos encobertos por uma extasiante combinação de amor e luxúria.

— Quero — murmuro, e meus lábios e minha língua descem pelo seu peito até o mamilo. Puxo e giro delicadamente com os dentes.

— Ah, Ana — murmura ele, e, passando os braços pela minha cintura, me levanta, abrindo o botão e o zíper da calça e libertando sua ereção.

Ele me acomoda novamente, e eu me empurro contra ele, deliciada com a sensação de tê-lo quente e duro por baixo de mim. Ele desliza as mãos pelas minhas coxas, parando no ponto onde a meia se encontra com a pele, as mãos desenhando círculos pequenos e provocantes no alto das minhas coxas de modo a que as pontas dos seus polegares me tocam... me tocam onde quero ser tocada. Minha respiração fica arfante.

— Espero que você não seja apegada a essa calcinha — murmura ele, os olhos selvagens e brilhantes.

Seus dedos seguem o elástico na altura da minha barriga e depois deslizam para dentro, provocando-me, antes de agarrar minha calcinha com força e enfiar os polegares pelo tecido fino. A peça se rasga. Suas mãos se abrem sobre minhas coxas e seus polegares roçam no meu sexo uma vez mais. Ele flexiona o quadril, esfregando sua ereção em mim.

— Estou sentindo que você está bem molhada. — Sua voz está tingida de satisfação lasciva. De repente ele se senta, o braço em torno da minha cintura, e ficamos com os narizes colados. Ele esfrega o nariz no meu. — Vamos fazer isso devagar, Sra. Grey. Quero sentir você toda.

Ele me levanta e, em um ritmo lento, delicado e até frustrante, me abaixa sobre si. Sinto cada centímetro dele entrar em mim.

— Ah...

Gemo palavras incoerentes e agarro seus braços. Tento me levantar para provocar uma fricção agradável, mas ele me mantém no lugar.

— Todo dentro de você — murmura ele, e inclina a pélvis, metendo em mim até o fundo. Jogo a cabeça para trás e solto um grito abafado de puro prazer. — Quero ouvir você — pede. — Não... não se mexa, apenas sinta.

Abro os olhos, minha boca congelada em um silencioso *Ah!*. Ele está me encarando, os olhos cinzentos nublados e libidinosos fitando diretamente os meus, de um azul deslumbrado. Ele se mexe, girando o quadril, mas me mantém no lugar.

Solto um gemido. Seus lábios estão grudados no meu pescoço, me beijando.

— Esse é o meu lugar preferido. Enterrado em você — sussurra ele.

— Por favor, eu quero movimento — imploro.

— Devagar, Sra. Grey. — Ele flexiona os quadris novamente e o prazer atravessa todo o meu corpo. Prendo seu rosto entre as mãos e o beijo, consumindo-o.

— Faça amor comigo. Por favor, Christian.

Seus dentes deslizam do meu queixo até a orelha.

— Comece — sussurra ele, e me levanta, para cima e para baixo.

Minha deusa interior se vê solta, e eu o empurro de encontro ao solo e começo a me mover, saboreando a sensação de tê-lo dentro de mim... montando nele... montando nele de verdade. Com as mãos ao redor da minha cintura, ele entra no meu ritmo. Como eu senti falta disso... a inebriante sensação de tê-lo por baixo de mim, dentro de mim... o sol batendo nas minhas costas, o doce aroma do outono no ar, a brisa suave. É uma mescla embriagante de sentidos: tato, paladar, olfato e a visão de meu amado marido debaixo de mim.

— Ah, Ana — geme ele, os olhos fechados, a cabeça para trás, a boca aberta.

Ah... Eu adoro isso. E por dentro eu me aproximo... chegando lá... cada vez... mais. As mãos de Christian se movem para as minhas coxas e seus polegares delicadamente pressionam-nas no alto, e eu sinto uma explosão em volta dele... e outra... e outra... e outra, e desmorono, esparramando-me sobre seu peito quando ele, por sua vez, grita, aliviando-se e chamando o meu nome com amor e satisfação.

ELE ME ACARICIA contra o peito, aconchegando minha cabeça. *Hmm.* Fecho os olhos e saboreio o prazer de ter seus braços ao redor do meu corpo. Minha mão descansa sobre seu peito, sentindo a batida regular do seu coração, que vai reduzindo o ritmo e acalmando. Eu o beijo e me aninho nele, e fico maravilhada porque há um tempo nem tão longínquo assim, ele não me deixava fazer isso.

— Está melhor? — pergunta ele. Levanto a cabeça. Ele está sorrindo largamente.

— Muito melhor. E você? — Meu sorriso é tão grande quanto o dele.

— Senti saudades suas, Sra. Grey. — Ele fica sério por um instante.

— Eu também.

— Nada de heroísmo agora, viu?

— Tudo bem — prometo.

— Fale sempre comigo — murmura.

— O mesmo para você, Grey.

Ele ri.

— Muito bem colocado. Vou tentar. — Ele beija minha cabeça.

— Acho que vamos ser felizes aqui — sussurro, fechando os olhos novamente.

— Aham. Você, eu e... o Pontinho. Aliás, como se sente?

— Bem. Relaxada. Feliz.

— Ótimo.

— E você?

— Todas essas coisas — murmura ele.

Eu o fito, tentando avaliar sua expressão.

— O que foi? — indaga ele.

— Sabe, você é muito mandão durante o sexo.

— Está reclamando?

— Não, só estava pensando... você disse que sentia falta.

Ele fica imóvel, me fitando.

— Às vezes — sussurra ele.

Ah.

— Bom, vamos ter que ver o que podemos fazer com relação a isso — murmuro, e beijo-o de leve na boca, aninhando-me nele como uma trepadeira.

Imagens de nós dois juntos, no quarto de jogos; o Tallis, a mesa, a cruz, algemada na cama... Eu adoro a trepada sacana dele — *nossa* trepada sacana. Sim, eu posso fazer esse tipo de coisa. Posso fazer isso por ele, com ele. *Posso fazer isso por mim.* Minha pele formiga quando me lembro do chicote de montaria.

— Eu também gosto de jogar — murmuro, e, olhando para cima, recebo um sorriso tímido em retribuição.

— Você sabe, eu realmente gostaria de testar os seus limites — diz ele.

— Limites de quê?

— De prazer.

— Ah, acho que eu vou gostar disso.

— Bom, quem sabe quando voltarmos para casa? — sussurra ele, deixando a promessa suspensa no ar.

E me aconchego nele novamente. Eu o amo tanto.

Já se passaram dois dias desde o nosso piquenique. Dois dias desde a promessa de *bom, quem sabe quando voltarmos para casa*. Christian ainda está me tratando como se eu fosse quebrar a qualquer instante. Ele ainda não me deixa ir à editora, então tenho trabalhado de casa. Sentada a minha mesa, coloco de lado a pilha de cartas de propostas de livros que estou lendo e solto um suspiro. Christian e eu não voltamos ao quarto de jogos desde que eu usei a palavra de segurança. E ele disse que sente falta. Pois eu também... ainda mais agora que ele quer explorar meus limites. Fico ruborizada, pensando a que isso poderia levar. Olho para a mesa de sinuca... É sério, mal posso esperar para explorar meus limites.

Meus pensamentos são interrompidos por um som lírico e suave que enche o apartamento. Christian está tocando piano; não um de seus costumeiros lamentos, mas uma melodia doce, uma melodia carregada de esperanças — que reconheço, mas que nunca o tinha ouvido tocar.

Na ponta dos pés, me aproximo do arco da sala e fico observando Christian ao piano. É a hora do entardecer. O céu está colorido com um tom forte de cor-de-rosa, e a luz se reflete no seu cabelo cor de cobre. Ele está como sempre, lindo de tirar o fôlego, e se concentra na música, sem se dar conta da minha presença. Christian tem andado tão acessível nos últimos dias, tão atencioso... oferecendo pequenas doses do seu dia, dos seus pensamentos, dos seus planos. É como se tivesse sido aberta uma fenda em uma barragem e ele começasse a falar.

Sei que daqui a poucos minutos ele virá ver como estou, o que me dá uma ideia. Animada, saio às escondidas, na esperança de que ele ainda não tenha me visto, e corro para o nosso quarto, tirando a roupa no caminho, até estar apenas com a minha calcinha de renda azul-clara. Encontro uma blusinha da mesma cor e a visto rapidamente. Vai esconder meu hematoma. Procurando no closet, pego na gaveta o jeans surrado de Christian — a calça que ele usa no quarto de jogos; a minha predileta. Pego o BlackBerry na minha mesa de cabeceira, dobro a calça jeans cuidadosamente e me ajoelho perto da porta do quarto, que, entreaberta, me permite ouvir os acordes de outra peça musical — essa eu não conheço. Mas também é uma melodia alegre; e é linda. Rapidamente digito um e-mail.

De: Anastasia Grey
Assunto: O prazer do meu marido
Data: 21 de setembro de 2011 20:45
Para: Christian Grey

Senhor,

Aguardo instruções.

Sempre sua,

Sra. G.

Pressiono "enviar".

Alguns momentos depois, a música é interrompida bruscamente. Meu coração parece parar, e depois dispara. Fico esperando, até que finalmente ouço o apitar do BlackBerry.

De: Christian Grey
Assunto: O prazer do meu marido <—— adorei o assunto, querida
Data: 21 de setembro de 2011 20:48
Para: Anastasia Grey

Sra. G.,
Fiquei intrigado. Estou indo atrás de você.
Prepare-se.

Christian Grey
CEO Ansioso, Grey Enterprises Holdings, Inc.

Prepare-se! Meu coração acelera e eu começo a contar. Trinta e sete segundos depois, a porta se abre. Olho para seus pés descalços que pararam na soleira da porta. *Hmm.* Ele não diz nada. Uma eternidade sem dizer nada. *Ah, merda.* Resisto à tentação de erguer o olhar e mantenho os olhos baixos.

Finalmente, ele se abaixa e pega a calça jeans. Fica em silêncio, mas se dirige ao closet enquanto permaneço parada. *Ah, meu Deus... é agora.* Meu coração golpeia meu peito, e saboreio a onda de adrenalina que percorre meu corpo. Começo a me contorcer à medida que meu entusiasmo aumenta. O que ele vai fazer comigo? Alguns minutos depois ele está de volta, de calça jeans.

— Então você quer brincar? — murmura ele.

— Sim.

Ele não diz nada, e arrisco uma espiada rápida... na sua calça jeans, nas coxas cobertas pelo tecido grosso, na suave protuberância na braguilha, no botão aberto na cintura, nos pelos do baixo ventre, no umbigo, no abdômen definido, nos pelos do peito, nos olhos cinzentos em chamas e na cabeça inclinada para o lado. Ele levanta uma sobrancelha. *Ah, merda.*

— Só "sim"? — sussurra ele.

Ah.

— Sim, senhor.

Seus olhos se suavizam.

— Boa menina — murmura ele, e acaricia minha cabeça. — Acho que é melhor levar você lá para cima — acrescenta.

E eu me desfaço por dentro, meu ventre se contraindo de uma maneira deliciosa.

Ele pega minha mão e eu o sigo pelo apartamento, escada acima. Antes de entrar no quarto de jogos, ele para, se curva e me beija delicadamente, e então agarra meu cabelo com força.

— Sabe, na verdade é você quem está no comando — murmura ele, os lábios colados nos meus.

— O quê? — Não entendo o que ele quer dizer.

— Não importa. Posso viver com isso — sussurra ele, achando graça, e roça o nariz no meu queixo, beijando minha orelha delicadamente. — Quando entrarmos, ajoelhe-se, como eu lhe ensinei.

— Sim... senhor.

Ele me fita novamente, os olhos brilhando de amor, admiração e pensamentos pecaminosos.

Puxa... A vida nunca será monótona com Christian, e eu entrei nessa de vez. Amo este homem: meu marido, meu amante, pai do meu filho, meu Dominador ocasional... meu Cinquenta Tons.

EPÍLOGO

Casa Grande, maio de 2014

Estou deitada na nossa toalha xadrez de piquenique e olho para o céu claro e azul do verão, minha visão emoldurada por flores silvestres e pela grama verde alta. O calor do sol da tarde de verão aquece minha pele, meus ossos e minha barriga, e eu relaxo, meu corpo virando gelatina. É uma sensação agradável. Nossa, não... na verdade, é maravilhosa. Saboreio o momento, um momento de paz, de satisfação pura e absoluta. Eu deveria me sentir culpada por essa alegria, essa plenitude, mas não me sinto. A vida agora está boa, e eu aprendi a apreciá-la e a viver o presente, como o meu marido. Abro um sorriso e me contorço quando minha mente rememora a deliciosa lembrança da nossa última noite no Escala...

As tiras do açoite deslizam sobre minha barriga protuberante em um ritmo lânguido e ansioso.

— Você já não teve o suficiente, Ana? — sussurra Christian no meu ouvido.

— Ah, por favor — suplico, puxando as amarras acima da minha cabeça. Estou de pé com uma venda nos olhos e presa à grade do quarto de jogos.

A doce corda do açoite belisca minha bunda.

— Por favor o quê?

Solto uma exclamação.

— Por favor, senhor.

Christian toca minha pele ardida e esfrega delicadamente.

— Pronto. Pronto. — Suas palavras são suaves. Sua mão desce e desenha círculos, e seus dedos deslizam para dentro de mim.

Solto um gemido.

— Sra. Grey — sussurra ele, e seus dentes puxam o lóbulo da minha orelha —, você está tão molhada...

Seus dedos entram e saem com facilidade, atingindo novamente aquele ponto mágico, aquele ponto doce e mágico. O açoite cai ruidosamente no chão, e a mão de Christian acaricia minha barriga, indo até os meus seios. Eu me reteso — eles estão extremamente sensíveis.

— Shh — diz Christian, pegando um deles inteiro na mão e, com o polegar, esfregando suavemente o meu mamilo.

— Ah...

Seus dedos são suaves e tentadores, e o prazer se espirala dos meus seios para baixo, mais baixo, mais baixo... Inclino a cabeça para trás, empurrando o mamilo contra sua palma, e solto mais um gemido.

— Eu gosto de ouvir você — sussurra Christian. A ereção dele esbarra no meu quadril, os botões da calça fazendo pressão em minha pele enquanto seus dedos continuam seu ataque inflexível: dentro, fora, dentro, fora... mantendo o ritmo. — Quer que eu faça você gozar assim?

— Não.

Seus dedos interrompem o movimento dentro de mim.

— Mesmo? E isso depende de você? — Seus dedos apertam o meu mamilo.

— Não... Não, senhor.

— Assim está melhor.

— Ah, por favor — imploro.

— O que você quer, Anastasia?

— Você. Sempre.

Ele inspira com força.

— Você todo — acrescento, sem ar.

Ele retira os dedos de dentro de mim, me gira de modo a fitá-lo e tira a venda. Pisco várias vezes e encontro olhos cinzentos que escurecem cada vez mais e queimam ao me olhar. Os dedos indicadores de Christian fazem um desenho em torno do meu lábio inferior e ele enfia o indicador e o médio na minha boca, me fazendo provar do gosto forte e salgado da minha excitação.

— Chupe — murmura ele. Passo a língua ao redor e entre os seus dedos.

Hmm... até eu tenho um gosto bom nos dedos dele.

Suas mãos deslizam pelos meus braços até alcançarem as algemas, acima da minha cabeça, e ele as abre, soltando-me. Ele me faz girar, colocando-me de frente para a parede, e me puxa pela trança para os seus braços. Então inclina minha cabeça para o lado e roça os lábios pelo meu pescoço até a minha orelha, mantendo-me colada em seu corpo.

— Eu quero dentro da sua boca. — Sua voz é suave e sedutora. Meu corpo, já pronto, se contrai bem lá no fundo. O prazer é doce e intenso.

Solto um gemido. Virando-me para encará-lo, puxo sua cabeça para mim e beijo-o com força, minha língua invadindo sua boca, saboreando-o, apreciando-o. Ele geme, pega na minha bunda e me puxa contra si, mas apenas o meu ventre grávido o toca. Mordo seu queixo e desenho uma trilha de beijos pelo seu pescoço, levando os dedos para sua calça jeans. Ele inclina a cabeça para trás, expondo o pescoço ainda mais; eu passo a língua, descendo até seu peito e lambendo os pelos do seu tórax.

— Ah.

Puxo o cós da sua calça, fazendo os botões se abrirem, e ele agarra meus ombros quando caio de joelhos à sua frente.

Ergo o rosto, encarando-o através dos cílios e sentindo seu olhar sobre mim. Seus olhos estão escuros, a boca entreaberta, e ele inspira profundamente quando o liberto e capturo com a boca. Adoro fazer isso com Christian. Vê-lo perder o controle, ouvir sua respiração entrecortada e os suaves gemidos que lhe saem da garganta. Fecho os olhos e chupo com força, engolindo-o todo, saboreando seu gosto, deliciando-me em ouvi-lo ofegante.

Ele agarra minha cabeça, deixando-me imóvel, e eu cubro os dentes com os lábios e o empurro mais para dentro da minha boca.

— Abra os olhos e olhe para mim — ordena ele em voz baixa.

Olhos ardentes encontram os meus, e ele flexiona os quadris, preenchendo minha boca até o fundo da garganta e depois tirando rapidamente. Ele enfia de novo e eu tento agarrá-lo. Ele interrompe o movimento e me faz ficar parada.

— Não toque, ou vou algemar você de novo. Só quero a sua boca — fala ele, em tom gutural.

Puxa vida. *Vai ser assim?* Coloco as mãos para trás e o encaro inocentemente, com a boca cheia.

— Boa menina — diz ele, rindo para mim, a voz rouca. Ele se retrai e, me prendendo suave mas firmemente, mete de novo em mim. — Você tem uma boca tão boa de comer, Sra. Grey.

Ele fecha os olhos e penetra a minha boca, e eu o aperto entre meus lábios, passando a língua por cima e em volta dele. Eu o tomo mais fundo e retiro, vezes e mais vezes, repetidamente, ouvindo o ar sibilar entre seus dentes.

— Ah! Pare — diz ele, e se afasta, me deixando com mais vontade.

Christian agarra meus ombros e me suspende para que eu fique em pé. Puxando minha trança, me dá um beijo intenso, sua língua persistente, gulosa e generosa ao mesmo tempo. De repente ele me solta e, antes que eu me dê conta, me pega no colo e me leva até a cama com dossel. Delicadamente me deita no colchão, de forma que a minha bunda fique na beirada.

— Abrace minha cintura com as pernas — ordena.

Faço isso, e o puxo na minha direção. Ele se abaixa, as mãos uma de cada lado da minha cabeça, e, ainda de pé, me penetra bem devagar.

Ah, como isso é bom. Fecho os olhos e me deleito em ser possuída lentamente.

— Tudo bem? — pergunta ele, num tom de evidente preocupação.

— Ah, meu Deus, Christian. Tudo bem. Tudo bem. Por favor.

Aperto as pernas em volta dele e me empurro contra seu corpo. Ele solta um ruído rouco. Eu me agarro em seus braços, e ele flexiona os quadris, no início devagar, dentro, fora.

— Christian, por favor. Mais forte: eu não vou quebrar.

Ele geme e começa a se mexer, mexer mesmo, forçando a penetração repetidamente. Ah, é uma sensação celestial.

— Isso — exclamo, ofegante, apertando-o ainda mais, quando começo a gozar...

Ele geme, movimentando-se dentro de mim com determinação renovada... e eu estou quase. *Ah, por favor. Não pare.*

— Goze, Ana — ruge ele entre os dentes, e eu me deixo explodir em volta dele, meu orgasmo indo e vindo, indo e vindo. Grito seu nome e Christian fica imóvel, gemendo bem alto, no momento em que ele próprio atinge o clímax dentro de mim. — Ana! — grita.

CHRISTIAN ESTÁ DEITADO ao meu lado, a mão acariciando minha barriga, os compridos dedos bem abertos.

— Como está a minha filha?

— Ela está dançando. — Sorrio.

— Dançando? Ah, sim! Uau. Estou sentindo. — Ele ri quando o Pontinho Número Dois dá um salto dentro de mim.

— Acho que ela já gosta de sexo.

Christian franze o cenho.

— Sério? — diz ele secamente. E aproxima o rosto da minha barriga redonda. — Nada disso até completar trinta anos, hein, mocinha?

Dou uma risada.

— Ah, Christian, você é tão hipócrita.

— Não, sou só um pai preocupado. — Ele me olha, a testa franzida, traindo sua ansiedade.

— Você é um pai maravilhoso, exatamente como eu previa. — Acaricio seu lindo rosto, e ele abre seu sorriso tímido.

— Gosto disso — murmura ele, afagando e depois beijando minha barriga. — Mais uma igual a você.

Faço cara feia.

— Não quero outra igual a mim.

— É maravilhoso quando você goza.

— Christian!

— E eu estou doido para sentir o gosto de leite no seu peito de novo.

— Christian! Você é tão sacana...

Ele me ataca subitamente, beijando-me com força, jogando a perna sobre a minha e prendendo minhas mãos acima da minha cabeça.

— Você adora uma trepada sacana — sussurra ele, e esfrega o nariz de leve no meu.

Eu rio, retribuindo seu sorriso cheio de malícia e contagioso.

— É, eu adoro uma trepada sacana. E eu adoro você. Demais.

Desperto com um sobressalto. Fui acordada por um gritinho agudo de alegria do meu filho, e mesmo sem vê-lo ou a Christian, sorrio como uma boba, de puro prazer. Ted acordou do seu cochilo e agora está brincando com o pai aqui por perto. Fico deitada quieta, ainda admirada com a habilidade de Christian para brincadeiras. Sua paciência com Teddy é extraordinária — muito mais do que comigo. Dou uma fungada de puro despeito. Na verdade, porém, é assim que deve ser. E o meu lindo garotinho, tão querido pelos seus pais, não conhece o medo. Christian, por outro lado, ainda é superprotetor — tanto comigo quanto com nosso filho. Meu doce, instável e controlador Cinquenta Tons.

— Vamos procurar a mamãe. Ela está em algum lugar aqui da campina.

Ted diz alguma coisa que não consigo ouvir, e Christian ri à vontade, feliz. É um som mágico, cheio de alegria paterna. Não consigo resistir. Com esforço, me levanto sobre os cotovelos para espiá-los daqui do meu esconderijo em meio à grama alta.

Christian está balançando Ted, girando e girando, fazendo-o dar mais gritinhos de alegria. Ele para, o lança alto no ar — prendo a respiração —, para então agarrá-lo. Ted dá um gritinho de despreocupação infantil, e eu respiro aliviada. Ah, meu homenzinho, meu querido homenzinho, não para nunca.

— De novo, papai! — grita ele.

Christian repete a brincadeira, e meu coração vai na garganta quando ele joga novamente o menino e o agarra no ar, apertando-o em seus braços. Christian beija o cabelo cor de cobre de Ted e depois sua bochecha; e então começa a fazer cócegas sem piedade. Teddy urra de tanto gargalhar, se contorcendo e empurrando o peito de Christian, tentando se soltar dos braços do pai. Rindo, Christian o coloca no chão.

— Vamos encontrar a mamãe. Ela está escondida na grama.

Ted fica radiante, adorando a brincadeira, e começa a procurar pela campina. Pegando a mão de Christian, ele aponta para um lugar onde não estou, me fazendo dar risadinhas. Volto a me deitar rapidamente, entrando na brincadeira.

— Ted, eu ouvi a mamãe. Você ouviu?

— Mamãe!

Dou uma risada, mal podendo acreditar no tom autoritário de Ted. Minha nossa... ele parece tanto com o pai e só tem dois anos.

— Teddy! — grito de volta, olhando para o céu com um sorriso ridículo no rosto.

— Mamãe!

Logo ouço os passos dos dois correndo pela campina, e primeiro Ted depois Christian irrompem pela grama alta.

— Mamãe! — exclama Ted com um grito agudo, como se tivesse encontrado o tesouro perdido de Sierra Madre, e pula em cima de mim.

— Oi, meu querido!

Eu o aninho em meus braços e beijo sua bochecha. Ele dá uma risada e retribui meu beijo, depois tenta se soltar.

— Olá, mamãe. — Christian sorri para mim.

— Olá, papai.

Sorrio de volta, enquanto ele pega Ted e se senta ao meu lado com nosso filho no colo.

— Mais carinho com a mamãe — ele repreende Ted.

Eu rio — a duplicidade da frase não me passou despercebida. Christian tira do bolso o BlackBerry e o empresta a Ted, o que provavelmente vai nos dar uns cinco minutos de paz, no máximo. Teddy examina o aparelho com as pequenas sobrancelhas enrugadas. Ele parece muito sério, os olhos azuis concentrados, assim como o pai quando lê e-mails. Christian afaga o cabelo de Ted, e meu coração se enternece ao vê-los juntos. Meus amores: meu filho sentado quieto — pelo menos por alguns minutos — no colo do meu marido. Meus dois homens prediletos no mundo todo.

Obviamente, Ted é a criança mais linda e talentosa do planeta, mas como sou a mãe dele pensaria assim de qualquer forma. E Christian é... bem, Christian é ele mesmo. Com uma camiseta branca e calça jeans, está sensual como sempre. O que eu fiz para merecer esse enorme prêmio?

— Você está com uma cara boa, Sra. Grey.

— Você também, Sr. Grey.

— A mamãe não está bonita? — sussurra Christian no ouvido do filho. Ted o empurra, mais interessado no BlackBerry do pai.

Dou uma risada.

— Você não consegue enrolar o Ted.

— Eu sei. — Christian ri e beija o cabelo do filho. — Nem acredito que ele vai fazer dois anos amanhã — diz em tom melancólico. Depois, aproxima-se de mim e coloca a mão aberta sobre a minha barriga protuberante. — Vamos ter uma porção de filhos.

— Pelo menos mais um. — Abro um sorriso, e ele acaricia minha barriga.

— Como está a minha filha?

— Está bem. Dormindo, eu acho.

— Olá, Sr. Grey. Olá, Ana.

Nós dois nos viramos para ver Sophie, a filha de dez anos de Taylor, surgir em meio à grama alta.

— Sofííí — grita Ted, feliz ao reconhecer a menina. Com certo esforço, ele sai do colo do pai e deixa o BlackBerry de lado.

— Ganhei uns picolés da Gail — diz Sophie. — Posso dar um para o Ted?

— É claro — respondo. Ai, meu Deus, vai ser uma bagunça.

— Colé! — Ted estende as mãozinhas, e Sophie dá um para ele. Já está até pingando.

— Venha aqui, deixe a mamãe ver.

Eu me sento, pego o picolé da mão de Ted e rapidamente o coloco na minha boca para lamber o excesso de caldo. Hmm... amora... refrescante e delicioso.

— Meu! — protesta Ted, sua voz vibrando de indignação.

— Tome. — Devolvo um picolé um pouco menos derretido, que vai diretamente para sua boca. Ele ri feliz.

— O Ted pode dar um passeio comigo? — pergunta Sophie.

— Claro.

— Não vá muito longe.

— Pode deixar, Sr. Grey.

Sophie arregala os olhos castanho-claros, em uma expressão compenetrada. Acho que ela tem um pouco de medo de Christian. Ela estende a mão, que Teddy pega contente. Eles se afastam, atravessando a grama alta.

Christian os observa.

— Eles vão ficar bem, Christian. O que pode acontecer de errado aqui com os dois? — Ele me olha com uma expressão séria por um instante, e eu engatinho até seu colo. — Além disso, Ted está completamente apaixonado pela Sophie.

Christian solta um resmungo e afaga meu cabelo.

— Ela é uma criança encantadora.

— É verdade. E bonita também. Um anjinho louro.

Christian fica imóvel, depois coloca as mãos na minha barriga.

— Meninas, hein? — Sua voz soa um pouco tremida. Seguro sua nuca.

— Você só vai ter que se preocupar com a sua filha daqui a três meses. Agora, ela está bem protegida comigo. Tudo bem?

Ele me beija atrás da orelha e arranha de leve a ponta do lóbulo com os dentes.

— Como quiser, Sra. Grey. — E me morde. Eu solto um gritinho.

— Gostei da noite passada — diz ele. — Podíamos fazer aquilo mais vezes.

— Também acho.

— E podíamos mesmo, se você parasse de trabalhar...

Reviro os olhos, e ele aperta os braços em volta de mim e sorri com o rosto encostado no meu pescoço.

— Está revirando os olhos para mim, Sra. Grey? — Sua ameaça é implícita mas sensual, me fazendo rir; mas como estamos no meio da campina, com as crianças por perto, ignoro o convite.

— A Grey Publishing tem um autor na lista dos mais vendidos do *New York Times*; as vendas de Boyce Fox estão nas alturas, o projeto de livros digitais estourou e eu finalmente tenho a equipe que queria.

— E você está ganhando dinheiro nessa época de crise — acrescenta Christian, sua voz refletindo seu orgulho. — Mas... eu gosto de ter você em casa.

Eu me inclino para trás a fim de ver seu rosto. Ele me fita, os olhos brilhantes.

— Também gosto — murmuro, e ele me beija, as mãos ainda na minha barriga.

Notando seu bom humor, decido abordar um assunto delicado:

— Você já pensou melhor na minha sugestão?

Ele fica parado.

— Ana, a resposta é não.

— Mas Ella é um nome tão bonito...

— Não vou dar à minha filha o nome da minha mãe. Não. Fora de cogitação.

— Tem certeza?

— Tenho. — Pegando meu queixo, ele me lança um olhar determinado, irradiando irritação. — Ana, desista. Não quero que a minha filha fique marcada pelo meu passado.

— Tudo bem. Desculpe. — Merda... Não quero deixá-lo zangado.

— É melhor. Pare de tentar consertar as coisas — balbucia ele. — Você já conseguiu que eu admitisse que amava minha mãe, já me arrastou até o túmulo dela. Agora basta.

Ah, não. Eu giro no seu colo de forma a ficar montada nele, e seguro sua cabeça nas mãos.

— Desculpe. De verdade. Por favor, não fique bravo comigo.

Dou-lhe um beijo, e depois outro apenas no canto de sua boca. Após um instante, ele aponta para o outro canto. Sorrio, e beijo também esse lado. Ele aponta para o nariz. Eu o beijo ali também. Ele dá um amplo sorriso e me agarra.

— Ah, Sra. Grey... o que vou fazer com você?

— Você vai pensar em alguma coisa, tenho certeza — murmuro. Ele abre outro sorriso e, girando de maneira repentina, me joga sobre a toalha.

— Que tal agora? — sussurra ele, com um sorriso lascivo.

— Christian! — exclamo.

Subitamente, ouvimos o gritinho agudo de Ted. Com a agilidade de uma pantera, Christian se levanta de um salto e corre na direção de onde veio o som. Vou atrás, só que mais devagar. No fundo, não estou tão preocupada quanto ele — não foi um grito capaz de me fazer subir as escadas de dois em dois degraus.

Christian apanha Teddy e o coloca no colo. Nosso menininho está chorando desconsoladamente e apontando para o chão, onde os restos de seu picolé se derretem na grama, formando uma massa empapada.

— Ele deixou cair — diz Sophie, com ar triste. — Eu teria dado o meu, mas já acabou.

— Ah, Sophie querida, não se preocupe. — Afago seu cabelo.

— Mamãe! — choraminga Ted, estendendo as mãos para mim. Relutantemente, Christian o deixa vir para o meu colo.

— Pronto, passou.

— Colé — diz ele, soluçando.

— Eu sei, queridinho. Vamos procurar a Sra. Taylor e pedir outro.

Beijo sua cabeça... hmm, que cheiro bom. O cheiro do meu menininho.

— Colé. — Ele funga. Pego sua mão e beijo seus dedos melados.

— Estou sentindo o gosto do picolé aqui nos seus dedos.

Ted para de chorar e examina a própria mão.

— Ponha o dedo na boca.

Ele obedece.

— Colé!

— Isso. Picolé.

Ele ri. Meu menininho instável, exatamente como o pai. Bom, pelo menos ele tem uma desculpa: só tem dois anos de idade.

— Vamos procurar a Sra. Taylor? — Ele concorda, abrindo seu lindo sorriso infantil. — Você vai no colo do papai?

Ele balança a cabeça e abraça meu pescoço, apertando-me forte ao enterrar o rosto acima da minha clavícula.

— Acho que o papai também quer provar o picolé — sussurro no seu pequeno ouvido.

Ted franze a testa, depois olha para a própria mão e a estende para o pai. Christian sorri e chupa os dedinhos do filho.

— Hmm... gostoso.

Ted dá uma risada e se estica, querendo que o pai o carregue. Christian me dá um grande sorriso e pega Ted no colo, acomodando-o no quadril.

— Sophie, onde está a Gail?

— Ela estava na casa principal.

Dou uma olhada para Christian. Seu sorriso deixou transparecer um sinal de amargor, e eu me pergunto o que ele estará pensando.

— Você é tão boa com ele — murmura Christian.

— Este pequeno aqui? — Despenteio o cabelo de Ted. — É porque eu conheço bem os integrantes masculinos da família Grey. — E abro um sorriso para o meu marido.

Ele ri.

— É verdade, Sra. Grey.

Ted se contorce para sair do colo de Christian. Agora ele quer andar, meu menininho teimoso. Eu seguro sua mão, o pai pega a outra, e juntos o balançamos entre nós dois durante o caminho de volta para a casa. Sophie vai saltitando na nossa frente.

Aceno para Taylor, que, em um raro dia de folga, está do lado de fora da garagem, de calça jeans e camiseta regata, consertando uma velha motocicleta.

Paro do lado de fora do quarto de Ted e fico escutando Christian ler para o garoto:

— Eu sou o Lorax! Eu falo pelas árvores...

ESPIO PARA DENTRO do quarto e Teddy já está no sétimo sono, enquanto Christian continua a ler. Ele ergue o olhar quando abro a porta, e fecha o livro. Encosta o dedo nos lábios e liga a babá eletrônica perto do berço. Ele arruma os lençóis de Ted, acaricia sua bochecha, depois se ergue e vem até mim na ponta dos pés, sem emitir um único ruído. É difícil não rir com a cena.

Já no corredor, Christian me puxa para um abraço.

— Meu Deus, eu amo esse garoto, mas é tão bom quando ele está dormindo... — murmura junto à minha boca.

— Concordo plenamente.

Ele me fita com o olhar suave.

— Quase não acredito que já faz dois anos.

— Eu sei.

Dou-lhe um beijo e por um momento me sinto transportada de volta ao nascimento de Teddy: a cesariana de emergência, a ansiedade devastadora de Christian, a calma e eficiência da Dra. Greene quando o meu Pontinho estava em perigo. Estremeço por dentro com a recordação.

— Sra. Grey, a senhora está em trabalho de parto há quinze horas. As contrações ficaram mais lentas, apesar da Pitocina. Precisamos fazer uma cesariana: o bebê corre perigo. — A Dra. Greene está inflexível.

— Porra, já não era sem tempo! — Christian urra para ela. A Dra. Greene o ignora.

— Christian, fique quieto. — Aperto a mão dele. Minha voz é baixa e fraca, e tudo em volta está rodopiando: as paredes, as máquinas, as pessoas de verde... Eu só quero dormir. Mas tenho uma coisa importante para fazer antes... Ah, se tenho. — Queria eu mesma fazer o bebê nascer.

— Sra. Grey, por favor. Cesárea.

— Por favor, Ana — implora Christian.

— Vou poder dormir?

— Vai, querida, vai. — É quase um soluço, e Christian beija minha testa.

— Eu quero ver o Pontinho.

— Você vai ver.

— Tudo bem — sussurro.

— Finalmente — murmura a Dra. Greene. — Enfermeira, avise o anestesista. Dr. Miller, prepare material para cesariana. Sra. Grey, vamos transferi-la para o centro cirúrgico.

— Transferir? — falamos Christian e eu, ao mesmo tempo.

— Sim. Agora.

E de repente estou em movimento — e rápido; as luzes do teto ficando borradas e se transformando numa longa listra brilhante à medida que vou sendo levada às pressas pelo corredor.

— Sr. Grey, o senhor vai ter que vestir uma roupa hospitalar.

— O quê?

— Agora, Sr. Grey.

Ele aperta a minha mão e logo me solta.

— Christian! — chamo, o pânico tomando conta de mim.

Passamos por outras portas e logo a enfermeira está ajeitando uma tela acima do meu peito. A porta se abre e se fecha, e a sala está lotada de gente. Tanto barulho... quero ir para casa.

— Christian? — Procuro por meu marido entre os rostos presentes.

— Ele já vem, Sra. Grey.

Um minuto depois, ele está ao meu lado, com traje azul de médico, e seguro sua mão.

— Estou com medo — murmuro.

— Não, baby, não. Eu estou aqui. Não fique com medo. Não a minha Ana, que é tão forte. — Ele beija minha testa, e percebo, por seu tom de voz, que alguma coisa está errada.

— O que houve?

— O quê?

— O que está acontecendo?

— Não aconteceu nada. Tudo está correndo bem. Você só está exausta, querida. — Seus olhos estão queimando de medo.

— Sra. Grey, o anestesista está aqui. Ele vai aplicar a peridural, e então podemos prosseguir.

— Ela está tendo mais uma contração.

Tudo se aperta como uma faixa de aço em volta da minha barriga. Merda! Comprimo a mão de Christian até a contração passar. É isso que é exaustivo — suportar a dor. Estou tão cansada... Sinto o líquido dormente se espalhar... para baixo. Eu me concentro no rosto de Christian. Nas rugas entre suas sobrancelhas. Ele está tenso. Está preocupado. *Por que ele está preocupado?*

— Está sentindo isso, Sra. Grey? — A voz etérea da Dra. Greene vem do outro lado da cortina.

— Isso o quê?

— Não está sentindo.

— Não.

— Ótimo. Dr. Miller, vamos começar.

— Você está indo bem, Ana.

Christian está pálido. Há suor na sua testa. Ele está assustado. *Não fique assustado, Christian. Não fique assustado.*

— Amo você — sussurro.

— Ah, Ana. — Ele soluça. — Também amo você. Muito.

Sinto um puxão esquisito dentro de mim. Uma sensação que nunca experimentei antes. Christian olha por cima da tela e fica branco, mas mantém os olhos fixos, fascinado.

— O que está acontecendo?

— Sucção! Excelente...

De repente ouço um agudo choro raivoso.

— A senhora ganhou um menino, Sra. Grey. Verifiquem sua escala de Apgar.

— Nove.

— Posso ver meu bebê? — pergunto, ofegante.

Christian desaparece do meu campo de visão por um segundo e logo em seguida reaparece carregando meu filho, enrolado numa manta azul. Seu rostinho é rosado e está coberto de sangue e de um viscoso líquido branco. Meu bebê. Meu Pontinho... Theodore Raymond Grey.

Quando olho novamente para Christian, seus olhos estão marejados.

— Este é o seu filho, Sra. Grey — murmura ele, a voz embargada e rouca.

— Nosso filho — sussurro. — Ele é lindo.

— É mesmo — diz Christian, e dá um beijo na testa do nosso lindo menino, abaixo de uma mecha de cabelo escuro.

Theodore Raymond Grey está indiferente ao que se passa ao redor. Olhos fechados, o choro do nascimento esquecido, ele dorme. É a coisa mais linda que eu já vi. Tão maravilhoso que começo a chorar.

— Obrigado, Ana — murmura Christian, também com os olhos cheios de lágrimas.

— O que houve? — Christian ergue meu queixo.

— Estava só me lembrando do nascimento do Ted.

Christian empalidece e pousa a mão na minha barriga.

— Não vou passar por aquilo de novo. Desta vez, vai ser uma cesariana planejada.

— Christian, eu...

— Não, Ana. Você quase morreu da outra vez, merda. Não.

— Quase morri, nada.

— Não. — Seu tom é enfático, sem deixar margens a discussões, mas, ao me fitar, seu olhar é terno. — Gosto de Phoebe — murmura ele, e esfrega o nariz no meu.

— Phoebe Grey? Phoebe... É. Também gosto. — Sorrio para ele.

— Que bom. Eu queria preparar o presente do Ted.

Ele pega minha mão, e descemos as escadas. Christian transborda entusiasmo; ele estava esperando por esse momento o dia inteiro.

* * *

— ACHA QUE ELE vai gostar? — Seu olhar apreensivo encontra o meu.

— Ele vai adorar. Por uns dois minutos. Christian, ele tem só dois anos.

Christian acabou de arrumar o conjunto de trenzinho de madeira que comprou para Teddy de aniversário. Ele pediu que Barney, que trabalha com ele, convertesse dois pequenos motores para energia solar, como o do helicóptero que dei a Christian alguns anos atrás. Christian parece ansioso para ver o sol nascer. Tenho minhas suspeitas de que é porque ele próprio quer brincar com o trenzinho. O esquema cobre a maior parte do chão de pedra da nossa sala ao ar livre.

Amanhã vamos dar uma festa para Ted. Ray e José virão, além de todos os Grey, inclusive a nova priminha de Ted, Ava, a filhinha de dois meses de Kate e Elliot. Estou ansiosa para conversar com Kate e ver como ela está se saindo com a maternidade.

Ergo o olhar para ver o sol sumir por trás da península Olympic. É tudo aquilo que Christian prometeu que seria, e ainda hoje me sinto tão emocionada com esta visão quanto na primeira vez. Simplesmente deslumbrante: o pôr do sol sobre o Canal. Christian me puxa para seus braços.

— É uma bela vista.

— Verdade — concorda Christian, e, quando me viro para olhá-lo, está me encarando. Ele me dá um beijo suave na boca. — É uma bela vista — murmura. — A minha predileta.

— Nosso lar.

Ele sorri e me beija novamente.

— Amo você, Sra. Grey.

— Também amo você, Christian. Para sempre.

TONS DE *Christian*

O PRIMEIRO NATAL DE CHRISTIAN

Meu suéter pinica e tem cheiro de novo. Tudo é novo. Eu tenho uma mamãe nova. Ela é médica. Ela tem um toscópio que eu posso enfiar no ouvido e ouvir meu coração. Ela é boa e sorri. Ela sorri o tempo todo. Os dentes dela são pequenos e brancos.

— Quer me ajudar a decorar a árvore de Natal, Christian?

Tem uma árvore grande na sala dos sofás grandes. Uma árvore bem grande. Eu já vi outras árvores dessas antes. Mas só nas lojas. Não do lado de dentro, junto com os sofás. Minha casa nova tem uma porção de sofás. Não é só um, não. E nem é um sofá marrom todo grudento.

— Olhe aqui.

Minha mãe nova me mostra uma caixa, está cheia de bolas. Um monte de bolinhas brilhantes.

— São os enfeites da árvore.

En-fei-tes. En-fei-tes. Repito a palavra na cabeça. En-fei-tes.

— E isso aqui... — Ela para por um instante e puxa um fio cheio de flores pequenas grudadas. — Estas são as luzes. Primeiro colocamos as luzes; depois enfeitamos a árvore. — Ela passa os dedos no meu cabelo. Fico bem quieto. Mas eu gosto dos dedos dela no meu cabelo. Gosto de ficar perto da minha mamãe nova. Ela tem um cheiro bom. Limpo. E ela só toca o meu cabelo.

— *Mãe!*

Ele está chamando. O Lelliot. Ele é grande e barulhento. Muito barulhento. Ele fala. O tempo todo. Eu não falo nada. Eu não tenho nenhuma palavra. Só tenho palavras dentro da minha cabeça.

— Elliot, querido, estamos na sala.

Ele entra correndo. Estava na escola. Ele mostra um desenho. Um desenho que ele fez para a minha mamãe nova. Ela é a mamãe do Lelliot também. Ela se ajoelha, abraça o Lelliot e olha o desenho. É uma casa com uma mamãe e um papai e um

Lelliot e um Christian. O Christian é bem pequeno no desenho do Lelliot. O Lelliot é grande. Ele tem um sorriso grande e o Christian tem uma cara triste.

O papai está aqui também. Ele vai até a Mamãe. Eu seguro com força meu cobertor. Ele beija a mamãe nova e a mamãe nova não fica com medo. Ela sorri. Ela também beija o papai. Eu aperto ainda mais o meu cobertorzinho.

— Olá, Christian.

O papai tem uma voz leve e grossa. Eu gosto da voz dele. Ele nunca fala alto. Ele não grita. Ele não grita que nem o... Ele lê uns livros para mim quando eu vou dormir. Ele lê uma história sobre um gato e um chapéu e ovos verdes e presunto. Eu nunca vi ovos verdes. O Papai se abaixa. Ele fica pequeno.

— O que você fez hoje?

Eu mostro a árvore para ele.

— Você comprou uma árvore? Uma árvore de Natal?

Digo que sim com a cabeça.

— É uma árvore linda. Você e a mamãe escolheram muito bem. É muito importante escolher a árvore certa.

Ele passa a mão no meu cabelo também, e eu fico bem quieto e seguro o meu cobertor com força. O Papai não me machuca.

— Papai, olha o meu desenho.

Lelliot fica com raiva quando o papai fala comigo. O Lelliot está com raiva de mim. Eu bato no Lelliot quando ele fica com raiva de mim. A mamãe nova fica zangada quando eu faço isso. O Lelliot não me bate. O Lelliot tem medo de mim.

AS LUZES DA árvore são bonitas.

— Aqui, vou mostrar para você. O gancho passa pelo buraquinho, e aí então você pode pendurar na árvore. — A Mamãe coloca o en-fei... en-fei-te vermelho na árvore. — Tente você com esse sininho.

Eu balanço o sininho e ele toca. É um som feliz. Balanço de novo. A mamãe sorri. Um sorriso grande. Um sorriso especial para mim.

— Gostou do sino, Christian?

Confirmo com a cabeça e balanço o sino mais uma vez, e ele tilinta de um jeito alegre.

— Você tem um sorriso lindo, meu querido. — A mamãe pisca e enxuga os olhos com a mão. Ela acaricia o meu cabelo. — Eu adoro ver você sorrindo. — A mão dela desce para tocar meu ombro. Não. Dou um passo para trás e aperto o meu cobertor. A mamãe parece triste e depois feliz. Ela faz carinho no meu cabelo. — Vamos colocar o sino na árvore?

Minha cabeça diz que sim.

* * *

— Christian, você precisa me dizer quando estiver com fome. Você pode fazer isso. Pode pegar a mão da mamãe e levar a mamãe para a cozinha e apontar.

Ela aponta um dedo comprido para mim. A unha dela é rosa e brilhante. É bonita. Mas eu não sei se a minha mamãe nova está zangada ou não. Eu comi todo o meu prato do jantar. Macarrão com salsicha. Gostoso.

— Eu não quero que você fique com fome, querido. Tudo bem? Agora, você quer sorvete?

Minha cabeça diz que *sim*! A mamãe sorri para mim. Eu gosto dos sorrisos dela. É melhor até que macarrão com salsicha.

A árvore está bonita. Eu me levanto e olho para ela e abraço o meu cobertor. As luzes piscam e são de todas as cores, e os en-fei-tes são de todas as cores. Eu gosto dos azuis. E no topo da árvore tem uma estrela bem grande. O papai levantou o Lelliot e o Lelliot colocou a estrela na árvore... mas eu não quero que o papai me segure no alto. Eu não quero que ele me segure. A estrela é brilhante.

Ao lado da árvore fica o piano. Minha mamãe nova me deixa tocar nos pretos e nos brancos do piano. Preto e branco. Eu gosto do som dos brancos. O som dos pretos é errado. Mas eu gosto do som dos pretos também. Eu vou dos brancos para os pretos. Dos brancos para os pretos. Dos pretos para os brancos. Branco, branco, branco, branco. Preto, preto, preto, preto. Eu gosto do som. Eu gosto muito do som.

— Quer que eu toque para você, Christian?

Minha mamãe nova se senta. Ela toca os brancos e os pretos e as músicas aparecem. Ela aperta os pedais embaixo. Às vezes é alto e às vezes é baixo. A música é feliz. O Lelliot gosta que a mamãe cante também. A mamãe canta uma música sobre um patinho feio. A mamãe faz um barulho engraçado, quá-quá. O Lelliot faz o barulho engraçado de quá-quá e balança os braços como se fossem asas e abana os braços para cima e para baixo que nem uma ave. O Lelliot é engraçado.

A Mamãe ri. O Lelliot ri. Eu rio.

— Você gosta dessa música, Christian?

E a mamãe está com aquela cara triste-feliz.

Eu tenho uma meia. Ela é vermelha e tem o desenho de um homem com um gorro vermelho e uma barba branca comprida. Ele é o Papai Noel. O Papai Noel traz presentes. Eu já vi fotos do Papai Noel. Mas o Papai Noel nunca me trouxe presentes antes. Eu era mau. O Papai Noel não traz presentes para meninos maus. Agora eu sou bonzinho. Minha mamãe nova diz que eu sou bonzinho, muito bonzinho. A mamãe nova não sabe. Eu nunca vou contar para a mamãe nova... mas eu sou mau. Eu não quero que a mamãe nova saiba.

O PAPAI PENDURA a meia lá em cima da lareira. O Lelliot também tem uma meia. O Lelliot sabe ler a palavra na meia dele. Está escrito Lelliot. Tem uma palavra na minha meia também. Christian. A mamãe nova soletra. C-H-R-I-S-T-I-A-N.

O PAPAI SENTA na minha cama. Ele lê para mim. Eu seguro o meu cobertor. Eu tenho um quarto grande. Às vezes o quarto está escuro e eu tenho sonhos ruins. Sonhos ruins sobre antes. A minha mamãe nova vem ficar comigo quando eu tenho algum sonho ruim. Ela deita do meu lado e canta músicas gostosas e eu durmo. O cheiro dela é bom e novo e gostoso. A minha mamãe nova não é fria. Não é que nem a... que nem a... E os meus sonhos ruins vão embora quando ela dorme comigo.

O PAPAI NOEL veio aqui. O Papai Noel não sabe que eu fui mau. Que bom que o Papai Noel não sabe. Eu tenho um trem e um helicóptero e um avião e um helicóptero e um carro e um helicóptero. Meu helicóptero voa. Meu helicóptero é azul. Ele voa em volta da árvore de Natal. Ele voa por cima do piano e pousa no meio dos brancos. Ele voa por cima da mamãe e voa por cima do papai e voa por cima do Lelliot enquanto ele brinca de Lego. O helicóptero voa pela casa, pela sala de jantar, pela cozinha. Ele voa e passa pela porta do escritório do papai e voa lá para cima até o meu quarto, o quarto do Lelliot, o quarto da mamãe e do papai. Ele voa pela casa, porque é a minha casa. A minha casa onde eu moro.

CONHEÇA O CINQUENTA TONS

Segunda-feira, 9 de maio de 2011

— Amanhã — murmuro, dispensando Claude Bastille, que está à porta do meu escritório.

— Golfe esta semana, Grey?

Bastille abre um sorriso arrogante, contando como certa sua vitória no golfe.

Faço uma careta quando ele vira as costas e sai. Suas últimas palavras colocam sal nas minhas feridas, porque, apesar das minhas heroicas tentativas na academia hoje de manhã, meu personal trainer acabou comigo. Bastille é o único que pode me vencer, e agora ele quer me maltratar mais, dessa vez no campo de golfe. Eu detesto golfe, mas tantos negócios são feitos durante as partidas que preciso suportar suas aulas também por lá... E, embora eu odeie admitir, Bastille me ajuda a melhorar meu jogo.

Enquanto contemplo a silhueta de Seattle no horizonte, a conhecida sensação de tédio se instala na minha consciência. Meu estado de espírito está nublado e cinza como o tempo. Meus dias se misturam sem diferença, e eu estou precisando de algum tipo de diversão. Trabalhei o fim de semana inteiro e agora, nos limites contínuos do meu escritório, estou inquieto. Eu não deveria me sentir assim, não depois de várias disputas com Bastille. Mas me sinto.

Franzo o cenho. A verdade é que a única coisa que captou meu interesse recentemente foi minha decisão de mandar dois navios cargueiros para o Sudão. O que me lembra: Ros tem que me trazer os números e as logísticas. *Por que raios ela está demorando tanto?* Com a intenção de descobrir o que ela está fazendo, verifico a agenda e pego o telefone.

Ah, meu Deus! Tenho que dar uma maldita entrevista para o jornal da WSU, com a persistente Srta. Kavanagh. *Por que eu aceitei fazer essa merda?* Eu detesto entrevistas — perguntas inúteis vindas de idiotas vazios, mal informados e fúteis. O telefone toca.

— Sim — falo rispidamente com Andrea, como se a culpa fosse dela. Pelo menos posso fazer essa entrevista durar o mínimo possível.

— A Srta. Anastasia Steele está aqui para vê-lo, Sr. Grey.

— Steele? Eu estava esperando Katherine Kavanagh.

— É a Srta. Anastasia Steele que está aqui, senhor.

Faço cara feia. Odeio coisas inesperadas.

— Mande-a entrar — murmuro, sabendo que pareço um adolescente mal-humorado, mas não dou a mínima.

Ora, ora... A Srta. Kavanagh não está disponível. Conheço o pai dela, o proprietário da Kavanagh Media. Já fizemos negócios, e ele parece um empresário sagaz e um ser humano racional. Essa entrevista é um favor que estou prestando a ele — que vou cobrar mais tarde quando precisar. E devo admitir que fiquei vagamente curioso quanto à filha, interessado em ver se ela conseguiu fugir às feições do pai.

Uma agitação na porta me traz de volta à Terra quando um redemoinho de longos cabelos castanhos, braços pálidos e botas marrons mergulham de cabeça no meu escritório. Reviro os olhos e reprimo meu aborrecimento natural com tanta falta de jeito enquanto corro para a garota que aterrissou de quatro no chão. Segurando-a pelos ombros estreitos, ajudo-a a se levantar.

Olhos claros, de um azul brilhante, e constrangidos encontram os meus e me fazem parar. São de uma cor espetacular — um franco azul-claro —, e, por um horrível momento, acho que ela é capaz de ver dentro de mim. Eu me sinto... exposto. A sensação é desconcertante. Ela tem um rosto pequeno e meigo, que está corado agora, um inocente cor-de-rosa. Eu me pergunto rapidamente se toda a sua pele é desse jeito — perfeita — e como ficaria avermelhada e quente depois de um golpe de vara. *Merda.* Detenho meus pensamentos devaneadores, com medo da direção que estão tomando. *O que é que você está pensando, Grey? Essa garota é muito nova.* Ela me olha pasma, e quase reviro os olhos de novo. *Isso, isso mesmo, é só um rosto, e a beleza é só do lado de fora.* Quero afastar olhar admirador e incauto desses grandes olhos azuis.

Hora do espetáculo, Grey. Vamos nos divertir.

— Srta. Kavanagh? Sou Christian Grey. Tudo bem? Gostaria de se sentar?

Lá vem de novo aquele rubor. No controle mais uma vez, eu a examino. Ela é atraente, de uma maneira estranha — frágil, pálida, com uma longa cabeleira cor de mogno mal contida por um elástico de cabelo. Sim, é atraente. Estendo a mão e ela gagueja o começo de um pedido de desculpas envergonhado e coloca sua pequena mão na minha. Sua pele é fria e macia, mas o aperto de mãos é surpreendentemente firme.

— A Srta. Kavanagh está indisposta, e me mandou no lugar dela. Espero que não se importe, Sr. Grey. — Sua voz é baixa e hesitante, e ela pisca erraticamente, os longos cílios vibrando sobre os grandes olhos azuis.

Incapaz de esconder o divertimento na minha voz, pois me lembro da sua entrada pouco elegante na minha sala, pergunto quem é ela.

— Anastasia Steele. Estudo Literatura Inglesa com Kate, hum... Katherine... hum... a Srta. Kavanagh, na WSU em Vancouver.

Um tipo nervoso, tímido e estudioso, hein? É o que parece; terrivelmente malvestida, escondendo sua estrutura pequena embaixo de um suéter disforme e uma saia evasé marrom. *Minha nossa, ela não tem nenhum senso de moda?* Ela olha nervosamente ao redor — para toda parte do meu escritório menos para mim, noto com ironia, achando graça.

Como essa jovem pode ser jornalista? Ela não tem um único osso assertivo no corpo. É charmosamente estabanada, meiga, suave... submissa. Balanço a cabeça, surpreso com a direção de meus pensamentos. Murmurando alguma banalidade, convido-a a se sentar, e então percebo que ela admira compenetrada os quadros da minha sala. Antes que eu possa me deter, forneço uma explicação sobre eles.

— Um artista local. Trouton.

— São lindos. Tornam extraordinário um objeto comum — diz ela sonhadoramente, perdida no belo e requintado trabalho artístico dos meus quadros. Seu perfil é delicado: nariz arrebitado, lábios macios e cheios, e nas suas palavras ela expressou exatamente os meus sentimentos. "*Tornam extraordinário um objeto comum.*" É uma observação perspicaz. A Srta. Steele é inteligente.

Balbucio algo em concordância e observo aquele rubor surgir devagar na sua pele, mais uma vez. Quando me sento do lado oposto ao dela, tento controlar meus pensamentos.

Ela pesca uma folha de papel amassada e um gravador digital da bolsa excessivamente grande. Gravador? *Isso não acabou junto com as fitas VHS?* Caramba — ela se atrapalha com os polegares, deixando aquela coisa cair duas vezes na minha mesinha Bauhaus. Fica óbvio que nunca fez isso antes, mas, por alguma razão que não consigo entender, acho engraçado. Normalmente esse tipo de falta de jeito me irrita muito, mas agora escondo meu sorriso sob o dedo indicador e resisto à vontade de eu mesmo ajeitar o gravador para ela.

Enquanto ela fica cada vez mais atrapalhada, ocorre-me que eu poderia aperfeiçoar sua coordenação motora com a ajuda de um chicote. Usado com eficiência, um chicote pode deixar até a mais nervosa das mulheres de joelhos. Esse pensamento me faz mudar de posição na cadeira, um tanto desconfortável. Ela olha para cima e morde o lábio inferior. *Porra!* Como eu não notei essa boca antes?

— Desculpe, não estou acostumada com isso.

Posso perceber — meu pensamento é irônico —, *mas no momento não dou a mínima, porque não consigo parar de olhar para a sua boca.*

— Não tenha pressa, Srta. Steele.

Preciso de um momento para controlar minha mente. *Grey... pare com isso.*

— O senhor se incomoda se eu gravar a entrevista? — pergunta ela, o rosto demonstrando franqueza e expectativa.

Tenho vontade de rir. *Ah, pelo amor de Deus.*

— Depois de todo esse esforço para configurar o gravador, é agora que me pergunta?

Ela pisca várias vezes, os olhos bem abertos e desnorteados por um instante, e sinto uma atípica pontada de culpa. *Deixe de ser babaca, Grey.*

— Não, não me importo — murmuro, tentando me livrar desse olhar.

— Kate, quer dizer, a Srta. Kavanagh... explicou-lhe para o que era a entrevista?

— Sim. Para sair na edição de formatura do jornal da faculdade, já que eu vou entregar os diplomas na cerimônia de graduação deste ano.

Por que eu fui concordar com *isso*, não sei. Sam, o RP, me disse que era uma honra, e que o Departamento de Ciências Ambientais de Vancouver precisava da publicidade a fim de atrair uma verba extra para igualar a doação que eu fiz para eles.

A Srta. Steele pisca seus grandes olhos azuis, como se minhas palavras fossem uma surpresa, e — merda — parece desaprovar o que eu disse! Será que ela não fez nenhuma pesquisa antes da entrevista? Ela deveria saber disso. Esse pensamento esfria o meu sangue. É... desagradável; não é o que eu espero dela nem de nenhuma outra pessoa a quem eu ceda meu tempo.

— Ótimo. Tenho algumas perguntas, Sr. Grey.

Ela prende uma mecha de cabelo atrás da orelha, distraindo-me do meu aborrecimento.

— Achei que poderia ter — murmuro secamente.

Vamos fazê-la se contorcer. Como se adivinhasse, ela se contorce, depois se recompõe, sentando-se ereta e ajeitando os ombros estreitos. Inclinando-se para a frente, ela pressiona o botão de "gravar" e franze o cenho quando olha para suas anotações amarrotadas.

— O senhor é muito jovem para ter construído um império deste porte. A que deve seu sucesso?

Ah, meu Deus! Será que ela não consegue fazer melhor do que isso? Que pergunta mais enfadonha, porra. Nem um pingo de originalidade. É decepcionante. Dou minha resposta habitual, de que tenho excelentes pessoas nos Estados Unidos trabalhando para mim. Pessoas em quem confio, presumindo que confio em alguém, e pago bem — blá-blá-blá... Mas, Srta. Steele, a verdade é que eu sou um puta de um gênio no que faço. Para mim, é tão fácil como roubar doce de criança. Comprar empresas mal administradas e com problemas e consertá-las ou, se estiverem realmente quebradas, separar seus ativos e vendê-los pela melhor oferta. É simplesmente uma questão de saber a diferença entre as duas coisas, e, invariavelmente, a questão se resume às pessoas que estão no comando dessas empresas. Para se ter sucesso nos negócios, você precisa de profissionais eficientes, e eu sei julgar bem as pessoas, melhor do que a maioria.

— Quem sabe o senhor simplesmente tenha sorte — diz ela calmamente.

Sorte? Um arrepio de aborrecimento me percorre. *Sorte?* Não tem porra nenhuma de sorte envolvida aqui, Srta. Steele. Ela parece despretensiosa e tranquila, mas essa pergunta! Ninguém nunca me perguntou se eu tive *sorte*. Trata-se de um trabalho árduo, trazer pessoas para trabalharem comigo, mantê-las em rédea curta, fazer um segundo julgamento sobre elas se for preciso; e, se não forem capazes de realizar suas tarefas, livrar-me delas de maneira implacável. *É isso o que eu faço, e faço bem. Não tem nada a ver com sorte. Ah, que se foda.* Exibindo erudição, menciono as palavras do meu empresário americano preferido.

— O senhor fala como um maníaco por controle — diz ela, totalmente séria.

Como é que é?

Talvez esses olhos sem malícia possam *mesmo* ver dentro de mim. Controle é meu sobrenome.

Olho para ela com frieza.

— Ah, eu controlo tudo, Srta. Steele. — *E gostaria de controlá-la agora.*

Os olhos dela se arregalam. Aquele lindo rubor toma seu rosto de novo, e ela morde o lábio mais uma vez. Continuo falando desconexamente, tentando me distrair da visão da sua boca.

— Além do mais, é possível conquistar um imenso poder quando nos convencemos, em nossos devaneios mais secretos, que nascemos para controlar.

— Acha que possui um imenso poder? — pergunta ela, com uma voz suave e calma, mas arqueia sua delicada sobrancelha, revelando censura nos olhos. Meu aborrecimento cresce. Ela está tentando me irritar? São suas perguntas, sua atitude ou o fato de eu achá-la atraente que estão me deixando irritado?

— Emprego mais de quarenta mil pessoas, Srta. Steele. Isso me dá certo senso de responsabilidade; ou poder, se quiser chamar assim. Se eu resolvesse não me interessar mais por telecomunicações e vendesse minha empresa, em um mês, mais ou menos, vinte mil pessoas teriam dificuldade para pagar suas hipotecas.

Sua boca se abre com a minha resposta. Assim está melhor. *Engula essa, Srta. Steele.* Sinto meu equilíbrio voltando.

— O senhor não tem um conselho ao qual precise responder?

— A empresa é minha. Não tenho que responder a ninguém — respondo rispidamente.

Ela deveria saber disso. Levanto uma sobrancelha, implicitamente questionando suas capacidades.

— E tem algum interesse fora o trabalho? — continua ela, de forma apressada, julgando minha reação corretamente. Ela sabe que eu estou com raiva, e, por alguma razão inexplicável, isso me satisfaz enormemente.

— Tenho interesses variados, Srta. Steele. Muito variados.

Sorrio. Imagens dela em diversas posições no quarto de jogos cruzam minha mente: algemada, com as pernas abertas na cama de dossel, esticada sobre o banco de açoitamento. *Puta que pariu! De onde está vindo isso?* E veja — lá está o rubor novamente. É como um mecanismo de defesa. *Acalme-se, Grey.*

— Mas se trabalha tanto, o que faz para relaxar?

— Relaxar?

Sorrio. Ouvir isso da sua boca inteligente parece estranho. Além do mais, quando é que eu tenho tempo para relaxar? Ela não faz ideia do número de empresas sob o meu controle? Mas ela me encara com aqueles olhos ingênuos e, para minha surpresa, me pego considerando sua pergunta. O que eu *faço* para relaxar? Velejo, voo, trepo... testo o limite de garotinhas como ela e as faço se ajoelharem... Pensar nisso me faz mudar de posição na cadeira, mas respondo a pergunta gentilmente, omitindo meus dois hobbies preferidos.

— O senhor investe no setor manufatureiro. Por quê, especificamente?

Sua pergunta me traz rudemente de volta ao presente.

— Gosto de construir coisas. Gosto de saber como funcionam: o que faz com que funcionem, como construí-las e desconstruí-las. E tenho adoração por navios. O que mais posso dizer?

Eles distribuem comida pelo planeta — levam bens dos que têm para os que não têm, e então retornam. Como não gostar?

— Parece que é o seu coração falando e não a lógica e os fatos.

Coração? Eu? Não. Meu coração foi maltratado ao máximo há muito tempo, tendo ficado irreconhecível.

— É possível. Embora muitas pessoas digam que eu não tenho coração.

— Por que diriam isso?

— Porque me conhecem bem.

Dou um sorriso oblíquo. Na verdade, ninguém me conhece tão bem, exceto Elena. O que será que ela diria da pequena Srta. Steele aqui? Essa garota é um poço de contradições: tímida, inquieta, obviamente inteligente e provocante de doer. *Sim, tudo bem, eu admito. Ela é realmente atraente.*

Ela faz a próxima pergunta mecanicamente:

— Seus amigos diriam que é fácil conhecê-lo?

— Sou uma pessoa muito fechada, Srta. Steele. Esforço-me muito para proteger minha privacidade. Não dou muitas entrevistas... — Fazendo o que faço, levando a vida que escolhi, preciso de privacidade.

— Por que aceitou dar esta?

— Porque sou benemérito da universidade e, em termos práticos, não consegui me livrar da Srta. Kavanagh. Ela não parou de importunar meu pessoal de relações públicas, e eu admiro esse tipo de tenacidade. — *Mas estou feliz por você ter vindo, e não ela.*

— O senhor também investe em tecnologias agrícolas. Por que se interessa por essa área?

— Não podemos comer dinheiro, Srta. Steele, e há muita gente neste planeta que não tem o que comer. — Eu a encaro com uma expressão indecifrável.

— Essa justificativa soa muito filantrópica. É algo que o torna passional? Alimentar os pobres do mundo?

Ela me fita com uma expressão inquisitiva, como se eu fosse um tipo de enigma que precisasse decifrar, mas não quero que esses grandes olhos azuis vejam minha alma sinistra. Não é uma área aberta a discussão. Jamais.

— É um negócio inteligente.

Dou de ombros, fingindo enfado, e imagino como deve ser foder sua boca inteligente para me distrair de todos os pensamentos sobre fome. Sim, essa boca precisa de treino. *Este* sim é um pensamento atraente, e me permito imaginá-la de joelhos na minha frente.

— O senhor tem uma filosofia? Caso tenha, qual é? — pergunta ela, mais uma vez mecanicamente.

— Não tenho uma filosofia propriamente dita. Talvez alguns princípios orientadores. Como diz Carnegie: "*O homem que adquire a habilidade de tomar posse completa da própria mente, pode tomar posse de qualquer coisa a que tenha direito.*" Sou muito singular, ambicioso. Gosto de controlar, a mim e a quem me cerca.

— Então gosta de possuir coisas? — Seus olhos se abrem mais.

Sim. Você, por exemplo.

— Quero merecer possuí-las, mas sim, em resumo, eu gosto.

— O senhor parece ser um consumidor voraz.

Sua voz transborda desaprovação, irritando-me novamente. Ela fala como uma garota rica que sempre teve o que quis, porém, olhando mais atentamente para suas roupas — Walmart, ou talvez Old Navy —, sei que não é.

Eu realmente poderia cuidar de você.

Merda, de onde veio isso? Mas, pensando bem, estou mesmo precisando de uma nova submissa. Já faz... o quê?... dois meses desde Susannah? E aqui estou eu, salivando por essa garota de cabelo castanho. Tento um sorriso e concordo com ela. Não há nada de errado com o consumo — afinal, é ele que conduz o que sobrou da economia americana.

— O senhor foi adotado. Até que ponto acha que isso moldou sua maneira de ser?

O que isso tem a ver com o preço do petróleo, cacete? Faço cara de desgosto. Que pergunta ridícula. Se eu tivesse ficado com a prostituta drogada, provavelmente estaria morto. Dou uma resposta vaga, tentando não alterar o tom da minha voz, mas ela insiste, perguntando quantos anos eu tinha quando fui adotado. *Cale a boca dessa garota, Grey!*

— Isso é assunto de domínio público, Srta. Steele. — Minha voz é glacial. Ela deveria saber isso. Agora parece arrependida. Ótimo.

— O senhor teve que sacrificar a vida familiar por causa do trabalho.

— Isso não é uma pergunta — retruco rispidamente.

Ela enrubesce de novo e morde aquele maldito lábio. Mas tem a delicadeza de se desculpar.

— O senhor teve que sacrificar a família por causa do trabalho?

Que me importa a porra de uma família?

— Eu tenho uma família. Tenho um irmão, uma irmã e pais amorosos. Não tenho interesse em expandir minha família além desse ponto.

— O senhor é gay, Sr. Grey?

Que merda é essa?! Não *acredito* que ela tenha dito isso em voz alta! A pergunta que minha própria família não ousa, para meu divertimento. *Como ela ousa!* Tenho que lutar contra a vontade de arrastá-la para fora da cadeira, colocá-la de costas sobre os meus joelhos e arrancar seu couro, e então trepar com ela em cima da minha mesa, com as suas mãos amarradas com força às costas. Isso responderia à pergunta. Como pode esta mulher ser tão frustrante? Respiro fundo para me acalmar. Para meu deleite vingativo, ela parece bastante constrangida com a própria pergunta.

— Não, Anastasia, não sou. — Arqueio as sobrancelhas, mas mantenho a expressão impassível. Anastasia. É um bonito nome. Gosto da maneira como a minha língua se dobra para pronunciá-lo.

— Peço desculpas. Está... hum... escrito aqui. — Nervosa, ela coloca o cabelo atrás da orelha.

Ela não conhece as próprias perguntas? Talvez não tenham sido escritas por ela. Eu lhe questiono isso, e ela fica branca. Puta merda, é uma menina realmente muito atraente, só um pouco apagada. Eu iria mais longe, até: diria que ela é linda.

— Hmm... não. Kate... A Srta. Kavanagh. Ela compilou as perguntas.

— Vocês são colegas no jornal dos alunos?

— Não. Eu divido o apartamento com ela.

Não é de se admirar que esteja tão atrapalhada. Coço o queixo, pensando se devo ou não deixar as coisas bem piores para ela.

— Você se ofereceu para fazer esta entrevista? — indago, e sou recompensado com um olhar submisso: olhos bem abertos, temendo a minha reação. Gosto do efeito que provoco nela.

— Fui convocada. Ela está passando mal — diz, suavemente.

— Isso explica muita coisa.

Alguém bate à porta e Andrea aparece.

— Sr. Grey, desculpe interromper, mas a próxima reunião é em dois minutos.

— Ainda não terminamos aqui, Andrea. Por favor, cancele a próxima reunião.

Andrea olha pasma para mim. Eu a encaro. *Fora! Agora! Estou ocupado com a pequena Srta. Steele aqui.* Andrea fica rubra, mas se recompõe rapidamente.

— Está bem, Sr. Grey — diz ela, e, virando-se, sai da sala.

Volto minhas atenções para essa criatura intrigante e frustrante no meu sofá.

— Onde estávamos, Srta. Steele?

— Por favor, não quero incomodá-lo.

Ah, não, baby. É a minha vez agora. Quero saber se existem segredos escondidos atrás desses lindos olhos.

— Quero saber sobre você. Acho que é muito justo.

Quando me inclino para trás e pressiono os lábios com os dedos, seus olhos se voltam para minha boca e ela engole em seco. *Ah, sim — o efeito usual.* E é gratificante saber que ela não está completamente alheia aos meus encantos.

— Não há muito que saber — diz ela, o rubor voltando. Eu a estou intimidando. *Ótimo.*

— Quais são seus planos para depois que se formar?

Ela dá de ombros.

— Não fiz planos, Sr. Grey. Só preciso passar nas provas finais.

— Temos um excelente programa de estágios aqui.

Cacete. O que deu em mim para falar isso? Estou quebrando uma regra de ouro — nunca, nunca transar com alguém do trabalho. *Mas, Grey, você não está transando com essa garota.* Ela parece surpresa, e seus dentes se enterram no lábio inferior novamente. *Por que isso é tão excitante?*

— Ah. Vou me lembrar disso — balbucia ela. Então, pensando melhor, acrescenta: — Apesar de não ter certeza se me encaixaria aqui.

Ora essa, e por que não? O que tem de errado com a minha empresa?

— Por que diz isso? — pergunto.

— É óbvio, não é?

— Não para mim. — Fico confuso com a sua resposta.

Ela se afoba de novo ao pegar o gravador. *Merda, ela está indo embora.* Mentalmente, repasso minha agenda para esta tarde — nada que não possa esperar.

— Gostaria que eu a levasse para conhecer a empresa?

— Tenho certeza de que o senhor é ocupado demais, Sr. Grey, e tenho uma longa viagem pela frente.

— Vai voltar dirigindo para Vancouver? — Olho para fora da janela. É longe à beça, e está chovendo. Merda. Ela não deveria dirigir com esse tempo, mas não posso proibi-la. Pensar nisso me irrita. — Bem, seria melhor dirigir com cuidado. — Minha voz é mais severa do que eu pretendia.

Ela quer ir embora, e, por alguma razão que não sei explicar, não quero que ela se vá.

— Conseguiu tudo de que precisava? — acrescento, em um nítido esforço para fazê-la ficar mais.

— Sim, senhor — responde ela calmamente.

Sua resposta me derruba — a maneira como essas palavras soam, saindo daquela boca inteligente —, e rapidamente imagino aquela boca à minha disposição.

— Obrigada pela entrevista, Sr. Grey.

— O prazer foi meu — respondo.

E é verdade, porque faz muito tempo que não fico fascinado assim por alguém. Esse pensamento me perturba.

Ela se levanta e eu estendo a mão, ansioso para tocá-la.

— Até a próxima, Srta. Steele. — Minha voz é baixa; ela coloca sua pequena mão na minha.

Sim, eu quero chicotear e comer essa garota no quarto de jogos. Tê-la aprisionada e ávida... precisando de mim, confiando em mim. Engulo em seco. *Isso não vai acontecer, Grey.*

— Sr. Grey. — Ela acena com a cabeça e recolhe logo a mão... rápido demais.

Merda, não posso deixar que ela se vá assim. É evidente que está desesperada para sair daqui. Irritação e inspiração me atingem simultaneamente enquanto a vejo sair.

— Só estou garantindo que passe pela porta, Srta. Steele.

Ela fica corada no ato, seu delicioso tom de rosa.

— É muita consideração sua, Sr. Grey — retruca ela.

A Srta. Steele sabe ser poderosa! Dou um sorriso enquanto ela sai, e então a sigo. Tanto Andrea como Olivia me olham em choque. *Sim, sim. Estou apenas levando a garota até a saída.*

— Você veio de casaco? — pergunto.

— De jaqueta.

Faço cara feia para Olivia, que tem um sorriso bobo no rosto, e ela imediatamente se levanta de um salto para apanhar uma jaqueta azul-marinho. Eu a pego das mãos dela e a olho fixamente, impelindo-a a se sentar. Por Deus, Olivia é irritante — cercando-me o tempo todo.

Hmm. A jaqueta *é* do Walmart. A Srta. Anastasia Steele deveria se vestir melhor. Eu seguro a jaqueta para ela e, enquanto a coloco sobre seus ombros estreitos, toco a pele da sua nuca. Ela fica imóvel com o contato, e empalidece. *Sim!* Ela *se sente* afetada por mim. Saber disso me dá uma imensa satisfação. Indo até o elevador, aperto o botão, e ela fica irrequieta ao meu lado.

Ah, eu poderia acabar com essa inquietação, baby.

As portas se abrem e ela escapa para dentro e depois se vira para me encarar.

— Anastasia — murmuro em despedida.

— Christian — sussurra ela.

E as portas do elevador se fecham, deixando meu nome suspenso no ar, soando estranho e não familiar, mas sensual como os diabos.

Mas que merda. O que foi isso?

Preciso saber mais sobre essa garota.

— Andrea — falo rispidamente ao me dirigir de volta à minha sala —, coloque o Welch na linha comigo, agora.

Sentado à mesa esperando pela ligação, observo as pinturas na parede, e as palavras da Srta. Steele me vêm à mente: *"Tornam extraordinário um objeto comum."* Ela poderia facilmente estar descrevendo a si mesma.

Meu telefone toca.

— Estou com o Sr. Welch na linha para o senhor.

— Pode passar.

— Sim, senhor.

— Welch, preciso checar uns antecedentes.

* * *

Sábado, 14 de maio de 2011

Anastasia Rose Steele

Data de nascimento:	10 de setembro de 1989, Montesano, WA
Endereço:	Rua Green, 1114 SW, apartamento 7, Haven Heights, Vancouver, WA, 98888
Nº celular:	360 959 4352
Nº identidade:	987-65-4320
Dados bancários:	Banco Wells Fargo, Vancouver, WA 98888 Cc: 309361 Saldo: US$ 683,16
Ocupação:	Estudante de graduação WSU — Vancouver Literatura Inglesa — Especialização em Inglês
Avaliação desempenho:	Excelente
Educação anterior:	Colégio Montesano — Ensino médio
Pontos no exame SAT:	2150
Trabalho:	Loja de Material de Construção Clayton's, Estrada Vancouver, Portland, OR (meio período)
Pai:	Franklin A. Lambert Nascimento: 1º de setembro de 1969 falecido em 11 de setembro de 1989
Mãe:	Carla May Wilks Adams Nascimento: 18 de julho de 1970 casou-se com Frank Lambert — 1º de março de 1989, enviuvou em 11 de setembro de 1989 casou-se com Raymond Steele — 6 de junho de 1990, divorciou-se em 12 de julho de 2006 casou-se com Stephen M. Morton — 16 de agosto de 2006, divorciou-se em 31 de janeiro de 2007 casou-se com Robbin (Bob) Adams — 6 de abril de 2009
Filiações políticas:	Não encontradas
Filiações religiosas:	Não encontradas
Orientação sexual:	Desconhecida
Relacionamentos:	Nenhuma indicação no presente

Olho para o resumo pela centésima vez desde que o recebi, dois dias atrás, procurando compreender a enigmática Srta. Anastasia Rose Steele. Não consigo tirar essa maldita mulher da cabeça, e isso está começando a me irritar. Durante a última semana, inclusive no meio de reuniões maçantes, me peguei pensando na entrevista. Seus dedos atrapalhados no gravador, a maneira como ela colocava o cabelo atrás da orelha, a mania de morder o lábio. *Ah, sim.* Aquela porra daquele lábio sendo mordido me persegue o tempo todo.

E agora aqui estou eu, estacionado em frente à Clayton's, a modesta loja de material de construção no subúrbio de Portland onde ela trabalha.

Você é um idiota, Grey. Por que está aqui?

Eu sabia que ia dar nisso. A semana inteira... Sabia que precisava vê-la de novo. Soube desde que ela disse meu nome no elevador e desapareceu. Tentei resistir. Esperei por cinco dias, cinco malditos dias, para ver se conseguia esquecer. *E eu não costumo esperar. Odeio esperar...* Nunca efetivamente corri atrás de uma mulher. As mulheres que tive entendiam exatamente o que eu queria delas. Meu medo é que a Srta. Steele seja muito jovem e não esteja interessada no que eu tenho a oferecer... Será? Será que ela daria uma boa submissa? Balanço a cabeça. Só existe uma maneira de descobrir... então aqui estou eu, um idiota, sentado em um estacionamento suburbano numa região sombria de Portland.

Seus antecedentes não tinham nada de notável — exceto pelo último fato, que tem estado em primeiro plano na minha mente. Essa é a razão pela qual estou aqui. *Por que não tem namorado, Srta. Steele?* Orientação sexual desconhecida — talvez ela seja homossexual. Bufo, achando improvável. Eu me recordo da pergunta que ela fez durante a entrevista, seu grande constrangimento, a maneira como sua pele ficou rosada de rubor... *Merda.* Estou sofrendo com esses pensamentos ridículos desde que a conheci.

É por isso que você está aqui.

Estou me coçando para vê-la de novo — aqueles olhos azuis vêm me assombrando, mesmo nos meus sonhos. Não a mencionei ao Flynn, e fico feliz por isso, porque estou me comportando como um caçador à espreita. *Talvez eu devesse contar a ele.* Reviro os olhos — não quero que ele fique me perturbando com aquela baboseira de seguir uma resolução. Preciso apenas de uma distração... e agora a única distração que eu quero trabalha como balconista de uma loja de material de construção.

Você veio até aqui. Vamos ver se a pequena Srta. Steele é tão atraente como você se lembra. Hora do espetáculo, Grey. Salto do carro e me encaminho para a entrada da loja. Um sino produz um som eletrônico monótono quando entro.

A loja é bem maior do que parece por fora, e, embora seja quase hora do almoço, o lugar está vazio para um sábado. Há corredores e mais corredores das bugigangas que se espera de um lugar assim. Eu tinha esquecido as possibilidades que uma loja de material de construção pode apresentar para alguém como eu. Praticamente só compro on-line as coisas de que preciso, mas, enquanto estou aqui, talvez adquira alguns itens... Velcro, argola de chaveiro — *Sim*. Vou encontrar a deliciosa Srta. Steele e me divertir.

Demoro três segundos para avistá-la. Ela está debruçada sobre o balcão, olhando atentamente para a tela de um computador e comendo seu almoço — um sanduíche. Sem pensar, ela limpa uma migalha de pão no canto dos lábios e a enfia na boca, sugando os dedos. Meu pênis se contorce. *Porra! Quantos anos eu tenho, quatorze?* Minha reação é irritante pra cacete. Talvez essa resposta adolescente pare se eu a acorrentar, se eu comer e açoitar essa garota... e não necessariamente nessa ordem. É. É disso que eu preciso.

Ela está completamente absorvida na sua tarefa, o que me dá a oportunidade de observá-la. Pensamentos obscenos à parte, ela é atraente, muito atraente. Eu me lembrava bem.

Ela ergue o olhar e congela, fixando em mim seus olhos inteligentes e sagazes — os mais azuis dos azuis, e que parecem ver dentro de mim. É tão desconcertante quanto da primeira vez que a vi. Ela apenas olha, chocada, eu acho, e não sei se essa é uma reação boa ou ruim.

— Srta. Steele. Que surpresa agradável.

— Sr. Grey — sussurra ela, ofegante e nervosa.

Ah... é uma reação boa.

— Eu estava pela área. Preciso me abastecer de algumas coisas. É um prazer tornar a vê-la, Srta. Steele.

Um prazer mesmo. Ela está com uma camiseta justa e calça jeans, e não com aquela merda disforme que vestia no início da semana. O que vejo agora são pernas compridas, cintura fina e seios perfeitos. Ela continua boquiaberta, e tenho que reprimir minha vontade de me aproximar dela e agarrar seu queixo para fechar sua boca. *Vim de Seattle só para vê-la, e, pela maneira como você está agora, valeu a pena.*

— Ana, meu nome é Ana. Em que posso servi-lo, Sr. Grey?

Ela respira profundamente, ajeita os ombros da maneira como fez durante a entrevista e me dá um sorriso falso que com certeza é reservado aos clientes.

E começa o jogo, Srta. Steele.

— Estou precisando de alguns artigos. Para começar gostaria de umas braçadeiras de plástico.

Seus lábios se entreabrem quando ela inspira com força.

Você ficaria impressionada com o que eu posso fazer com apenas umas braçadeiras, Srta. Steele.

— Temos de vários tamanhos. Posso lhe mostrar?

— Por favor. Vá na frente, Srta. Steele.

Ela sai de trás do balcão e gesticula em direção a um dos corredores. Está de tênis. Distraidamente, imagino como ela ficaria de saltos altíssimos. Louboutins... teria que ser Louboutins.

— Estão na seção de artigos de eletricidade, corredor oito. — Sua voz vacila e ela fica vermelha... de novo.

Ela se sente afetada por mim. A esperança cresce no meu peito. *Cadê o gay agora?* Dou um sorriso malicioso.

— Vá na frente — murmuro, estendendo a mão para deixá-la guiar o caminho.

Com ela à frente, tenho espaço e tempo para admirar sua bunda fantástica. Ela realmente é um pacote completo: doce, educada e linda, com todos os atributos físicos que eu valorizo em uma submissa. Mas a pergunta que não quer calar é: Será que ela poderia ser uma submissa? Não deve saber nada sobre meu estilo de vida, mas quero muito apresentá-lo a ela. *Você está se precipitando, Grey.*

— Está em Portland a trabalho? — pergunta ela, interrompendo meus pensamentos. Sua voz é alta, tentando fingir desinteresse. Tenho vontade de rir, o que é animador. As mulheres raramente me fazem rir.

— Eu estava visitando a divisão agrícola da WSU. Fica em Vancouver — minto. *Na verdade, estou aqui para ver você, Srta. Steele.*

Ela fica vermelha, e eu me sinto um merda.

— No momento, estou financiando umas pesquisas em rotação de culturas e ciência do solo. — Isso, pelo menos, é verdade.

— Tudo parte do seu plano de alimentar o mundo? — Seus lábios se transformam em um meio sorriso.

— Mais ou menos — murmuro.

Ela está rindo de mim? Ah, eu adoraria colocar um fim nisso, se for verdade. Mas como começar? Talvez com um jantar, em vez da entrevista costumeira... Isso sim seria uma novidade: levar uma pretendente para jantar.

Chegamos às braçadeiras, que estão organizadas de acordo com tamanhos e cores. Distraidamente, meus dedos percorrem os pacotes. *Eu poderia apenas convidá-la para jantar.* Como em um encontro? Será que ela iria? Quando a olho, ela está examinando os próprios dedos. Não consegue olhar para mim... *isso é promissor.* Escolho as braçadeiras maiores. Afinal, são mais flexíveis — podem acomodar tornozelos e pulsos de uma vez só.

— Estas vão servir — murmuro, e ela ruboriza novamente.

— Mais alguma coisa? — pergunta rapidamente. Ou está sendo superatenciosa ou quer que eu vá logo embora, não sei dizer.

— Eu gostaria de fita adesiva.

— Está fazendo uma reforma?

Reprimo um som de desdém.

— Não, não estou reformando.

Não seguro um pincel há muito tempo. Pensar nisso me faz sorrir; tenho gente para fazer essa porcaria toda.

— Por aqui — murmura ela, parecendo desapontada. — As fitas adesivas ficam no corredor de decoração.

Vamos, Grey. Você não tem muito tempo. Engate uma conversa.

— Trabalha aqui há muito tempo?

É claro que já sei a resposta. Ao contrário de outras pessoas, eu pesquiso. Ela cora mais uma vez — caramba, como é tímida. *Não tenho a menor chance.* Ela se vira rapidamente e segue pelo corredor em direção à seção com uma placa que diz DECORAÇÃO. Eu a sigo, ansioso. *Virei o quê, um maldito cachorrinho?*

— Quatro anos — balbucia ela quando alcançamos a fita adesiva. Ela se abaixa e pega dois rolos, cada um de uma espessura diferente.

— Vou levar essa — digo.

A mais larga é muito mais eficaz como mordaça. Ao me entregar a fita, as pontas dos nossos dedos se tocam rapidamente, reverberando na minha virilha. *Porra!*

Ela empalidece.

— Mais alguma coisa? — Sua voz é suave e rouca.

Estou produzindo o mesmo efeito nela que ela produz em mim. *Talvez...*

— Um pedaço de corda, eu acho.

— Por aqui.

Ela anda pelo corredor, dando-me outra oportunidade de apreciar sua bela bunda.

— De que tipo procura? Temos cordas de fios naturais e sintéticos... barbantes... cabos...

Merda — pare. Dou um gemido por dentro, tentando afastar a imagem dela suspensa no teto do quarto de jogos.

— Vou levar quatro metros e meio de corda de fios naturais, por favor.

É mais áspera e arranha mais se você tenta se soltar... sempre uso essa.

Um tremor percorre seus dedos, mas ela mede eficientemente os quatro metros e meio. Puxando uma faca do bolso direito, corta a corda em um único gesto rápido, depois a enrola com cuidado e a prende com um nó. *Impressionante.*

— Você foi escoteira?

— Atividades organizadas em grupo não são minha praia, Sr. Grey.

— Qual é a sua praia, Anastasia? — Capturo seu olhar, e suas íris se dilatam quando eu a encaro. *Sim!*

— Livros — sussurra ela.

— Que tipo de livros?

— Ah, você sabe. O normal. Os clássicos. Literatura inglesa, principalmente.

Literatura inglesa? Brontë e Austen, aposto. Todo aquele romantismo. Merda. Isso não é bom.

— Precisa de mais alguma coisa?

— Não sei. O que mais você recomendaria? — Quero ver a reação dela.

— Para um praticante de bricolagem? — pergunta ela, surpresa.

Quero me acabar de rir. *Ah, querida, bricolagem não é o que eu curto.* Aquiesço, abafando minha vontade de gargalhar. Seus olhos se direcionam para o meu corpo e eu fico tenso. Ela está me examinando! *Cacete.*

— Macacões — ela deixa escapar.

É a coisa mais inesperada que eu já ouvi da sua boca inteligente e doce desde a pergunta “O senhor é gay?”.

— Você não ia querer estragar sua roupa. — Ela aponta para a minha calça jeans, constrangida mais uma vez.

Não resisto:

— Eu sempre poderia tirá-las.

— Hum. — Ela fica vermelha como um pimentão e olha para o chão.

— Vou levar uns macacões. Deus me livre de estragar qualquer roupa — murmuro, tentando livrá-la do seu constrangimento. Sem uma palavra, ela se vira e segue pelo corredor; mais uma vez, eu a sigo.

— Precisa de mais alguma coisa? — pergunta, sem fôlego, entregando-me um macacão azul. Ela está mortificada, os olhos baixos, o rosto corado. Minha nossa, ela me provoca certas coisas...

— Como está o artigo? — pergunto, na esperança de vê-la relaxar um pouco.

Ela ergue o olhar e abre um breve sorriso aliviado. *Finalmente.*

— Não o estou redigindo, Katherine é que está. A Srta. Kavanagh. A moça com quem divido a casa, ela é a redatora. Está muito feliz com ele. É a editora do jornal, e ficou arrasada por não ter podido fazer a entrevista pessoalmente.

Essa foi a maior frase dirigida a mim desde que nos conhecemos, e ela está falando sobre outra pessoa, não ela mesma. *Interessante.*

Antes que eu fazer um comentário, ela acrescenta:

— A única preocupação dela é que não tem nenhuma fotografia sua.

A obstinada Srta. Kavanagh quer uma foto. Um retrato para publicidade? Posso fazer isso. Vai me possibilitar passar mais tempo com a agradável Srta. Steele.

— Que tipo de fotografia ela quer?

Ela me olha por um momento, depois balança a cabeça.

— Bem, estou por aí. Amanhã, talvez...

Posso ficar em Portland. Trabalhar do hotel. Heathman, talvez. Vou precisar que o Taylor traga meu laptop e algumas roupas. Ou Elliot — a não ser que ele esteja galinhando por aí, que é o que ele costuma fazer no fim de semana.

— Estaria disposto a fazer uma sessão de fotos? — Ela não consegue esconder a surpresa.

Faço um ligeiro sinal positivo com a cabeça. *Você nem imagina o que eu faria para passar mais tempo com você, Srta. Steele... na verdade, nem eu imagino.*

— Kate vai ficar encantada, se a gente conseguir encontrar um fotógrafo. — Ela sorri e seu rosto se ilumina. Nossa, ela é de tirar o fôlego.

— Fale comigo amanhã. — Pego minha carteira. — Meu cartão. O número do meu celular está aí. Você vai precisar ligar antes das dez da manhã.

E, se ela não ligar, vou voltar para Seattle e esquecer essa aventura estúpida. Este pensamento me deprime.

— Tudo bem. — Ela continua sorrindo.

— *Ana*!

Nós dois nos viramos quando um jovem com roupas caras aparece. Ele é todo sorrisos para Anastasia Steele. *Quem é esse panaca?*

— Hum... com licença um instante, Sr. Grey.

Ela vai até ele e o filho da puta a engole em um abraço de gorila. Meu sangue congela. É uma resposta selvagem. *Tire suas malditas patas dela.* Fecho as mãos e só fico um pouco mais calmo ao ver que ela não faz nenhum movimento para retribuir o abraço.

Eles conversam em cochichos. *Merda, talvez a pesquisa do Welch estivesse errada.* Talvez esse cara seja seu namorado. Ele tem a idade certa e não consegue tirar os olhos dela. Ele a segura por um momento a certa distância, examinando--a, e depois fica parado, com o braço descansando no ombro dela. O gesto parece casual, mas sei que ele está querendo fazer valer seus direitos e me dizendo para me afastar. Ela parece constrangida, mudando de um pé para o outro.

Merda. É melhor eu ir embora. Então ela diz alguma coisa e faz um gesto para alcançá-lo, tocando seu braço e não sua mão. Está claro que eles não são próximos. *Ótimo.*

— Ah, Paul, este é Christian Grey. Sr. Grey, este é Paul Clayton. O irmão dele é o proprietário da loja. — Ela me olha de uma maneira estranha que não entendo, e continua: — Conheço Paul desde que comecei a trabalhar aqui, embora a gente não se veja muito. Ele voltou de Princeton, onde estuda administração de empresas.

O irmão do chefe, não um namorado. A extensão do alívio que sinto é inesperada e me faz franzir o cenho. *Esta mulher realmente mexeu comigo.*

— Sr. Clayton. — Meu tom é deliberadamente ríspido.

— Sr. Grey. — Ele aperta minha mão sem firmeza. *Filho da puta molenga.* — Espera aí, não é *o* Christian Grey? Da Grey Enterprises Holdings? — Em um instante, observo-o se metamorfosear de dono do pedaço para obsequioso.

Sim, sou eu, seu babaca.

— Nossa! Há alguma coisa que eu possa lhe trazer?

— Anastasia já me atendeu, Sr. Clayton. Foi muito atenciosa. — *Dê o fora.*

— Legal — diz ele efusivamente, respeitoso e com os olhos bem abertos. — Depois a gente se fala, Ana.

— Claro, Paul — diz ela, e o sujeito vai embora, graças a Deus. Eu o observo desaparecer em direção aos fundos da loja. — Mais alguma coisa, Sr. Grey?

— Só isso — murmuro.

Merda, meu tempo está acabando e ainda não sei se vou vê-la de novo. Quero saber se existe alguma chance de ela considerar o que eu tenho em mente. Como posso perguntar? Estou pronto para a nova submissa que não conhece nada do assunto? Ela vai precisar de um treinamento substancial. Solto um gemido por dentro para todas as possibilidades interessantes que isso oferece… Chegar lá vai ser metade da diversão. Ela vai se interessar? Ou estou julgando-a errado?

Ela vai para detrás do balcão do caixa e registra minhas compras, sempre olhando para baixo. *Olhe para mim, droga!* Quero ver seus lindos olhos azuis de novo e tentar descobrir o que está pensando.

Finalmente, ela levanta a cabeça.

— São quarenta e três dólares, por favor.

Só isso?

— Quer uma sacola? — pergunta ela, enquanto eu entrego meu cartão de crédito.

— Por favor, Anastasia.

Seu nome — um nome lindo para uma garota linda — dança em minha língua.

Ela empacota as compras rápida e eficientemente. É isso. Eu tenho que ir.

— Você me telefona se quiser que eu pose para as fotos?

Ela confirma com a cabeça e me devolve meu cartão de crédito.

— Ótimo. Até amanhã, talvez. — *Não posso apenas ir embora. Tenho que mostrar que estou interessado.* — Ah… e Anastasia, ainda bem que a Srta. Kavanagh não pôde fazer a entrevista.

Adorando sua expressão atordoada, coloco a sacola no ombro e saio da loja.

Sim, apesar do que diz meu lado racional, eu a quero. Agora tenho que esperar… esperar, porra… de novo.

Isso é tudo… por ora.
Obrigada, obrigada, obrigada por terem lido.
E L James

1ª edição	NOVEMBRO DE 2012
reimpressão	JANEIRO DE 2015
impressão	LIS GRÁFICA
papel de miolo	PÓLEN SOFT 70G/M²
papel de capa	PAPELCARTÃO SUPREMO ALTA ALVURA® 250G/M²
tipografias	ELECTRA LT STD